KB213558

클리어 리더십
Clear Leadership

진정한 협력과 파트너십을 만들어주는
리더십의 새로운 패러다임

클리어 리더십

발행일	2024년 1월 1일 초판 1쇄 발행
지은이	저비스 부시
옮긴이	이영숙, 김선영
펴낸이	문형식
발행처	얼라인드 북스
	서울특별시 서초구 신반포로 105 부곡빌딩 5층
	전화. 02-543-4331 팩스. 02-3443-4331
등록번호	제2016-000058호
등록일자	2016년 3월 17일
인 쇄	라인
가 격	20,000원
ISBN	979-11-964019-6-2

CLEAR LEADERSHIP : Sustaining Real Collaboration and Partnership at Work (Revised Edition)
by Gervase R. Bushe
Copyright ⓒ Gervase R. Bushe 2009

클리어 리더십
Clear Leadership

진정한 협력과 파트너십을 만들어주는
리더십의 새로운 패러다임

저비스 부시 지음 | 이영숙·김선영 옮김

"대인관계 혼돈의 소용돌이로부터 조직을 구해줄 구명조끼!"

ALIGNED BOOKS
얼라인드 북스

차례

클리어 리더십 주요 용어

긍정발견 자아 (Appreciative Self) 파트너와 파트너십 관계에서 최상의 것을 발휘하도록 돕는 스킬 모델

인식 자아 (Aware Self) 매순간 자신의 현재 경험을 인식하도록 돕는 스킬 모델

클리어 리더십 (Clear Leadership) 조직 학습을 이끄는데 필요한 스킬 모델로서 대인관계 혼돈을 제거하고 협력을 지속시키는 역량

명료성 문화 (Culture of clarity) 사람들이 학습대화를 하고 대인관계 명료성을 추구하는 것을 정상적인 활동으로 받아들이는 일련의 가정과 기대가 작동하는 사회적 시스템

호기심 자아 (Curious Self) 다른 사람들의 경험을 이해하도록 돕는 스킬 모델

서술 자아 (Descriptive Self) 파트너십을 증진하기 위해 다른 사람들이 나의 경험을 이해하도록 돕는 스킬 모델

단절 (Disconnection) 내가 상대의 경험이 무엇인지 궁금해하지 않고, 자신이 이러한 상태에 있다는 것을 인식하지 못하고 있을 때 발생하는 상호작용의 현상

경험 큐브 (Experience Cube) 경험이 4가지 요소로 구성되어 있으며, 경험을 완전히 인식하는 사람은 자신이 관찰하고, 생각하고, 느끼고, 원하는 것을 매순간 알 수 있다는 것을 제시하는 경험 모델; 그러나, 사람들은 그들 경험의 대부분을 인식하지 못함

융합 (Fusion) 다른 사람의 경험을 바꾸거나, 덧대거나, 혹은 표현하지 못하게 억누르려 함으로써 자신의 불편한 감정을 무의식적으로 통제하고 있는 상호작용의 현상

대인관계 명료성 (Interpersonal clarity) 내가 경험하고 있는 것과 상대방이 경험하고 있는 것이 무엇인지 알고, 그 둘의 차이를 인지하고 있는 상태에서 행하는 상호작용

대인관계 혼돈 (Interpersonal mush) 서로에 대해 만들어진 이야기(그것을 확인하지 않은 채로)에 기반해서 두 사람 이상이 하는 상호작용

학습 대화 (Learning conversation) 대인관계 명료성과 조직 학습을 성공적으로 실행하는 기술

조직 학습 (Organizational learning) 두 사람 이상이 '함께 일하는 방식(조직화 패턴)'에 대해 탐구하여, 그 결과 새로운 지식을 생산하고 고정된 상호교류 패턴에 변화를 가져오는 활동

반응성 (Reactivity) 대개 무의식적인 불안에 의해 작동되며, 한 사람이 다른 사람의 경험에 더 이상 호기심을 가지지 않고, 상대의 경험을 바꾸려 들거나 경청을 회피하는 상태

자아 분화 (Self-differentiation) 타인과 분리되거나 연결되는 상태를 동시에 유지할 수 있는 능력

의미 형성 (Sense making) 다른 사람의 관찰, 생각, 느낌, 욕구에 대해 자신이 알고 있는 것과의 차이를 메꾸기 위한 행위로, 그 사람의 말과 행동에 대한 의미를 만들어냄

옮긴이 서문

저비스 부시 교수는 사회심리학에 대한 전문성을 토대로 조직개발에 대해 연구와 저술활동을 병행하면서 경영대학원에서 학생들을 가르치고 있다. 오랫동안 '진단 기반의 조직개발Diagnostic Organization Development' 활동이 주류를 이루고 있는 상황에서 '대화 기반의 조직개발Dialogic Organization Development'을 소개하면서 조직개발 영역에서 신주류를 이끌고 있는 학자이다. 뿐만 아니라 저비스 부시 교수는 대학에서의 연구 결과물들을 다양한 조직들이 현장에서 적용할 수 있는 모델, 기법, 스킬로 만들어서 오랫동안 다양한 조직들을 대상으로 컨설팅을 제공해오고 있다. 〈클리어 리더십〉은 저비스 교수의 오랜 연구결과물을 정리한 것이다. 이것은 다양한 조직들이 활용할 수 있는 교육 프로그램으로도 만들어져서 미주와 유럽에서 활발하게 사용되고 있고, 최근에는 중국과 싱가포르에도 소개된 바 있다.

이 책은 사회심리학적 개념과 이론을 바탕으로 많은 조직들이 경험하고 있는 조직 내 대인관계 혼돈Interpersonal mush이라는 줄어들지 않고 있는 조직문제를 정면으로 다루고 있다. 저비스 교수는 '경험 큐브Experience Cube'라는 도구를 개발하여 조직 내 혼돈을 줄여서 명료성을 갖춘 조직문화를 구축해나가는 데 필요한 리더십 스킬과 프로세스를 제공하고 있다. 이 책은 조직을 리드하는 리더뿐만 아니라, 리더십과 조직개발을 전문으로 하는 컨설턴트와 조직을 대상으로 서비스를 제공하는 코치들에게도 많은 도움이 될 것이다.

이 책에서 소개하는 개념들의 상당부분은 사회심리학, 대화기반 조직개발, 무형식적 학습, 사회구성주의 등 다양한 이론들에 바탕을 두고 있다. 이 책은 조직 구성원들이 만들어내는 고유의 경험들이 어떻게 조직 내에 혼란을 만들어내는지를 이해할 수 있게 해주고, 그 혼란을 어떻게 명료함으로 전환할 수 있는 지에 대한 해법까지 제시하고 있다. 클리어 리더십 모델은 우리가 집단적인 경험으로부터 학습하는 것을 어렵게 만드는 두 가지 정신적 프로세스에 기반하고 있는데, 경험의 본질과 의미형성이 바로 그 두가지라고 저비스 교수는 말한다. 조직 내에 많은 혼란과 혼돈이 일어나는 근본적인 문제는 같은 상황에서도 그 자리에 참석한 각자가 자신만의 다른 경험을 만들어내는데 있다. 이 책에서는 경험의 구성요소에 대해 우리 내부에서 반응하는 것을 '경험'이라고 부른다. 이 경험에 대해 각자는 자신만의 주관적인 의미형성을 하게 되는데, 그렇게 형성한 의미를 확인도 하지 않고 적용하는 과정에서 혼돈이 발생한다고 한다.

최근의 외부 비즈니스 상황들을 보면 지휘통제형 조직으로는 감당하기 어려운 현실들이 펼쳐지고 있다. 경험해본 적이 없는 일들이 곳곳에서 일어나고 있고, 이런 일들이 불연속적이고 애매모호성을 띠고 급속도로 일어나고 있기 때문에 몇 사람의 탁월성만으로는 해결이 불가능하다. 그래서 많은 전문가들은 위에서 아래로 향하는 지휘통제형 조직으로부터 협력을 기반으로 하는 조직으로 전환할 것을 촉구하고 있다. 각자 협력을 바탕으로 한 파트너십을 통해 다양한 도전요소들을 해결해나가는 지혜가 그 어느 때보다 더 절실히 요구되는 현실에서, 조직 내에서 명료성을 바탕으로 한 파트너십을 구축하게 해주는 '클리어 리더십' 모델은 리더들에게 큰 도움이 될 것이다.

저비스 교수는 이런 상황에서 대인관계의 명료성을 높이고 파트너십을 구축하게 해주는데 필요한 리더십 스킬을 4가지로 제시하고 있다. 첫번째 스킬은 대인관계 상황에서 자신이 무엇을 인식하고 있는지를 4가지의 경험요소를 통해 명확히 할 것을 제안한다. 자신이 경험하고 있는 것, 즉, 자신이 관찰하고, 생각하고, 느끼고, 원하는 것이 무엇인지를 먼저 명료하게 인식하라고 하는데, 그는 이것을 '인식 자아Aware Self'라고 부른다. 두번째 스킬은 자신이 인식한 경험을 있는 그대로 상대에게 설명해주라고 하는데, 이것을 '서술 자아Descriptive Self'라고 한다. 자신의 경험을 상대에게 설명해주면, 상대와의 사이에는 명료성이 생긴다. 그러나 설명해주지 않으면 상대는 내가 어떤 경험을 하는지에 대해 자기 마음대로 이야기를 지어내고 의미를 형성하게 된다. 바로 이 지점에서 대인관계 혼돈이 발생한다. 세번째 스킬은 내 경험을 이야기해주는 데 그치지 않고, 상대는 어떻게 경험하는지 호기심을 가지고 탐색할 것을 주문한다. 이것을 그는 '호기심 자아Curious Self'라고 부른다. 마지막인 네번째 스킬은 '긍정발견 자아'라고 부르는데, 상대와의 대화에서 상대가 가지고 있는 긍정적인 면을 찾아내어 그것을 더 확산시켜주는 스킬을 다루고 있다. 이 네 가지 리더십 스킬을 활용하여 조직 학습대화를 진행하면 상호학습이 일어나게 된다. 이 책의 마지막 장에서는 조직학습 대화에 대해 자세히 다루고 있다.

이 책을 번역하기 위해 역자들은 저비스 교수가 진행하는 클리어 리더십 워크숍에 참석하면서 이 책의 개념들이 스킬 개발 프로그램에서 어떻게 다루어지는지 직접 체험하였다. 국내 기업들이 직면하는 문제 중 큰 부분이 조직 내 대화문제에 있다는(실제 80% 이상의 조직문제가 커뮤니케이션 문제에 기인한다는 조사결과도 있다.)는 것은 이미 알려진 사실이다. 이 책에서 소개하는 4가지 스킬을 사용하여 각자 경험하고 있는 것을 있는 그대로 공유한다면, 이 80%의 문제들은 상당부분 줄어들 것이다. 역자가 조직컨설팅을 하면서 겪은 대다수의 문제도 각자의 주관적 경험이 서로 공유되지 않아서 발생한 문제들이었다. 이 책에서는 대화를 통해 확보하게 되는 상호주관성이 명료성에 기여한다고 본다.

'대화 기반의 조직개발'에 대한 관심을 가지고 2년전 저비스 교수를 찾아가 한국 내 조직이 직면하고 있는 문제점에 대해 논의를 하면서, 그의 관점으로부터 새로운 시도의 필요성을 절실히 느낀 바 있다. 이 책은 리더 개인이 읽어도 물론 좋지만, 조직 내 구성원들과 함께 읽으면서 집단 학습을 하면 조직 내에 명료성 문화를 더 쉽게 만들어갈 수 있다. 여기에 나오는 핵심 용어들이 조직 내에서 공통의 언어로 사용되는 정도가 된다면 학습하는 조직이 되고, 그 결과 높은 성과를 내는 조직이 될 것이다.

이 책의 첫 번역본은 2013년에 장영철, 조영덕, 정병헌, 박준양 4명이 번역하여 국내에 소개되었는데, 저자와의 협의를 거쳐 이번에 재번역하였다. 이 책을 토대로 한 교육 프로그램인 〈클리어 리더십〉은 2024년부터 '얼라인드 앤드 어소시에이츠'에 의해 국내에 소개될 예정임을 밝혀둔다.

이 책에서 소개되는 개념이 쉽지도 않거니와 용어 또한 익숙하지 않은 것들이 많아서 번역이 순탄하지만은 않았다. 용어 문제로 인해 저비스 교수의 의도를 우리 말로 충분히 살리지 못하는 면은 순전히 역자들의 부족함 탓이다. 독자들의 피드백을 통해 이 책의 우리말 표현이 더 잘 다듬어지기를 소망해본다.

점점 더 복잡하고 도전으로 점철된 비즈니스 환경 속에서 조직을 이끌어갈 수 밖에 없는 현장의 리더들에게 이 책이 좋은 길잡이가 되어주기를 기대하며….

2024년 1월
이영숙, 김선영

저자 서문

이번에 새롭게 〈클리어 리더십〉의 한국어 판을 출간하게 되어 참으로 기쁩니다.

〈클리어 리더십〉을 처음 번역했던 장영철 교수와 한국의 피터 드러커 학회의 공동 주관으로 2013년에 제가 한국을 처음 방문했을 때, 많은 비즈니스 리더들을 만났습니다. "그래요, 당신 말은 다 맞습니다. 그런 변화를 만들 필요가 있습니다만, 상황은 녹록하지 않습니다. 은퇴 전까지 남은 시간은 고작 몇 년 밖에 남지 않아서, 제가 그런 변화를 만들지는 못할 것 같습니다." 제가 만난 리더들은 한결같이 이와 비슷한 말을 했습니다.

10년이 지난 지금, 저는 지난 40년간 서구에서 트렌드가 되어온 경영 철학의 변화를 한국이 이제는 수용할 준비가 되었는지 궁금합니다. 이러한 변화는 위계질서가 점차 적어지고, 한 사람의 보스가 항해를 지시하고 통제하는 관리 방식이 빠르게 줄어들고 있는 트렌드를 말합니다. 많은 글로벌 기업들은 의사 결정을 조직 일선에 있는 사람들에게로 넘겨주고 있고, 문제해결과 의사결정을 하는데 있어 리더들은 개인보다는 팀에 더 많이 의존해가고 있습니다. 이러한 변화는 점점 커지는 불확실성, 모호성, 빠르게 변화하는 기술과 우리 모두가 직면하고 있는 환경에 대응한 결과입니다. 많은 학자들과 비즈니스 리더들은 현재 우리를 둘러싼 사업 환경이 보다 유연하고 혁신적인 기업을 요구한다는데 의견을 같이 하고 있습니다. 그런 기업들은 조직 구성원들의 집단지성을 활용하고 그것을 빠르게 확대해가고 있으며, 새로운 상황과 경쟁에 대응하기 위해 끊임없이 조직화를 시도합니다.

물론, 보다 애자일하게 탐구하고 개발하는 것을 지원하기 위해 불가피하게 계층을 덜어내고 권한을 분산시키는 이런 움직임에도 어려움은 많습니다. 서구 사회에 있는 대부분의 기업들을 보면, 아직도 그들이 기대하는 만큼 협력적이고, 애자일하고, 창의적인 수준에 이르지는 못했습니다. 한국의 기업들은 다른 기업들이 시도한 것을 빠르게 도입하여 더 좋게 만드는 능력이 뛰어나다고 알려져 있습니다. 한국의 관리자들이 단지 제품에 관해서만 이렇게 하는 것이 아니라, 기업을 조직하고 관리하는 방법에 대해서도 이런 능력을 잘 적용할 수 있을까요?

한국 기업들이 〈클리어 리더십〉이 제시하는 메시지를 받아들여 이 책에서 말하는 아이디어를 발전시킨다면, 제게는 더할 나위 없는 영광이 될 것입니다. 이 책은 팀이 잘 작동하도록 유지하고, 고도로 협력적인 조직을 만드는 것이 왜 그리 어려운지에 대해 다룹니다. 뿐만 아니라, 그런 문제에 대한 해결책에 관한 책으로서, 리더들과 전문가들이 조직의 인간적인 면을 개선하고, '다름'을 잘 활용하여 조화롭고 창의적인 관계를 구축하는데 필요한 구체적인 스킬을 제시하고 있습니다.

〈클리어 리더십〉의 중심 사상은 모든 개개인이 언제나 다르게 경험한다는 것입니다. 당신이 어느 시점에서 미팅에 참여하고 있는 모든 사람들의 마음을 읽을 수 있다면, 그들 각자 모두 서로 다른 생각, 감정, 욕구를 가지고 있다는 사실을 발견하게 될 것입니다. 〈클리어 리더십〉에 따르면, 진정으로 협력적인 조직을 이끌려면 모든 사람이 언제나 다른 경험을 하고 있다는 진실을 인정하고 수용해야 합니다. 이것은 잘못된 것이 아닙니다. 다르게 경험하는 것이 함께 조직화하고 함께 일하는 것을 방해하지는 않습니다. 리더의 책무는 사람들이 "옳은" 경험을 하게 하는데 있지 않습니다. 어떤 사람도 다른 사람의 경험을 책임질 수 없습니다. 우리 모두는, 심지어 같은 사건을 목격한다 하더라도, 우리 자신의 고유한 경험을 만들어 내기 때문입니다.

또 하나의 핵심 포인트는 사람들로 하여금 그들이 하고 있는 일에 책임감을 갖게 하고 싶다면, 그들의 경험을 여러분 자신의 경험 만큼이나 타당성이 있다고 인정해줘야 한다는 점입니다. 함께 일하는 구성원에게 다음과 같이 말하고도, 그 직원이 최선을 다하기를 기대할 수 있을까요? "내가 준 일에 대해 당신 마음대로 생각하고, 느끼고, 원하는 것은 맞지 않습니다. 당신이 할 일은 내가 생각하고, 느끼고, 원하는 것에 맞추는 것입니다." 이런 말은 그들에게 당신의 충직한 추종자 역할만 하라고 주문하는 것일 뿐입니다. 최선의 마음, 최상의 에너지와 역량을 가진 사람들이, 그 모든 것들을 우리가 하는 일에 억지로 투입하게 할 수는 없습니다. 고성과자들로 구성된 조직을 이끌고 싶다면, 그들을 파트너로 대해야 합니다. 리더인 당신 자신에 대해서도 관리 역할을 하는 파트너라고 생각해야 합니다.

〈클리어 리더십〉은 리더십 발휘에 중요한 모델을 제공하고 있습니다. 그 모델을 실행하는데 필요한 구체적인 스킬들은 TQM(Total Quality Management, 종합품질경영)에서부터 애자일, 디자인 씽킹에 이르기까지 지난 40년 간 모든 혁신과 생산성 향상 체계를 성공적으로 활용하는데 필요한 기반이 되는 것들입니다. 요약해서 말하면, 제가 소개하는 이 스킬들은 사람들을 '파트너십'으로 이끄는 스킬입니다.

새로운 한국어판 출간은 〈클리어 리더십〉 교수법을 인증 받기 위해 엄격한 프로그램을 완수한 이영숙 대표의 비전과 노력에 힘입은 것입니다. 클리어 리더십의 사고방식과 선도적 방안을 한국 사회에 접목하려는 그녀의 열정과 이 모델에 관한 깊은 이해가 새로운 번역판을 낳았습니다. 이영숙 대표와 제 자신이 그러했듯이, 이 책에서 소개하는 아이디어가 당신에게도 고무적이고 희망적이길 바랍니다.

2024년 1월
저비스 R. 부쉬 박사
밴쿠버 북부, BC, 캐나다

저자 소개

저비스 부시 교수는 캐나다의 브리티시 콜롬비아 주 밴쿠버에 있는 사이먼 프레이저 대학교의 비디Beedie 경영대학원에서 리더십과 조직개발을 가르치고 있다. 그는 조직변화와 개발 분야에서 수상 경력이 있는 저자이며, 세계 여러 나라의 기업과 일반 대중을 대상으로 정기적으로 강연을 하고 있다.

부시 교수는 그가 개발한 모델과 스킬을 글로벌 고객을 대상으로 가르치기 위해 리더십 교육과정을 개발하고 자격증을 부여하는 '클리어 러닝Clear Learning Ltd.' 회사의 대표이기도 하다. 그는 리더의 역량수준을 높이는데 효과적인 '경험'을 기반으로 한 교육 프로그램들을 오랫동안 설계하고 전달해왔다. 뿐만 아니라 세계 각지에서 그의 프로그램들을 활용하게 될 리더와 컨설턴트들을 꾸준히 개발해왔다.

그는 '대화기반 조직개발Dialogic Organization Development'이라는 개념

을 개발하고 확산해온 중요한 인물로 널리 알려져 있다. 많은 사람들이 참여하는 대규모 변화 프로세스를 통해 탁월한 조직을 만들고 싶어하는 리더들과 변화전문가change agent를 대상으로 컨설팅을 수행하고 있다. 저비스 교수는 GM, SAP-Business Objects, 팔로마 헬스, 벤쿠버 교육 위원회, 캐나다 정부, 쉘 오일 등을 포함한 다양한 조직들과 일해왔다. 2016년에 그는 영국의 HR 매거진이 선정한 세계에서 가장 영향력 있는 30명의 HR 사상가 리스트에 올랐다.

저비스 교수는 두 아이의 아버지로 캐나다 밴쿠버 북쪽에 있는 레인 숲에서 살고 있으며 기타 연주와 미식을 즐긴다. 저비스 교수와 그가 하는 일에 대해 더 알고 싶은 독자는 그가 운영하는 웹사이트 www.gervasebushe.ca에서 확인할 수 있다.

들어가는 말

    세계 여러 곳에서 조직형태에 대한 혁명이 일어나고 있는 것을 지금 우리는 목격하고 있다. 산업혁명이 관료주의 형태의 조직을 만들어냈던 것처럼, 정보혁명은 새로운 조직형태를 만들어내고 있다. 조직형태의 변화는 지휘와 통제Command and Control 중심의 방식에서 협력Collaboration 적인 방식으로 옮겨가고 있고, 사람들에게 해야 할 일을 지시하는 소수 리더 중심의 리더십에서 각자 나름의 의사결정 권한을 가진 매니저, 전문가 및 팀으로 이뤄진 분산 리더십으로 전환하는 중이다. 나는 1980년 대에서 1990년대까지 이러한 새로운 조직 구조, 즉 팀 중심의 제조 조직, 다기능 팀Cross functional team, 위계가 간소화된 네트워크 조직 등을 설계하는 데 참여했다. 정보기술은 새로운 형태의 조직과 결합하여 조직의 구성 방식을 엄청나게 혁신해왔다. 이 모든 것들은 사람들이 협력할 수 있는 역량을 높이고, 시스템 내 모든 사람들의 지능과 지식, 몰입을 강화할 목적으로 추진되었다. 하지만, 당시 추진했던 혁신 중에서 그들이 공언했던 약속을 지키고 지금까지 살아남아 있는 것은 거의 없다. 혁신적 업무 시스템에 관한 연구 결과들을 보면, 새로운 조직형태를 위한 노력이 몇년도 채 지나지 않아 과거의 지휘와 통제시스템으로 되돌아갔다는 사실을 확인할 수 있다.

1990년대에 이런 일을 겪으면서 나는 그런 과거로의 회귀가 왜 일어났는지, 왜 협력적인 조직을 유지하지 못하는지에 대해 많은 관심을 가지게 되었다. 공공과 민간 부문에서 내가 만났던 거의 모든 리더들은 협력적인 업무시스템을 구축하고 싶어했다. 내가 만난 거의 모든 매니저, 전문가, 조직 구성원들은 협력적인 업무 시스템에서 일하고 싶어했다. 이것은 동기유발에 관한 문제가 아니다. 나는 문제의 원인이 리더십, 팀워크, 피플 스킬에 대한 낡은 정의 때문이라는 믿음에 이르게 되었다. 사람과 팀을 운영하는 방식에 대해 우리가 가지고 있는 이미지는 여전히 과거에 근거한 것이었다. 시대가 바뀌면서 놀랄 만한 새로운 조직형태를 만들기는 했지만, 정작 그런 조직형태를 운영하는 방식은 과거에서 가져온 것을 그대로 사용하고 있었던 것이다. 문제의 핵심은 아래 이야기에 잘 포착되어 있다. 아래에 소개하는 이야기는 협력적인 리더임을 자랑스럽게 여기는 한 사람이 운영하는 어떤 기업에 대한 사례를 담고 있다. 그곳에서 일하는 모든 매니저들은 협력적인 조직에서 일하고 싶어한다. 그들 중 다수는 조직 내부 상황이 나름 괜찮은 편이라고 생각하고 있다. 이 이야기가 당신에게도 익숙한지 살펴보기 바란다.

매니저들이 참여하는 주간 회의에서 고객 서비스그룹의 새 매니저인 리네트는 자신이 담당하는 부서의 성과부진 문제를 개선할 방안에 대해 설명하고 있었다. 다른 매니저들은 그녀가 하는 말을 정중하게 경청하였고, 이들 중 몇 사람(대개는 늘 동일한 사람들)은 명확하게 이해하기 위해 몇 가지 질문을 던지기도 했다. 그녀의 상사는 리네트의 발표가 끝나자 수고했다는 말로 감사를 표하면서 다음 달에는 그 개선안이 어떤 결과를 만들어낼지 검토해보자고 말한 후 회의를 계속 진행했다. 하지만 당연히 논의되어야 할 것들이 논의되지 않고 있었다. 회의에 참석했던 매니저 몇 명은 리네트가 성과부진 문제를 분석한 내용에 동의가 되지 않았는데도 아무 말도 하지 않았다. 몇 명은 리네트를 당혹스럽게 하고 싶지 않아서 입을 다물기도 하고, 다른 몇 명은 괜히 시비를 거는 것처럼 보이고 싶지 않아서 아무 말도 하지 않았다. 더그는 리네트가 능력이 있는 사람인지, 상황을 제대로 이해나 하고 있는지 잘 모르겠다는 생각을 하고 있었다. 마릴린은 무슨 일이 벌어지고 있는지 리네트가 아주 잘 알고 있긴 하지만, 부서 직원들을 보호하기 위해 있는 그대로 말하지 않는다고 속으로 생각하고 있었다. 브루스는 리네트가 자신을 보호하기 위해 부서에서 일어나고 있는 진짜 문제를 감추고 있다고 생각했다. 리네트는 선의를 가지고 있지만, 부하 직원들은 그녀를 이용하고 있다고 손드라는 생각했다. 나머지 사람들 역시 서로 다른 생각과 의견을 가지고 있는데도 누구도 드러내지 않은 채 속으로만 생각했다.

회의가 끝나자 매니저 몇 명은 커피를 마시거나 점심 식사를 함께 하면서 리네트 부서에 실제로 무슨 일이 일어나고 있는지, 리네트가 그것에 어떻게 대응할 것인지, 그녀가 말한 것과 말하지 않은 것에 대한 이유는 무엇인지에 대해 이야기를 나눴다. 의견이 다른 부분에 대해서도 함께 논의를 했다. 나중에 리네트와 대화할 때 리네트의 실제 생각과 감정에 대해 그들이 어떻게 생각했는지를 지지하거나 반박하게 해줄 요인과 근거를 찾기도 했다. 마침내 그들은 리네트가 가지고 있는 동기와 역량에 대해 확고한 견해를 만들어내기에 이른다. 물론, 리네트와 직접 논의하거나 확인도 하지 않은 채 말이다. 이후 몇 개월 동안 리네트에 대해 그들이 만들어낸 다양한 이미지, 그녀의 강점과 약점,

동기와 의도가 다양한 소그룹 속에서 이야기되었다. 이런 것들은 리네트와 상호작용하는데 상당한 영향을 미쳤다.

리네트는 부서 내에서 무슨 일이 일어나고 있는지 충분히 인식하고 있고, 그에 대해 어떻게 대처할지에 대해서도 몇 가지 좋은 아이디어를 갖고 있다. 하지만, 지금의 상사와 일하기 전부터 이 상사에 대해 들은 이야기가 있었지만, 특히 상사가 지금 보여주는 행동이 문제라고 생각하고 있기 때문에 이 사람 앞에서 문제를 있는 그대로 솔직하게 드러내는 것은 좋은 생각이 아닌 것 같았다. 그러나 동료들의 태도가 기대했던 것만큼 협조적으로 나오지 않아서 리네트는 놀랐다. 그들이 회의에서는 아무 말도 하지 않았지만, 하겠다고 동의한 것으로 생각했던 후속조치가 제대로 일어나지 않고 있는 현실을 리네트는 지켜보고 있는 중이다. 자신이 설명했던 문제분석 결과에 대한 정확성과 개선방안에 대해 동료들이 우려하고 있다는 사실은 알지도 못한 채, 리네트는 동료들이 후속조치를 제대로 취하지 않는 것은 그들이 너무 바빠서 그렇다고 생각한다. "실패할 게 뻔한 일에 왜 에너지와 자원을 낭비해야 하지?"라는 생각은 협력을 거부하는 대부분의 현상 저변에 깔려 있다.

리네트는 브루스의 협력이 정말 필요한데도 그를 신뢰하지 않았다. 그녀는 그가 정직하게 상황을 다루지 않고 면피하는 데만 급급하다고 생각한다. 브루스가 여성 매니저를 좋아하지 않는다는 소리를 들은 적도 있다. 그래서인지 처음 브루스를 만났을 때 왠지 어색함이 느껴졌었다. 그는 경직되어 보였고 자신을 똑바로 쳐다보지도 않았다. 물론 자신이 그렇게 느낀다는 것을 브루스에게 직접 말한 적은 없다. 대신, 그의 행동이 지나치다는 생각이 들면 마릴린과 의논했다. 마릴린은 리네트가 마음에서 일어나는 감정을 잘 드러내면서도 어떻게 하면 브루스와 잘 지낼 수 있을지에 대한 전략을 짤 수 있도록 도와주었다.

한편, 브루스도 리네트를 신뢰하지 않고 있다. 그는 리네트가 자기와 직접 대화하지 않고 의심하는 듯한 방식으로 자기 주변을 빙빙 돌고 있다고 생각했다. 그러다 기회가 주어지면 자기를 나쁘게 보이게 하여 자신의 문제를 그에게 뒤집어 씌워서 그가 하고 있는 업무를 뺏아갈지도 모른다고 생각한다. 골칫거리인 마릴린은 타고난 성격 때문에 그럴 수밖에 없다는 것이 브루스의 생각이다.

다른 사람들로부터 팀의 상황을 돌려놓는데 필요한 도움을 얻어내지 못하자, 리네트는 자신이 세운 개선안이 제대로 결과를 내기 어렵다는 것을 직감적으로 알아차렸다. 상황이 이쯤 되자 그녀에게 일을 처리할 역량이 없다고 의심해왔던 사람들의 생각은 더 굳어졌다. 절박감을 느낀 리네트는 다음 회의에서 지푸라기라도 잡는 심정으로 다른 팀들이 제대로 협조해주지 않는다는 말을 하고 말았다. 순간 회의실 안에는 긴장감이 감돌았다. 팀 플레이를 중시하는 상사는 재빨리 분위기를 바꾸려 했다. 리네트가 가지고 있는 불만을 제대로 다루지 않았는데도 모든 매니저들은 그녀를 지원하겠다는 말을 이전보다 훨씬 더 적극적으로 표현했다. 동료들이 좋은 의도를 가지고 있긴 하지만, 그들이 보여주는 행동과 생각에는 아무것도 달라진 것이 없었다. 점심식사 시간마다 끝없이 반복되는 대화들, 검토되지 않은 가정들, 문제를 제대로 다루지 않고 회피하는 태도때문에 그저 그런 결과가 지속되었지만, 모든 사람들은 지금 벌어지고 있는 것이 정상이라고 생각하고 있다.

대인관계 혼돈 Interpersonal mush

이런 상황은 대부분의 조직에서 쉽게 볼 수 있는 광경이다. 사람들 사이에서 일어나는 상호교류는 당사자에게 확인도 하지 않은 채 서로에 대해 지어낸 이야기를 근거로 일어난다. 나는 이런 상황을 '대인관계 혼돈Interpersonal mush'이라 부른다. 이런 대인관계 혼돈 상황에서는 서로 협력하는 것이 불가능하다. 이 책에서는 대인관계 혼돈이 어디서 시작되며, 사람들이 서로 협력할 수 있는 가능성을 어떻게 파괴하는지에 대해 설명할 것이다. 혼돈을 없애고 대인관계 명료성Interpersonal clarity을 만들 수 있는 스킬도 이 책에서 소개하려고 한다. 많은 일화와 예시를 통해 대인관계 명료성이 지속적인 협력에 반드시 필요한 이유와 어떻게 그것을 만들어낼 수 있는지에 대해서도 보여줄 것이다.

타인들과의 파트너십

협력적인 업무 시스템 안에서 리더십을 잘 발휘해가면서 일을 하는데 가장 중요한 것은 다른 사람들과 파트너십을 구축하고 그것을 지속적으로 유지해가는 능력이다. 파트너십은 공동의 목적을 성공적으로 이끌 책임을 가진 두 명 이상의 사람들이 만들어내는 관계이다.[1] 협력적으로 일하는 팀과 조직은 파트너십을 토대로 일을 한다. 이들 대부분은 상사, 부하, 동료, 고객, 공급업자들과 파트너십을 맺으려고 한다. 서로의 성공을 위해 최선을 다해줄 수 있는 사람들과 함께 일하고 싶어 한다. 파트너십을 맺을 때는, 그것이 사업관계에서의 파트너십이건, 새로운 팀 중심의 조직에서건, 또는 결혼이건 간에 처음에는 아주 좋을 것이라고 믿으면서 시작한다. 그러나 시간이 지나면서 서로에 대해 독설을 퍼붓고 원한의 감정을 품은 채 헤어지는 경우가 많다. 이 책은 이런 일들이 일어나지 않게 해 줄 방법에 대해 다루고 있다. 하지만, 지금부터 다룰 내용의 토대를 마련하기 위해 조직이론과 심리학, 철학에 대해 조금만 이야기를 해보자.

> **파트너십은 …**
> 공동의 목적을 성공으로 이끄는 데 책임감을 느끼는 두 명 이상의 사람들 사이의 관계이다.

조직 이론

정보시대로 접어들면서 기술혁신 속도가 워낙 빠르게 진행되고 있어서 오랫동안 유지되어온 조직 형태가 흔들리기 시작했다. 만일 어떤 것을 하기 위해 가장 좋은 방법 한 가지를 찾아내서 그것을 최대한으로 운영할 수 있다면, 아마도 그것은 지휘 통제형 조직구조일 것이다. 그러나 문제는 상황이 너무나 빠르게 변하기 때문에 아무리 효과적인 조직이라 해도 더 기민하게 변화에 적응할 수 있어야 한다는데 있다. 그 점에 있어 지휘 통제형 구조는 변화에 적합한 조직구조라고 보기 어렵다. 그런 조직이 학습하고 변화에 적응할 수 있게 하는 유일한 방법은 생산과 직접적인 관계가 없는 일들, 예를 들면 연구개발 팀이나 조정 역할을 하는 팀과 직책을 새로 만들고, 사람들을 업무에서 빼내 교육과 회의에 참석하게 하는데 많은 시간과 비용을 써야 한다. 이처럼 학습과 혁신을 지원하는 일이 효율성과 성과를 희생해야 하는 것처럼 보이기 때문에 조직들은 역설적인 상황에 직면하게 된다. 장기적으로 지속적인 성과를 내려면 학습이 반드시 필요하지만 단기적인 관점에서 보면 학습과 성과가 서로 배치된다는 것을 우리는 너무나 잘 알고 있다. 어떤 스킬을 배운다는 것이 무엇을 의미하는지 한번 생각해 보라. 어떤 것이든 처음 배우기 시작할 때는 좋은 성과를 내지 못하지만, 학습곡선이 올라가면서 성과는 개선된다. 그러나 성과를 잘 내는 지점에 이르면, 더 이상 학습을 하지 않는다.

1970년대까지는 두 가지 형태의 조직 구조가 있었다. 하나는 효율적이긴 하지만 혁신적이지 못한 조직이고, 다른 하나는 혁신적이기는 하나 효율적이지 못한 조직이었다. 안정적인 사업을 하는 조직은 효율적인 구조를, 불안정한 사업을 하는 조직은 혁신적인 구조를 선택하는 것이 효과가 있는 것처럼 보였다. 이런 선택이 한 동안은 괜찮은 것처럼 여겨졌다. 그러나 지금은 모든 사업환경이 불안정하다는데 문제가 있다. 모든 사람들이 새로운 환경에 적응하기 위해 변화해야 하지만, 조직이 성공하려면 그 조직은 여전히 효율적으로 운영될 필요가 있다. 경쟁자보다 낮은 비용으로 보다 많은 제품과 서비스를 생산해야 하고, 그렇게 하지 못하면 문을 닫아야 한다. 세상이 이처럼 빠르게 변하고 있는 상황에서 어떻게 효율성을 추구할 수 있을까?

우리가 현재 살아가고 있는 21세기에서 조직을 설계하는데 가장 어려운 점은 효율적이면서 동시에 혁신적인 업무 시스템, 즉 성과를 내면서도 동시에 학습할 수 있는 시스템을 만들어내야 한다는 점이다. 이 책은 이런 퍼즐을 이루는 한 부분에 답하고자 한다. 즉, 어떻게 하면 사람들이 성과를 내기 위해 일을 하면서도 집단적인 경험을 통해 학습할 수 있는 팀과 조직을 만들 수 있을지에 관한 것이다. 클리어 리더십은 성과를 내면서도 학습을 이끌어낼 수 있는 리더십 역량을 다루고 있다. 지난 100여년간 리더십에 대한 거의 모든 책은 일을 잘 하게 하는 방법을 제시해왔다. 그러나 그것은 리더십에 대해 반쪽 밖에 설명하지 못한다. 문제의 다른 반쪽은 어떻게 하면 집단이 경험을 통해 학습하고 조직의 프로세스를 지속적으로 개선해 나갈 수 있느냐는 것이다. 그 질문에 답하기 전에 인간의 경험에 대한 몇 가지 중요한 사항을 이해할 필요가 있다.

경험의 심리학

클리어 리더십 모델은 우리가 집단적인 경험으로부터 학습하는 것을 어렵게 만드는 두 가지 정신적 프로세스mental process에 기반하고 있다. 경험의 본질과 의미형성sense making이 바로 그것이다.

우리 모두는 스스로 자신의 고유한 경험을 만들어 낸다

어떤 사건이 일어났을 때 다섯 명의 다른 사람들에게 무슨 일이 일어났는지 물어보라. 그러면 아마도 다섯 가지 다른 답을 얻을 것이다. 어떤 답은 좀 더 비슷하고 또 어떤 답은 다르겠지만, 여기서 핵심 포인트는 모든 사람이 자신만의 독자적인 경험을 한다는 점이다. 나는 언젠가 한 기업의 경영진에게 우리가 집단적인 경험으로부터 학습하는데 문제가 되는 것은 모든 사람이 서로 다른 경험을 하는 것이라고 말한 적이 있다. 우연히도 한 임원이 우리가 대화하는 동안 양해를 구한 후 자리를 떠났다. 대화 주제는 최근에 시작한 주간 '노조동향 회의'로 넘어갔다. 한 매니저가 주간회의가 그다지 도움이 되지 않을 뿐 아니라 그런 회의를 하는 자체가 좋은 생각이 아닐지도 모른다고 했다. 잠시 자리를 떴던 그 임원이 돌아왔고, 그 자리에 있던 리더는 "서로가 다르게 경험하는 것에 대해 한번 확인해봅시다. 머레이씨, 새로 시작한 주간회의에 대해 어떻게 생각합니까?"하고 물었다. 머레이는 "정말 좋아요! 사람들은 주간회의에 흥미를 갖고 있어요."라고 말했다. 우리는 터져 나오는 웃음을 참느라 어쩔 줄 몰랐다. 하지만, 이 일은 실제로 일어난 일이다.

내 생각에, 인간에 대한 가장 기본적인 진실은 우리가 계속해서 일런의 지각요인Percepts, 즉 경험의 구성요소를 만들어낸다는 것이다. 깨어 있을 때만 그러는 것이 아니라 심지어 잠들어 있을 때도 이런 일을 한다. 감각적인 자극이 있거나 없거나 우리는 이런 일을 한다. 가장 극단적이라 할 수 있는 과학적인 관점에서는 우리가 지각한 것이 실재하는 현실인지 확신할 수 없지만('매트릭스'라는 영화를 보았는가?), 우리가 지각한다는 사실만은 확신할 수 있다. 우리 자신의 내부와 외부에서 일어나는 것이 우리의 인식을 만들어 낸다는 강력한 증거가 있다. 그러나 외부에서 일어나는 것 없이도 우리는 계속해서 인식을 만들어낼 수 있다. 빛도 없고 소리도 없는 공간에서 사람들을 물에 떠 있게 하는 감각 차단탱크sensory deprivation tank가 좋은 증거다. 감각 차단탱크 안에 오래 있으면, 현실이 아닌 데도 마치 현실인 것처럼 경험을 만들기 시작한다. 이런 경험을 우리는 환각이라고 한다.

우리가 마음을 고요한 상태로 만들기 위해 노력하지 않으면, 지각요인Percepts은 멈추지 않고 지속적으로 나타난다. 그러나 그런 고요한 마음 상태에 있을 수 있는 사람은 소수에 불과하다. 그래서 당신을 포함한 대부분의 사람들이 지속적으로 지각요인을 만들어낸다고 가정하는 것은 타당하다고 볼 수 있다. 이 책에서 나는 일련의 지각요인에 대해 당신이 당신 내부에서 반응하는 것을 당신의 '경험'이라고 부른다. 이 문장을 읽고 있는 이 순간에도 당신은 경험을 한다. 당신의 경험은 당신이 생성하고 있는 지각요인과 그러한 지각요인에 대한 당신의 반응으로 만들어진다. 당신이 하는 경험은 당신 안에서 밖으로 나오게 된다.

당신이 만들어내는 인식Perceptions은 당신이 하는 경험의 일부가 되고, 그 인식에 대한 당신의 반응 또한 당신이 경험하는 것의 일부분이 된다. 아래 내용은 독자들이 이 책을 읽으면서 갖게 되는 생각, 아이디어, 판단, 감정, 신체적 감각, 욕구 및 욕망들이다. 예를 들어, 이 책에 대해 어떤 사람은 "이건 당연하지. 나도 이미 알고 있는 거야."하고 생각하지만, 다른 사람은 "어, 이거 아이디어를 흥미롭게 제시하네."하고 생각할지도 모른다. 또 어떤 사람은 너무 학문적이어서 어렵다고 느끼고 이 책을 더 읽어야 할 가치가 있는지에 대해 의구심을 가질 수도 있다. 어떤 사람들은 자신이 이미 알고 있던 것을 저자가 말로 표현한 것에 흥분되었을 수도 있다. 독자들의 인식은 다양하고, 이에 대한 반응 또한 광범위하다. 이게 바로 인간의 경험이 펼쳐지는 방식이다.

내가 인간의 경험에 대해 말하는 방식이 '과거에 당신에게 일어난 일에 대한 서술'과 같은 일반적인 표현과는 다르다는 점에 주목하기 바란다. 클리어 리더십에서 말하는 경험은 과거에 당신이 했던 일, 혹은 당신이 이력서에 적은 것들을 말하는 것이 아니다.[2] 경험은 과거에 당신에게 발생한 것이 아니라, 당신에게 어떤 것이 일어나는 매 순간마다 당신이 생성하는 반응이다. 경험에 대한 기본적인 가정은 당신과 나, 그리고 모든 사람이 자신만의 독자적인 경험을 만들어낸다는 것이다.

이 책을 읽고 있는 모든 사람이 자신만의 개인적인 경험을 한다는 것을 인정하면, 이런 질문을 던지고 싶다. 올바른 경험을 하는 사람은 누구인가? 협력적인 조직이나 파트너십에 기반한 조직이라면 '모든 사람'이라고 대답할 것이다. 하지만, 이 질문은 '집단적인 경험으로부터 우리가 어떻게 배우는가'에 대한 이슈를 단순히 과거에 일어난 일을 함께 성찰하는 것보다 훨씬 복잡하게 만든다. 협력에 대한 문제를 찾아내려고 할 때, 가장 먼저 눈에 보이는 것은 올바른 경험을 하는 사람이 누구인지부터 파악하려는 모습들이다. 이런 대화는 아주 비생산적이다. 이는 집단의 경험으로부터 뭔가를 배우고 싶어하는 사람들의 관심을 떨어뜨린다고 나는 확신한다. 이는 또한 협력적인 조직에서 행해지는 시도들이 왜 다시 지휘와 통제 중심의 조직으로 되돌아갈 수밖에 없는지를 설명하는 이유 중 하나라고 생각한다. 지휘와 통제중심 조직에서는 올바른 경험을 하는 사람이 누구인지(즉, 상사)가 명확하다. 그래서 우리 모두는 그 사람 뒤에 줄을 서게 되는 것이다.

의미형성 Sense Making

의미형성은 앞에서 소개한 일화에서 리네트와 그녀의 동료들이 당면했던 문제의 근간에 있던 두 번째로 중요한 정신적 프로세스다. 인간으로서 우리는 자신과 타인에 대해 의미를 형성하는 것을 절실하게 필요로 하는 것 같다. 우리가 의미를 형성하면 우리는 자신이 인식한 것에 대해 일관성과 의미를 부여하는 틀 안에서 자신이 경험한 것을 설명하려고 한다. 우리가 다른 사람의 행동에 대해 의미를 형성하면 우리는 그에 대한 이야기를 지어낸다. 이것이 바로 리네트의 동료들이 그녀에 대해 취했던 행동이다. 그들은 리네트의 '실제' 생각, 감정, 의도에 관한 이야기를 지어내고 있었던 것이다.

이야기 중에서 어디까지가 환상이고, 어디까지가 현실에 입각하고 있는지는 두 가지 요소에 달려 있다. 개인이 *'관찰한 내용의 질'*과 관찰 대상이 된 사람들이 *'자신의 경험을 기꺼이 서술하려는 의지'*가 바로 그

두 가지 요소이다. 21세기 초반까지는 이 두 요소 가운데 어떤 것도 조직 안에서 잘 개발되지 않았다. 사람을 관찰하는 스킬은 무엇보다도 자기관찰self-observation과 자기인식self-awareness에 달려 있다. 그러나 아쉽게도 이 두 가지는 학교나 대부분의 가정에서 가르치지 않는 것들이다. 우리가 경험한 것을 다른 사람에게 서술하는 스킬은 학교나 가정에서 배울 수 없을 뿐만 아니라 불편하게 느끼는 것들이기도 하다. 그 결과, 대부분의 대인관계에서의 만남, 특히 직장에서의 만남은 다른 사람의 마음 속에 무슨 일이 일어나는지에 관한(실제로 확인은 되지 않은) 이야기를 지어내는 중이면서도, 기껏해야 사람들이 서로 다른 경험을 한다는 정도로 표현될 뿐이다.

이렇게 지어낸 이야기는 또 다른 의미형성을 위한 더 많은 에피소드에 투입되고 서로 강화하면서 미래에 대한 인식과 경험을 형성하게 된다. 거기에서 그치는 것이 아니라 우리가 본 것이 진실이라고 확신하게 만든다. 우리가 '지어낸' 진실과 관련 있는 당사자들에게 확인도 하지 않은 채 말이다. 경영자는 직원들에 관한 이야기를 지어내고, 직원들은 경영자에 대한 이야기를 지어낸다. 어떤 부서의 매니저들은 다른 부서의 매니저들에 관한 이야기를 지어낸다. 매일 함께 일하는 사람들은 서로에 대한 이야기를 자기 생각대로 지어낸다. 이런 일들이 지속되면 조직은 무슨 일이 왜 일어나고 있는지에 대해 여러 관점에서 경쟁적으로 상상하게 되는데, 불행히도 이렇게 지어낸 이야기들은 결코 공개적으로 논의되지 않는다. 지어낸 이야기가 옳다는 점을 증명하든, 아니면 거기에 반대를 하든, 결코 드러내 놓고 검토하지 않는다.

파트너십이 활발한 조직을 구축하려면 이러한 인간 정신의 두 가지 프로세스를 제대로 다뤄줘야 한다. 사람들은 자신의 경험을 만드는 것을 멈추지 않을 것이고, 서로에 대해 의미를 형성하는 것도 멈추지 않을 것이다. 이 상황에서 문제가 되는 것은 인간의 정신적 프로세스를 이해하지 못하고 이것을 밖으로 드러내지 않는데 있다. 우리는 이것들에 대해 이야기조차 하지 않는다. 이것에 대해 드러내놓고 말을 해야만 관리할 수 있다. 클리어 리더십은 우리가 이런 정신적 프로세스들을 잘 볼 수 있도록 드러내 보이고, 그 바탕 위에서 파트너십을 구축하는 방법에 대해 논의할 수 있게 해준다. 또한 클리어 리더십은 당신이 이미 만들어 놓은 관계, 팀, 조직을 지속적으로 개선할 수 있게 해주는 스킬이다.

무엇이 진실인가?

클리어 리더십 스킬은 우리가 성장하면서 사람과 사회에 대해 갖게 된 것과는 다른 철학적 가정을 반영하고 있다. 이 책에서 나는 "여러분이 경험한 진실을 말해 보세요."라는 말을 할 것이다. 이 말이 어색하게 들릴 수 있다. 그러나 진짜 '진실'과는 다른 종류의 진실을 다루기 위해 내가 생각해낸 가장 좋은 표현이라는 점을 미리 말해두고 싶다.

객관적 진실과 주관적 진실

최근 철학자들은 한 가지 이상의 진실이 있다고 가정을 한다.[3] 내가 이 점에 대해 이야기하려는 이유는 조직 내에 명료성이 부족한 이유 중 하나가 모든 것에 객관적 진실이라는 기준을 두고 평가하려는 경향이 있다는 점을 말하기 위해서다. 사람들을 관리하고 그들과 함께 일을 할 때 우리가 다루게 되는 대부분의 진실은 객관적이지 않다. 엔지니어나 회계 전문가처럼 객관적인 진실에 대한 문제를 잘 다루도록 교육받아온 사람들이 인간관계 스킬은 충분히 갖추지 못한 것처럼 보이는 것도 바로 이런 점 때문이다. 그것은 태어날 때부터 그런 스킬을 갖추지 못해서가 아니라, 경험의 진실이 무엇이고, 그것에 대해 어떻게 생각하고 말하고 배울 것인가에 대한 이해와 연습이 부족했기 때문이라고 생각한다.

어린시절부터 우리는 객관적 진실과 주관적 진실의 차이에 대해 배워왔다. 객관적 진실은 당신이나 내가 개인적으로 가지고 있는 지각요소와 상관없이 독립적으로 측정되고 검증될 수 있는 진실을 말한다. 이것은 과학과 기술에서 다루는 진실이다. 그러나 주관적 진실은 온전히 각 개인의 내면에서 일어나는 것에 기반을 두고 있다. 예를 들어, 직장에서 당신의 급여가 어느 정도인지는 객관적 진실이다. 하지만 그 급여에 대해 당신이 생각하고 느끼고 원하는 것은 주관적 진실이다. 객관적 진실은 우리가 무엇을 말하든 객관적으로 측정할 수 있는 능력에 달려 있다. 만일 어떤 사람이 자신이 생각하고 느끼고 원하는 것을 말한다면 그것이 진실인지 아닌지 당신이 어떻게 알겠는가? 주관적 진실은 한 사람의 인식의 질과 그 사람이 그것을 표현하는 진정성과 관련이 있다. 내가 당신의 경험의 진실에 대해 말할 때 나는 나의 주관적 진실을 말하는 것이다. 현대사회는 객관적 진실을 평가하고 검증하는 다양한 방법을 개발해 왔지만, 주관적 진실을 평가하고 검증하는 데 있어서는 초보단계에 불과하다. 그럼에도 불구하고, 주관적 진실을 이해하는 것은 다른 사람들과 함께 일을 하는 데 필수적이다. 협력적인 업무 시스템 안에서 일을 할 때 주관적 진실의 중요성은 더 증폭된다. 조직 내에서 혼돈을 없애고, 집단적인 경험을 통해 함께 학습하고 파트너십을 지속적으로 유지하는 것을 어렵게 하는 것 중 하나는 당신 자신의 주관적 진실과 당신이 함께 일하는 사람들의 주관적 진실을 명확히 하는 것이다. 객관적 진실을 다루는 방식으로 주관적 진실을 다룰 수는 없다.

상호주관적 진실 Intersubjective truth

세 번째 종류의 진실은 상호주관적 진실이다. 이것은 *여러분과 내가 서로 동의했기 때문에 진실이 되는 것*들을 말한다. 조직에서 말하는 진실의 대부분은 상호주관적 진실이다. 성공이란 무엇인가? 우수한 품질이란 무엇인가? 마이클은 좋은 상사인가? 어느 정도가 투자에 대한 적절한 수익을 낼 수 있는 정도인가? 조직 내에서 이런 질문에 대해 우리가 제시하는 답은 상호주관적 진실이다. 상호주관적 진실은 사회적 현실의 본질이고, 이것은 언제나 *함께* 만들어진다. 관련된 모든 사람들은 일을 하는 과정에서 실제적인 상황이나 진실을 만들어내고, 유지하고, 변화시키는 데 기여한다. 그러나 이런 종류의 진실을 평가하고 검증하거나, 심지어 이런 것들을 잘 생각할 수 있게 해주는 방법론을 우리는 가지고 있지 않다. 그래서 협력을 만들어내야 할 때 상호주관적 진실에 대한 것을 우리는 상당히 많이 다루게 된다. 이 책에서 다루는 스킬은 상호주관적인 진실을 이해하고, 생성하고, 변화시키는 것과 관련되어 있다.

클리어 리더십 스킬들

이 책이 리더십에 관한 것이긴 하지만, 여기서 다루는 스킬은 팀워크나 개인의 프로젝트 또는 파트너십의 원칙에 따라 운영되는 조직에서 일하는 사람들이라면 직위와 상관없이 누구에게나 유용하다. 맡은 역할이 무엇이든 모든 사람들은 그룹이나 조직이 목표를 달성하도록 돕거나 효과성을 높이는 어떤 일을 할 때 리더십을 발휘하게 된다. 어떤 사람이 구성원들을 도우면서 명료성을 높이고, 경험을 통해 배우고, 함께 일하는 방법을 개선하도록 돕는다면, 그 사람은 이미 리더십을 발휘하고 있는 것이다. 조직에서 어느 직위에 있든 우리는 리더십을 발휘할 수 있다. 나는 매니저와 전문가들이 어떻게 이 스킬을 활용해서 명료성을 얻어내고, 함께 일하는 사람들 사이에서 파트너십을 구축할 수 있는지에 대해 보여줄 것이다. 클리어 리더십 스킬은 다음과 같다.

- 자아인식(Self-awareness)
- 서술역량(Descriptiveness)
- 호기심(Curiosity)
- 긍정성(Appreciation) 발견

이 4가지 스킬에 숙달해지면 어떠한 모습이 될 지에 대해서도 이 책에서 자세히 설명할 것이다. 어떤 것을 마스터하게 되면 그것은 우리 몸에 배게 된다. 기타 연주의 거장이 음악을 연주하거나 뛰어난 펜싱선수가 펜싱을 할 때, 그들은 자신이 무엇을 하는지에 대해 생각하지 않는다. 그들 안에 있는 무엇이 알아서 하는 것이다. 스킬 자체가 넘겨 받는 것이다. 마찬가지로 이 책이 다루는 스킬에 숙달해지려면, 그 스킬이 몸에 배도록 해야 한다. 스킬이 알아서 작동하게 해야 한다. 5장부터 8장까지는 인식 자아(Aware Self), 서술 자아(Descriptive Self), 호기심 자아(Curious Self), 긍정발견 자아(Appreciative Self)의 특성이 자세히 설명되어 있다.

인식 자아는 순간순간 자신이 생각하고 느끼고 관찰하고 원하는 것을 알고 있다. 자신의 경험을 생성하는데 사용되는 과정 또한 이해하고 있다. 자신의 경험 가운데 사실에 근거한 것이 어느 정도이고, 의미 형성에 의한 것이 어느 정도인지 명확하게 알고 있다.

서술 자아는 다른 사람들이 자신과 공감하도록 도와준다. 이 자아는 자신이 경험하는 모든 면을 다른 사람에게 명확하게 서술할 수 있다. 자신의 경험 가운데 곤란하고 대립적인 측면에 대해서도 다른 사람이 방어적으로 대응하지 않고 기꺼이 경청하고 이해할 수 있는 방식으로 서술할 수 있다.

호기심 자아는 다른 사람의 경험을 알아내는 데 능숙하다. 파트너가 무슨 생각을 하고, 무엇을 느끼고, 무엇을 원하는지를 온전히 이해할 때까지 관찰하고, 질문하고, 탐구할 수 있다. 그 과정에서 종종 대화 상대의 인식을 높여 주기도 한다.

긍정발견 자아는 상상력과 대화를 통해 대화 상대와 대화 과정에 내재되어 있는 것 중에서 최상의 것을 찾아내어 그것을 증폭시켜준다. 이 자아는 모든 사람에게 내재되어 있는 인간의 보편적인 덕목을 알아보고 상호 교류하는 과정에서 그 덕목을 끌어내 줌으로써 집단적인 경험으로부터 학습할 수 있도록 파트너십과 자발성을 이끌어낸다.

혼돈을 없애고, 집단이 함께 경험하고 있는 것으로부터 배우고, 탁월한 조직성과를 낼 수 있게 해주는 파트너십을 구축하는 학습대화를 하기 위해 이러한 스킬을 어떻게 통합할 것인지에 대해 여러분에게 소개할 것이다.

자아분화(Self-differentiation)의 속성

클리어 리더십은 단순히 스킬과 테크닉에 대해서만 다루는 것은 아니다. 클리어 리더십을 활용할 수 있는 근간이 되면서 다른 사람들 또한 이 스킬을 활용할 수 있는 환경을 만들어주는 개인적인 특성이 바로 그 사람의 자아분화 수준이다. 다른 사람과 분리되어 있으면서도 동시에 연결될 수 있을 때, 우리는 분화된 방식으로 행동할 수 있다. 이것이 의미하는 바는, 한 사람이 경험하는 것이 단순히 다른 사람에 대한 반응은 아니라는 것이다. 한 사람의 생각과 감정을 다른 사람이 강제로 뺏을 수는 없다. 다른 사람으로부터 자신을 격리시킨다고 해서 이런 확실하고 명료한 상태에 도달하는 것은 아니다. 분화된 상태에 있는 사람은 다른 사람이 무슨 생각을 하고, 무엇을 느끼는지 알고 싶어 하지만, 그들이 경험하는 것에 대해 자신이 책임지지 않고, 그들이 다르게 생각하고 다르게 느껴야 한다고 요구하지도 않는다. 우리들 대부분은 직장에서 상호교류를 하는 동안 좀 더 분화된 상태에 있을 수 있는 스킬을 배울 수 있다. 대부분의 매니저들은 구성원과 너무 분리되어 있어서 구성원들이 경험하는 것으로부터 단절되어 있다. 아니면, 지나치게 구성원들과 연결되어 있어서 자신의 경험을 직원들의 경험과 구분하지 못한다. 3장에서는 이런 이슈에 대해 보다 자세히 다룰 것이다.

권한에 대하여

권한에 대한 이슈는 이 책 전체에서 중요하게 다뤄지고 있다. 협력적으로 일하는 조직에서는 계층 단계를 줄이고 지휘와 통제를 줄이기는 해도 권한을 축소하거나 제거하지는 않는다. 권한과 계층구조는 서로 다른 별개의 것이다. 권한은 의사결정을 하고 이를 실행하게 해주는 동력이다. 협력적인 조직에는 권한이 넓게 분산되어 있기 때문에 지휘·통제중심의 조직에서 보다 더 많은 권한이 만들어져 있다. 더 많은 사람들이 권한을 가지고 의사결정을 하고, 다른 사람들의 의사결정을 보완하고, 이미 내려진 조치에 대해서도 보완할 의무를 지게 된다. 바로 이런 점 때문에 클리어 리더십 스킬을 사용하는 사람이 조직 내에 많이 있어야 한다. 그러나 초점을 맞추고 방향을 결정하려면 협력적인 조직에도 어느 정도의 계층구조가 있어야 한다. 그런데 계층구조 안에 있는 권력 차이 때문에 우리는 서로에게 자신의 진실을 쉽게 말하지 못한다. 매니저가 가지고 있는 권한이 클리어 리더십을 지원하거나 방해하는 양날의 칼로서 작용하는 경우가 많은데, 이 점에 대해서도 이 책의 여러 부분에서 다룰 것이다.

클리어 리더십 사례

다음 페이지에서 소개하는 일화는 한 그룹에 속한 매니저들이 공동의 경험으로부터 어떻게 학습할 수 있는 지에 대해 보여준다. 리더인 피에르는 부하직원인 스탠에게 클리어 리더십 스킬을 적용하고 있는데, 스탠 역시 상사인 피에르에게 클리어 리더십 스킬을 사용하고 있다. 이 일화에서 명료성을 중요하게 여기는 문화에 속한 그룹이 어떻게 일하는 지를 볼 수 있다.

사장인 피에르와 이사회가 10여년 동안 A 제품에만 초점을 맞춰왔던 전략을 수정해서 신제품 B를 도입한다는 새로운 전략방향을 발표한지 4개월이 지났다. 경영진 회의에 참석 중인 피에르는 A제품을 맡아온 스탠 부사장이 이번 전략 수정에 반대하고 있어서 어렵게 내린 결정이 제대로 실행되지 못할까봐 걱정을 하고 있다. 어제 이사회에서 스탠이 보여준 행동 때문에 피에르의 마음은 더 불편해졌다. 스탠은 혼란스러워 했을 뿐만 아니라 새로운 전략을 받아들이지 않는 것처럼 보였다. 스탠이 회의실을 나간 후, 스탠에 대해 몇몇 이사들이 매우 부정적인 반응을 보인 것도 걱정된다. 피에르는 지난 10년 동안 탁월한 성과를 낸 스탠을 높이 평가해왔다. 그러나 이번에 결정한 전략변화에 대한 스탠의 태도는 뭔가 잘 이해되지 않는다. 경영진 회의 주제가 새로운 전략에 대한 것으로 넘어가자 피에르는 자신이 경험하고 있는 것을 솔직하게 이야기해보기로 했다. 자신이 지금까지 보여온 리더십과는 다른 모습으로 비춰지겠지만 말이다.

피에르: 스탠, 어제 이사회에서 논의할 때 잘 이해되지 않는 점이 있었어요. 신제품 B에 대한 전략을 우리가 어떻게 생각하는지 좀 더 명확히 하고 싶습니다. 내가 지금 이 이야기를 하는 이유는 그것이 우리 모두에게 영향을 미치기 때문입니다. B에 대한 전략을 우리 각자가 어떻게 생각하는지 명확히 할 필요가 있다고 봅니다. 내 생각부터 먼저 말해보겠습니다. 우리가 새로운 제품전략에 대해 충분히 논의했고 모두가 완전히 동의했다고 생각했습니다. 그런데 어제 이사회에서 당신이 혼란스러워 하는 모습을 보면서 걱정이 되었어요. 당신이 B에 대한 전략을 정말로 지지하고 있는지 잘 모르겠습니다. 좀

더 솔직히 말하면, 새로운 전략이 당신이 맡고 있는 A제품의 자원을 빼앗아 갈지도 모른다는 우려때문에 당신이 B에 대한 전략을 반대할지도 모른다는 생각이 들었어요. 이 점에 대해 당신의 생각을 들어보고 싶습니다. 제품 A와 B, 둘 다를 충분히 지원할 수 있는 방법을 함께 찾아보고 싶다는 것이 지금 내 생각입니다.

다른 사람들이 알아차릴 정도로 흔들리는 모습을 잠깐 보인 스탠은 즉각적으로 반응하지 않고, 피에르가 인식하고 있는 것을 보다 명확히 이해하기 위해 몇가지 질문을 한다.

스탠: 어제 회의에서 정확히 제가 보인 어떤 행동이 사장님께 걱정을 끼쳤는지 말씀해 주시겠습니까?

피에르: 질문에 답을 할 때, 당신은 이사회가 이미 승인한 전략과 상반되는 말을 여러 번 했어요. 브라이언이 마케팅 전략에 대해 질문했을 때를 예로 들어 볼께요. 고객 관점에서 볼 때 두 제품이 가진 고유한 특성을 유지하는 것이 낫다는 결정을 우리가 내렸는데도 불구하고, 당신은 A 제품을 토대로 고객의 브랜드 인지도를 높여보자는 말을 했습니다.

스탠: 다른 것이 또 있었습니까?

피에르: 네. 기억나는 것이 또 있어요. 제품 출시에 관해 마릴린에게 당신이 답변해준 내용과 허셀에게 알려준 예상비용은 우리가 함께 동의한 비용과 달랐던 것도 기억납니다.

스탠: 아, 그랬군요. 어떤 점 때문에 사장님이 걱정하시게 되었는지 이제 이해했습니다. 그런데 사장님, 제가 좀 더 명확히 이해하기 위해서 한 번만 더 질문을 드리겠습니다. 회의에서 제가 말했던 내용과 사전에 우리가 함께 동의했던 것에 대해 사장님께서 어떻게 알고 계시는지 제게 다시 한번 말씀해 주시겠습니까?

피에르는 스탠이 회의에서 말한 것을 들은 대로 설명해주면서 거기에서 잘못되었다고 자신이 생각한 것에 대해 다시 한번 설명해주었다.

스탠: 말씀해 주셔서 감사합니다. 사장님께서 무엇 때문에 불편하셨는지 훨씬 명확해졌습니다. 방금 말씀하신 것에 답변 드리기 전에, 제가 전략 변화를 충분히 지원하지 않는다고 생각하시게 된 또 다른 이유가 있을까요?

피에르: 글쎄, 음~. 물어보니 하는 말인데, 일주일 전 쯤에 내가 당신 부하직원인 바바라와 잠깐 이야기 나눈 적이 있어요. 그때도 조금 어리둥절했어요. 바바라는 전략변화가 당신 부서에 어떤 영향을 미칠지 걱정할 뿐 아니라 두려움 마저 느끼는 것처럼 보였어요. 나중에 보니 당신 부서의 캐빈도 바바라와 생각이 같았습니다. 그래서 당신 때문에 이 사람들이 그런 반응을 보이는 건 아닌가 하는 생각이 들었습니다.

스탠: 새로운 사업부로 이동하는 사람도 있을 거라는 말을 그들이 했습니까? (피에르는 고개를 끄덕였다.) 아, 이제 사장님이 무슨 말씀을 하시는지 알았습니다. 새로운 전략에 대한 제 입장이 어떤지 사장님을 궁금하게 만든 게 또 있습니까?

피에르: 아니, 이게 전부입니다.

스탠: 알겠습니다. 일단 일이 이렇게 벌어진 데 대해 저 또한 놀랐다는 말씀부터 드리겠습니다. 저는 이사회에서 상황이 옆길로 샜다는 생각을 전혀 하지 못했는데 제게 솔직하게 말씀해 주셔서 정말 감사합니다. 제가 B 제품을 적극적으로 지지한다는 사실만은 사장님께서 알아주셨으면 합니다. 먼저 회의에서 생긴 이슈에 대해 말씀드려보겠습니다. 허셀에 대해선, 사장님께서 자금 조달 방안에 대해 전에 언급하시기도 했고, 또 제가 부채를 어느 정도까지 부담할 수 있는지에 대해 이미 동의를 했기 때문에 그 자리에서 굳이 제 생각을 드러내지 않아도 된다고 생각했습니다. 하지만, 마케팅 전략과 제품 출시 계획에 대해서는 사실 저도 좀 혼란스러웠습니다. 왜냐하면 우리가 이미 브랜드 인지도를 높이는 일에 A 제품과 연계하기로 결정했다고 생각했기 때문입니다.

피에르: 아니예요, 그렇지 않아요. 그건 적어도 한 달 전에 이미 결정한 사항입니다.

로버트: 사장님, 저도 한 말씀드리겠습니다. 그 점에 대해서는 저도 스탠과 같은 입장인데요. 저 역시 반대로 생각했습니다.

수잔: 저는 한 달전에 그런 결정이 내려졌는지 몰랐습니다.

피에르: 우리가 몇 주에 걸쳐 이 문제에 대해 논의했는데 이해할 수 없군요. 지난 주 전략위원회에서 논의했을 때도 판촉 캠페인에 두 제품을 분리해서 진행하면서 각 제품이 가진 특성을 유지하기로 했었잖아요.

로버트: 글쎄요, 논의한 것은 기억합니다만 우리 모두가 제품을 연계하는 쪽으로 의견

이 기울었다고만 생각했습니다. 전략위원회가 그렇게 결정했다는 것을 들은 기억은 없습니다.

에롤: 저도 사장님께서 마케팅 그룹과 회의 하시는 자리에서 이 점에 대해 알게 되었지만, 결정까지 한지는 몰랐습니다.

피에르: 맙소사! 나는 지난 미팅에서 그걸 이미 발표했다고 생각했습니다.

이 시점에서 피에르는 참석자들에게 이사회의 전략위원회가 결정한 것과 그렇게 결정하게 된 근거에 대해 설명해주었다. 대화를 하다 보니 그룹이 이 결정에 대해 논의하는 것이 그때가 처음이라는 사실이 점점 더 명확해졌다.

스탠: 사장님께서 제기하신 이슈들을 마무리 짓는 의미에서 한 말씀 드리겠습니다. 제 부서 사람들이 B 제품이 A제품에게 할당된 자원을 가져갈 거라고 걱정하는 건 사실입니다. 일부 직원들이 두려워하는 것처럼 급격하게 진행될 거라고 생각하지는 않지만, 자원 조정은 분명히 필요할 것 같습니다. 그에 대해 어떻게 해야 할지에 대해선 저도 아직 아무 결정도 하지 못했습니다. 솔직히 말씀드리면, 의사결정은 빠르면 빠를수록 좋다고 생각합니다. 불확실한 상황이 길어질수록 사람들은 더 많은 억측을 할 수밖에 없습니다. 실제로 어떤 일이 일어날지는 누구도 모르기 때문에 구성원들을 어떻게 진정시켜야 할지는 저도 잘 모르겠습니다. 지금 상황에서 B 제품 출시는 우리 회사의 미래를 위해 반드시 필요하다고 봅니다. 제가 이 전략을 100% 지지한다는 점은 사장님께서 이해해주시면 좋겠습니다.

피에르: 그 말을 들으니 안심이 되네요, 스탠. 그런데 왜 당신 부서 사람들은 같은 생각이 아닐까요?

스탠: 사장님, 누구도 B 제품으로 옮겨가는 것이 현명한 결정이라는 데 의문을 제기하는 사람은 없다고 생각합니다. 다만, 그 결정이 A 제품에 어떤 영향을 미칠지 확실히 아는 사람이 지금은 없기 때문에 루머와 근거 없는 소문이 퍼지고 있을 뿐입니다. 지난 주에 한 직원은 A 제품 부서를 없애는 건 아니냐고 제게 물어 오기도 했으니까요.

피에르: 그건 말도 안 되는 소리입니다! A 제품은 우리 회사의 핵심입니다. 그건 명확한 거 아닙니까?

스탠: 우리는 그렇게 생각하지만, 일부 조직에는 혼선이 있는 것 같습니다.

에롤: 스탠 부사장님, 저도 비슷한 경험을 했습니다. 며칠 전에 직원식당에서 우연히 옆 자리에서 대화하는 것을 들었는데요, 그들은 A 제품 부서가 어떻게 재편될지 이런저런 추측을 하고 있더군요.

스탠: 일선 조직에서 사람들이 주고 받는 그런 소문들이 사장님께서 들으셨던 바로 그 이야기라고 저는 생각합니다.

피에르: 여러분들 가운데 이런 소문을 들으신 분이 또 있습니까?

이후 경영진들은 지난 10년동안 A 제품 하나에만 집중해왔던 조직문화가 새로운 전략을 실행하는 데 어떤 영향을 미칠 수 있을지에 대해 논의하기 시작했다. 그 중에는 피에르가 처음 듣는 말도 있었다. 조직에서 일어나고 있는 잘못된 인식과 근거 없는 두려움에 어떤 패턴이 있는지에 대해서도 함께 논의를 했다. A 제품이 아직도 이 회사의 핵심 제품이라는 것을 인정하면서, B 제품을 강조하는 새로운 전략이 A 제품에 대한 지원을 줄이는 건 아니라는 점은 모두가 다시 한번 확인했다.

피에르: 지금 일어나고 있는 혼란에 대해 조치가 필요해 보입니다. B 제품에 대한 자원 조달 문제를 맡아온 콜레트의 팀이 거의 마무리단계에 와 있을 것 같습니다. 그 팀에 더 빨리 마무리해 달라고 부탁해보겠습니다. 그들이 제출할 보고서를 토대로 회사 전체를 대상으로 명확하게 발표하는 것이 좋겠습니다. 그렇게 하면 누가 어디서 일하게 될지 알지 못해서 생기는 모든 불확실한 상황은 해결될 겁니다. 수잔, 당신이 책임지고 어떻게 직원들에게 커뮤니케이션 하는 것이 좋을지 준비해 주시겠어요? 이 일을 최우선으로 진행해줬으면 합니다. B 제품을 시장에 진입시키는 데 방해가 되는 근거 없는 두려움과 소문을 신속하고 효과적으로 처리했으면 합니다.

우리가 이런 대화를 하게 되어 정말 다행입니다. 내가 스탠에게 가졌던 의혹 때문에 문제가 생겨서 미안합니다. 어제 이사회에서 있었던 일은 내게 책임이 있습니다. 스탠, 미안합니다.

스탠: 그렇게 말씀해 주셔서 감사합니다, 사장님. 하지만, 발표하기 전에 제가 알고 있던 사실을 확인하지 않은 것은 제 책임입니다. 앞으로는 이사회에 참석하기 전에 미리

만나서 사전에 조율하는 것이 어떨까 합니다.

피에르: 그거 좋은 생각입니다.

이들이 나눈 대화가 이상적인 것처럼 들리는가? 그렇다면 당신은 명료성이 떨어진 조직문화 속에서 대인관계 혼돈 상황에 너무 오랫동안 노출되어 왔을 것이다. 아직은 여러분이 이 점을 잘 이해하지 못하겠지만 이 책 끝에 가면 위 에피소드에 등장한 사람들이 이상적인 것처럼 보이게 한 대화를 위해 어떤 스킬을 사용했는지 알게 될 것이다. 이 사례를 통해 여러분은 조직의 학습대화가 어떻게 일어나는지 보았다. 이런 학습대화를 조직 안에서 잘 활용하면 지속적으로 높은 성과를 만들어낼 수 있다. 이런 조직에서는 직원과 매니저가 몰입감을 느끼고, 주도적으로 일을 하며, 함께 합의를 이루어 내고, 서로의 행동을 조율해간다. 이것이 바로 이 책이 다루려 하는 주제다.

내가 위에서 설명한 일이 발생하기 몇 달 전만 해도 이 조직 사람들은 자신이 인식하고 우려하는 것을 터놓고 말하지 않았다. 체면을 중시하면서 끼리끼리 모여서 은밀하게 대화하는 것이 일상이었다. 다른 사람들이 자신에 대해 어떻게 생각하는지 알지 못했고, 서로를 신뢰하지도 않았다. 나중에 밝혀졌지만 조직 시스템이 그렇게 된 건 그들이 가진 정직성이나 의도에 문제가 있어서가 아니었다. 그저 여러분이 이 책에서 배우게 될 기본 스킬이 부족했기 때문이었다. 이러한 스킬을 갖추면서 그들은 명료한 문화를 만들기 위해 팔을 걷어 부치고 나섰다. 점점 자기가 경험한 진실을 말하는 것을 가치 있는 일로 받아들이기 시작했다. 자기 마음 속에 간직하고 있는 것을 쉽고도 솔직하게 말할 수 있게 되었고, 조직은 믿고 따를 수 있는 건전하고 합당한 의사결정을 할 수 있게 되었다.

클리어 리더십은 모든 상호교류에서 뿐만 아니라 우리가 소속된 모든 조직에서 명료성을 만들어갈 수 있게 해준다. 그렇게 하려면 경험이 가진 특성을 이해하고, 서로가 경험의 진실을 말하는 것을 왜 어렵게 느끼는지에 대해 이해할 필요가 있다. 먼저 명료성 문화를 구축하는 데 필요한 핵심 가정들 가운데 하나인 "우리는 의미를 만들어내는 존재다"는 가정에 대해 논의해보고나서 그것이 우리가 만들어내려는 조직에 어떤 시사점을 주는지 확인해 보기로 하자.

1

대인관계 혼돈은 어디에서 비롯되고
조직에 어떤 영향을 미치는가?

내용은 상황에 따라 조금씩 다를 수 있지만 아래에 소개하는 사례는 전 세계 모든 조직에서 매일 일어날 수 있는 것들이다. 특정 문화에 국한되지 않고 모든 문화권에서 쉽게 볼 수 있을 뿐만 아니라 모든 인간에게 해당되는 것이기도 하다. 이 책에서 나는 이것을 '*의미형성*sense making'이라고 부른다. 의미형성은 우리가 가지고 있는 지식 중에서 부족한 부분이 있을 경우 그 부족한 부분을 채우기 위해 다른 사람의 경험(다른 사람들의 생각, 느낌 또는 욕구)에 대해 이야기를 지어내는 것을 말한다. 아래에 소개하는 사례를 읽어보고 이것이 당신에게도 익숙한지 살펴보기 바란다. 총괄 매니저인 빌은 이 회사에서 협력을 가장 잘 하는 임원으로 알려진 인물이고, 그가 이끄는 팀은 모든 면에서 아주 잘 운영되는 조직이다.

동부지역 총괄 매니저인 빌은 주간회의에 참석하기 위해 매니저들이 10분 전부터 기다리고 있는 회의실 문을 열고 들어갔다. 그들은 빌이 서부지역 본부와 전화 통화를 했다는 사실을 알고 있었기 때문에 빌이 회의실에 들어서자 그의 표정부터 살폈다. 그 무렵에 예산 삭감이 임박했다는 소문이 동부지역 전체에 돌고 있었다. 지난 3분기 동안 계속해서 손실이 발생했기 때문에 그런 소문이 실제로 벌어진다고 해도 아무도 놀라지 않을 정도였다. 빌은 회의에 늦어서 미안하다고 말한 후, 첫 번째 안건에 대한 논의로 들어갔다. 회의는 준비된 안건을 하나씩 다루었다. 모든 안건을 다 다루고 난 후 빌은 즉시 회의실을 떠나 자기 사무실로 돌아갔다.

회의가 끝나자 사람들은, 회의에 참석하지 않은 사람들까지 포함해서 삼삼오오 만나 회의에서 각자 인식한 것을 비교하기 위해 이야기를 주고받았다. 셜리는 빌이 회의실에 들어올 때 얼굴이 상기되어서 화가 난 것처럼 보였다고 말했다. 제이슨은 빌이 화가 난 것까지는 알아채지 못했지만 평소보다 퉁명스러웠고 빨리 하던 일로 돌아가고 싶어 하는 것처럼 보였다고 했다. 그들은 회의가 끝난 후 빌이 자신들과 잡담을 나누지 않고 빨리 자리를 떠난 것이 평소와 얼마나 다른 지에 대해 이야기를 나눴다. 서부지역으로부터 받은 전화가 분명히 좋지 않은 소식을 전했을 거라고 결론 짓고, 빌이 왜 그 소식을 자신들과 공유하지 않았는지 몹시 궁금해했다. 셜리는 "오늘처럼 우리를 불확실한 상황에 남겨둔 적이 없었는데 뭔가 평상시 빌 답지 않아요."라고 말했다.

한편, 로저와 페르난도는 킴벌리의 책상 주변으로 모여들었다. 킴벌리는 서부지역에서 일하는 동료로부터 어떤 부서의 예산이 상당히 많이 삭감되었다는 말을 들었다고 했다. 페르난도와 로저는 회의실에서 빌이 보여준 모습이 평소와 상당히 달랐다고 생각하면서 그들이 속한 동부지역의 예산도 삭감한다는 통보를 빌이 들었기 때문일 거라고 해석하고 있었다. 그들은 빌이 회의에서 왜 그 통보를 자신들에게 전하지 않았는지 의아해했다. 회사 전체에 발표할 때까지는 어떤 말도 하지 말라는 말을 들었을 것이라는 것에서부터, 회의에 참석한 누군가를 해고해야 하기 때문에 공식적으로 발표하기 전에 해고 대상자에게 먼저 통보할 때까지 기다려야 했을 거라는 추측에 이르기까지 세 사람은 이런 저런 상황들을 만들어 보고 있었다. 로저는 자신이 부서 예산의 20%를 감축할 준비가 되어 있다는 말까지 했다. 그 말을 들은 페르난도는 자신도 예산 삭감에 대비하는 것이 좋겠다고 말했다. 그들은 새로운 사실을 듣게 되면 서로 알려주기로 약속하고 자리를 떴다.

빌딩의 또 다른 곳에서도 비슷한 일들이 일어나고 있었다. 지난번 직장에서 빌이 성공 직전까지 잘 이끌어가고 있던 프로젝트를 빌의 상사가 일방적으로 중단시켜 버려서 빌이 "무척 마음이 상했던" 상황에 대해 제니퍼가 마가렛에게 말해주고 있었다. 제니퍼는 계속 말을 이어 나갔다. "너도 잘 알겠지만 빌은 '회사형 인간'이잖아. 공식적으로 이의 제기를 할 수도 있었지만 빌은 그렇게 하지 않고 그냥 프로젝트를 접었어. 나는 빌이 그 건에 대해 말하는 걸 단 한 번도 들은 적이 없거든." 마가렛은 빌이 절대로 침착함을 잃은 적이 없다는 말에 동의했다. 빌의 그런 점을 그들은 높게 평가하고 있었다.

이 이야기가 어떤 프로세스로 흘러갔는지 포착했는가? 우리 모두는 의미를 형성하는 존재이다. 그래서 만족할 때까지 우리에게 중요한 것에 대해 의미를 만들려고 기를 쓴다. 대인관계 혼돈이 일어나면 우리는 마치 형사라도 되는 것처럼 어떤 사람이 왜 그렇게 행동하고 말했는지에 관한 미스터리에 대해 스스로 만족할 만한 답을 얻을 때까지 가설과 이론을 만들고, 단서를 찾으며, 이야기 조각을 짜 맞춘다. 풀어야 할 다음 미스터리가 생겨야 이 작업이 끝난다. 다른 사람을 이해하려고 할 때만 그러는 게 아니다. 심지어 우리 자신에게도 그렇게 한다. 우리 자신에 관한 이야기를 만들어내서, 스스로가 한 행동에 의미를 부여한다는 것을 보여주는 증거가 있다.[1] 하지만, 이 책에서는 다른 사람과 관계된 우리의 행동에 대해서만 초점을 맞추고자 한다.

앞의 일화로 돌아가보자. 빌에게 보고하는 매니저들은 빌이 회의에서 보여준 행동에 대해 의미형성을 하려고 했다. 의미형성 과정에서 나타나는 몇 가지 공통적인 특징을 주목해볼 필요가 있다. 첫번째 특징은, 빌의 행동이 보다 큰 맥락에 놓여있었다는 것이다. 즉 동부지역이 연속적으로 손실을 보고 있었다는 사실과 예산 삭감이 임박했다는 소문이 바로 그것이다. 우리가 어떤 것에 의미형성을 하려면 이미 사실이라고 믿고 있는 것, 즉 더 큰 그림과 맞아 떨어져야 한다. 두번째 특징으로는 빌이 말하지도 않고 행동하지도 않은 것이 그가 실제로 말하고 행동했다고 할 정도로까지 아주 철저하게 검증된다는 점이다. 비언어적 행동에는 의미가 부여된다. 사람들이 빌의 경험, 그의 머리 속에서 일어나고 있는 것에 대해 판타지를 만들어내고 있다는 점에 주목하라. 한 사람은 빌이 화났다고 생각하고, 다른 사람은 빌이 빨리 회의실에서 나가고 싶어했다고 생각한다. 또한, 그들은 빌에 대해 가지고 있는 전반적인 인상('빌은 회사형 인간'이라는)을 가지고 그를 이해하려고 했다. 우리가 형성한 의미에 만족하려면, 현재 이야기가 과거에 지어냈던 의미형성과 맞아 떨어져야 한다. 세 번째 특징은, 사람들이 빌에 대한 의미를 지어내기 위해 다른 사람과 이야기를 한다는 점이다. 우리는 자신이 지어낸 이야기를 확인하기 위해 우리가 의미형성을 하고 있는 바로 그 대상에게 직접 접근하지는 않는다. 대신, 제3자에게로 간다. 특히 자신이 의미를 형성하고자 하는 행동에 대해 스스로 좋게 느끼지 않을 때 그렇게 행동한다. 이런 행동은 조직 내에서 대인관계 혼돈을 더욱 부채질하게 된다. 우리가 이해하려는 사건이 새로운 것이거나 기존에 알던 것과 다를 경우, 다른 사람에 대해 의미형성을 하려고 시도할 때 자신이 살

얼음판 위에 서 있는 것을 알기 때문에 다른 사람으로부터 도움을 구하게 된다. 이런 상황에서 우리는 조직 안에 있는 사람만 찾아 나서는 건 아니다. 경우에 따라 배우자나 친한 친구가 그 대상이 되기도 한다.

의미형성 과정은 우리가 '진실'이라고 여길 만한 이야기를 만들고 나서야 비로소 끝이 난다. 이때가 되면 그렇게 지어낸 이야기를 실제 일어났던 일로 받아들인다. 새로운 정보가 나타나 지어낸 이야기를 수정해야 할 필요가 생기지 않는 한, 앞으로 벌어질 일에 대해서도 그렇게 만들어낸 '사실'에 근거해서 인식하고, 그렇게 지어낸 '사실'에 따라 행동한다. 하지만, 새로운 정보가 나타나도 그 정보가 모호하고 애매할 경우에는 이미 만들어낸 '사실'에 맞추기 위해 그 정보를 쉽게 무시하거나 왜곡시킨다.

앞에서 소개한 이야기에서 실제로 빌에게 무슨 일이 벌어지고 있는지 궁금하지 않은가?

빌은 상사로부터 받은 중요한 전화에 온통 신경이 쏠려 있었다. 수석 부사장인 빌의 상사는 지금까지 발생한 손실이 그동안 영업과 마케팅에 자원을 충분히 투입하지 않았기 때문이라고 지난 수개월동안 빌이 줄기차게 주장해온 말에 동의한다고 했다. 지금은 다른 사업부 예산을 삭감하고 있기 때문에 당장 빌에게 예산을 올려 줄 방법을 찾지 못했지만, 만약 빌이 납득할 수 있는 사업계획을 세워서 영업부로 예산을 돌릴 수 있는 방법만 찾아내 주면 빌의 부서 예산은 삭감하지 않도록 싸워 줄 준비가 되어 있다고 했다. 만약 빌 부서에서 수익까지 내주면 그때는 예산을 올려보겠다는 말까지 했다. 지금은 100% 확신하기 어렵기 때문이기도 하지만, 다른 사업부에 대한 예산 삭감이 실제로 추진되면 그에 대한 소문이 돌 것은 뻔하고 사람들은 예산삭감을 저지하기 위한 행동을 할 것이니 그는 둘이 나눈 대화에 대해 당분간은 함구해달라고 빌에게 당부를 했다.

사람들은 그들이 만든 이야기 속에서 헛다리를 짚은 격이 되었지만, 이 상황에서 이야기가 얼마나 정확한가는 중요하지 않다. 진짜로 중요한 것은 이렇게 이야기를 전개하는 과정이 사람들 사이에 만연된 현상이라는 것을 우리가 아는 데에 있다. 이런 현상은 멈춰지지 않는다. 업무적인 관계에서 우리에게는 오로지 두 개의 선택지가 있을 뿐이다. 우리 내면에서 일어나고 있는 것을 그들에게 말해주는 것이 하나이고, 다른 하나는 우리 내면에서 일어나는 일에 대해 사람들이 마음대로 이야기를 지어내도록 내버려 두는 것이다. 당신이 말해주지 않으면, 그들은 이야기를 지어낸다. 당신이 선택할 수 있는 것은 이 두 가지 뿐이다.

전화 통화에서 두 사람이 나눈 실제 대화내용을 발설하지 말아 달라는 말을 들은 빌은 무엇을 할 수 있었을까? 실제로 빌은 어떻게 했을까? 대부분의 사람들처럼, 자신이 입을 닫으면 사람들은 어떤 일이 벌어지고 있는지 생각하지 않을 것이라고 생각했다. 그러나 그 생각은 틀렸다. 가까운 곳에서 매일 함께 일하는 사람들은 언제나 가능한 모든 단서들을 뽑아낸다(심지어 그것들을 지어내기도 한다). 권한을 가지고 있는 사람들은 실제로 일어나고 있는 것에 대한 단서를 가지고 있기 때문에 언제나 관찰 대상이 된다. 빌은 회의 시간에 자신이 사람들에게 어떤 영향을 주고 있는지에 대해 전혀 생각하지 못했다. 사람들은 보스에게서 이전과 다른 점을 금방 알아차리고, 이것을 새로운 심층적 의미형성을 위한 자료로 사용한다. 상사에게서 걸려온 중요한 전화 통화 이후에 사람들이 지어낼 의미형성에 영향을 줄 수 있는 방법이 여러가지 있었지만 빌은 거기까지 생각하지 못했다. 이런 상황에서 우리가 취할 수 있는 최상의 전략은 '서술 자아Descriptive Self'가 되는 것이라고 나는 이 책에서 주장한다.

자세히 말하면 당신이 매 순간 경험하는 진실을 말하는 것이다. 빌이 할 수 있었을 만한 말은 어떤 것인지 예를 들어 보자.

빌: 방금 상사로부터 중요한 전화를 받았습니다. 그 내용에 대해 지금은 말을 할 수 없는 상황입니다. 서로에게 정직해야 하지만, 상사가 걱정하는 것 또한 이해하기 때문에 당분간 여러분에게 말해줄 수 없어서 제 마음은 많이 불편합니다. 앞으로 우리에게 좋은 소식이 올 수도 있고, 그렇지 않을 수도 있습니다. 그 전화가 나쁜 소식은 아니었다는 것은 알아줬으면 합니다. 흥분되기도 하고 다소 혼란스럽긴 하지만, 이것이 지금 내가 여러분에게 말해줄 수 있는 전부입니다. 지금 우리에게 중요한 것은 어떤 소문도 만들지 않고 지금까지 하던 일에 집중하는 것입니다. 자, 계획대로 회의를 진행합시다.

빌이 만약 이런 방식으로 회의 참석자들에게 말을 했다면, 그는 상사와의 약속을 어기지 않고도, 그에게 어떤 일이 일어나고 있다는 것을 알게 할 수 있었을 것이다. 그가 현시점에서의 경험here-and-now experience을 동료들에게 서술해주기만 했어도 그들은 억지로 이야기를 지어내지 않아도 되었을 것이다. 그들이 빌로부터 들은 이야기는 나중에 그들이 지어낸 어떤 이야기보다 더 정확했을 것이고, 대인관계 분위기도 훨씬 더 명확하고 덜 혼란스러웠을 것이다. 그러나 이렇게 말한다고 해서 사람들이 의미형성 하는 것을 멈출 수 있을까? 아마도 그렇지는 않을 것이다. 그들은 회의가 끝나자 마자 몇몇이 짝을 지어서 어떤 것이 좋은 소식이 될 지에 대해 여전히 판타지를 생각해낼 것이다. 하지만, 20%나 되는 예산을 어떻게 삭감할지, 사업부에서 내려올 좋지 못한 결과를 염려하느라 시간을 보내게 만든 부정적이고 두려운 판타지 작업만은 멈출 수 있었을

것이다.

가장 중요한 것은 우리가 매일 '서술 자아'가 됨으로써 어떤 효과를 얻을 수 있는가 하는 것이다. 당신이 경험한 진실을 말해서 얻는 일회성 효과에 그치는 것이 아니라, 사람들이 자기 경험의 진실을 말할 때 그것이 조직에 장기적으로 어떤 영향을 주는가 하는 것이다. 사람들이 자기가 경험한 진실을 말할 때마다 그들은 조직 안에 명료성 문화를 만들 수 있다. 만약 빌이 조직 안에 명료성 문화를 만들어 왔다면, 부하직원들은 그에게 지금 무슨 일이 일어나고 있는지를 직접 묻고, 그들이 어떤 점 때문에 걱정하는지 편하게 말하고, 그들이 '진실'이라고 만들어낸 이야기에 빌이 직접 설명해 준 내용을 더 반영했을 것이다. 어떤 사람은 편한 마음으로 이렇게 말했을지도 모른다. "빌, 당신이 본사와 전화 통화한 것을 아는데요, 뭔가 크게 걱정하는 것처럼 보여요. 그 전화가 우리 부서 예산에 대해 나쁜 소식을 전한 건 아닌지 걱정됩니다." 아쉽게도 이런 반응은 '대인관계 혼돈'을 겪고 있는 조직에서는 일어나지 않는다. 그런 조직에서는 지금 무슨 일이 일어나는지 직접 묻지 않기 때문에 많은 에너지가 근거 없는 의미형성에 소모된다. 반면에 대인관계 명료성이 구축된 조직에서는 명료성과 관련한 경험을 이미 했기 때문에 빌이 만족할 만한 설명을 최대한 빨리 해 줄 것이라고 믿고 의미형성하는 것을 잠시 멈추고 기다리면서 상황을 지켜본다.

다른 관점에서 한번 생각해보자. 직원들이 지금 상사의 머릿속에서 무슨 일이 벌어지고 있는지 굳이 알 필요가 있을까? 만약 직원들이 지시받은 대로만 행동하기를 바란다면, 답은 '아니오'이다. 직원이 지시 사항을 따르거나 합의한 사항만을 실행하기를 바란다면, 굳이 대인관계에서 명료성을 만들어내고 그것을 유지하기 위해 노력할 필요가 없다. 하지만, 대인관계 명료성은 파트너십, 즉 직원들이 함께 일하고 그들이 기울인 노력이 성공하도록 책임을 다하는 관계에서는 반드시 필요하다. 협력과 파트너십은 사람들의 몰입과 일정 수준의 평등과 호혜성을 필요로 한다. 부하직원에게 가장 편한 방법은 성공에 필요한 모든 책임을 상사에게 맡기고 뒷전으로 물러나 지시 받은 것만 하는 것이다. 이런 행동은 너무도 안이한 것이기에 함께 일하는 사람들과 파트너십을 맺고 싶은 상사라면, 이런 안일한 태도에 맞서야 하고, 시스템 전체가 책임을 지도록 일관성을 가지고 노력을 다해야 한다.

우리가 경험의 진실을 말하는 것은 아주 단순한 일인 것같지만 대부분의 조직에서 실제로 이런 단순한 일이 잘 일어나지 않는다. 어떤 임원들은 이런 주장을 하는 나를 마치 화성에서 온 사람이라도 되는 것처럼 대한다. 그들에게 대인관계 혼돈은 이미 너무도 일상적인 생활방식으로 굳어버려서 그런지도 모르겠다. 그런 일상적인 방식과 다른 것을 보게 되면 그런 일은 이상적인 세계에서나 가능한 것 아니냐고 반론을 제기할 수도 있다. 하지만 잠시 멈추고, 업무 현장에서 우리가 볼 수 있는 대부분의 관계가 정말로 '대인관계 혼돈' 속에서 일어나는지 한번 생각해보자. 그렇다면, 왜 그럴까?

왜 우리는 대인관계 혼돈 속에서 살고 있는가

먼저 '대인관계 혼돈interpersonal mush'이라는 용어에 대한 전문적인 정의부터 살펴보자. 이것은 사람들이 *서로에 대해 지어낸 검증되지 않*

*은 이야기에 근거해서 서로 교류하는 것*을 말한다. 상식적으로 생각해보자. 우리가 만들어낸 의미형성이 정확한지는 당사자에게 직접 물어보지 않고는 알 수 없다. 대부분의 경우 우리는 어떤 사람으로부터 질문을 받기 전에는 자기 안에서 일어나고 있는 것들을 밖으로 표현하지 않는다. 그렇게 표현하는 것이 오히려 자연스럽게 보이지 않는다. 어떤 악의적인 의도나 두려움, 불신, 또는 부정적인 이유가 있어서 그렇게 하는건 아니다. 단지 우리가 경험한 것을 어떻게 서술하는 것이 좋은지에 대해 배우지 못해서 그럴 뿐이다. 심지어 그렇게 하면 안 된다는 가르침을 받으면서 자라기도 한다. 자기가 경험한 대로 말하면, 자기 중심적인 게 아니냐는 말을 듣기도 한다. 우리들 대부분은 자신이 경험한 것을 다른 사람에게 말하는 것이 쓸모가 있거나 중요하다고 생각하지 않게 되었다. 서술 자아에 관한 바람직한 롤모델을 거의 본 적이 없다. 심지어 주변에 클리어 리더십 스킬을 잘 활용하는 사람이 있어도 그들이 하고 있는 것이 무엇인지 명확하게 드러나지 않는 경우가 많다. 경영자들을 대상으로 한 MBA 프로그램에 참여했던 아주 탁월한 엔지니어 한 사람이 기억난다. 서술 자아가 되어야 한다고 내가 말했을 당시 그녀는 나를 실없는 사람이라고 했다. 그러나 몇 주가 지난 후, 수업에 참석한 그녀는 회사에서 자기가 본 장면을 무척 상기된 모습으로 들려줬다. 회사에서 가장 영향력 있는 3명의 엔지니어들이 사실은 서술 자아를 가장 잘 활용하고 있는 사람들이라는 것을 깨닫게 되었던 것이다

성장하기

우리는 태어나서 처음으로 만나는 집단인 가족과 생활하면서 다른 사람들을 어떻게 대해야 하는지에 대해 배우게 된다. 가정에서 우리는 아이였지만, 부모는 어른이었다. 처음으로 만나는 집단인 가정은 경험과 지식, 권력에 상당한 불균형이 존재하는 곳이다. 어른들의 생활에는 아이들에게 설명할 수 없는 많은 일들(예: 배우자와의 문제, 업무 관련 불안 등)이 있다. 그러나 아이들에게 아무것도 말해주지 않으면 어떤 문제가 생기는지 어른들은 알지 못한다. 문제는 어른들이 말을 해주지 않으면, 아이들은 그들 스스로 무슨 일이 일어나고 있는지, 왜 그들이 배제되는지에 대해 이야기를 지어낸다는 것이다.

아이들은 자라면서 그들에게 일어나는 모든 것을 부모에게 말하지 않는 자신만의 이유를 만들어내고, 부모는 아이들의 생활에 관해 이야기를 만들어낸다. 대부분의 가정에서 부모와 아이들은 어느 정도 각자 마음 속에서 서로가 어떤 생각을 하고 있는지에 대해 이야기를 만들어낸다. 심지어 별 문제가 없는 가정에서도 일정 수준의 대인관계 혼돈은 만들어진다. 아이들은 이런 대인관계 혼돈이 다른 사람들과 상호교류 할 때도 사용할 수 있는 정상적인 방식이라고 받아들이면서 자란다.

청소년기에 도달하면 우리는 어딘가에 부합되고 소속되기 위해 애를 쓴다. 또래들과 다르게 경험하는 것이 바람직하지 않다는 것을 함께 생활하면서 저절로 학습한다. 즉, 우리가 어디에 소속되고 싶으면, 남들과 비슷한 생각과 감정, 욕구를 가져야 한다는 것을 알게 된다. 이후 많은 취약성을 경험할 수밖에 없는 성적인 관계에서는 훨씬 큰 어려움을 겪는다. 이런 상황에서 어려움을 해결할 수 있는 실마리를 찾거나, 제3자로부터 필요한 정보를 얻어낼 수 있는 방법을 배우긴 하지만, 관심 대상에 대한 두려움 때문에 직접 접근하지는 못한다. 고등학교는 대인관계 혼돈 속에서 살아갈 수 있는 방법을 터득할 수 있는 완벽한 곳이다. 이곳에서는 어떻게 하면 멀쩡한 척하면서 자기 속에 들어 있는 반항적인 생각과 감정, 욕구를 억누를 수 있는지에 대해 배우면서 자란다. 다른 사람과 다르게 행동하면서 사는 것이 안전하지 못한 세상에서 우리가 어떻게 행동해야 하는지 배우게 된다. 이 시기에는 다른 사람들이 자신에게 마음을 터놓기를 기대하지 않고, 그들이 자신과 다르다는 것도 기대하지 않는다. 성공하는 사람들은 대인관계 혼돈 속에서 어떻게 효과적으로 대처해야 할지에 대한 처세술에 뛰어난 사람들이다. 또한 일을 잘 해내고, 사람들로부터 호감을 얻어내고, 자신이 원하는 것을 성취하기 위해 자기 의도대로 시도하는 과정에서 대인관계 혼돈을 자기에게 유리하게 활용할 줄 아는 방법을 터득한 사람들이다.

계층구조와 권한

조직 안에는 대인관계 혼돈을 확산시키는 제3의 힘이 존재하는데, 계층구조가 바로 그것이다. 계층구조는 어떤 사람들이 다른 사람에 대해 권한을 가지는 것을 의미한다. 지나치게 많은 권한과 적정 수준의 권한 사이에는 차이점이 있다. 사람들을 효과적으로 조직하려면 적절한 수준의 권한이 필요하다. 다시 말해서 누가 무엇에 대해 책임을 지고, 누가 무엇에 대해 최종 의사결정 권한을 가질 것인가를 명확히 하는 것을 말한다. 많은 대기업에서 흔히 볼 수 있는 문제는 계층구조가 계획없이 엉성하게 설계되어서 조직화를 잘 지원하기 보다 오히려 방해가 된다는 점이다. 이 점은 다른 연구에서 잘 다루고 있기 때문에 이 책에서는 다루지 않기로 한다.[2] 그러나 우리 대부분이 가정이나 학교, 종교 기관에서 권한에 대해 경험했던 것 때문에 계층구조가 잘 설계되어 있는 곳에서도 대인관계 혼돈을 만들어낸다. 기본적으로 우리는 권한 주위에서 잘 숨고 피할 수 있는 방법을 배운다. 권한을 가진 사람들이 우리가 무엇을 말하고 행동하기를 원하는지를 파악하는 방법도 배운다. 우리는 그들이 가까이 있을 때는 그들이 원하는 방식으로 말하고 행동한다. 권한을 가진 사람들을 화나게 하거나 언짢게 하거나, 우리에 대해 불만족스럽게 받아들일 수 있는 생각과 감정을 드러내지 않는 방법 또한 터득한다. 결과적으로, 대인관계 혼돈은 권력 불균형 상황에서 극대화된다. 어떤 사람이나 그룹이 다른 사람에게 지배되거나 억압을 받는다고 느끼는 상황에서 더욱 그러하다.

이런 기본적인 경험의 법칙Rule of thumb을 제대로 알지 못하는 매니저는 어둠 속을 헤맬 수 밖에 없다. 왜냐하면 계층구조에서 위로 올라갈수록 정보가 왜곡되기 때문이다. 윗사람과 말할 때는 긍정적인 것만 말한다. 그들이 듣기 싫어할만한 의견은 말하지 않고, 그들이 원하지 않는 결과를 숨기는 식으로 행동하면, 진실된 이야기는 결코 계층구조 위로 올라갈 수 없다. 이런 상황에 대해 여러 해 동안 학생들이 웃기게 표현한 글이 있다. 학생들은 이 글을 '계획(34쪽의 글)'이라고 불렀다. 이 글을 누가 작성했는지는 나도 모른다. 이 글은 계층구조가 어떻게 대인관계 혼돈을 만들어내는지에 대해 잘 설명해줄 뿐만 아니라, 계층구조 하부에 있는 사람들이 높은 계층에 있는 사람들에 대해 지어내는 이야기가 어떤 것인지를 잘 보여주고 있다. 이런 과정들이 실제로 일어나는지는 알 수 없지만 많은 직원들과 중간 매니저들은 그럴 법하다고 생각한다.

권한을 가진 사람들은 우리에게 권력을 행사한다. 그들이 권력을 많이 가지고 있다고 우리가 느낄수록 우리의 생존과 번영은 그들에게 더 의존하게 된다. 권한을 가진 사람들이 행동하고 생각하고 느끼고 원하는 것이 우리에게 고스란히 영향을 미친다. 그래서 그들은 우리가 의미형성을 하는 대상이 될 가능성이 매우 높다. 그들이 어떤 것을 말하고 행동하는 이유에 대해 우리가 파악하려 할 때, 우리에게 그들은 가장 접근하기 힘든 사람들이 된다. 우리는 중요하지 않은 사람과 그들이 보이는 행동에 대해서는 굳이 의미형성을 하지 않는다. 하지만, 상사나 그 상사의 상사, 사장 같은 사람들은 우리에게 중요한 무언가를 행할 수 있는 사람들이다. 그래서 우리는 보고 들은 것에 대한 의미형성을 하기 위해 다른 사람들과 이야기를 하게 된다. 조직에서 만들어지는 수많은 이야기는 권한을 가진 사람들이 관심을 가진 것에 대해 의미형성을 하려는 시도일 뿐이다. 조직 구성원들에게 권한을 가진 사람들은 환상의 대상이 된다. 누구도 이것을 멈추게 할 수 없다. 만약 권한을 가진 사람들을 대상으로 이런 환상이 더 이상 만들어지지 않는다면 그들은 더 이상 중요하지 않은 것이다.

좋은 의도로 이루어진 세상에서도, 대인관계 혼돈은 쉽게 일어난다. 좋은 의도가 혼돈을 먼저 만들어낼 때도 있다. 에이브는 준의 감정을 상하게 하고 싶지 않아서 자신이 경험한 것을 사실대로 그녀에

계획

태초에 계획이 있었고, 그 후로부터 가정들이 생겨났다.
그러나 그 가정들에는 형태가 없었고, 계획에는 실질적인 내용이 없었다.

직원들 얼굴에 어둠이 드리워지자, 그들이 상사에게 말하기를:
"계획은 거짓과 속임수 투성이고, 악취가 진동합니다."

그러자 상사가 부서장에게 가서 말하기를:
"그것은 똥 바가지고, 아무도 그 악취를 참을 수 없을 것입니다."

부서장은 그룹 매니저에게 가서 말하기를:
"계획에는 지독한 배설물이 들어있어서
누구도 참기 어려울 것입니다."

그러자 그룹 매니저는 총괄 매니저에게 가서 말하기를:
"그것에 아주 뛰어난 거름이 들어있어서
누구도 그 강력함에 맞서지 못할 것입니다."

그러자 총괄 매니저는 부사장들 앞에 가서 말하기를
"그것은 성장을 촉진하면서 엄청난 결과를 만들어낼 것입니다."

그러자 부사장은 CEO에게 가서 말하기를:
"이 새로운 계획은
회사와 모든 사업부의 성장을 강력하게
촉진할 것입니다"

계획을 살펴본 CEO는 훌륭하다고 생각했고,
마침내 그 계획은 회사의 정책이 되었다.

게 말하지 않는다. 셰릴은 불필요한 걱정을 일으키고 싶지 않아서 진실을 말하지 않는다. 라나는 회의를 망치고 싶지 않아서 잭의 의도를 명확히 이해하기 위해 당연히 물어야 할 질문을 하지 않는다. 우리가 다른 사람을 보호할 때는 우리 자신 또한 보호하게 된다. 그러나 그렇다고 해서 그런 행동이 인간사회를 가장 약화시키는 것 중 하나라는 역설이 줄어드는 건 아니다. 인간사회를 약화시키는 것은 역기능적으로 행동하는 사람들이나 나쁜 의도를 가진 사람들이 아니라, 가정이나 학교에서 배운대로 행동하면서 살아가는 보통 사람들이다. 서술 자아가 되는 것을 힘들게 하는 불안정한 사회의 현실, 업무환경과 사업관계가 있기는 하지만, 그런 상황이 손쓸 수 없을 정도로 널리 퍼져있는 것은 아니다. 그런 현실 때문에 대인관계 혼돈이 만연된다고만 말할 수는 없다.

대인관계 혼돈을 "인간사회의 가장 취약한 현실"이라 생각하는 이유

대인관계 혼돈은 사람들 사이에서 발생하는 대부분 문제의 원인이 된다. TV나 영화에서 시트콤이나 로맨틱 코미디 주제는 사람들이 서로를 잘못 인식해서 일어나는 대인관계 혼란을 다루고 있다. 스토리의 흐름을 쫓다 보면, 서로에 대한 잘못된 인식은 주요 인물들이 자기가 경험한 진실을 솔직하게 말하지 않는 시점에서 발단이 된다. 그 상황에서 솔직하게 말을 하면, 혼란이나 착오는 일어나지 않았을 것이다. TV와 영화 속 시트콤에서 볼 수 있는 잘못된 인식은 크게 심각한 것은 아니지만, 직장생활과 가정생활에서 촉발되는 잘못된 인식은 심각하다. 직장과 가정생활에서 잘못된 인식이나 부정확한 정보를 가지고 서로 교류하면, 그 결과는 결코 웃어넘길 수만은 없을 것이다. 우리가 만들어내는 의미는 장기적으로 영향을 미친다. 우리가 지어내는 이야기가 정확하지 않으면, 우리는 그럴듯하게 만들어진 가공의 세계에서 살 수밖에 없다. 다음에서 설명하겠지만, 그럴듯한 것처럼 보이는 세계가 모두 장밋빛은 아니다. 실제보다 아름답지 못한 경우가 대부분이다.

우리는 우리가 믿는 것만을 볼 수 있다

새로운 이야기가 만족스러울 경우는 그것이 우리가 이미 진실이라고 믿고 있는 것, 즉 우리가 과거에 지어냈던 의미형성과 잘 맞아떨어질 때이다. 이럴 경우에는 두 가지 효과가 나타난다. 첫째는, 과거에 이미 만들어냈던 이야기와 잘 부합되는 행동에 대해서는 설명할 거리를 잘 찾아낼 수 있고, 그 행동에 대한 논리적 근거를 쉽게 만들어낸다는 점이다. 이 장 첫머리에서 소개했던 빌의 부하직원들에게 일어난 일을 생각해 보면 알 수 있다. 두번째 효과는, 우리가 과거 이야기와 부합하는 것은 보고 들으려 하지만, 그렇지 않은 것은 놓치기 쉽다는 점이다. 우리가 현재 믿고 있는 것 때문에 제대로 인식하지 못하게 된다. 이런 일이 일어난다는 것을 대부분의 사람들이 이미 알고 있지만, 자신이 그렇게 하고 있을 때는 눈치채지 못한다. 그래서 자신이 꾸며낸 세계 속에서 무엇이 정확하고 무엇이 정확하지 않은지 알지 못한 채 살아간다. 이 두 가지 효과 때문에 의미형성 목록에 올라와 있지 않은 것을 보는 것은 쉬운 일이 아니다.

우리가 협력을 시도해야 할 사람들에 대해서는 의미형성을 할 필요가 있기 때문에, 그들이 마음 속에서 어떤 생각을 하고 있는지 잘 알지 못할 때는 그 부분을 채우게 된다. 그런데 이때 우리가 그 사람들에 대해 의미형성을 한 후 그것을 확인하지 않으면, 대인관계 혼돈 속에서 활동할 수밖에 없다. 대인관계 혼돈 상황에서 의미형성을 할 때는 부정적인 측면만큼 긍정적인 측면에서도 오류가 있을 수 있기 때문에 중립적이라고 할 수도 있다. 다시 말해서, 내가 당신에 관해 지어낸 이야기가 당신을 실제보다 더 용기 있는 사람, 더 관심이 가는 사람, 더 정직하고 신뢰할 만한 사람으로 만드는 것이 가능할 수도 있다는 의미이다. 내가 지어내는 이야기가 이런 식으로 부정확하게 될 수 있지 않을까? 어쩌면 그럴 수도, 그럴 법도 하다. 가끔 우리는 사람들이 완벽하게 보이도록 이야기를 지어낸다. 하지만 그런 일은 보통 일어나지 않는다.

우리의 이야기에는 긍정보다는 부정적인 경향이 더 많다

우리가 만들어낸 이야기와 우리에 대해 만들어진 이야기가 실제보다 덜 우호적인 경향이 있다는 것은 안타깝지만 사실이다. 정보가 부족하면 사람들은 최악을 생각하는 경향이 있다. 이런 경향은 직장에서 더 많이 나타난다. 대인관계 혼돈이 있으면 조직과 동료들에 대한 생각이 실제보다 더 부정적일 때가 많다. 경영진은 실제보다 더 매정하고 모진 사람들처럼 보이고, 조직은 실제보다 더 정치적이고 유연하지 못한 것처럼 보인다. 옆자리에서 일하는 동료들은 실제 모습보다 훨씬 더 무감각하고 배려가 없는 사람들로 보인다. 부하직원들은 실제보다 더 게으르고 부주의한 사람들로 인식된다.

대인관계 혼돈이 커질수록 사람들이 만들어내는 이야기는 점점 더 부정적이 된다. 그래서 사람들은 자신이 경험한 것을 점점 더 솔직하게 말하지 못하게 되는 악순환이 일어난다. 왜냐하면 자신이 경험한 것을 솔직하게 말하면 위험에 빠지기 때문이다. 그러다 보니 솔직하게 말하지 못하고, 이런 악순환이 거듭될수록 대인관계 혼돈은 점점 더 높아질 수 밖에 없다. 바로 이런 점 때문에 처음부터 경험의 진실을 말하는 것을 위험하다고 생각한다. 대인관계 혼돈은 사람들이 서로에게서 근본적인 인간성을 알아보지 못하게 만든다. 다른 사람이 자신에게 당연히 기대할 거라고 느끼는 것을 하기 위해 최선을 다하면서, 그들이 사랑과 배려하는 마음을 가진 사람들이라는 사실을 제대로 알아봐 주지 못한다.

우리가 최악의 상황을 상상하는 한 가지 이유는 불확실성에 대비하기 위해 조심하려는 자연스런 충동 때문이다. 최악의 시나리오에 잘 대비하는 것이 자신을 준비시킬 수 있는 방법이기 때문이다. 이러한 방어 자세는 안전하지 않다고 느낄 때 훨씬 더 증폭된다. 대인관계 혼돈은 부정적으로 보는 것이 훨씬 현실적인 방법이라고 가르쳐 주기 때문에 애매모호한 상황이 되면 우리는 부정적인 마음으로 대처하게 된다. 대인관계 혼돈이 있는 환경은 우리의 두려움을 먹고 자란다. 그래서 사람들이 느끼는 위협감은 점점 더 커진다. 그러나, 이것들이 혼돈이 일어나게 하는 출발점은 아니다. 20세기 심리학자들에 의해 밝혀진 바에 따르면, 사람들이 이처럼 통상적이고 인간적인 방식으로 의미형성을 하는 데는 몇 가지 이유가 있다고 한다. 이제 그 이유를 살펴보기로 하자.

근본적인 귀인 오류 Attribution Error

우리가 다른 사람의 행동에 대한 이야기를 지어낼 때는 그 행동에 대한 외부 원인이나 타당하다고 느낄 만한 이유를 찾는다는 것을 심리학자들은 알아냈다. 예를 들어 보자. 만약 도로 갓길에 자동차 엔진 뚜껑을 열어 놓고 서 있는 당신을 내가 봤다면 나는 자동차에 문제가 생겼다고 추측했을 것이다. 그러나 내 추측과 다른 이유로 당신은 그곳에 서 있었을 수도 있다. 심지어 그 자동차가 당신 차가 아닐 수도 있다. 하지만 엔진 뚜껑이 열린 차 옆에 서있는 당신을 보면 자동차에 문제가 있을 거라고 믿을 만한 충분한 이유가 된다. 나는 내가 만족할 수 있는 이야기를 지어냈고, 의미형성은 거기서 끝났다. 그러나 당신이 보여준 행동에 대한 이유를 외부에서 더 이상 찾을 수 없을 경우에는 그 행동의 원인이 당신의 내면(예: 성격, 가치관, 동기, 성격 등)때문이라고 우리는 추측하게 된다. *근본적인 귀인 오류*는 행동의 원인이 실제로는 외부에 있지만 내부에 있다고 가정하는 일반적인 경향을 말한다.

파트너십에서 이것은 다음과 같은 방식으로 전개된다. 마감시간을 놓친 경우를 예로 들어보자. 내가 어떤 일을 그르치고 있을 때는 내가 처한 상황이 어떻게 그 문제의 원인이 되는지에 대해 나는 언제든지 보여줄 수 있다. 하지만, 당신이 일을 그르치는 것을 내가 본 경우에는, 당신이 가진 어떤 결점(시간 관념이 없다든가, 지나치게 감정적인 것, 기술이나 지식의 부족 등 등)때문에 일이 잘못되었을 거라고 나는 추정하게 된다. 우리의 모든 행동은 자신이 처해 있다고 인식하는 상황에 의해 어느 정도 규정된다. 성격과 같은 내면적 요인보다는 상황적 요인이 사람의 행동을 더 잘 예측한다는 연구결과가 있다. 하지만, 우리가 이야기를 만들 때는 우리가 가지고 있는 사실만 가지고 이야기를 만들어낸다. 다른 사람이 처한 상황을 우리가 이해하지 못할 경우에는 그 상황은 이야기에 포함될 수가 없다. 정당성을 충분히 갖춘 이야기를 꾸며내려면 먼저 우리 내면에서 정당성을 만들어야 한다.

정말 중요한 것은 사람들이 속해 있는 객관적인 상황이 아니라, 자신이 처해 있다고 인식하는 상황이기 때문에 상황은 훨씬 복잡하다. 객관적으로 동일한 상황에 있는 10명의 사람들은 10가지의 다른 경험을 하게 된다는 사실을 기억하라. 그래서 실제로 그들이 경험한 것은 10가지 다른 상황이다.

투사 Projection

우리가 꾸미는 이야기가 실제보다 더 나쁜 또 다른 이유는 우리가 이야기의 원재료를 어디에서 가져오는지와 관련이 있다. 투사 이론The-ory of projection은 심리학자들이 인식Perception에 대해 관찰했던 것들을 설명하기 위해 사용된다. 기본적으로 이 이론은, 실제로는 우리 내면에 있는 것인데 그것을 우리 외부에서 보는 것을 말한다. 다시 말하면, 우리는 언제나 자신을 둘러싸고 있는 세계를 대상으로 자신을 투사한다는 것이다. 자신이 행복한 상황에 있을 때는 세상을 더 행복한 곳으로 여기고, 자신이 우울할 때는 세상을 더 비참한 곳으로 여긴다.

우리가 언제나 이렇게 투사하는 이유는 우리 내부에 없는 것들을 인식하는 것이 것이 거의 불가능하기 때문이다. 한번도 본 적이 없던 단어를 배우는 것이 어떤 식으로 나타나는지 우리는 잘 알고 있다. 이전에는 그런 단어가 있는지조차 알지 못했지만 일단 새로운 단어를 배우고 나면 가는 곳마다 그 단어가 눈에 들어왔던 기억이 여러분에게도 있을 것이다. 이런 현상은 우리가 어떤 것이 존재한다는 것을 배우기 전까지는 그것을 알아보는 것이 불가능하기 때문에 일어난다(내가 믿으면 비로소 보이게 된다). 5장에서는 내가 '심상지도Mental maps'라 부르는 것을 다루는데, 이것은 미래의 경험이 과거에 학습한 것에 의해 만들어지는 것을 말한다. 우리가 다른 사람과 상호 교류할 때는 이미 우리의 심상지도에 있는 것은 볼 수 있지만, 심상지도에 있지 않은 것은 보지 못한다. 그래서 다른 사람들과 잘 어울리고 싶으면 먼저 자신에 대해 잘 알아야 한다. 다시 말해, 자기 안에 있는 다양한 면들을 더 많이 이해할수록 우리 안의 지도는 더 복잡해진다. 그래서 우리는 다른 사람에게서 더 많은 것을 볼 수 있을 뿐만 아니라 동시에 우리와 그들 사이에 어떤 차이점이 있는지에 대해서도 더 잘 알아차릴 수 있게 된다.

다른 사람들과 상호작용을 할 때 투사의 한 유형인 '방어적 투사'를 자주 사용하는데, 그것은 알고 싶지 않은 자신의 일부가 다른 사람들에게 알려지는 것으로부터 스스로를 방어하는 것을 말한다. 문화에 따라 받아들여지는 것이 달라진다. 어떤 자질은 좋고 긍정적이어서 받아들여질 수 있지만, 어떤 자질은 나쁘고 부정적이어서 받아들여지지 못할거라는 말을 해줌으로써 문화는 사람들을 기존 문화에 맞게 사회화시킨다. 이렇게 함으로써 '나쁜' 자질은 부인하고 억눌러야 한다는 것을 우리는 암묵적으로 배우게 된다. 그럼에도 불구하고 우리가 부인하고 억눌렀던 자질들은 사라지지 않고 여전히 우리 내부에 존재한다. 많은 연구에 의해 밝혀진 사실이 있다. 심리적으로 가장 건강하다고 여겨지는 사람들, 낙관적인 성향을 가지고 스스로 행복감을 느끼며 성취욕구를 가지고 있는 사람들은 자신과 세상을 지나치게 긍정적으로 보고 과장할 뿐만 아니라 자신에 대해 착각을 하기도 한다고 한다. 성공적인 길을 걸어오며 자신감으로 가득 찬 사람들은 기억 속에서 성공을 과장하고, 실패는 잊으려 하면서 긍정적인 사회적 가치에 초점을 맞추고 부정적인 행동은 무시하려는 경향이 있다.[3] 자신을 정확하게 있는 그대로 보는 사람들은 우울감을 느끼고 운명론적인 태도를 보일 수 있다. 따라서, 부족하고, 나쁘고, 열등하거나 약하다고 여기는 자신의 일부를 억누르거나 부인하려는 행동은 전혀 이상한 것이 아니다. 사업이나 조직에서 성공한 사람들일수록 이렇게 행동할 가능성이 높다. 그렇다면 이렇게 억제된 부분은 어떻게 될까? 그것들은 우리가 다른 사람들의 실패와 미숙한 행동을 설명하기 위해 이야기를 꾸며낼 때 원재료로 사용한다.

이 이론에 따르면, 나의 일부는 내가 자신의 전부, 즉 좋은 면과 나쁜 면을 모두 보기를 원하지만, 나의 또 다른 부분은 내가 그것을 보지 못하도록 방해한다. 나의 일부가 내 자신에 관한 어떤 면을 보도록 나를 강요할 때, 나는 그 이미지를 당신에게 향하게 함으로써 내가 가진 그 면을 보는 것을 피할 수 있게 된다. 그렇게 함으로써 나는 일석이조의 효과를 거둘 수 있다. 즉, 당신에 대해 만족할 만한 이야기를 만들어낼 뿐만 아니라, 내가 좋아하지 않는 내 부분들이 다뤄지지 않도록 자신을 방어할 수 있게 된다. 우리는 조직 안에서 자신이 가지고 있는 부정적인 동기를 다른 사람들에게 투사하고, 그렇게 투사된 모습에 따라 그들에 대해 판단한다.

한 가지 예를 생각해보자. 내 동료인 당신이 근무시간에 일은 하지 않고 땡땡이 치는 걸 내가 목격했다고 하자. 책상에 앉아서 웹 서핑을 하거나 개인적으로 필요한 상품을 온라인에서 구매하고 있는 당신의 행동을 보고 그것을 '업무태만'이라 꼬리표를 붙이고 나서, 그때부터 나는 당신에 대한 이야기를 만들어낸다. 아마도 그렇게 지어낸 이야기는 당신과 파트너십을 유지해야 할 의욕을 떨어뜨릴 것이다. 어느 누가 일을 하지 않는 당신과 파트너십 맺기를 원하겠는가? 하지만, 내가 몰랐던 것이 있었다. 사실 당신은 마감시한을 맞추기 위해 지난 3일동안 매일 야근을 해서 기한을 맞췄다. 내가 당신이 웹서핑 하는 것을 봤을 때는 그동안 마감시한을 맞추느라 처리하지 못했던 개인적인 일을 당신이 처리하고 있을 때였다. 물론, 나는 그 사실을 몰랐기 때문에 내가 본 것에 대해 의미형성을 하기 위해 당신이 실제로 경험한 것 중에서 내가 알지 못하는 부분을 임의로 채워야 했다. 그런데 나는 왜 '업무태만'이란 말을 선택했을까? 아마도 내가 근무시간 중에 인터넷 서핑을 했을 때 업무태만이 되는 행동을 했기 때문일 것이다. 하지만, 나는 절대로 자신에게 '업무태만'이란 딱지를 붙이고 싶지 않았다. 나는 절대로 업무를 게을리하지 않았고, 나는 열심히 일하고, 헌신적으로 팀플레이를 하는 사람이라고 생각했을 것이다. 이때 업무를 게을리하는 당신을 보게 되면, 업무를 게을리하는 내 모습을 보지 않아도 된다. 업무를 미루는 내 습관을 보고싶지 않기 때문에, 대신 당신을 습관적으로 업무를 미루는 사람으로 보게 된다. 7장에서 투사의 문제를 좀 더 자세히 다루기로 하자.

클리어 리더십 스킬을 효과적으로 활용하려면, 이렇게 의미형성을 하는 것이 정상적인 행동이라는 것을 인정해야 한다. 당신이 투사와 귀인오류를 범할 가능성이 있다는 것 또한 인정해야 한다. 당신이 만들어 낸 이야기가 정확하지 않을 수 있다는 가능성을 항상 열어놓아야 한다. 당신은 자신이 의미형성을 하는 것을 멈출 수 없다. 당신은 의미형성을 해야만 한다. 따라서, 당신이 할 수 있는 유일한 선택은 그들이 경험하는 진실을 당신에게 솔직하게 말하도록 하는 것이다. 호기심 자아는 다른 사람이 세상을 어떻게 보는지 이해하기 위한 것이다. 그들의 경험을 명확히 알기 위한 것이지, 그들의 머릿속에서 어떤 생각이 일어나는지 지어내기 위한 것이 아니다. 매니저는 사람들이 서로의 경험에 대해 명확히 이해할 수 있도록 도와주는 방식으로 명료성 문화를 만들 수 있다. 협력적인 업무시스템을 구축하고 싶어하는 리더는 자신에게 일어나고 있는 것을 다른 사람에게 말해줌으로써 귀인오류를 줄이고 그들에 대한 투사를 적게 할 수 있다. 이렇게 솔선수범을 통해 사람들을 이끌어갈 수 있다. 대인관계 속에서 명료성의 문화를 어떻게 만들 수 있는지 모범을 보이고 안전한 환경을 만들어서 조직 구성원들 또한 명료성을 추구할 수 있게 할 수 있다.

개인이 가지고 있는 특성이 대인관계 혼돈에 영향을 미치는 것은 사실이다. 이런 일이 가정이나 가족관계 내에서만 나타나는 사회화 현상은 아니다. 클리어 리더십은 명확한 심리적인 경계를 요구한다. 매니저에게 이러한 심리적 경계가 부족하면 대인관계 혼돈을 없애고 조직 내에 대인관계 명료성을 구축하는 것이 불가능해진다. 심리적인 경계가 없으면 의미형성, 대인관계 혼돈, 조직 내 대인관계 명료성에 집중하지 못하게 된다. 이 점에 대해서는 다른 장에서 나중에 다루기로 한다.

대인관계 혼돈은 조직에 어떤 영향을 미치는가?

대인관계 혼돈은 서술 자아가 되는 것을 기대하지 않거나 그것을 지원하지 않는 조직문화, 그리고 대인관계 명료성을 만들기 위해 노력하지 않는 매니저들에 의해서 유지된다. 대인관계 혼돈은 조직규모와 무관하게 대부분의 조직에서 고치기 힘든 문제로 나타난다. 그 결과, 많은 조직은 그들이 될 수 있는 상태까지 도달하지 못하게 되고, 조직 내에 협력은 제대로 뿌리내리지 못하게 된다. 팀과 위원회는 시간만 낭비하고 힘들게 운영되며, 관료주의는 혁신에 걸림돌이 되고, 사람들의 사기는 떨어지고 결국 그들은 변화에 저항한다. 이것이 많은 조직이 처한 실제 모습이다. 그렇지 않은가?

그러나 상황이 이렇게 흘러가지 않을 수도 있다. 이와 다른 사례를 많이 보아왔기 때문이다. 업무그룹, 부서, 사업부와 기업 등 우리가 "평범한 조직"이라 부르는 곳에서도 높은 의욕과 진정한 시너지, 빠른 혁신, 변화에 잘 대응할 수 있는 환경을 갖추기만 하면 평범한 수준을 훨씬 능가할 수 있다는 것을 많이 보아왔다. 내가 보아온 모든 사례들에 나타나는 한 가지 공통 요소가 있다. 그런 조직들에는 대인관계 혼돈이 없고, 스스로 학습하면서 다른 사람들의 학습을 이끄는 리더들이 조직 내에 존재한다는 점이다. 이 책의 서두에 소개한 리네트의 이야기를 기억하는가? 다른 사람들의 지원이 부족하다고 리네트가 자신의 경험을 꺼냈던 그 순간은 그녀의 상사가 성과를 이끄는 역할leading performance에서 학습을 이끄는leading learning역할로 전환하게 만든 결정적 계기가 되었다. 그는 자신을 포함해 회의실에 있는 모든 사람들이 각자가 경험한 것을 사실대로 말하는 프로세스에 참여하게 했다. 그렇게 함으로써, 그들은 집단의 경험을 통해 학습할 수 있었고 성공을 방해해 온 패턴을 변화시킬 수 있었다. 차이를 만드는 것은 구조, 기술, 시장, 제품이나 서비스가 아니라 대인관계 명료성이다. 사람들이 어떻게 대인관계 명료성을 만들어내는지 말하기 전에, 대인관계 혼돈이 조직에서 기능 장애를 일으키는 근본적인 문제라는 점을 여러분이 잘 이해했으면 한다. 만일 서로에게 자기가 경험한 것을 숨기는 대신 경험의 진실에 대해 말한다면 어떤 환경이 만들어질지 상상해보라.

대인관계 혼돈이 미치는 영향

(1) 조직 내에 분열이 많아지면서 하위문화들이 형성된다.
(2) 서로 불신하고 기대하지 않게 된다.
(3) 사람들, 특히 리더들은 자신들의 행동이 어떤 결과를 만들어내는지 알지 못한다.
(4) '조직의 무의식' 상태가 활발해진다.
(5) 계획은 실행되지 않고, 후속조치들은 제대로 된 결과를 만들어내지 못한다.
(6) 경험으로부터 함께 학습할 수 없다.
(7) 문제의 패턴이 절대 사라지지 않는다.
(8) 대인관계 혼돈은 우리를 변화의 마스터가 아니라 희생자로 만든다.
(9) 직원들은 스트레스 장애를 겪는다.

조직 내에 분열이 많아지면서 하위문화들이 형성된다

대인관계에 혼돈이 있으면 사람들은 의미형성을 하기 위해 다른 사람들을 찾는다. 그들은 혼란 속에서 서로가 만들어낸 이야기를 공유하고, 특정 사람들의 행동에 대해 생각하고 느끼는 것을 말할 수 있는 믿을 만한 사람들인 것이다. 이렇게 만난 사람들끼리는 특정 사람들에 대해 같은 생각을 키워 나갈 수 있는 파벌 집단을 쉽게 형성한다. 부서, 본부, 조직은 이런 하위문화들로 점점 더 분화되어 간다. 다른 하위문화에 속한 사람들은 서로 다르게 가정하고 추측하기 때문에 협력하는 것이 어려워진다. 각 하위문화에 속한 사람들은 집단 내에 있는 사람들이 인식하고 있는 것을 서로가 보강해준다. 그래서 그들 중 어느 누구도 다른 관점에서 상황을 볼 수 없게 된다. 이런 패턴이 지속되면 각 하위집단의 구성원들은 자신들은 진실과 선의를 가지고 있지만, 다른 그룹은 잘못된 방향으로 간다고 여긴다. 심지어 다른 그룹 사람들이 악하다고 까지 생각하면서 상황은 점점 악화된다. 그룹과 그룹 사이에서 일어나는 갈등 때문에 분열과 고립은 더 심해진다. 그래서 각 그룹이 만들어 낸 다른 그룹에 관한 이야기들은 점점 사실과 멀어진다. 구성원들과 집단이 조직에서 갈등을 겪게 되는 데는 실질적이고 합리적인 이유들이 있다. 갈등을 겪는 것은 건강한 일이다. 그러나 갈등이 서로를 상대로 잘못된 인식과 부정확한 이야기에 근거하고 있다면, 그것은 건강한 갈등이라고 할 수 없다.

서로 불신하고 기대하지 않게 된다

대인관계 혼돈이 있는 분위기에서는 다른 사람들이 경험하고 있는 것을 명료하게 이해하지 못할 뿐만 아니라, 그들이 행동하고 말하는 이유에 대해서 확실하게 이해할 수가 없다. 이런 모호함과 불확실성은 불안을 초래한다. 이유를 정확히 알지는 못하지만 뭔가 안전하지 못하다고 느낀다.(난처한 상황에 처하면 우리는 왜 안전하지 않은지에 대해 그럴싸한 이야기를 꾸며낼 수 있다.)

　많은 조직에서, 특히 소규모 조직과 젊은 조직에는 동료를 불신하는 정도까지는 아니지만, 다른 사람들의 감정에 민감하게 반응하고 말하는 것에 신중해지는 비교적 무해한 형태의 대인관계 혼돈이 있다. 이런 행동이 해를 끼치는 건 아니지만 이 또한 대인관계 혼돈을 만들어낸다. 동료나 리더가 악의적이라고까지 생각하는 건 아니지만, 실제로 생각하고 정말로 원하는 것을 솔직하게 말하면 우리는 자신을 취약하다고 느낄지도 모른다. 그래서 자기가 경험한 것은 속으로만 간직하게 되는데, 우리가 취하는 이런 행동 때문에 다른 사람들이 경험한 것을 사실대로 우리에게 말할 것이라고 기대하지 않게 된다.

　무해함의 정도보다 더 나빠진 형태의 대인관계 혼돈도 있다. 이런 형태에서는 업무관계에서 행복함을 느끼지도 못하고, 그런 관계를 신뢰하지도 않는다. 불행하게도 일반적으로 사람들이 가지고 있는 경향은 시간이 지나면서 무해한 형태의 대인관계 혼돈을 점점 유해하게 만든다. 그래서 우리가 만들어낸 이야기들은 시간이 지나면서 점점 더 부정적인 것으로 바뀌게 된다. 바로 이런 점 때문에 많은 파트너 관계가 실패로 끝난다. 파트너십을 시작할 때 얼마나 좋아하고 기대했는지와 상관없이 관계 속에 내재되어 있는 혼돈을 정기적으로 정리하지 않으면, 그 유독성은 점점 강해져서 결국 파트너십이 깨지는 단계에까지 이른다. 내가 한 임상연구를 보면, 조직 내에 있는 5가지 갈등 중에 4가지 갈등은 대인관계 혼돈 때문에 생긴 것들이었다. 혼돈을 없애면 갈등은 사라진다. 한가지 예를 들어보자.

나는 한 고객사의 경영진을 대상으로 2년동안 일을 한 적이 있다. 팀 빌딩과 전략기획 프로세스를 진행하기 위해 며칠간 그들을 방문했을 때였다. 회사가 위치한 곳은 알래스카에 있는 작은 외딴 마을이었는데, 경영진들은 동료이면서 이웃이었다. 친구관계도 서로 겹쳤으며, 지역사회에서 서로가 쉽게 노출될 수 있는 상황에서 함께 일하고 있었다. 나 또한 그들과 편안한 관계를 즐겼고, 그들 대부분과 개인적인 친분도 갖게 되었다. 6개월 간 팀 전체를 동시에 만나지는 못했지만, 이틀동안 진행되는 행사 전에 나는 모든 임원들과 별도로 만나서 안부를 물어보고 행사에서 그들이 기대하는 것에 대해서도 이야기를 나눴다. 그때 그들로부터 이야기를 들은 나는 심하게 충격을 받았다. 인사담당 부사장은 눈물까지 흘리며 말했다. 지난 몇 달 동안 함께 실행하기로 약속했던 것들은 지켜지지 않았고, 불신은 높아졌으며, 3명의 임원들과의 관계때문에 너무 힘들다고 털어놓았다. CFO는 자기 등 뒤에서 일어나는 일들 때문에 몹시 분노했을 뿐만 아니라 그 일로 인해 마음의 상처가 너무 커서 다른 지역으로 자리를 옮기기 위해 적극적으로 알아보는 중이라고 했다. 직원들이 너무 감정적으로 대응하면서 관계의 질이 많이 나빠진 것에 대해 COO는 상심하고 있었지만, 직원들의 개인적인 성향 때문에 생긴 문제라고 돌리면서 제대로 대처하지 못하고 있었다. CEO는 뭔가 잘못되어간다는 건 알고 있었지만 상황이 얼마나 나쁜지는 알지 못했다. 자기들이 느끼는 분노와 슬픔을 솔직하게 털어놓은 임원들은 회의 중에 이 문제를 제기하지는 말아 달라고 내게 신신당부를 했다. 만일 내가 회의에서 이들이 말한 문제를 공개적으로 거론하면 문제가 악화될 거라고 그들은 생각했다.

회사 워크숍 첫날은 그럭저럭 밋밋하게 흘러갔고 흥미로운 일은 일어나지 않았다. 나는 임원들에게 저녁에 해야 할 과제를 주었다. 경영진 팀에 있는 임원들에 대해 그동안 긍정적으로 평가했던 것들을 생각해오라고 하면서, 다음날 그것들에 대해 함께 토론할 것이라고 말했다. 다음날 아침, 인사담당 부사장이 불쑥 내뱉었다. "난 이거 도저히 못하겠어요! 난 당신들 누구에 대해서도 도무지 긍정적으로 평가할 수 없어서 밤을 꼬박 세웠어요!" 다른 임원들도 속마음을 털어놓기 시작했다. 그들이 서로에 대해 솔직하지 못하고 지어냈던 정확하지 않은 이야기들이 속속 쏟아져 나왔다. 그렇게 만들어진 이야기들 때문에 그들이 어떻게 했는지에 대해서도 솔직하게 말하기 시작했다. 그들이 지어냈던 모든 이야기들은 인사담당 부사장이 중요한 행사의 초청자 명단에서 실수로 빠진 일이 일어났던 수개월 전으로 거슬러 올라갔다. 두 시간이나 주고 받았던 대화 끝에 비로소 안도감이 조금씩 감지되기 시작했다. 그 자리에 있던 임원들은 그동안 일어났던 일에 대해 자신들이 보여준 행동에 어이없어 하면서 여기 저기서 웃음이 터져나오기 시작했다. 파트너십은 비로소 원래 자리를 회복하기 시작했다.

대인관계 혼돈이 널리 퍼진 상황에서는 문제의 원인을 리더와 동료에게 돌림으로써 점점 더 냉소적이 되고, 조직 내 불신은 더 깊어진다. 사람들은 자기들이 만들어낸 이야기에는 아무 문제가 없기 때문에 자신이 경험한 문제는 모두 다른 사람들 때문이라고 생각한다. 그렇기 때문에 자신이 할 수 있는 것은 없고, 문제를 언급하는 것은 상황만 악화시킬 뿐이라고 생각한다. 대인관계 혼돈은 불신의 소용돌이를 만들어내고, 불신에서 나온 행동은 불신을 더욱 부추긴다. 결국 어떤 사람이 다른 사람의 행동을 설명하기 위해 만들어냈던 작은 이야기가 현실이 되고 만 것이다.

사람들, 특히 리더들은 자신의 행동이 어떤 결과를 만들어내는지 알지 못한다.

심리학자들이 사람들의 사고 경향에 대해 밝혀낸 것이 있다. 대부분의 사람들이 자신을 판단할 때는 자신이 가진 의도에 근거해서 판단한다. 내가 한 행동이 좋았는지 나빴는지 결정하기 전에, 내가 원래 가지고 있었던 동기가 좋았는지 나빴는지에 따라 결정한다. 하지만, 다른 사람을 판단할 때는 그 사람이 자신에게 준 영향에 근거해서 판단한다. 그런데 물어보지 않으면, 그 사람이 어떤 의도를 가지고 있는지 우리는 알 수가 없다. 우리는 사람과 대인관계 혼란이 생기면, 그 사람에게 직접 물어보지 않는다. 대신에 그가 보여준 행동에 따라 이야기를 지어내고, 그것을 토대로 행동을 한다.

대인관계 혼돈이 있는 상황에서는 당신이 내게 어떤 영향을 주고 있는지 조차 말할 수 없을 것이다. 그런 상황에서 승리는 전혀 화가 나거나 불안해 보이지 않는 냉정하고 침착한 모습을 유지하는 사람들에게로 돌아간다. 당신은 나를 짜증나게 하고 혼란스럽게 하고 상처받게 할 수 있지만, 당신이 나에 대해 어떤 권한을 가지고 있는 경우라면 나는 방금 말한 내 모습을 당신이 보게 하고 싶지 않을 것이다. 내 진짜 모습을 당신에게 보여주지 않으면, 당신이 내게 어떤 영향을 미쳤는지 당신은 전혀 짐작하기 어려울 것이다. 물론 이런 상황에서 내가 당신에 관해 만들어낼 이야기는 기분 좋은 것은 분명 아닐 것이다.

내가 맡았던 학부 수업에서 있었던 예를 한가지 들어보겠다.

수업시간에 학생들을 팀으로 나눠서 각 그룹이 점수를 딸 수 있는 과제를 주었다. 초반부 과제 중 하나는 각 팀이 특정 주제에 대해 발표하는 것이었는데, 점수는 발표의 질에 달려 있었다. 한 팀은 팀의 논의결과를 중국에서 온 젊은 학생이 발표하도록 했다. 이 학생은 북미에 온 지 1년이 채 안 되어서 그가 말하는 영어는 알아듣기 어려웠다. 나

는 팀원들이 가지고 있는 자원을 효과적으로 활용할 필요가 있다는 점을 지적하면서 그 팀의 점수를 아주 낮게 줬다. 그 학생에게 발표를 시킨 것은 자원 활용을 제대로 했다고 보기 어려웠다. 수업에 참여한 많은 학생들은 이 가여운 학생에 대해 미안해 하면서도 내가 내린 결정에는 화를 냈다. 강의실 밖에서 학생들은 나의 '인종차별적' 결정에 대해 논의하기 시작했다. 어떤 학생들은 내가 '남성을 지지하는 그룹'에 관여하고 있다는 말을 들은 적이 있다고 했다. 대인관계 혼돈이 있는 이 상황 속에서 아주 빠른 속도로 그 그룹 이름은 '백인 우월주의자 그룹'으로 변해 버렸다. 곧 이어 수업 중에 내가 여성들을 성희롱했다는 말까지 돌았다. 몇 주동안 수업 분위기는 형편없이 가라앉았다. 학생들은 상상속에서 이야기를 지어내고 거기에 여러 색깔로 색칠을 해 나갔다. 교수로서 권한을 가진 내게 한 학생이 조심스럽게 다가와 내가 정말 백인 우월주의 그룹에 속해 있는지를 물어볼 때까지 나는 아무것도 듣지 못한 상태였다. 다행히, 나는 이 문제를 공개적으로 제기했다. 이 일화 덕분에 학생들은 대인관계 혼돈 속에서 어떤 일이 일어날 수 있는지를 직접 경험하고 학습할 수 있었다.

이 경우에는 수업의 구성과 내용이 대인관계 혼돈과 관련된 문제를 적절하게 해결할 수 있게 해주었다. 그러나 직장에서는 이런 식으로 문제를 해결하는 리더는 거의 없다. 대신에 부정적인 대응과 부정적인 인식이 확대되면서 아무 근거도 없는 유해한 업무 환경이 조성될 뿐이다. 조직의 효과성 측면에서 가장 해로운 상황은 좋은 의사결정을 할 권한과 책임을 가진 사람들이 가장 정확하지 않은 피드백을 받는다는 점일 것이다. 권한을 가진 사람을 부정적 시각으로 보는 조직 문화에서 리더들은 고립되고, 자기가 이끄는 사람들에게 자신이 어떤 영향을 미치는지에 대해 아무 정보도 얻을 수 없게 된다. 결과적으로, 그들은 의미 있는 방식으로 사람과 조직을 이끌 수 없게 된다.

'조직의 무의식' 상태가 활성화된다

대인관계 혼돈이 있는 조직에는 두 개의 다른 세계가 만들어진다. 조직을 인간의 마음이라고 잠깐 생각해보자. 우리는 마음 속으로 자신에게 말을 할 때가 있는데 그때 마음 속에는 다양한 목소리(관점)들이 등장한다. 그 목소리들은 어떤 것에 대해 말을 하거나 판단을 하기도 하고, 다른 행동을 촉구하고 의견을 제시하기도 한다. 이런 여러 목소리들 중에서 어떤 목소리는 우리가 잘 인식할 수 있다. 그것을 '의식적인 마음the conscious mind'이라고 한다. 그것은 마음 중에서 합리적이고 논리적인 부분이어서 우리가 인식을 집중하는 부분이다. 그러나 이 '의식적인 마음' 아래에는 우리가 잘 인식하지 못하는 또 다른 마음이 있는데, 백일몽daydreams 단계에 있는 마음이다. 이곳에서 우리는 자신에게 말을 하고, 몇 분만 지나면 잘 기억하지도 못할 이야기를 지어낸다. 마음의 이 단계에서는 마음 안에 있는 덜 이성적인 부분이 우리에게 어떤 것 대신 다른 것을 하도록 재촉하고, 다른 방식으로 사물을 해석하게 하며, 어떤 행동은 제안하지만 다른 행동들은 무시하게 한다. 마음의 이 부분은 '잠재의식적인 마음the subconscious mind'인데, 심리학자들은 이 마음이 어떤 행동을 결정할 때 매우 강력한 요인으로 작용한다고 말한다. 심리학에서 '스크립트Script' 또는 '스키마schema'라고 부르는 것들이 여기에 속하는데, 신경언어학적 프로그래밍, 합리적 정서 치료rational-emotive therapy와 같은 일부 치료법은 주로 무의식 단계에서 진행된다. 이 개념은 인간은 언제나 자신에게 말을 한다는 것이다. 즉, 우리는 내적 대화를 하지만, 말하는 모든 것에 주의를 기울이지는 않는다. 어떤 것은 우리의 인식세계 밖에 있는데, 그렇다고 그것이 우리에게 아무 영향도 미치지 않는 건 아니다. 우리가 그것을 인식하지 못하기 때문에 그것이 미치는 영향은 오히려 훨씬 더 강력할 수 있다.

"몸무게를 10kg은 줄여야 하니까 지금부터 헬스장에 더 많이 가야해."라고 말하는 합리적이고 논리적인 내 일부와, 조찬회의 시간에 느닷없이 "저 도넛 정말 맛있어 보여."라고 속삭이는 내 마음 속 대화 간의 차이가 바로 그것이다. 합리적인 마음과 내부 대화가 서로 줄다리기를 하면 누가 이길까? 대부분은 합리적이고 논리적인 마음이 지고, 도넛이 이긴다.

대인관계 혼돈으로 가득한 조직 안에도 똑같은 일이 벌어진다. 조직 안에는 의식적이고 합리적인 부분이 있지만, 조직에 강력한 영향을 미치는 잠재의식 차원에서 일어나는 내부 대화도 존재한다. 의식적이고 합리적인 부분은 사업을 논의하는 공식적인 자리에 참여한 사람들 사이에서 일어난다. 위원회나 부서회의, 워크숍, 외부 수련회, 전략기획 워크숍과 같은 이벤트에서 말로 표현된다. 모든 참석자들은 언급된 것에 대해 토론할 수 있고, 조직은 하나의 주체로서 그것들을 의식적으로 인식하게 된다. 하지만, 이런 이벤트 전후에 사람들은 소그룹이나 은밀한 대화를 통해서 다른 것들에 대해 이야기를 한다. 이것이 조직의 내부 대화이다. 이 대화는 대개는 큰 집단에서 드러내 놓고 이야기하기에는 편치 않은 것들이다. 공개적인 토론자리에서 논의되었던 내용이나 결정사항에 대해 끼리끼리 모여서 서로 해석하기도 하고 판단을 하기도 한다. 이때의 대화는 상당히 감정적이고 서로가 선호하는 것들로 가득 채워진다. 회사의 사업에 대해 공식적인 토론자리에서 논의되지 못했다는 점에서 볼 때, 이런 대화들은 조직의 인식 범위 밖에 있다고 할 수 있다. 마치 인간의 잠재의식 수준에서 작동되는 내부 대화처럼 조직의 행동에 강한 영향을 미친다.

조직에서 일어나는 내부 대화는 소그룹에 속한 친밀한 사람들 외에는 큰 소리로 말하기에 불편한 것들이기 때문에, 여러 사람들이 조직의 의식적인 차원에서 진행하고 있는 사안에 대해 동의하거나 지지하지 않는다는 것을 시사한다. 바로 그 이유 때문에 이 친밀한 사람들은 조직의 내부 대화에서 본인들이 동의하지 않고 지지하지 않는 것에 대해 의미를 지어내게 된다. 이렇게 지어낸 의미는 사업에 대해 논의하는 공식적인 자리에서 논의되지 않기 때문에 실제로 사업에는 반영되지 못한다. 대인관계 혼돈은 사람들이 경험을 하고 일을 해 나가는 방식에 강력한 영향을 미치는 조직의 잠재의식을 만들어낸다. 조직이 가진 이 잠재의식의 일부는 조직의 의식적 부분과 충돌하게 되는데, 바로 이점이 조직의 잠재의식이 존재하는 이유라고 할 수 있다.

계획은 실행되지 않고, 후속조치들은 제대로 된 결과를 만들어내지 못한다

내부대화의 존재는 겉으로는 아무 문제도 없고 지원이 잘 되는 것처럼 보이는 계획과 행동들이 왜 실행되지 않는지, 후속조치가 왜 제대로 된 결과를 만들어내지 못하는지에 대한 이유가 된다. 내가 퍼실리테이션 했던 워크숍에서 나온 수많은 멋진 계획과 생각이 왜 제대로 혹은 전혀 실행되지 않는지 의문을 가지기 시작했던 시점에, 나는 이 내부대화의 존재를 우연히 발견하게 되었다. 몇 달이면 기억에서 잊혀지는 그 모든 전략 실행안들은 어떠한가? 경영상 내린 의사결정이나 조치에 대해 속으로는 심각하게 우려하면서도 겉으로는 두 팔 벌려 지지하는 것처럼 행동하는 사람들을 보면 나는 여전히 입이 다물어지지 않는다. 대인 관계 혼돈 속에 있을 때 사람들은 그 조직에 살아남고 싶으면 따라야 할 규칙이나 규범이 무엇인지 잘 알고 있다. 일반적으로 이런 규칙과 규범 에는 어떤 생각은 받아들여지지만 다른 생각은 받아들여지지 않을 거라 는 것, 어떤 감정은 문제가 되지 않지만 다른 감정은 문제가 된다는 것 등이 들어 있다. 성공적인 매니저로 인정받고 있는 사람들을 보면 조직 안에서 수용될 수 있는 생각, 감정, 욕구를 잘 파악해서, 자신의 계획과 행동을 어떻게 거기에 맞출 수 있을지를 일찌감치 터득한 사람들이다. 바로 이런 점 때문에 아무도 원치 않는데도 불구하고, 그룹이 동의하는 상황이 벌어진다.

7개월 동안이나 직원 해고에 대한 계획을 세웠지만 결국 해고하지 못한 매니저 그룹을 나는 알고 있다. 매니저들의 말과 행동의 차이가 점 점 커지면서, 그들 간의 괴리도 점점 더 벌어지기 시작했다. 외부 컨설 턴트의 도움을 받으면서 그들은 자신들이 경험한 것을 사실대로 말하 기 시작했다. 모두가 솔직하게 속마음을 터놓는 과정에서 알게 된 것 은 모든 사람들이 해고를 싫어한다는 사실이었다. 그들 모두는 직원해 고를 실행할 계획을 세워야 하는 것에 대해 불편해했다. 그들에게 불편 한 감정을 느끼게 하는 해고가 마음에 들지 않았지만, 조직 안에서 그것 을 드러내 놓고 말할 수 있는 상황은 아니었다. 이 조직 안에서 의사결 정은 개인의 니즈를 고려해서 내려지는 것이 아니라, 오직 조직의 니즈 에 따라 내려지는 측면이 있었다. 조직이 매니저나 구성원들의 개인적인 니즈가 논의되지 못하게 하거나 조직에 도움이 될 때만 논의하는 것은 아주 드문 일은 아니었다. 조직이 이런 상황에 있으면 대인관계 혼돈은 커질 수밖에 없다. 제대로 지원을 받지 못하는 결정사항은 허점을 드러낼 것이 뻔하고 결국 제대로 실행되지 못할 것이다. 이 사례의 경우, 매니저들이 자신이 실제로 경험하는 것을 솔직하게 말만 했어도 그들이 원하는 것에 대해 계획을 세우고 결정하고, 결단력 있게 행동을 취할 수 있었을 것이다. 수 년간 내가 진행해 온 '경험의 법칙'에 의하면, 조직에서 일어나고 있는 내부대화가 조직의 합리화 과정을 거쳐서 나온 계획과 결정사항을 지지하지 않으면 어떤 것도 제대로 실행되지 않는다는 것이다.

경험으로부터 함께 학습하지 못한다

대인관계 혼돈이 있는 상황에서 사람들은 함께 경험한 것으로부터 학습할 수 없다. 그 이유는 경험한 것을 이야기하지 않기 때문이다. 그래서 자신들이 다른 사람에게 어떤 영향을 주고 있는지에 대한 정확한 정보를 얻을 방법이 없다. 서로 다른 하위집단들은 또 다른 하위집단이 그들에 대해 만들어내는 이야기를 알지 못한다. 중요한 생각이나 감정, 의도는 공개적으로 논의되지 않기 때문에 서로에 대한 판타지만을 만들어낼 뿐이다. 실제적인 정보 없이는 어떤 학습도 일어나지 않는다.

이 책이 조직학습과 조직에서 학습을 리드하는 것에 대해 다루고 있기 때문에 내가 말하는 의미를 분명히 하고자 한다. 이제 '조직학습organizational learning'이란 말은 아주 많이 사용되는 용어가 되었다. 그러나 유행처럼 나타났다 사라지는 경영방식에서 쉽게 볼 수 있는 것처럼, 조직학습의 의미도 이미 희석되어서 어떤 것이든 갖다 붙이기만 하면 될 정도가 되었다. 조직학습 또한 하나의 개념이기 때문에 한 모델이 다른 것보다 더 타당하다는 것을 증명할 수는 없다. 그러나 어떤 모델이 더 쓸모 있는지, 더 새롭고 강력한 시각을 제공해주는지, 통찰력과 행동으로 더 잘 연결해주는지에 대해 질문해 볼 수는 있다. 이 책에서 말하는 조직학습에 대한 접근방식은 조직의 효과성을 높이고 개선하기 위한 실용적이고 실행가능한 방법이라고 나는 믿고 있다. 이 방식은 파트너십과 협력적인 업무시스템을 지속시키는데 필수적이다.

조직이란 무엇인가? 조직은 그것이 수행하는 과제나 목적 그 자체가 아니고, 조직은 과제와 목적을 가지고 있다. 조직은 사람들 자체가 아니고, 오고 가는 사람들을 가지고(has)있다. 조직은 제품이나 시장, 기술이 아니다. 오히려 조직은 조직화 과정process of organizing, 즉 조직의 목적을 달성하는 과정에서 사람들이 어떻게 서로와 관계를 맺고 정보를 수집하고 해석하며, 문제를 해결하고 의사결정을 내리고, 갈등을 관리하며, 변화를 실행해가는지에 대한 반복되는 패턴에서 그 실체가 드러난다. 다른 말로, 조직은 사람들 간의 관계 패턴 속에서 존재할 뿐이다. 이런 관계들은 특별한 목적과 과업을 요구하는 맥락이 있을 때만 형성된다. 비록 이런 관계들이 조직의 공식적인 과제와 목적을 초월하는 의미와 생명력을 가지기는 하지만 말이다. 조직은 시간이 지나면서 형성되는 조직화의 패턴에서 발견된다.

나는 학습이란 지식을 생산하고 변화가 생겨나게 하는 탐구Inquiry의 산물로 정의한다. 이 3가지 구성 요소(탐구, 지식, 변화)는 모두 조직학습이 일어나게 하는데 반드시 필요하다. 탐구에서 비롯되지 않은 지식은 그저 드러난 것revelation일 뿐이지 학습은 아니다. 변화와 연결되지 않은 지식은 '개념적인 학습'이라 부를 수는 있지만, 실제적인 결과가 뒤따르지 않으면 '조직학습'이라고 할 수는 없다.

조직학습은 조직을 구성하고 있는 관계 속에서 일어난다. 이러한 관점에서 볼 때, 학습은 개인적인 현상이 아니라 사회적인 현상이라고 볼 수 있다. 조직학습은 두 명 이상의 사람들이 조직화 패턴에 대해 탐구할 때(어떻게 함께 일할 것인지) 발생되어, 그들 사이의 상호교류 패턴이 달라지게 하는 변화를 만들어내는 지식을 생산해낸다. 학습이 개인적인 차원에 그치지 않고 조직차원에서 일어나려면 패턴화되어 있는 관계에서 변화가 일어나야 한다.

조직이 새로운 기술을 실행할 때는 기술측면에서 학습을 할 수 있다. 새로운 테크닉을 배울 때는 스킬을 개발할 수 있다. 하지만, 조직학습은 조직 안에서의 변화, 즉 조직화하는 패턴에 변화가 일어나는 것을 말한다. 조직화의 패턴은 "여기에서 일이 실제로 이루어지는 방법"에 대한 것이다. 말하자면, 당신 부서가 다른 부서와 늘 하는 방식대로 상호 교류하는 방식을 말한다. 그것은 당신이 구매팀 동료를 늘 대하는 방식일 수도 있고, 당신과 상사가 새로운 일을 처리하는 방식일 수도 있다. 당신과 조직 안에 있는 사람들이 과제를 수행할 때 상호교류하는 모든 전형적인 방식들이 내가 말하는 '조직화 패턴' 또는 '상호교류 패턴'이라는 용어가 의미하는 바다. 이 조직화 패턴에 변화가 일어나지 않으면 조직에서 진짜 변화는 일어나지 않는다. 어쩌면 당신은 중요한 구조조정 과정들을 경험해봤을 수 있다. 구조조정 소용돌이가 어느 정도 가라앉고 나면 사람들은 실제로 변한 건 아무것도 없다는 말을 한다. 많이 들어본 말일 것이다. 실제로 아무것도 변하지 않았다는 건 상호교류 패턴이 바뀌지 않았기 때문이다.

대인관계 혼돈이 있는 상황에서는 조직학습이 일어날 수 없다. 다양한 경험을 하긴 했지만 그에 대해 어떤 탐구도 한 적 없고, 기껏해야 학습은 기술, 시장, 제품과 같은 사물과 관련된 것뿐이다. 이것도 유용한 학습이긴 하지만 조직학습은 아니다.

문제의 패턴은 절대 사라지지 않는다

대인관계 혼돈이 있을 때 조직화 패턴은 변화를 강제하는 환경을 만들거나 그룹 차원에서 무언가를 하지 않으면 절대로 바뀌지 않는다. 문제의 패턴들, 즉 우리를 덜 효과적이게 하고, 사기를 저하시키고, 실제 이슈를 이해할 능력을 감소시키는 전형적인 상호교류들은 절대 사라지지 않는다. 똑같은 지루한 회의는 매번 계속되고, 똑같은 사소한 갈등은 결코 사라지지 않고 매번 다시 일어난다. 아무 생각없이 예산을 삭감하는 결정도 매년 가을마다 벌어진다. 똑같은 밋밋한 성과도 매번 용인되며, 내년에도 그럴 거라는 건 누구든 쉽게 예상할 수 있다.

팀 빌딩 워크숍, 설문조사 피드백, 매니저 교육, 전략기획, 프로세스 리엔지니어링과 같은 방법을 통해 이러한 패턴을 변화시키려고 하는 시도들이 대인관계 명료성을 만들어내지 못하면 문제의 패턴에는 어떤 영향도 미칠 수 없다. 좋은 의도들에 대해 목록을 만들고, 조직의 비전을 만들고, 가치 선언문을 작성하는 등의 합리적인 논의들은 결국 대인관계 혼돈 속으로 휩쓸려 들어가 얼마 지나지 않아 사라져 버린다.

다른 것 못지 않게 문제의 패턴에 대해서도 의미형성을 할 필요가 있다. 대인관계 혼돈이 일상이 되어버리면 더 이상 문제의 원인이 대인관계 혼돈에 있다고 비난하지 않게 된다. 오히려 바꿔야 할 것은 시스템이라고 이야기들을 지어낸다. 흔히 우리는 문제 패턴의 원인으로 개인을 탓하는 의미형성을 하는데, 이는 근본적인 귀인오류다. 대부분의 문제패턴은 '다른 사람이 문제'라는 결론으로 귀결된다. 문제의 원인은 그 사람이 나쁜 의도를 갖고 있고, 무능하며, 경청하지 않고, 권력을 과시하려 하기 때문이라고 한다. 그렇기 때문에 그걸 제거해버리거나 그와 직접 부딪치지 않고 우회하는 방법 외에는 할 수 있는 게 아무것도 없다고 생각하게 된다. 우리가 시도해 보려고 생각조차 하지 않는 것은 그 사람과 우리의 현시점에서의 경험here-and-now experience에 대해 솔직하게 터놓고 이야기하는 것이다. 지금은 이런 시도가 유일한 실제적인 해결책으로 밝혀졌다. 왜냐하면 문제패턴에는 다른 어떤 것 못지않게 대인관계 혼돈이 개입하기 때문이다.

바로 이러한 점 때문에 이 책에서 소개하는 아이디어가 단순하지만 강력한 처방이라고 말할 수 있다. 단순하다고 말하는 이유는 협력적인 업무관계를 방해하는 것이 무엇이든 상황을 개선시킬 수 있는 유일한 해법은 '대인관계 명료성'을 증진시키는 데 있기 때문이다. 그것은 기술 문제나, 제품이나 시장과 관련된 문제를 직접 해결할 수는 없지만 조직 차원에서 겪고 있는 문제를 해결할 수 있게 해준다. 강력한 처방이라고 말한 이유는 두 사람 이상이 어떤 문제의 패턴에 대해 그 순간의 경험을 탐구할 때마다 그들은 변화를 가져올 패턴에 대해 새로운 지식을 얻게 되기 때문이다.

대인관계 혼돈은 우리를 변화의 마스터가 아니라, 희생자로 만든다

대인관계 혼돈을 겪고 있는 조직에는 서로에 대해 각기 다른 이야기를 지어내는 하위그룹, 구성원들에게 자신의 행동이 어떤 영향을 미치는지 전혀 알지 못하는 리더들, 이미 발표된 결정사항과 (겉으로만) 합의된 계획에 반대하는 내부대화, 제대로 된 실행과 사후조치가 일어나지 않는 상황, 경험으로부터 함께 배우지 못하는 것과 같은 많은 문제들이 일어난다. 협력을 유지하고 싶은 마음이 간절한 순간조차도 협력을 유지하는 것이 불가능해보이는 건 그리 놀랄 일도 아니다. 변화를 계획하거나 실행하는 것이 어렵게 보이는 것도 마찬가지다. 변화에 대한 저항이 조직에 고질적인 문제가 된 지 오래다. 문제의 패턴이 실제로 바뀔 때는, 위기 상황이 닥쳤을 때 즉 환경이 너무 많이 달라져서 지금의 조직화 패턴으로는 더 이상 지탱할 수 없을 때 뿐이다.

지난 20여년간 조직이 겪을 수 밖에 없었던 많은 변혁적인 변화는 환경이 그들에게 강요한 것들이었다. 그 상황에서는 최고위층에 있는 사람들도 자신들이 잘 통제하고 있다는 느낌을 가질 수 없다. 그들이 추진하고 있는 많은 변화는 시장과 경쟁자에 의해 강요된 것처럼 보였다. 그래서 수백만 달러를 쏟아 부은 변화 프로그램도 기업에게 충분한 변화를 돌려주지는 못한 것 같다. 작은 품질개선 활동에서부터 프로세스 리엔지니어링에 이르기까지 과거 20여년 동안 진행했던 모든 변화 프로그램이 실패했다고 기억하는, 단 한 명의 임원도 변화 프로그램을 지지하지 않으려 했던 대기업이 있었다. 그러나 이 회사는 느리고, 관료주의적이며, 내부에만 초점을 두었던 회사에서 혁신적이고, 역동적이며, 시장중심적인 글로벌 경쟁자로 완전히 변모했다. 그럼에도 불구하고 정작 이 회사 사람들은 자신들을 변화의 마스터가 아니라 희생자로 느끼고 있었다. 그들은 미래에 대한 두려움을 과거 20년보다 훨씬 더 크게 느끼고 있었다.

심지어 클리어 리더십에 필수적인 요소가 되는 새로운 협력적 조직화 프로세스들(예를 들어, 서열 파괴, 팀 활용, 기능중심 조직의 해체, 중앙으로부터의 통제 축소, 지역 자율운영허용, 관료주의 최소화, 규정 폐지, 사람들 간의 상호교류와 협상 기회 확대, 절차가 아니라 결과에 집중하게 하는 것 등)조차 조직에 강제로 도입되었다. 실제로 이러한 것들을 계획을 세워서 도입하는 회사는 거의 없다.[4] 현재 대부분의 조직들은 싫든 좋든, 경쟁자, 신기술, 신제품 및 새로운 프로세스들로 인한 위협에 적응하기 위해 단편적인 노력만 계속해서 축적하고 있다. 회사가 대인관계 명료성이라는 건강한 처방을 받아들이지 않으면, 대인관계 혼돈때문에 직원들의 협력이 절대적으로 필요한 큰 변화는 시작시점부터 먹구름에 휩싸일 것이다.

직원들은 스트레스 장애를 겪는다

지금까지는 대인관계 혼돈이 조직 효과성에 미치는 부정적인 영향에 초점을 맞추었지만, 대인관계 혼돈이 조직 구성원들에게 미치는 부정적인 영향 또한 지적하지 않을 수 없다. 지난 25년동안 서구 기업들에 근무하는 직원들은 다양한 형태의 스트레스 뿐만 아니라 감정적인 문제 때문에 힘든 시간을 보냈다. 우울증에서 만성피로 증상에 이르기까지 다양한 이유로 병가를 사용하는 직원 수는 급격히 증가했다. 직장에서 일을 하고 있는 사람들이 겪고 있는 이런 문제의 원인이 부정적인 대인관계 혼돈에 있다고 나는 생각한다. 물론, 지나칠 정도로 부족한 자원으로 과도하게 일하는 것, 고용의 안정성 감소, 끊임없이 경쟁을 해야 하는 상황과 같은 요인들도 있지만, 대인관계 혼돈은 이 모든 것들을 훨씬 더 악화시켜왔다. 우리가 매일 비밀과 험담을 겪어내면서 살아야 한다고 생각해보라. 내가 경험한 것을 솔직하게 말하는 것이 안전하지 않다면 또 어떤가? 매 순간 신경을 곤두세우고 의미를 형성할 만한 단서를 계속 찾아야 한다면, 결과는 뻔하다. 결국 우리 모두는 영혼까지 탈탈 털릴 것이다. 혹시라도 운이 따라준다면 이 조직을 떠나 다른 곳에서 일을 할 수도 있다. 그러나 주택 담보대출 이자를 매월 납부해야 하고, 일정 기간동안 자녀 교육비를 계속 책임져야 하는 등 많은 채무와 책임감으로 인한 무게가 가슴을 누르고 있는 현실은 조직을 쉽게 떠날 수도 없게 한다.

왜 이런 상황들이 지금 우리에게 일어나는 것일까? 과거 20여년동안 서구 기업에서 지속되어온 구조조정이나 리엔지니어링이 대인관계 혼돈을 더 악화시켜왔다고 나는 생각한다. 관료적인 조직이 주는 큰 이점 중 하나는 모든 것에 대해 규정이 만들어져 있고, 모든 것을 책임지는 센터가 있다는 점이다. 당신과 나 사이에 갈등이 생기면 우리 두 사람을 위해 해결해주는 누군가가 있다. 당신이 내게 원하는 것이 있다고 가정해보자. 반드시 그것을 얻어야 할 필요가 있는지는 규정집만 찾아보면 된다. 이렇게 하는 것이 효과적이 아닐 수 있고 혁신에 걸림돌이 될 수도 있지만, 이렇게 하면 속도를 늦춰가면서 불확실성이 낮은 업무 환경을 만들어 낼 수 있다. 만약 조직 내에 있는 규정집을 모두 없애 버리고 직원들에게 맡은 업무에서 최선의 방법을 스스로 찾아보라고 한다면, 조직 안에는 엄청난 불확실성이 만들어질 것이다. 나는 더 이상 당신과 나 사이에 적용할 규정집을 가지고 있지 않다. 나는 당신을 역할로만 보는 것이 아니라, 진정한 인간으로 대해야 한다. 대인관계 혼돈이 만연된 조직상황이라면, 이 같은 상황에서 그들이 느끼는 스트레스 정도는 훨씬 높아질 것이다.

구체적인 예를 들어 보자. 관료적인 조직에서 일하는 한 직원이 자녀가 참가하는 스포츠 시합을 보기 위해 일찍 퇴근해도 되는지 물어왔다. 이럴 경우 상사는 회사규정만 확인하면 대답할 수 있었다. 그러나 이 상황에서는 해당직원의 개인적인 요소는 전혀 고려되지 않았다. 상사와 직원 간의 상호관계는 각자의 역할에 의해서만 이루어졌다. 상사가 "조기 퇴근이 안된다"고 말하면 직원은 불만을 가지고 상사에 대해 나름의 이야기를 (왜 이러는지에 대해) 지어냈을 지 모른다. 그러나 모든 사람들은 이 같은 상호교류가 비인격적인 시스템 때문에 일어난다는 것을 잘 알고 있다.

이제는 파트너십을 기반으로 하는 다른 조직의 경우를 생각해보자. 아예 규정집이 없는 수평적인 구조를 가진 이 조직에서 앞에서 말한 직원이 동일한 요청을 했다고 가정해보자. 그것은 완전히 다른 경험이 될 것이다. 상사는 스스로 결정을 해야 하고, 직원은 상사가 내린 결정에 대해 개인적으로 경험을 하게 된다. 상사는 이 직원에게 조기퇴근을 허락할 경우 일어날 수 있는 전반적인 이슈들, 예를 들어 이 직원의 사기, 조직이 필요로 하는 것, 특정 날짜에 벌어질 수 있는 일, 이것이 다른 직원들에게 남기게 될 선례 등을 고려한 후 결정해야 한다. 상사에게 훨씬 더 많은 스트레스가 된다. 그러나 대인관계 혼돈이 있는 환경에서는 이런 스트레스가 거론조차 되지 않는다. 상사는 직원이 요청하는 것이 얼마나 중요한지 살펴보기 위해 추가로 정보를 더 요청하지도 않을 것이다. 또 직원은 자신의 사생활은 상사와 무관한 일이라고 생각할지도 모른다. 상사는 자신이 의사결정 하면서 경험한 사항을 직원에게 말하거나, 자신이 내린 결정이 직원에게 미칠 영향을 알아보지도 않은 채 결정된 사항만 전달할 확률이 높다. 어쩌면 안 된다는 말을 직접 하는 것이 불편해서 간단하게 이메일로 통보할 수도 있다. 이메일을 받은 직원은 온갖 상상을 한다. 상사가 냉정하고 작은 배려심도 찾아보기 힘든 사람이라는 이야기를 만들어 낼 수도 있다. 자신이 상사의 눈 밖으로 벗어났기 때문에 조만간 회사를 떠나야 할지도 모른다는 이야기를 지어낼 수도 있다. 누가 알겠는가? 내가 알고 있는 것은 조직화 패턴이 어떻게 일어나는지에 대해 당연히 논의해야 할 필요가 있음에도 불구하고 논의하려 하지 않는, 소위 임파워먼트가 잘 되고 있다고 알려진 조직에서 조차, 매일매일 일어나는 대인관계 혼돈 때문에 사람들은 점점 더 스트레스를 받는다는 점이다.

요약

우리는 의미형성을 하는 존재다. 당신이나 내가 할 수 있는 그 어떤 것도 이 사실을 바꿀 수 없다. 우리는 의미를 형성하는 존재로서, 우리 삶에서 중요한 사람과 사건에 대해 반드시 의미형성을 하게 되어 있다. 우리 내면에서 일어나고 있는 것에 대해 이야기를 만들어 냄으로써 의미형성을 하게 되는데, 이 의미형성은 자신이 알고 있다고 생각하는 것과 차이점이 있을 경우에는 그 차이점을 메꾸려고 한다. 그렇게 꾸며낸 이야기는 우리의 현실이 될 뿐만 아니라, 미래에 하게 될 의미형성도 그렇게 지어낸 이야기에 근거해서 만들어진다. 그렇기 때문에 만들어진 이야기를 확인하지 않으면 우리가 하는 상호교류는 대인관계 혼돈으로 가득 차게 된다. 시간이 지나면서 그 이야기는 더 나쁜 방향으로 심화되고, 혼돈은 더욱 악화된다. 대인관계의 질이 업무를 수행하는 데 그다지 중요하지 않다면, 그 조직은 혼돈 속에서도 잘 운영될 수 있을 것이다. 하지만, 우리가 다른 사람과 파트너십을 맺고 일을 잘 하기 위해 서로가 협력해야 하는 조직에서 일을 하고 있다면, 대인관계에서 일어나는 혼돈은 아주 중요한 장애물이 될 것이다. 어쩌면 대인관계 혼돈 때문에 파트너십은 완전히 무너질 수도 있다.

의미형성은 큰 의사결정이나 사건, 또는 사람들이 모호하게 행동하거나 해야 할 말을 많이 하지 않을 때만 하게 되는 건 아니다. 상호교류를 할 때마다, 대화를 하는 매순간 우리는 의미형성을 한다. 제니퍼가 신제품 계획에 대해 동료들이 하는 말을 들었을 때, 그녀는 자신이 말하고 있는 것을 이 친구들이 얼마나 잘 이해하는지, 자신이 어떤 의도와 목적으로 말을 하는지, 지금 말하는 이 계획에 대해 어떻게 느끼는지, 자기에게서 무엇을 원하는지에 대해 이야기를 지어낸다. 제니퍼 자신은 그렇게 하고 있다는 걸 알아 차리지 못하지만, 이것은 숨 쉬는 것 만큼 자연스런 것이다. 이렇게 하는 자신을 우리는 막을 수 없다. 우리가 할 수 있는 최선은 자신이 이야기를 지어내고 있다는 것을 잘 알아차리는 것이며, 그렇게 만들어진 이야기에 오류가 있을 수 있다고 가정하면서, 그 이야기가 사실인 것처럼 행동하기 전에 그 이야기에 대해 먼저 확인하는 것이다.

사람들은 최악의 상황을 생각하는 경향이 있기 때문에, 서로에 대해서나 자신이 속한 조직에 대해 만들어내는 이야기는 대체로 긍정적이기보다는 부정적일 때가 많다. 미래에 하게 될 의미형성은 과거에 했던 의미형성을 근거로 만들어지기 때문에, 대부분의 이야기는 부정적인 소용돌이 속에서 벗어나기 어렵다. 결국 그렇게 확인되지 않은 부정적인 이야기들 때문에 조직은 냉소와 불신으로 가득 차게 된다.

사람들은 자기가 진짜 어떤 생각을 하는지 매니저들에게 솔직하게 드러내 놓고 말하는 것을 꺼린다. 그렇기 때문에 매니저들이 듣게 되는 피드백은 대체로 정확하지 않고, 그들은 자기가 한 행동이 다른 사람들에게 어떤 영향을 주는지 제대로 알 수 없게 된다. 조직에서 일어나는 내부 대화는 사람들이 실제로 자기 머리 속에서 떠오르는 생각과 감정, 욕구를 제대로 다룰 수 없다고 느낄 때 일어난다. 그 결과, 자기가 동의했던 결정사항을 제대로 실행하지 않게 되고, 변화에 대한 그들의 저항은 점점 더 확산된다. 사람들이 서로를 사람으로 대하는 대신 역할로만 대하게 하는, 비인격적이고 관료주의적인 규정과 규제의 작동불능 상태가 커지면서 협상을 통해 합의를 하고 동료들 간에 발생하는 갈등을 스스로 관리해야 할 필요성이 조직 안에서 훨씬 높아졌다. 이런 상황에서 대인관계 혼돈 또한 높아졌고, 그로 인해 사람들은 더 많은 스트레스를 느끼게 되었다.

대인관계에서 일어나는 혼돈을 해소할 수 있는 방법은 대인관계에서 명료성을 만들어내는 것이다. 대인관계 명료성을 만들어 내려면 지금까지 우리에게 익숙한 대화방식이 아닌 완전히 새로운 방식으로 대화해야 한다. 다음 장에서는 사람들이 집단적인 경험을 통해 학습하고, 대인관계에서 일어나는 혼돈을 제거하여 파트너십 관계를 유지하는데 도움이 되는 대화방식에 대해 살펴보기로 한다.

2

조직 학습대화에 대한 소개

이번 장에서는 대인관계 혼돈에서 벗어나 대인관계에서 명료성을 형성하게 해주는 프로세스에 대해 소개하고자 한다. 대인관계 명료성In-terpersonal clarity이란 각 구성원이 *자기가 어떤 경험을 하는지를 알고, 다른 사람은 어떤 경험을 하는지 이해하며, 자신과 그들의 경험 사이에 어떤 차이점이 있는지를 이해하기 위해 주고받는 상호작용*을 말한다. 나는 대인관계 명료성을 만들어내는 데 요구되는 프로세스를 '*학습 대화*'라 부르고 있다. 대인관계 명료성을 위한 상호작용이 동일한 조직에서 일하는 사람들 사이에서 일어날 때는 *조직학습*이 일어난다. 학습대화 시간을 자주 가지면서 대인관계에서 일어나는 혼돈을 없애면 파트너십을 잘 유지할 수 있다. 이번 장을 통해 대인관계 명료성을 확실히 이해하고, 왜 그것이 파트너십을 기반으로 한 팀이나 조직에 중요한지에 대해서도 명확하게 이해할 수 있기를 바란다.

1장에서 자세히 설명한 것처럼, 이 책에서 말하는 조직학습 모델은 두 사람 이상의 사람들이 자신들이 한 경험에 대해 탐구하면서 지금까지 유지되어온 조직화 패턴에 변화를 가져오게 해줄 새로운 지식을 만들어내는 프로세스이다. 조직화 패턴은 업무를 처리할 때 취하게 되는 전형적인 상호작용을 말한다. 이 상호작용에는 문제를 파악하고 해결하고 갈등을 관리하는 방법, 의사결정, 성과를 평가하고 고객을 응대하는 행동, 이해관계자를 관리하고, 조직 상하 간에 의사소통 하는 것, 예산을 책정하는 것과 같은 일들이 포함된다. 이러한 조직화 패턴이 비생산적이거나 만족스럽지 않을 때, 우리는 그런 순간들을 갈등이 일어나는 징후로 보는 경향이 있다. 이럴 경우, 우리는 어떤 "문제"를 갖게 된다. 그러나 그 문제에 대해 그 사람과 이야기를 하면 더 심각한 갈등이 일어날 거라는 우려 때문에 우리는 이야기를 하지 않게 된다. 상황이 이런 방향으로 흘러가면 파트너십이 일어날 가능성은 사라지고 만다.

학습대화의 실제 사례

학습대화는 파트너십을 유지하는 것을 방해하는 것들에 대해 이야기를 나누는 데 목적을 두고 있다. 다시 말해서, 우리가 관여하고 있는 어떤 프로세스나 프로젝트를 성공적으로 수행하는데 나의 모든 에너지와 노력을 쏟아 붓지 못하게 하는 당신에 관한 어떤 것들에 대해 대화하고, 가능하면 그것으로부터 벗어나기 위함이다. 우리가 성공적인 상황에 있을 때는 비생산적이거나 의욕을 떨어뜨리는 것은 무엇이든 제거할 수 있다. 그러나 사람이나 그룹 사이에서 파트너십을 무너뜨리는 문제나 갈등이 발생할 경우에는 그렇게 하는 것이 쉽지 않다. 조직문제의 80% 이상이 대인관계 혼돈에서 나온다고 한다. 바로 이 혼돈을 제거하면 갈등은 사라진다. 학습대화의 구체적인 예를 한번 살펴보자.

당시 나는 35명의 매니저를 대상으로 일주일동안 조직에서 일어난 실제 문제를 다루면서 이 책에서 소개하는 스킬을 가르치고 있었다. 원활한 진행을 위해 6명의 강사들을 운영 지원 스탭으로 투입해서, 지금 어떤 일이 일어나고 있고 그래서 다음에 무엇을 해야 할 지에 대해 함께 논의를 했다. 3일째 되는 저녁, 스탭 중 한 명인 브루스는 다음 날은 자신의 그룹과 시간을 보내고 싶다고 했다. 그러나 브루스를 제외한 나머지 사람들은 전체그룹이 함께 하는 활동이 더 적합하다고 말했다. 바로 이 순간, 다음 날 무엇을 할지에 대해 논의할 때 브루스가 제대로 대화에 참여하지 않았다는 것이 생각났다. 4일째 되는 날 아침, 내가 그날 진행하게 될 일정에 대해 참석자들에게 소개를 할 때, 회의실 뒤쪽에서 브루스가 "뭐라고요? 일정이 어떻게 된다고요?"라고 큰소리로 물었다. 나는 다시 한번 반복해서 일정을 설명해줬다. 그는 "그 계획은 언제 결정되었죠?"라고 물었다. 약간 짜증이 나기 시작했지만 그것을 드러내지 않으려 노력하며 말했다. "어제 저녁식사 할 때요." 그는 돌아서 방 뒤쪽으로 걸어가면서 큰소리로 불평을 했다. "흠… 그 계획이 결정될 때 나는 어디 있었는지 모르겠네."

그날 오후에, 전체 매니저들은 긴장된 상태에서 감정이 오갈 수도 있는 대화를 하게 되었다. 최근에 조직에서 일어난 몇 가지 변화에 대해 어떻게 경험하고 있는지 솔직하게 이야기하는 시간이었다. 나는 매니저들 사이에서 대인관계 명료성을 증가시킨다는 명확한 목표를 가지고 이 대화를 진행하고 있었다. 매니저 중 한 명인 헤더가 그녀 개인에게는 중요할 수 있지만, 내가 보기에 그 세션의 목적과는 별로 관계가 없는 이슈를 제기했다. 그녀가 말을 마치고 다른 사람이 말을 하려 할 때, 브루스가 끼어들며 "헤더의 말을 좀 더 들어보면 좋겠습니다."라고 했다. 나는 "헤더가 하려던 말이 중요하지만, 오늘 이 자리에서 다루려는 이슈에 초점이 맞추어져 있지는 않습니다. 시간도 얼마 남지 않았습니다."라고 응답했다. 브루스는 말했다. "글쎄요. 그래도 난 헤더의 말을 좀 더 듣고 싶습니다." 나는 브루스를 날카롭게 쏘아보며 목소리를 높여 큰 소리로 말했다. "안됩니다." 브루스는 깜짝 놀라면서 돌아서더니 자기 자리로 돌아갔다.

브루스와 나 사이에 갈등이 있다는 것은 그 회의실에 있던 모든 사람들이 알아차릴 정도였다. 몇 시간이 지난 후에 우리는 그 자리에서 일어난 일에 대한 학습대화를 하기 위해 만났다. 이때까지도 자기 생각대로 되지 않는다고 멋대로 행동을 한 브루스에 대해 나는 흥분을 가라앉히지 못하고 있었다. 그날 아침에 그가 보여준 행동은 전적으로 부적절한 것이었고 매우 독선적이라고 느꼈다. 자기가 이끄는 회의에 다른 사람들이 간섭하지 못하게 하는 브루스가 나보다 훨씬 완고하다고 생각했기 때문이다. 다음은 내가 그와 나눴던 학습대화 내용이다.

브루스: 오늘 오후에 일어난 일에 대해 이야기 좀 하고 싶습니다. 당신이 내게 말한 방식이 마음에 들지 않았습니다. 그것 때문에 사실 저는 지금도 화가 나 있는 상태입니다.

저비스: 저 역시 제가 보인 행동이 마음에 들지 않습니다. 사실 그때 저도 화가 나 있었어요. 그게 밖으로 표현된 겁니다.

브루스: 그 문제가 일어나기 전에 무슨 일이 있었는지 궁금합니다.

저비스: 물론이죠!. 말씀드리죠. 오늘 아침에 당신이 보여준 행동 때문에 저는 기분이 무척 상했어요.

브루스: 오늘 아침에요? 도대체 제가 오늘 아침에 어떻게 해서 기분이 상하신 거죠?

나는 그날 아침에 그가 보여준 행동에 대해 내가 만들어 낸 이야기부터 말하기 시작했다. 나는 그가 자기 그룹과 시간을 보내고 싶어서 전체가 이미 동의한 아젠다에 반대한다고 생각했다. 그가 한 질문에 내가 대답했을 때 돌아서면서 그가 보여준 태도는 자기 의견이 받아들여지지 않아서 불평하는 것처럼 보였다. 이미 모두가 결정한 사항에 대해 참가자들이 있는 자리에서 그가 보여준 태도가 정말 마음에 들지 않았다.

브루스는 내가 이야기하는 것을 조용히 듣다가 내가 경험한 것을 더 명확히 이해하기 위해 몇 가지 더 질문을 했다. 내가 그 질문에 대해 마음 속에 있던 이야기를 더 많이 쏟아내던 그 순간에, 조금전까지만 해도 알지 못했던 것이 갑자기 내 머리 속에 새롭게 떠올랐다. 사실은 내가 이미 전날 저녁부터 그에게 화가 나 있었던 것이다. 그 때문에 나는 브루스가 자기 뜻대로 되지 않아서 기획 회의에 참석도 하지 않는다는 이야기를 내 마음 속에서 지어내고 있었던 것이다. 다음날 아침까지 그는 여전히 불만에 차 있는 것처럼 보였고 그 모습은 그의 행동을 지켜보던 내 경험에 더 안 좋은 영향을 미쳤다. 시간이 지나면서 급기야 나는 그가 내 리더십을 공격한다고 생각했다. 그가 논의를 진행하던 내 권위를 또 다시 공격해오면 그에 맞게 대응하겠다고 벼르던 참이었다. 내 감정이 폭발한 것은 공격받았다는 감정 때문이기도 했지만, 자기 불만을 부적절하게 표현한다는 브루스에 대한 내 생각 때문에 일어난 반응이기도 했다.

브루스는 내가 무엇을 관찰했고, 생각했고, 느꼈고, 또 내가 무엇을 원했는지를 명확히 이해할 때까지 내게 물었다. 그리고나서 자기가 경험한 것에 대해서도 내게 설명을 했다. 전날 밤에 자기가 회의에 참석하지 못했다는 사실을 그는 잊고 있었다. 저녁식사 전에 잠깐 집에 전화했을 때 안 좋은 소식을 들어서 온 정신이 거기에 팔려 있었다는 사실을 그때서야 알게 되었다. 자신이 맡은 소그룹과 함께 시간을 보내지 못한 건 그에겐 문제가 되지도 않았다. 소그룹을 선호하긴 했지만 아주 강하게 원한 것은 아니었다. 그날 아침에야 전날 저녁에 교육 아젠다에 대해 대화한 것을 자신이 전혀 알지 못했다는 것을 알게 되었다. 돌아서면서 큰소리로 한 불평은 나를 공격하기 위해서가 아니라, 자기 자신을 향한 자책이었다. 그 순간 그날 미리 계획된 일정에 자신이 맞추지 못한 것에 죄책감을 느끼면서 정신이 멍한 상태였던 자신을 자책했던 것이다. 이 상황에 대해 내가 어떻게 경험하고 있었는지 전혀 알지 못했기 때문에, 내가 "안됩니다"라고 소리쳤을 때 상당한 충격을 받았던 것이다.

대화를 하면서 우리가 서로 어떻게 경험하고 있었는지를 완전히 이해하게 되었을 때 브루스가 마음을 털어놓았다. 그는 자신이 다른 사람들의 리더십에 도전한다는 느낌을 갖게 하는 일이 가끔 일어난다고 했다. 다른 사람의 리더십에 도전하고 싶다는 의도가 전혀 없었는데도 자신이 어떻게 다른 사람들에게 그런 인상을 주게 되는지 알고 싶어했다. 자신이 인식하지 못하는 이런 패턴에 자신이 책임져야 할 몫이 있다는 것을 인정하면서 브루스는 자신의 패턴을 더 명확하게 이해하고 싶다고 말했다. 나 역시 이번에 불거진 문제가 그날 저녁식사 시간에 있었던 기획 회의에서 나로부터 비롯된 것이라는 점을 인정은 했지만, 당시는 내가 그에 대해 전혀 주의를 기울이지 못해서 아무런 손도 쓸 수가 없었다. 자기 뜻대로 되지 않는다고 브루스가 회의 중간에 빠져버렸다는, 내가 지어냈던 이야기를 나는 확인했어야 했다. 나 역시 상황이 뜻대로 되지 않을 때 가끔은 회피하고 불평하는 행동을 한다고 인정을 했다. 내가 브루스에게 투사했던 것이 바로 그 점 때문이라는 것 또한 인정했다.

내 리더십에 대해 브루스가 어떻게 느꼈는지 물어보았다. 그는 내가 이끄는 워크숍 방식에 대단히 만족한다고 하면서, 자신의 참여에 대해 내가 어떻게 생각하는지 물었다. 이번을 제외하면 그가 기여하는 것에 내가 아주 만족하고 있다고 확인해 주었다. 우리가 함께 일하는 동안 더 이상 문제는 없었다. 사실 브루스는 같이 일하는 컨설턴트들 가운데 내가 가장 좋아하는 멤버 중 하나였다.

이 학습대화에 걸린 시간은 대략 20분 정도였다. 사례에서 보았듯이, 일단 내가 경험한 것을 서술하기 시작하면서 브루스에 대한 내 경험은 점점 더 명확해졌다. 내가 경험한 것을 충분히 이해했을 때, 브루스는 자기가 경험한 것에 대해 말할 수 있었고, 내가 만들어낸 의미형성이 어디에서 경로를 이탈했는지도 보게 되었다. 우리 두 사람 사이에 일어난 경험이 명확해지자 갈등은 사라졌다. 조직에서 일어나는 많은 문제들처럼 진짜 이슈는 브루스와 내가 완전히 다른 인식을 가지고 행동했다는 것과, 내가 브루스에 대해 정확하지 않은 가정assumptions을 하고 있었다는 것이다. 헤더에게 발언할 시간을 더 줘야 하는지 여부에 대해서는 우리가 전혀 논의하지 않았다는 것에 주목하라. 그것은 브루스와 나 사이에 일어난 근원적인 갈등을 이해하는 것과는 아무 관련이 없는 것

이었다. 만일 우리 두 사람이 그 문제에 초점을 맞추고, 누구의 생각이 맞는지에 대한 논쟁으로 들어갔다면 아마도 도움이 될 만한 것은 하나도 건지지 못했을 것이다. 업무 중에 일어난 갈등을 해결하기 위해 시도하는 많은 노력들이 누구의 말이 맞는지에 대한 논쟁에 빠져 제자리를 맴돌다가 아무런 변화도 만들어내지 못한 적이 얼마나 많았던가?

매일 함께 일을 한다고 해도 이런 사건들에 대해 학습대화를 하지 않으면 어떻게 될지 한번 상상해 보라. 브루스와 내가 자기 입장에서 계속해서 만들어냈을 이야기들, 그로 인해 겪어야 할 갈등의 크기, 함께 효과적으로 일할 수 있는 능력 저하, 더 궁극적으로는 "저런 형편없는 사람"을 상대로 일을 해야 하는 것이 싫어서 아예 출근도 하고 싶지 않다고 느끼는 상황은 어떠할지 상상해 볼 수 있겠는가? 과연 그런 상황에서 파트너십을 유지하며 일할 수 있을까? 조직에서 함께 일을 해야만 하는 사람들과 매일 파트너십을 유지하는 것이 과연 가능한 일일까? 물론, 그렇다. 그런 상황 속에서도 조직들은 계속해서 제품을 쏟아내고 있고, 고객에게 서비스를 제공하며 수익을 창출해오고 있지 않은가!

이 책의 소개 부분에서도 설명했지만, 지휘·통제를 중심으로 운영되는 조직은 이런 상황에서도 기능을 발휘할 수 있다. 하지만, 파트너십을 기반으로 하는 조직은 이런 상황에서는 제대로 기능을 발휘하지 못한다. 그들은 업무를 완수하기 위해 함께 일하는 사람들에게 의존하기 때문이다. 그들은 갈등이 파국 지점까지 치닫지 않는 한, 또는 경쟁자들이 명료성 문화를 만들어내지 않는 한, 대인관계 혼돈의 와중에서도 살아남아 비틀거릴 수는 있다. 하지만 혼돈을 제거하고 파트너십을 재구축해야 할 필요가 있는 상황에서 학습대화를 하지 않으면, 그들이 가진 잠재력에 상응하는 성취는 결코 이루지 못한다.

학습대화 vs 일반대화

일반적인 대화로는 대인관계 명료성을 만들어내지 못한다. 문제가 되는 패턴 또한 바꿀 수 없다. 왜 그런지에 대한 이유는 얼마든지 많이 있다. 학습대화는 최소한 아래의 3가지 걸림돌을 해결하는 데 도움을 준다.

• 5장에서 설명하겠지만, 문제의 일부는 우리 자신이 경험하는 것에 대해 우리가 제대로 인식하지 못한다는 데 있다. 우리가 어떤 경험을 하고 있는지 알지 못하면, 우리와 상대방은 경험에서 아무것도 배울 수 없다. 그러나 학습대화를 하면 실제로 우리가 어떤 경험을 하는지 더 잘 인식할 수 있게 된다.

• 문제의 일부는 의미형성에도 있다. 우리가 다른 사람에 대해 지어내는 이야기가 정확하거나 진실에 가깝다고 생각하는 데 있다. 그래서 자신이 지어낸 이야기에 대해 말하는 것은 도움이 되지도 않고, 상황을 악화시킬 뿐이라고 생각한다. 그러나 학습대화를 하면서 우리는 다른 사람의 경험에 대해 훨씬 더 정확한 정보를 얻을 수 있다. 우리에게는 현실보다 안 좋게 이야기를 지어내는 경향이 있기 때문에, 다른 사람이 머릿속에서 실제로 어떤 생각을 하고 있는지 알게 되면 대개는 안도하고 상대에 대해 더 좋은 느낌을 가질 수 있게 된다.

• 문제의 또 다른 일부는, 문제가 되는 패턴에서 자기에게 해당되는 부분을 보지 못한다는데 있다. 어떤 문제 패턴에서든, 내가 아닌 다른 사람이 어떻게 문제가 되는지는 언제나 분명하다. 그 사람이 바뀌기만 하면 다르게 행동할 수 있고 문제는 사라진다고 생각한다. 직장에서 문제가 되는 패턴에 당신과 관련되어 있는 사람들을 생각해 보라. 그러면 아마도 그들이 문제를 해결하기 위해 무엇을 바꿔야 할지 금방 파악할 수 있을 것이다. 하지만, 이런 점도 고려해 보라. 만일 내가 그들과 대화를 하면, 그들 또한 내 문제 패턴을 파악할 수 있고, 문제 해결을 위해 다른 사람이 아닌 당신이 바꿔야 할 것이 무언지 알려줄 것이다. 우리가 패턴의 일부가 되지 않고는 상호교류 패턴에 참여할 수 없다. 실제로 일어난 일에 대해 학습대화를 하면, 우리 자신이 문제가 일어나는데 어떤 역할을 했는지를 알 수 있다.

그러나, 우리 대부분은 문제 패턴에 대해 논의하는 것을 회피하는 경향이 있다. 그것은 다른 사람과의 갈등을 해결하기 위해 이야기를 한다고 해도 생산적인 결과를 만들어내지 못할 거라는 믿음을 가지고 있기 때문이다. 직장에서 조직의 문제점과 그에 대한 해결방안을 논의할 때, 다음 두 가지 요소 때문에 대화가 비생산적으로 흐르게 된다. 첫째, 문제 패턴의 일부가 되는 핵심 당사자 없이 그런 논의를 한다는 점이다. 대개는 이 사람들을 문제 있는 사람으로 여겨서 그들을 어떻게 바꿔야 할지에 대한 논의에 집중한다. 그러나 그들이 대화에 직접 참여하지 않으면, 문제가 되는 그 사람들과 파트너십을 재구축하는 것은 불가능하다. 둘째, 문제 당사자가 대화에 참여하면, 논의 과정에서 발생하는 불안(당황스러움이나 죄책감의 감정)때문에 사람들은 성급하게 무마하고 결론을 내리려 한다. 그래서 문제의 피상적 징후들, 예를 들면 가장 눈에 띄는 행동이나 성과에 가장 크게 영향을 주는 점에 대해서만 말하게 된다. 이런 패턴은 근저에 있는 경험들을 더 깊이 있게 탐색하지 않고는 바뀌지 않는다.

업무에서 발생하는 문제 패턴에 대한 생산적인 대화, 즉 문제의 패턴을 명료하게 이해하고 그것의 변화 가능성과 개선에 대한 논의로 이어지게 하는 대화를 하기 위해서는 다른 무언가가 먼저 일어나야만 한다. 다시 말해서, 지금까지와 다른 대화를 해야 할 필요가 있다. 문제 패턴의 일부가 되는 당사자들이 반드시 논의에 참여해야 하고, 참가자들은 탐구하는 태도로 대화에 임해야 한다. 모든 사람은 다르게 경험한다는 것, 그래서 상대방이 경험한 것에 대해 질문하거나 그들이 말하는 것을 경청하지 않으면 그 사람이 어떤 경험을 하는지는 알 수 없다는 생각으로 대화에 임해야 한다.

집단 속 경험으로부터 학습을 가능하게 하는 대화는 모든 사람이 자기가 경험한 것을 설명해주고 상대의 말을 경청하는 데서 시작된다. 이렇게 하면 문제를 지적으로 정의하거나 고치려는 노력 없이도 문제가 되는 패턴을 바꿀 수 있다. 집단의 모든 구성원들이 자신의 경험과 다른 사람의 경험이 무엇인지를 알고, 그 둘 사이에 어떤 차이점이 있는지 알 수 있을 때까지 자기가 경험한 것을 설명할 수 있어야 한다. 관련된 사람들이 대인관계 명료성에 도달하면, 앞에서 이야기한 브루스와 내 경우처럼 갈등은 사라진다.

학습대화 스킬

우리가 학습대화를 하지 않는 또 다른 이유는 학습대화를 지속적으로 잘하는데 많은 스킬이 필요하기 때문이다. 조직이나 부서에서 명료성 문화를 만들고 학습을 이끄는 데 필요한 태도와 스킬에 대해서는 다음 장에서 구체적으로 다룰 것이다. 그 내용을 조금 맛보기 위해 도입 부분 말미에 소개했던 이야기로 돌아가보자. 피에르라는 이름을 가진 한 회사의 사장이 이끄는 경영진에 대한 이야기가 기억날 것이다. 피에르 사장은 전날 이사회 미팅에서 스탠 부사장이 보인 행동에 대해 우려하고 있었다. 그는 A제품을 책임지고 있는 스탠 부사장이 신제품 B를 출시하는 전략 변화를 지지하지 않는 것을 걱정하고 있었다. 이런 상황에서 경영진의 임원들이 클리어 리더십 스킬을 사용해서 명료성 문화를 만들고 집단의 경험을 통해 학습을 하고 있다고 생각해보자. 아래 표의 오른쪽 칸에 그들이 사용하는 스킬과 테크닉을 자세히 설명해두었다.

학습대화 스킬 및 테크닉	
대화	스킬과 테크닉
피에르: 스탠, 나는 어제 이사회에서 좀 혼란스러웠어요. 신제품 B에 대한 전략을 우리가 어떻게 생각하는지 좀 더 명확히 하고 싶습니다. 지금 이 문제를 제기하는 이유는 그것이 우리 모두에게 영향을 미치기 때문입니다. B에 대한 전략을 우리 각자가 어떻게 생각하는지 명확히 할 필요가 있다고 봅니다. 내 생각부터 먼저 말해보겠습니다. 우리가 새로운 제품전략에 대해 충분히 논의했고 우리 모두가 완전히 동의했다고 나는 생	피에르가 스탠의 행동에 대한 판단, 혹은 자신이 의미를 형성한 것을 가지고 대화를 하지 않는다는 점에 주목하라. 지금 피에르는 자신의 관찰, 감정, 욕구에 대해 분명하게 설명을 하고 다른 의견을 듣고 싶다는 맥락을 만들면서 자신이 의미형성(B제품을 지원하는 스탠에 대한 의구심)한 것을 적용했다. 피에르는 스탠이 자신이 경험한 것을 서술

각했습니다. 그런데 어제 이사회에서 당신이 혼란스러워 하는 모습을 보면서 걱정이 되었어요. 당신이 B에 대한 전략을 정말로 지지하고 있는지 잘 모르겠습니다. 좀 더 솔직히 말하면, 새로운 전략이 당신이 맡고 있는 A제품의 자원을 빼앗아 갈지도 모른다는 우려때문에 당신이 B에 대한 전략을 반대할지도 모른다는 생각이 들었어요. 당신이 어떻게 생각하는지 듣고 싶습니다. 제품 A와 B, 둘 다를 충분히 지원할 수 있는 방법을 함께 찾아보고 싶다는 것이 지금 내 입장입니다.

할 수 있도록 초대하는 방식으로 자신의 경험에 대해 설명을 했다.

다른 사람들이 알아차릴 정도로 흔들리는 모습을 잠깐 보인 스탠은 자신이 들은 말에 바로 반응하지 않고, 피에르가 인식하고 있는 것을 보다 명확히 이해하기 위해 몇가지 질문을 한다

스탠: 어제 회의에서 정확히 저의 어떤 행동이 사장님께 걱정을 끼쳤는지 말씀해 주시겠습니까?
피에르: 질문에 답을 할 때, 여러 번 이사회가 이미 승인한 전략과 상반되는 말을 했습니다. 브라이언이 마케팅 전략에 대해 질문했을 때를 예로 들어 볼게요. 고객 관점에서 볼 때 두 제품이 가진 고유한 특성을 유지하는 것이 낫다는 결정을 우리가 내렸는데도 불구하고, 당신은 A 제품을 토대로 고객의 브랜드 인지도를 높이자는 말을 했습니다.
스탠: 다른 것이 또 있습니까?
피에르: 네. 기억나는 것이 또 있어요. 제품 출시에 관해 마릴린에게 당신이 답변해준 내용과 허셀에게 알려준 예상비용은 우리가 함께 동의한 비용과 달랐던 것도 기억이 납니다.

스탠이 상황을 완전히 이해하기 전까지 피에르에게 반응하지 않고, 그의 경험을 바꾸려 하지 않음을 주목하라. 이런 행동은 아주 강력한 개인적인 경계 boundary가 서 있을 때 가능하다. 스탠은 피에르가 경험한 것이 자기때문이라고 생각하지 않았을 뿐만 아니라, 피에르가 자신이 좋아하는 경험을 하지 않는다는 이유로 화를 내지도 않았다.

먼저, 스탠은 피에르가 경험한 것을 자세히 살펴보면서, 두 사람이 이사회 회의 내용에 대해서만 대화를 했으면 얻을 수 없는 많은 정보(스탠의 부서 직원들과 했던 대화에 대해서)를 얻어냈다. 덕분에 피에르가 어떻게 의미형성을 했는지 이해할 수 있게 되었고, 전체 참석자들에게도 아주 중요한 정보를 줄 수 있었다. 피에르의 경험을 이해하기 위해 노력하는 동안 중요한 이슈들이 표면으로 드

스탠: 아, 그랬군요. 어떤 점 때문에 사장님이 걱정하시게 되었는지 이제 이해했습니다. 그런데 사장님, 제가 좀 더 명확히 이해하기 위해서 한 번만 더 질문을 드리겠습니다. 회의에서 제가 말했던 내용과 사전에 우리가 함께 동의했던 것에 대해 사장님이 알고 계신 대로 제게 다시 한번 말씀해 주시겠습니까?

피에르는 스탠이 회의에서 말한 것을 들은 대로 설명해주면서 그 중에서 잘못되었다고 자신이 생각한 것에 대해 다시 한번 설명해주었다

스탠: 말씀해 주셔서 감사합니다. 사장님이 무엇 때문에 불편하셨는지 훨씬 명확해졌습니다. 사장님께서 방금 말씀하신 것에 제가 답변 드리기 전에, 제가 전략 변화를 충분히 지원하지 않는다고 생각하시게 된 또 다른 이유가 있을까요?
피에르: 글쎄, 음~. 물어보니 하는 말인데, 일주일 전 쯤이었어요. 내가 당신 부하직원인 바바라와 잠깐 이야기 나눈 적이 있는데, 그때도 조금 어리둥절했어요. 바바라는 전략변화가 당신 부서에 어떤 영향을 미칠지 걱정할 뿐 아니라 두려움마저 느끼는 것처럼 보였어요. 당신 부서의 케빈도 바바라와 비슷한 생각을 하고 있었습니다. 그래서 당신 때문에 이 사람들이 그런 반응을 보이는 건 아닌가 하는 생각이 들었습니다.

스탠: 새로운 사업부로 이동하는 사람도 있을 거라는 말을 그들이 했습니까? (피에르는 고개를 끄덕였다.) 아, 이제 사장님이 무슨 말씀을 하시는 지 알았습니다. 새로운 전략에 대한 제 입장이

러난 것에 주목하라. 만일 논의 주제가 해결되어야 할 것에 집중되었다면(예를 들어 어떻게 하면 이사회에서 스탠이 좀 더 잘 하게 할 것인가와 같은 이슈로) 이런 결과는 일어나지 않았을 것이다.

어떤지 사장님을 궁금하게 만든 게 또 있습니까? *피에르: 아니요. 그게 전부입니다.*	
스탠: 알겠습니다. 일단 일이 이렇게 벌어진 데 대해 저 또한 놀랐다는 말씀부터 드리겠습니다. 저는 이사회에서 상황이 옆길로 샜다는 생각을 전혀 하지 못했는데 제게 솔직하게 말씀해 주셔서 정말 감사합니다. 제가 B 제품을 적극적으로 지지한다는 사실만은 사장님께서 알아주셨으면 합니다. 먼저 회의에서 생긴 이슈에 대해 말씀드려보겠습니다. 허셸에 대해선, 사장님께서 자금 조달 방안에 대해 전에 언급하시기도 했고, 또 제가 부채를 어느 정도까지 부담할 수 있는지에 대해 이미 동의를 했기 때문에 그 자리에서 굳이 제 생각을 드러내지 않아도 된다고 생각했습니다. 하지만, 마케팅 전략과 제품 출시 계획에 대해서는 사실 저도 좀 혼란스러웠습니다. 왜냐하면 제가 브랜드 인지도를 높이는 일에 A 제품을 연계하기로 결정했다고 생각했기 때문입니다.	스탠이 현시점here-and-now에서 자기가 경험(생각, 감정, 욕구)한 것에 대해 설명하기 시작하면서 다른 사람들은 이 상호교류에 대해 좀 더 정확하게 의미를 형성할 수 있게 되었다. 그리고나서 그는 피에르가 방금 한 말에 반응하면서 자기의 생각과 감정에 대해 서술했다.
피에르: 아니예요, 그렇지 않아요. 그건 적어도 한 달 전에 이미 결정한 사항입니다. *로버트: 사장님, 저도 한 말씀드리겠습니다. 그 점에 대해서는 저도 스탠과 같은 입장인데요. 저 역시 반대로 생각했습니다.* *수잔: 저는 한 달전에 그런 결정이 내려졌는지 몰랐습니다.* *피에르: 우리가 몇 주에 걸쳐 이 문제에 대해 논의했는데 이해할 수 없군요. 지난 주 이사회의 전략 위원회에서 논의했을 때도 판촉 캠페인에 두*	바로 이 장면에서 왜 다른 사람들이 모두 보는 공개적인 상황에서 학습대화를 하는 것이 유용한지 알 수 있다. 대부분의 사람들은 이런 대화를 사적으로 하고 싶어한다. 그러나 진정한 파트너십에 기반을 두고 있는 팀과 조직은 이런 대화를 공개적으로 주고 받으면서 각 개인들의 다양한 경험들을 드러내고, 그것들을 통합하기 위해 구성원들이 적극적으로 참여해주기를 원한다. 이처럼

제품을 분리해서 진행하면서 각 제품이 가진 특성을 유지하기로 했었잖아요.

로버트: 글쎄요, 논의한 것은 기억합니다만 우리 모두가 제품을 연계하는 쪽으로 의견이 기울었다고만 생각했습니다. 전략위원회가 그렇게 결정했다는 것을 들은 기억은 없습니다.

에롤: 저도 사장님께서 마케팅 그룹과 회의 하시는 자리에서 처음 알게 되었지만, 결정까지 하신 건 몰랐습니다.

피에르: 맙소사! 지난 미팅에서 그걸 발표했다고 내가 생각했었군요.

이 시점에서 피에르는 참석자들에게 이사회의 전략위원회가 결정한 것과 그렇게 결정하게 된 근거에 대해 설명해주었다. 대화를 하다 보니 그룹이 이 결정에 대해 논의하는 것이 그때가 처음이라는 사실이 점점 더 명확해졌다.

스탠: 사장님께서 제기하신 이슈들을 마무리 짓는 의미에서 말씀드려보겠습니다. 제 부서 사람들이 B 제품이 우리에게 할당된 자원을 가져갈 거라고 걱정하는 건 사실입니다. 일부 직원들이 두려워하는 것처럼 급격하게 진행될 거라고 생각하지는 않지만, 자원 조정이 있을 거란 점은 분명해 보입니다. 그에 대해 어떻게 해야 할지에 대해선 저도 아직 아무 결정도 하지 못했습니다. 솔직히 말씀드리면, 의사결정은 빠르면 빠를수록 좋다고 생각합니다. 불확실한 상황이 길어질수록 사람들은 수많은 억측을 할 수밖에 없습니다. 실제로 어떤 일이 일어날지 누구도 모르기 때문에 구성원들을 어떻게 진정시켜야 할지는 저도 잘

상당히 당혹스러울 수도 있는 대화가 시작되는 상황에서 스탠처럼 침착하게 경청하려면 높은 수준의 자아분화(Self-differentiation) 스킬이 요구된다. 자아분화에 대해서는 다음 장에서 자세히 논의할 것이다.

B제품의 전략에 대해 각자가 경험한 것이 명료해지면서, 피에르와 스탠은 그 경험들 저변에 깔려 있던 진짜 이슈들을 탐색할 수 있게 되었다. 여기서 리더인 피에르가 대응하는 것을 보면, 그는 자기가 경험한 것과 다른 경험에 대해 잘 경청하고 탐구하는 모습을 보였다. 그 과정에서 진정한 파트너십이 번성할 수 있는 공간이 피에르에 의해 만들어졌다.

모르겠습니다. 지금 상황에서 B제품 출시는 우리 회사의 미래를 위해 반드시 필요하다고 봅니다. 제가 이 전략을 100% 지지한다는 점은 사장님께서 이해해주시면 좋겠습니다.

피에르: 그 말을 들으니 안심이 되네요, 스탠. 그런데 왜 당신 부서 사람들은 같은 생각이 아닐까요?

스탠: 사장님, 어떤 사람도 B 제품으로 옮겨가는 것이 현명한 결정이라는 데 의문을 제기하는 사람은 없다고 생각합니다. 다만, 그 결정이 A 제품에 어떤 영향을 미칠지 확실히 아는 사람이 지금은 없기 때문에 수많은 루머와 근거 없는 소문이 퍼지고 있을 뿐입니다. 지난주에 한 직원은 A 제품 부서를 없애는 건 아니냐고 제게 물어 오기도 했으니까요.

피에르: 그건 말도 안 되는 소리입니다! A 제품은 우리 회사의 핵심입니다. 그건 명확한 거 아닙니까?

스탠: 우리는 그렇게 생각하지만, 일부 조직에는 혼선이 있는 것 같습니다.

에롤: 스탠 부사장님, 저도 비슷한 경험을 했습니다.. 며칠 전에 직원식당에서 우연히 옆자리에서 대화하는 것을 들었는데요, 그들은 A 제품 부서가 어떻게 재편될지 이런저런 추측을 하고 있더군요.

스탠: 일선 조직에서 사람들이 주고 받는 그런 소문들이 사장님께서 들으셨던 바로 그 이야기라고 저는 생각합니다.

피에르: 여러분들 가운데 이런 소문을 들으신 분이 또 있습니까?

만일 이 두 사람이 이런 대화를 하지 않았다면 어떤 일이 일어났을 지 한번 상상해 보라. 피에르는 스탠이 헌신적인 노력을 하지 않는다고 의심했을 것이다. 아마도 자신이 의심하고 있는 것을 확인시켜줄 수 있는 정보를 계속해서 수집했을 것이다. 그는 마케팅 전략에 대한 논의가 없었던 것도 모른 채, 팀이 마케팅 전략을 이사회에 상정했을 거라 생각했을 것이다. 가장 중요한 것은 그룹이 조직 전체를 흔들고 있는 소문과 근거도 없는 두려움에 대해 함께 이해하지 못하고 그것들을 개선할 수 있는 조치를 취하지 못했을 거라는 점이다.

그 이후 경영진들은 지난 10여년동안 A제품 하나에만 집중해왔던 조직문화가 새로운 전략을 실행하는 데 미칠 영향에 대해 논의하기 시작했다. 그 중 몇 가지는 피에르가 처음 듣는 말이었다. 참가자들은 조직에서 일어나고 있는 잘못된 인식과 근거 없는 두려움에 어떤 패턴이 있는지 함께 논의를 했다. 그들 모두가 A 제품이 아직도 이 회사의 핵심제품이라는 것을 인정하면서, B 제품을 강조하는 새로운 전략이 A 제품에 대한 지원을 줄인다는 의미가 아니라는 것을 재확인하였다.

피에르: 지금 일어난 혼란을 정리하기 위해 조치를 취해야 할 것 같습니다. B 제품에 대한 자원조달 문제를 맡아온 콜레트의 팀이 거의 마무리 단계에 와 있을 것 같습니다. 그 팀에 더 빨리 마무리해 달라고 부탁해보겠습니다. 그들이 제출할 보고서를 토대로 회사 전체를 대상으로 명확하게 발표하는 것이 좋겠습니다. 그렇게 하면 누가 어디서 일하게 될지 알지 못해서 생기는 불확실한 상황은 해결될 것입니다. 수잔, 당신이 책임지고 어떻게 직원들에게 커뮤니케이션 하는 것이 좋을지 준비해 주시겠어요? 이 일을 최우선으로 진행해줬으면 합니다. B 제품을 시장에 진입시키는 데 방해가 되는 근거 없는 두려움과 소문을 신속하고 효과적으로 처리했으면 합니다.

그들이 함께 참여하고 있는 신제품 B를 도입하는 프로세스가 성공적으로 추진되도록 진심을 다해 지원할 수 있는 길은 각자가 경험하는 것을 명확히 해야 한다는 의지를 통해서만 가능해진다. 바로 이것이 협력과 파트너십의 진정한 모습이다.

우리가 이런 대화를 하게 되어 정말 다행입니다. 비록 제가 스탠에게 가졌던 의혹 때문에 불거진 것이라 미안한 마음이긴 하지만요. 어제 이사회에서 있었던 일은 저에게 많은 책임이 있습니다. 스탠, 미안합니다.

학습대화는 스탠과 피에르 각자가 자신의 경험을 자신들이 어떻게 만들어 냈는지에 대해 깨닫게 된 점을 설명하고, 앞으로 어떻게 교류하길 원하는지에 대해 합의를 하면서 끝을 맺는다.

요약

피에르와 같은 리더들이 효과적인 이유는 대인관계 명료성이라는 문화를 만들어내기 때문이다. 만일 함께 일하고 있는 사람들과 파트너십 상태에 있고 싶으면, 당신의 이야기가 하나의 이야기일 뿐이라 생각하고, 당신이 알고 있는 것과 당신이 만들어 낸 것 사이의 차이점을 알아차릴 수 있어야 한다. 모든 사람이 다르게 경험한다는 것을 알아야 하며, 그들의 경험이 당신의 경험과 다르다는 점 또한 가정하고 있어야 한다. 자기가 지어낸 이야기를 테스트해보고 그것이 정확하지 않다는 것을 알아내야 한다. 자신이 경험한 것을 설명해가면서 이끌어야 하며, 다른 사람이 경험하는 것에 호기심을 가져야 한다. 파트너십이 필요하다고 생각하는 사람에게 그렇게 하도록 요구할 수 있어야 한다. 이 말이 단순한 것처럼 들릴 수도 있다. 다음 장에서 배우겠지만, 실제로 대부분의 스킬은 단순하다. 그러나 쉽지만은 않다. 그 스킬들이 명확하고 강력한 개인적인 경계를 요구하기 때문에 쉽지가 않다. 다른 사람과 명료성을 만들어갈 수 있느냐는 그들이 당신과 다른 경험을 할 때에도 불안해하지 않고 조용하고 침착하게 있을 줄 아는 당신의 능력에 달려 있다. 명료성 문화를 만드는 것은 권한을 갖고 있는 사람들의 개인적인 성품과 행동에 달려 있다. 리더들이 "자아분화self-differentiation"라 불리는 심리적인 경계를 확실하게 갖고 있을 때에만 비로소 명료성 문화를 만들 수 있다. 지금부터는 사람들이 왜 대인관계 혼돈을 끊지 못하고 지속하는지 이해해보도록 하자. 그리고 클리어 리더십 스킬을 효과적으로 사용하는 데 요구되는 것이 무엇인지 살펴보자.

3

클리어 리더십의 근간 이해
자아분화

인간이기 때문에 우리는 딜레마에 빠질 수밖에 없다. 그래서 반대되는 것처럼 보이거나 상호 배타적인 것처럼 보이는 두 가지를 동시에 원하게 된다. 자신의 개별성, 즉 자신을 분명하게 표현하는 능력, 자기가 가야 할 길을 스스로 찾아 가는 것을 중요하게 여기면서, 다른 한편으로는 집단에 소속되는 것과 자신에게 마음을 써주는 사람들에 가치를 둔다. 이 두 가지는 모두 친밀함과 공동체 의식을 위한 것이다. 그 이면을 잘 들여다보면, 다른 사람들과 지나치게 분리되었을 때 일어날 수 있는 고립감과 외로움을 두려워하면서도, 동시에 거기에 순응해야 한다는 요구와 가까운 사람들이 자신에게 거는 기대 때문에 불안을 느낀다.

자신의 개별성을 따를 것인가, 아니면 소속감을 위해 자신이 가진 개별성을 포기할 것인가? 조직 내에서 일어나는 대부분의 비생산적인 행동은 이런 모순에 기인한다. 사람들의 행동에 영향을 미치는 불안에는 두 가지가 있다. 첫번째 불안은 분리불안separation anxiety이다. 이것은 고립되고 소외될 때 느끼는 두려움을 말한다. 다른 한 가지는 친밀불안 intimacy anxiety인데, 이것은 누군가가 지나치게 가까이 다가올 때 숨 막힐 것처럼 느끼게 되는 두려움이다. 이 두가지는 대부분 마음 속 깊은 곳에서 무의식적으로 작동되는 원초적인 불안들이다. '원초적'이라 함은 태어날 때부터 갖게 된 불안이라는 의미이지만, 어쩌면 그 이전부터 생긴 것일 수도 있다. '무의식적'이라는 말의 의미는 행동을 유발시킨 것이 무엇인지도 모르는 채 불안해하고, 그런 불안에 입각해서 행동할 수 있다는 것을 말한다. 다음 장에서 이에 대해 좀 더 자세히 살펴보기로 하자.

분리불안은 다른 사람의 눈에서 실망감을 보았을 때 갑자기 경험하게 되는 감정이다. 이것은 합리적으로 정한 목표와 계획까지 포기하게 만드는 당신 안에 있는 한 부분이다. 다른 사람들이 당신을 받아주지 않거나, 당신이 그들 마음에 상처를 주거나, 그들이 당신을 거절할 때 주로 일어난다. 반면에 친밀불안은 상대방을 밀어내고 싶어하는 욕구 때문에 일어난다. 복잡한 틈바구니게 끼어 그곳을 채우고 있는 사람들에게 에워싸여 있다는 느낌이 들 때 일어난다. 이런 때는 다른 사람들의 말에 귀 기울이는 것을 멈추고 싶고 짜증이 난다. 협력해야 할 사람들이 있어도 그들이 하는 말을 충분히 듣지 않고 행동하고 싶어진다. 그러나 이 또한 당신의 일부이다. 기본적이고 일반적이라고 할 수 있는, 인간으로서 느끼는 이 두가지 불안이 서로 밀고 당기면서 불안을 완화시켜줄 수 있는 전략을 취하게 하지만, 오히려 이런 전략은 대인관계 명료성을 방해한다. 이 두가지 전략을 나는 여기서 '융합fusion'과 '단절disconnection'이라고 부를 것이다.

상호관계 속에서 취하게 되는 행동의 연속선continuum을 머리 속에서 한번 그려보자. 왼쪽 극단에는 다른 사람과 완전히 밀접한 관계에 있는 것인데, 이때는 다른 사람들과의 관계 속에서 자신을 잃어버린다. 자기의 생각과 감정, 욕망을 확인하지 않고, 다른 사람이 말하고 행동하는 것에 따라 그저 반응만 하게 되는 상태이다. 이 상태는 다른 사람에게 융합된 상태인데, 다음 페이지에서 더 자세히 살펴보기로 하자. 반면에, 반대쪽에 있는 오른쪽 극단은 다른 사람들과의 관계로부터 완전히 떨어져 있는 상태를 말한다. 이 상태에 있으면 타인을 인식하지 못하고, 그 사람이 생각하고, 느끼고, 원하는 것에 대해 아무 감각이 없으며, 호기심조차 없다. 직 자기의 생각과 필요에 따라 행동할 뿐이다. 다른 사람들과 단절된 상태라고 할 수 있다.

이 연속선의 어느 한 쪽도 사람과 그룹, 조직에는 건강하지 못한 관계일 뿐 아니라, 도움도 되지 않는다. 몇 가지 예를 살펴보자.

피하거나 숨어 있고 싶어하는 매니저는 분리불안 때문에 그렇게 한다. 이런 매니저들은 분리불안 때문에 자신에게 더 이상 가까이 오지 말라는 말을 하지 못한다. 다른 사람들에게 그들이 원하는 것이 무엇인지 물으면 자기의 비전을 추구하는 데 방해가 될까 두려워서 사람들을 피하고 만다. 그래서 이들은 실제로 조직에서 어떤 일이 일어나고 있는지 잘 알지 못하게 되고, 비전을 달성하기 위한 능력을 제대로 발휘하지 못하게 된다. 모든 사람들에게 모든 것이 되어주려고 하는 매니저 또한 분리불안 때문에 그렇게 한다. 그 역시 "안돼" 라고 말하는 것을 힘들어하며 자신을 표현하지 못하고 어딘가에 소속될 기회만 찾는다. 그 결과, 자신을 위해 일하는 사람들에게 아무런 비전도 제시하

지 못하고, 어떤 새로운 것도 만들어 낼 수 없게 된다.

형식과 절차를 아주 중요하게 여기는 매니저는 자신 뿐만 아니라 다른 사람이 감정을 표현하는 것을 피하는데, 친밀불안에 사로잡혀서 그럴 수 있다. 사람들과 접촉하려면 신체적으로 많은 에너지가 소모되기 때문에 그들로부터 일정한 거리를 유지하고 싶어 한다. 그러나 그렇게 거리를 두면, 자신을 위해 일하는 사람들이 어떤 감정상태에 있는 지, 그들이 어떤 동기요소를 가지고 있는지 제대로 이해하지 못하게 된다. 끊임없이 농 담을 하고 다른 사람들에게 재잘거리는 매니저 또한 겉으로 보기에는 친근한 것처럼 보 이지만, 진지한 논의에는 전혀 참여하지 않는데, 이 또한 친밀불안이 원인일 수 있다. 앞의 경우와 마찬가지로 다른 사람과의 접촉을 피하고 싶으면서도 그것을 정식으로 표 현하지 않고, 상대가 불편하지 않을 방식으로만 표현한다. 바로 이런 표현방식 때문에 사람들은 더 혼란을 겪게 된다. 특히 그들이 접촉하기 위해 진심을 다해 노력했지만 자 신들이 거절당했다는 것을 알게 된 후에는 더 큰 혼란을 느끼게 된다. 결국 이런 매니저 는 높은 충성심이나 팀 정신을 만들어낼 수 없다. 그가 한 농담때문에 사람들은 공격받 았다는 느낌을 갖는데도 정작 매니저 자신은 그런 사실을 알지 못한다.

앞에서 살펴보았지만 동일한 불안도 완전히 다른 행동으로 나타날 수 있다. 무의식적인 상태에서 가지고 있는 불안도 진정한 파트너십과 조직의 성공에 문제를 일으킬 수 있다.

성공적인 파트너십을 만들려면 자아분화self-differentiation를 통해 양 극단 사이에서 균형을 잡을 수 있어야 한다. 우리가 분화되어 있을 때 는, 다른 사람과 연결되면서도 동시에 그들로부터 분리되어 있을 수 있 다. 내 경험은 단순히 당신에 대한 반응이 아니다. 당신의 경험과는 별 개로, 나는 내 자신의 경험이 무엇인지를 알게 해줄 명확한 경계를 가질 수 있다. 동시에, 나는 당신에 대해 호기심을 가지고 당신에게 무슨 일이 있는지 알고 싶어할 수 있다. 나 자신을 잃지 않으면서도 얼마든지 당신과 연결되어 있을 수 있다. 친밀불안이나 분리불안에 끌려 다니지 않을 수 있다는 말이다.

나는 바로 이런 점이 팀과 조직에서 학습을 이끌어내는 사람들에게서 볼 수 있는 핵심적인 차이점이라고 믿는다. 그들은 일을 하기 위해 다른 사람과 상호 교류할 때 분화된 상태를 유지한다. 클리어 리더들은 기대하는 성과에 대하여 명확한 입장을 취할 수 있다. 또한 비전을 실행하게 될 사람들이 가지고 있는 두려움과 반대를 이해하기 위해 그들이 하는 말을 잘 경청하면서도 자기가 세운 비전에 충실할 수 있다. 그들은 이해할 수 있을 때까지 기꺼이 귀를 기울여 듣기 위해 노력하고, 이해한 것을 표현하지만 자기의 아젠다가 다른 사람에 의해 감정적으로 장악되지 않게 할 줄 안다. 이렇게 할 수 있기 때문에 그들은 대인관계 명료성에 직면해도 불안해하지 않고 오히려 그것을 환영한다. 매니저가 대인관계 명료성을 환영하지 않을 때, 그들은 보통 융합되거나 단절된 방식으로 행동한다. 그래서 대인관계 혼돈은 지속될 수밖에 없다. 자아분화에 대해 더 깊이 들어가기 전에 이 두 가지 상태를 좀 더 자세히 살펴보기로 하자.

융합 – 내 불안을 다른 사람이 관리하도록 요구함

경험이란 우리가 매순간 가지는 관찰, 생각, 감정, 욕구의 흐름이라는 것을 기억하라. 내가 융합상태가 되면, 다음 중 한 두 가지 일들이 일어난다: 내 경험을 당신이 책임지게 하거나, 당신의 경험을 내가 책임을 진다. 만일 당신이 클리어 리더십의 전제 조건 중 하나인 "모든 사람은 자신의 경험을 만들어 낸다"는 것을 받아들이면, 융합되는 것이 어리석다는 것을 이해할 수 있을 것이다. 그러나 우리 대부분은 어떤 방식으로든 상대방이 우리가 경험하는 것을 책임지게 하거나(당신 때문에 내가 이렇게 느낀다), 아니면 상대방의 경험이 옳거나 좋다는 식으로 말하고 그에 맞게 행동하도록 훈련 받아왔다.

내가 한 경험이 당신 때문이라고 생각하도록 당신을 내버려두면, 그것은 명시적으로나 암묵적으로나 당신이 내게 말해도 괜찮은 경험이 무엇인지에 대해 당신에게 메시지를 주게 된다. 당신의 생각과 의견이 나와 다르다고 내가 당신과 논쟁을 하면, 당신은 자신이 생각했던 것을 차라리 마음 속에 담아두는 편이 낫다는 것을 학습하게 된다. 당신이 요청하는 것에 대해 내가 짜증을 내면, 당신은 무엇을 요청하고, 어떻게 요청하는 것이 좋을지 조심하게 된다. 당신이 말한 것 때문에 내가 기분이 나빴다고 내가 당신에게 말하면, 당신은 그런 말은 하지 않아야 한다는 것을 배우게 된다. 어떤 경험은 받아들일 수 있지만 어떤 경험은 받아들일 수 없는지에 대해 내가 당신에게 말해주고 있는 것이다. 왜냐고? 그렇게 함으로써 당신은 나를 위해 내 불안을 관리해 줄 수 있기 때문이다. 융합은 일종의 불안을 관리하기 위한 전략인 셈이다.

당신이 내 밑에서 일을 하고 있다고 가정을 해보자. 당신은 나를 찾아와 실행 중에 있는 계획에 문제가 생겼다고 말한다. 그 말을 듣고 불안감을 느낀 나는, 당신이 우려하는 것을 잘 듣고, 당신이 우려하는 원인이 무엇인지 깊이 들어가보는 대신에 왜 당신이 틀렸는지, 애초에 우리가 세웠던 그 계획이 잘 실행될 수 밖에 없는 이유에 대해 당신과 논쟁을 한다. 그게 아니면, 논쟁하는 대신에 계획을 제대로 실행만 하면 모든 것이 어떻게 달라질 수 있는지에 대해 말해주면서 당신이 그 계획을 계속해서 실행하도록 요구할 수도 있다. 어떤 경우이든, 당신이 그 계획에 대해 다르게 경험하게 함으로써 나는 불안감을 느끼지 않게 된다. 내가 만들어내고 있는 경험(불안)에 책임을 지기 보다는, 당신이 내 경험을 책임지도록 암묵적으로 영향을 주는 것이다. 당신이 변해야 내가 불안하지 않게 된다는 식으로 행동을 한다.

자기가 경험한 것을 당신이 책임지게 만드는 파트너가 있으면 또 어떻게 될까? 당신이 경험한 것을 사실대로 그 사람에게 말할 것인가? 만약 상대에게 말하지 않으면 당신의 생각이나 감정, 욕구는 어떻게 될까? 말할 것도 없이 그것들은 혼돈에 빠지게 될 것이다.

내가 당신의 경험에 대해 책임을 지게 되면, 나는 당신이 어떻게 되어야 하는지에 대한 메시지를 암시적이든 명시적이든 내가 괜찮다고 느낄 수 있도록 당신에게 전달한다. 예를 들어 보자. 내가 하고 있는 일에 대해 당신이 두려움을 느끼는 것은 옳지 않다. 그래서 나는 당신의 두려움을 제거해야 한다. 이 경우, 내가 당신과 융합되어 있다면 나는 당신이 두려워하는 그 경험을 책임지게 된다. 그래서, 내가 정말 하고 싶어 하는 위험한 것을 해도 괜찮다는 것을 당신이 동의하게 하는데 내 시간을 써야만 한다. 당신이 두려움을 해소하지 않으면, 나는 내가 하고 싶은 것을 하지 못하게 된다. 그리고 나는 당신을 원망하게 될 것이다. 결국 당신과 파트너십 관계를 유지하고 싶은 내 욕구는 줄어들게 된다.

다시 말하지만, 내가 당신의 경험을 책임을 진다는 것은 내 불안을 관리하는 한 가지 방법이다. 내 개인적인 예를 들어보겠다. 나도 아내와 융합되어 있을 때가 있다. 그녀가 화를 내면 나는 불안해진다(분리불안). 이럴 경우 내가 행동을 더욱 주저하게 된다는 것을 알게 되었다. 그럴 때는 그녀를 진정시키는 방법을 찾게 된다. 그 순간에는 그녀의 욕구가 내 욕구보다 더 중요해진다. 이럴 때는 대체로 일이 이렇게 진행된다. 나는 아내가 화내지 않기를 원하는데, 그 이유는 내가 편치 않기 때문이다. 그녀가 무엇 때문에 화를 내는지는 중요하지 않다. 그녀의 분노가 올라오면, 나의 분리불안이 재빠르게 따라온다. 그래서 나는 그녀가 분노경험을 갖지 않도록 노력한다. 만일 그녀가 나한테 화를 내면 나는 그녀를 진정시키려고 애를 쓰게 된다. 만일 그녀가 다른 사람에게 화를 내면, 화를 낼 필요가 없다는 것을 알게 하려고 노력한다. 이쯤 되면 그녀도 배우는 게 있는지 화가 나는 느낌을 표현하고 싶어지면, 나보다는 차라리 다른 사람에게 터놓고 이야기하는 것이 편하다는 걸 터득한다. 그녀는 자신이 경험하는 것을 나에게 감출 수 있는 방법을 배웠지만, 그로 인해 나는 그녀가 실제로 어떻게 경험하는지를 모르게 된다. 시간이 지나면서, 우리 부부가 함께 추구하는 목적을 방해하는 분노의 감정이 일어나도 그녀가 내게 드러내 놓고 이야기하지 않으면, 결국 우리가 쌓아온 파트너십은 손상을 입게 된다.

이것은 융합이 대인관계 혼돈을 야기시키는 하나의 방식이다. 만일 내가 경험하고 있는 것이 당신으로 하여금 내게 반응적이 되게 하면(화나서 행동하고, 걱정하고, 방어적이고, 상처받는 등), 나는 그런 경험은 잘못된 것이라든가 당신에게 말을 하지 말았어야 한다는 메시지를 받게 된다. 당신은 그저 나를 한번 쳐다보고는 아무 말 없이 뒤로 물러날 수도 있고, 나를 책망하거나 내 문제를 해결해보려고 할 수도 있다. 내게 격려의 말을 해주거나 내가 그런 경험을 해서는 안되는 이유를 말해 주는 등, 무엇이든 할 수 있을 것이다. 이렇게 되면 내 경험이 당신에게 용납되지 않는다는 메시지가 내게 확실히 박히게 된다. 그렇게 되면, 나는 내 경험을 속으로만 간직하게 되고, 당신에게 숨겨야 한다는 것을 터득한다. 이렇게 되면, 우리는 대인관계 혼돈의 길로 접어들게 될 수 밖에 없다.

그러나 내가 아내와 융합된 상태에 있지 않으면, 그녀가 화가 난 걸 알아도 그것에 반응하지 않을 수 있다. 그 순간의 내 경험은 아내에 의해 결정되지 않는다. 그녀가 특별한 경험을 하고 있다는 것을 알고 싶고, 그것에 호기심이 생길 수도 있다. 하지만 이때 하지 말아야 할 일은, 내가 그녀의 감정을 책임지는 것이다. 마치 내가 그녀에게 이런 저런 것을 느끼게 했다든가, 그녀의 경험을 만들어 낼 수 있는 힘이 나한테 있다 등과 같은 책임을 지는 일을 할 필요가 없다. 그러나 분명한 사실은 아내와 융합을 느끼지 않는 것이 정말로 어렵다는 것이다. 친숙한 관계와 가족 관계에서는 융합되지 않을 수가 없다. 하지만 내가 알게 된 것은, 아무리 융합되었다 하더라도 업무관계에 있는 사람들 사이에서는 덜 융합되는 것을 배울 수 있다는 것이다.

사람들의 아이디어, 과제, 목표, 의사결정 등에 대해 당신이 생각하는 것을 있는 그대로 말했을 때, 반응적인 태도를 보이는 사람과 함께 일하는 건 어떨 것 같은가? 대부분의 사람들은 이럴 경우에는 아무 말도 하지 않아야 한다고 배웠을 것이다. 자신이 협력하고 싶은 사람들과 융합된 사람은, 자신의 파트너들이 특정한 생각과 감정들만 표현하도록 훈련시킬 것이다. 그렇게 되면 파트너들은 자신들이 경계를 벗어난 것을 말하면 융합된 그 사람이 불안해하고 삶이 불편해진다는 것을 알게 된다. 아마도 그 파트너가 화를 내거나 감정적이 될 수 있고, 비판적이 되거나 논쟁적으로 나올 수도 있을 뿐만 아니라, 상처를 받거나, 걱정을 하거나, 거들먹거리거나, 심지어 파트너들의 태도를 고치려 들 수도 있다. 사람들의 입을 닫게 하는 행동에는 여러 가지가 있다. 그렇기 때문에 파트너들은 자기가 경험한 것이 상대가 허용하는 범위 내에 있지 있으면, 경험한 것을 사실대로 말하지 않고 숨기게 된다. 결국 파트너십 관계는 천천히 사라지고, 파트너들이 가지고 있는 잠재력 또한 실현되지 못한 채 함께 사라진다.

융합이란, 극단적이고 병적인 상태(어떤 사람이 자신과 자신의 융합대상과의 차이를 구별하지 못하는 상태)에서부터 상대가 했으면 하는 경험을 그 사람이 하지 않는다고 화를 내는 사람들이 보이는 반응에 이르기까지, 일련의 연속선을 그리면서 나타난다. 나는 그런 반응들을 융합된 사람들이 가지고 있는 특성으로 보기 보다는 상호교류를 설명하는 하나의 방식으로 생각하는 것이 더 도움이 된다고 본다. 나는 어떤 사람과 상호교류할 때는 융합된 상태에서 행동하지만, 다른 사람들과 서로 교류할 때는 융합되지 않을 수 있다. 우리가 융합되어 있을 때는 융합되어 있다는 것을 인식하지 못한다. 이것이 융합의 중요한 특징이다. 융합은 우리가 의식적으로 또는 선택적으로 참여하는 것이 아니라, 반응적이고 자동적으로 따르게 되는 프로세스다. 그러나 배려는 다르다. 만일 내가 당신을 배려하기로 의식적으로 결정하고 그에 따라 배려하는 행동을 하면, 그것은 융합이라고 할 수 없다. 내가 융합되어 있을 때는 내 행동방식에서 벗어날 수 없기 때문에 오로지 내 행동방식에 따라서만 행동하게 된다.

파트너들과 융합된 방식으로 행동하는 사람들은 대인관계 혼돈을 촉진하고 혼돈이 지속되게 한다. 몇 가지 예를 살펴보자.

쉬라는 해고 결정에 안타까운 마음을 드러내면 브라이언이 자신을 프로답지 못하다고 책망할 것이라는 걸 알게 되었다. 이 경우, 브라이언의 융합은 그가 무의식적으로 쉬라의 안타까움에 책임을 느끼게 했고, "자신을 기분 나쁘게 만들었다"는 이유로 그녀에게 화를 내게 했다.

폴이 라스의 업무수행 능력이 의심된다는 말을 라스에게 하면, 라스는 왜 폴이 그런 의심을 갖게 되었는지는 알려고 하지 않으면서, 자기 역량에는 아무 문제가 없다고 강하게 주장한다는 것을 폴은 알게 되었다. 이 경우, 라스의 융합은 자신의 능력부족에 대해 두려움을 느끼게 했고, 재빨리 폴의 생각을 "고쳐줌으로써" 자신의 두려움에서 벗어나게 했다.

수이는 일을 할 때, 자기가 어떤 것에 대해 신나는 감정을 표현하면, 버니스가 즉각 조롱과 냉소조로 반응한다는 것을 알게 되었다. 이 경우 버니스의 융합은 신나는 감정을 더 이상 느끼지 못하는 자신에 대해 힘들어하게 했고, 수이가 신나할 때마다 그 고통은 되살아났다.

오딜은 업무환경을 바꾸고 싶다고 말할 때마다 알이 자신을 매섭게 몰아붙인다는 것을 알게 되었다. 이 경우 알의 융합은 오딜이 원하는 것을 얻을 수 있게 해줘야 한다는 책임을 느끼게 했다. 하지만 그렇게 해줄 수 없기 때문에 알은 좌절감을 느껴서 오히려 오딜을 매섭게 몰아쳤던 것이다.

융합은 타인과의 관계에서만 일어나는 건 아니다. 사물이나 아이디어에 대해서도 일어난다. 자신이 아닌 것과 자신을 혼동할 때마다 우리는 융합을 하게 된다. 아래 보기에서 무엇이 일어나는지 주목해 보라.

새 건물로 부서를 이전하는 계획을 세울 때마다 주니아타가 소극적으로 대응하거나 아

무 말도 하지 않는다는 걸 로버트는 알게 되었다. 이 경우 주아니타는 그녀의 사무실과 융합되었다고 할 수 있다. 이사를 가야만 한다는 생각 때문에 물리적으로 몸이 아프다고 느끼는 것이다.

후세인은 릭이 만든 마케팅 전략에 대해 어려운 질문을 할 때마다 릭이 자신을 공격한다는 것을 알게 되었다. 이 경우 릭은 자신의 전략과 자신을 융합하여 후세인의 질문을 자신에 대한 개인적인 공격으로 받아들이게 했다고 볼 수 있다.

이런 사례는 우리 주변에서 얼마든지 찾아볼 수 있다. 조직생활 전반에도 널리 퍼져 있다. 사람들은 자신이 경험한 것 중에서 일부는 숨겨야 한다는 것을 학습한다. 그러나 한 가지만 숨겨도 되면 별 문제가 되지 않지만, 그런 경우가 더 많아지면 우리가 일을 하는 곳은 어떻게 될까? 어쩌면 그곳은 말하고 행동하는 것을 지속적으로 검열해야만 하는 곳이 될지도 모른다. 그렇게 검열하면 다른 사람들의 융합 때문에 일어나는 것들을 처리하지 않아도 될 것이다. 그러나 그렇게 되면 1장에서 말했듯이 팀의 성과와 조직의 효과성은 장기적으로는 흔들릴 수 밖에 없어진다.

다른 사람의 융합과 관련해서 심리적으로 우리를 가장 약하게 하는 것은 우리가 상대방으로부터 받게 될 융합되고 불안에 이끌린 반응을 두려워한 나머지 자신이 만들어낸 이야기를 확인하고 싶어하지 않는다는 점이다. 어떤 것이 당신과 나 사이의 파트너십을 방해한다는 생각이 들었다고 가정을 해보자. 이때 내가 그 점에 대해 당신에게 이슈를 제기하면, 그것이 당신의 관심을 얻게 하는 것이 아니라 당신의 방어적인 행동을 겪을 수 밖에 없다는 점 때문에 나는 두려워하게 된다. 그렇게 되면 당신과의 업무 관계는 더 나빠질 것이다. 어쩌면 당신은 내게 화를 내고 감정적인 모습을 보일 수도 있다. 아니면, 겉으로는 경청하고 관심이 있는 것처럼 행동하면서 실제로는 너무 화가 난 나머지 내가 없는 자리에서 다른 사람을 찾아가 내 뒷담화를 할 수도 있다. 시간이 흘러서 더 이상 아무것도 남아 있지 않을 때까지 파트너십을 유지하기 위한 여력은 점점 줄어들 것이다.

마빈과 홀리는 8명으로 구성된 수사팀에서 함께 일하고 있었다. 그 일에는 항상 잠재적인 위험이 도사리고 있어서 서로를 신뢰하고 존중하는 것이 무엇보다 중요했다. 그 팀이 내게 도움을 요청했을 때는 팀 구성원들 간에 "남성 대 여성" 문제가 있다는 사실이 파악된 상황이었다. 그 문제와 관련해서 무슨 일이 일어나고 있는지 명확히 하기 위한 조사에서 밝혀진 것은 남-녀 문제 외에도 팀 안에 여러 문제가 있다는 것이었다. 모든 멤버들이 조금씩 다르게 얽힌 이슈를 가지고 있었음에도 불구하고 그 이슈들을 "남성 대 여성"이란 꼬리표 아래로 묻어두고 있었다. "남성 대 여성"이라는 꼬리표 안에 숨겨진 문제를 명료하게 밝혀내지 못한다고 해도, 팀에 속한 여성들은 그 꼬리표가 몇몇 남성들로 인해 생긴 문제에 대해 서로 간에 이야기를 하는데 도움이 되기 때문에 자신들의 문제를 그렇게 하나로 묶어버린 것이다. 일단 그들 모두가 "남성 대 여성"이라고 이름 붙인 문제에 대한 경험적 진실에 관해 대화를 시작하자 그동안 다루지 않았던 복잡하게 얽혀 있던 모든 갈등의 실체가 드러나기 시작했다. 그 가운데 홀리와 마빈이 관련된 문제가 너무나 복잡하게 얽혀 있어서 가장 해결하기 힘들어 보였다.

팀 구성원들 대부분은 독립적으로 일을 했지만, 안전이 염려될 경우에는 두 명씩 짝을 지어서 일을 했다. 홀리와 마브는 5년이 넘도록 한 팀에서 일을 했지만, 지난 2년간은 서로 다른 일에 투입되었다. 홀리는 마브가 자신과 함께 일하는 것을 피한다고 생각했지만, 그 점에 대해 그에게 직접 이야기하는 것은 두려워했다. 이 전에 그 문제에 대해 어렵게 말을 꺼낸 적이 있는데, 마브가 공격적으로 반응하고 화를 내는 바람에 바로 물러났었다. 그 경험때문에 마브에게 직접 말하지 못하고 있었다. 반면에, 마브는 홀리가 눈치채지 못하는 이유로 그녀와 일하는 것을 피해왔다. 마브는 모든 문제의 원인은 홀리의 성격에 있다고 생각했다. 그러나 그녀의 성격을 바꾸기 위해 그가 할 수 있는 것은 아무것도 없었다.

마브가 홀리와 파트너가 되는 것을 원치 않는다고 털어놓을 때, 그는 홀리가 '다른 사람을 곤란하게 하는 사람'이라는 것을 알게 되었다는 말을 하면서 시작했다. 그 말을 들은 이후부터 홀리는 마브가 하는 말을 정말 듣기 힘들어했다. 그가 말을 하기 시작하자 그녀는 지엽적인 이슈를 문제삼아 그가 하는 말을 방해했고, 자신도 알지 못할 정도로 핵심도 없는 말을 횡설수설했다. 그녀는 마브가 말한 내용과 아무 관련도 없는 그의 행동을 지적했다. 그 순간에 홀리의 경험은 마브가 말한 것과 완전히 융합된 상태였다. 그것이 그녀를 아주 불안하게 만들었기 때문에 그녀는 마브가 어떤 경험을 하는지에 대한 호기심을 완전히 잃어버리고 계속해서 대화를 중단하는 방식으로 반응하기 시작했다.

내가 말을 끊고 코칭을 시작하자 홀리도 반응적인 행동을 멈추고 마브를 이해할 때까지 그가 하는 말을 듣기 시작했다. 2년 전에 마브와 한 조로 일을 했을 때 홀리는 자기가 한 행동에 대해 마브가 부적절하고 위험하게 여긴다는 것을 알게 되었다. 아주 위험하게 보이는 용의자를 체포해서 조사할 때였다. 홀리는 그 남자 용의자와 웃으며 농담을 했는데, 다른 경찰서의 경찰들 앞에서 그런 행동을 한 것 때문에 마브는 심하게 화가 났었다. 그녀의 그런 행동이 그동안 팀 전체가 유지해온 프로의 면모를 떨어뜨린다고 생각했기 때문이다. 마브는 홀리가 수사보다 연애에 더 관심을 두고 있고, 진지하게 일을 하지 않는다고 생각했다.

마브의 말이 끝난 후, 홀리가 말할 차례가 되었다. 홀리는 용의자가 총을 어디에 숨겼는지 알아내기 위해 그 용의자가 편안하게 느끼게 할 목적으로 장난스럽게 접근했다고 했다. 그녀는 마브가 앞에서 한 말을 상기시키면서, 그것이 그녀가 할 수 있었던 일이었다고 했다. 혐의자들을 다룰 때 여자들은 전략적으로 접근해야 한다는 것이었다. 혐의자들로부터 순순히 자백을 받아내려면 여자 경찰들은 남자 경찰관들이 주로 사용하는 협박과 완력을 쓸 수는 없다는 것이었다. 마브는 홀리가 왜 그렇게 행동했는지 어느 정도는 이해가 되지만, 여전히 불편한 느낌을 지울 수는 없었다. 결국 마브는 "홀리, 당신은 커피 타임이나 점심식사 시간이 대체로 길어지는데 그건 또 어떻게 설명할 수 있죠?"라고 따지고 들었다. 그것은 홀리가 업무를 진지하게 여기지 않는다는 마브의 생각을 보여주는 또 다른 징후였다. 홀리는 그 점을 인정하면서, 가끔 휴식 시간을 초과해서 사용했지만, 마브가 알지 못하는 몇 가지 일들이 있었다고 했다. 마브는 홀리가 업무 시작한 시간 전에 출근했다는 것을 알지 못했다. 사실 홀리는 자기가 초과해서 사용한 휴식 시간을 기록해뒀다가 휴가 날짜에서 그만큼을 빼왔다. 이 말을 들은 마브는 망연자실하고 말았다. 초과해서 사용한 휴식시간을 연간 휴가일수에서 삭감한 것은 단순히 근무 수칙을 준수하는 정도를 훨씬 뛰어넘는 정직한 행동이었던 것이다.

대화가 여기에 이르자 마브와 홀리는 상대의 이야기에 융합된 상태로부터 분리되면서 지난 2년간 서로에 대해 지어냈던 모든 이야기들로부터도 벗어날 수 있었다. 그들은 좋은 파트너 관계를 다시 시작해 보기로 했다.

마브와 홀리의 경우처럼 우리들에게 일어나는 일을 보면, 우리는 서로에게 불편한 감정을 표면에 드러내지 않도록 상대방에게 요구하고 있다. 홀리가 왜 함께 일하고 싶지 않은지에 대해 이야기하려고 했을 때 마브는 불편한 감정을 느꼈다. 그래서 그녀가 차라리 말을 하지 않는 편이 낫다고 생각하게 할 정도로 공격적으로 행동했다. 홀리는 마브가 자신에 대해 '다른 사람을 곤란하게 하는 사람'이라고 말할 때 상당히 기분이 나빠서 그 말을 취소하게 하려고 했다. 그렇게 반응을 했기 때문에 마브가 의도한 말의 의미를 제대로 이해하지 못하고, 마브가 더 이상 말을 하지 못하게 할 방법과 사과를 얻어낼 방법을 찾는데만 신경을 썼다. 만일 그녀가 그런 행동을 계속했다면, 두 사람 사이에는 아무 변화도 일

어나지 않았을 것이다.

　융합 때문에 일어날 수 있는 한 가지 결과는, 어떤 사실을 알게 되는 것이 안전지대comfort zone로부터 벗어나게 할 때는 다른 사람이 경험한 진실을 알고 싶어 하지 않을 수 있다는 것이다. 내가 당신에게 융합되면, 당신으로부터 듣게 될 내용을 내가 좋아하지 않을 것이 걱정되어 당신의 실제 생각과 감정을 묻지 않고 피하고 싶어하는 내 모습의 일부가 나타날 수 있다. 그렇지만 당신이 어떤 경험을 하는지에 대해 내가 의미형성 하는 것을 스스로도 멈출 수 없기 때문에 나는 계속해서 이야기를 만들어낸다. 컨설턴트로 일을 하면서 나는 진실이 사람들이 지어낸 환상fantasies만큼 나쁘지는 않다는 것을 발견했다. 그렇지만 사람들은 질문을 통해 상황을 명확하게 이해하려 하지 않고, 이야기를 지어냄으로써 융합을 지속시키고 조직 내에서 대인관계 혼돈을 더 키운다.

권한 - 문제를 복잡하게 하는 것

　권한은 그 자체만으로도 많은 사람들에게 불안을 야기시키기 때문에 융합과 불안의 문제도 증폭시킨다. 권한을 가진 사람들은 우리의 삶을 좋게 할 수도 있고 나쁘게 할 수도 있다. 그래서 권한을 가진 사람들에게 우리는 더 많이 융합된다. 그들의 승인 여부에 신경을 쓰게 되고, 우리 스스로가 경계를 설정했음에도 불구하고 그들 주변에만 가면 제대로 힘을 발휘하지 못하는 일이 허다하다. 그들이 권한을 가지고 있다는 단순한 이유만으로 그들이 우리에게 주는 반응 때문에 우리는 감정적으로 영향을 받는다. 이런 상황 자체가 우리가 솔직하고 진실하게 행동하는 것을 조심하게 만들 가능성이 있다. 우리들 대부분은 가정이나 학교, 직장에서 융합된 권위자들로부터 나쁜 경험을 수도 없이 겪어 왔다. 나에게는 경험했던 진실을 사실대로 말했을 때 제대로 반응해주지 않았던 선생님들과 직장 상사들이 있었다. 그래서 그들에게 말을 할 때는 조심해야 한다는 것을 터득해 왔다.

만약 당신이 부하직원이 있는 매니저라면, 그들 가운데 몇 명은 당신이 상사라는 이유만으로 당신에게 많이 융합되어 있다는 것을 당신도 느낄 수 있을 것이다. 불안 때문에 당신과 그들 사이에는 훨씬 강력한 필터가 존재할 것이다. 당신에 대한 그들의 의미형성은 객관적인 사실보다 그들의 내면상태가 어떤가에 따라 결정될 것이다. 진실 그대로 말하고 행동하는 것이 부적절하다는 메시지를 줄 수 있는 어떤 행동을 당신이 하게 되면, 당신이 가지고 있는 권한은 당신의 행동이 미치는 영향을 훨씬 더 크게 증폭시킬 것이다. 목소리의 미세한 변화와 악의 없는 말투 조차도 당신이 가진 권한에 영향을 받는 사람들에게는 강하게 들릴 수 있다. 그래서 그들은 향후 갖게 될 상호교류를 왜곡시킬 수도 있는 이야기들을 꾸며낼 것이다.

더 심각한 것은 많은 사람들이 권한에 대한 편견을 가지고 상호작용에 임한다는 점이다. 이것은 21세기 초반에 서구사회가 겪고 있는 있는 주요 딜레마이기도 하다. 최근 들어 사람들이 정치, 기업, 군사, 종교, 교육 또는 사법 권한을 바라보는 경멸과 불신에 가득찬 시선들을 생각해보라. 많은 사람들은 형편없이, 불공정하게, 차별적으로 대우를 받을 뿐만 아니라, 권한을 가진 사람들때문에 그들이 응당 받아야 할 복지혜택을 제대로 받지 못하게 될 것이라고 생각한다. 매니저의 행동을 보면서 자신들이 받게 될 복지가 제대로 다뤄지지 않을 것이라고 의미를 형성할 가능성이 높다. 대인관계 혼돈은 그 가능성을 확실한 것으로 만들어버린다. 부서 직원들이 그들에 대한 당신의 생각과 느낌에 대해 지어내는 이야기를 알게 되면 당신은 경악을 금치 못할 것이다.

권한은 양날의 칼이다. 한 쪽면에서 보면, 권한을 가진 사람들은 자신들의 행동과 발언이 무엇을 말하는지에 대해 철저히 조사 당하는 어항 속에서 살아간다. 믿을만한 사람이라고 입증될 때까지 그들은 용의자 신세로 살아가야 한다. 다른 관점에서 보면, 권한은 매니저들이 부하 직원들의 심리상태에 대해 더 많은 관심과 중요성을 기울일 수 있게 해준다. 매니저가 미치게 되는 이런 영향은 상호교류에 필요한 목소리 톤이나 규범, 환경을 정하는데 상당히 많이 도움이 된다. 자신이 가진 권한 때문에 리더들은 명료성 문화를 조성하는 데 많은 영향력을 가질 수 있다. 기업에서 높은 위치로 올라갈수록 그들 주변에서 소용돌이 치는 권한의 역학은 더 강력해지고, 그들의 행동이 미치는 영향 또한 점점 더 커진다. 권한을 가진 사람들 중에서 자신에게 솔직하게 말하도록 영향을 미칠 수 있는 유일한 사람들은 그들이 개인적인 관계를 만들기 위해 노력을 기울인 사람들, 리더들이 신뢰할 만하다는 것을 알게 된 사람들이다. 권한을 가진 사람들의 신뢰 정도를 시험해 볼 기회를 갖지 못한 사람들은 그 리더에 대해 항상 조심하게 된다. 1장에서 논의한 것처럼, 권한이 만들어내는 이런 맥락을 이해하지 못하는 매니저들은 자기의 행동이 만들어내는 실제 결과를 보지 못하고, 자기가 만든 상상의 세계 속에서만 살게 된다. 그들이 왜곡하는 정도가 너무 커서 구성원들은 그 상태에서 벗어나기 위해 안간힘을 쓰고 있는데도, 정작 임원들은 모든 일이 잘 돌아간다고 믿고 있을 수 있다. 주변에서 흔히 볼 수 있는 모습 아닌가!

융합은 리더십 부재 상태를 만든다

지금까지는 융합이 어떻게 한 사람이 다른 사람과의 관계를 끝내게 하는지, 그리고 대인관계 혼돈을 만들어내는지 뿐만 아니라, 협력을 지속하기 어렵게 만드는지에 대해 살펴봤다. 융합되었을 때 일어나는 또 다른 결과는, 매니저의 리더십 발휘를 방해한다는 것이다. 부하직원의 경험을 매니저가 책임지게 되면, 매니저는 어려운 결정을 하지 못하고 목표에도 집중하지 못하게 된다. 많은 사람들이 개입된 중요한 일을 하는 리더는 저항에 부딪힐 수 밖에 없다. 변화가 일어나는 상황이라면 저항에 직면할 가능성이 훨씬 높다. 기존 단계에서 새로운 단계로 넘어가게 되는 전환단계에서 일어나는 심리적 역동성을 보면, 대부분의 사람들이 변화로 인해 상실과 슬픔을 경험한다. 이 상황에서 부하 직원들과 융합되어 있는 매니저들은 그들의 상처와 슬픔에 감정적으로 압도당할 가능성이 높다. 그들은 부하직원들이 보여주는 분노와 극심한 격분에 영향을 받을 수 있다. 나는 사람들이 상대방에게 공격성을 보이기보다 오히려 눈물에 이끌리는 것을 많이 보아왔다. 예를 들어보자. 만약 내가 당신과 융합되어 있는 상태에서 내가 하는 행동이 당신에게 상처를 줄 수도 있다고 믿게 되면(당신의 감정에 책임감을 느끼는 것), 나는 그 행동을 멈추거나, 그런 행동을 하는 나 자신에 대해 더 실망하게 된다.

경험이 가진 속성 때문에 모든 사람들은 같은 것에 대해서도 다르게 듣고, 또 다르게 반응한다. 어떤 사람이 일련의 조치를 제안하면서 리더십을 발휘하려 할 때마다, 사람들은 그가 제안한 것에 대해 다르게 경험할 것이다. 몇몇 사람들은 그 제안을 좋아할 수 있지만, 다른 사람들은 싫어할 수도 있다. 만일 다른 사람들이 당신의 제안을 어떻게 판단할까 걱정한 나머지 모든 사람이 좋아할 거라는 확신이 들 때만 아이디어를 제안하려 하면, 당신이 충분히 리더십을 발휘한다고 볼 수는 없다. 그렇다고 해서 합의를 얻어내고 지지를 얻을 가능성이 높은 제안들을 만들지 말라는 건 아니다. 내가 말하고 싶은 핵심은 자신이 만든 제안에 다른 사람들이 어떻게 반응하는지 지나치게 고민하는 사람들은 제안을 많이 하지 못하게 된다는 점이다.

모든 사람들이 자신을 좋아하게 하려고 애쓰는 사람들은 스스로에게 스트레스를 주는 것 외에는 어떤 것도 이룰 수 없다. 자신들을 불안하게 하지 않고, 요구사항도 적으며, 모든 문제를 합의를 통해 해결하려는 매니저를 처음에는 좋아할 수 있다. 그러나 시간이 지나면서 명료하게 소통하지 못하는 그 매니저의 행동 때문에 구성원들은 오히려 힘들어한다. 협력한다고 해서 반드시 의견이 일치되어야 하는 건 아니다. 탁월한 팀과 조직은 최고를 지향하는 비전을 가지고 그것을 달성하기 위해 추진력을 발휘할 수 있는 리더들을 필요로 한다. 다른 사람의 감정을 상하게 할 수도 있지만, 필요한 경우에는 맹렬한 싸움도 불사해야 한다. 내가 보아온 클리어 리더들은 모든 사람들이 자신에게 동의하게 하려고 애쓰지 않는다. 그들은 전혀 그렇게 하지 않았다. 그들은 사람들이 어떤 입장에 있고, 왜 그렇게 생각하는지 이유를 정확히 알고 싶어하기 때문에 상황을 잘 이해하며 불필요한 문제를 일으키지 않는다. 클리어 리더는 사람들이 새로운 기술을 받아들이게 하면서도, 그것 때문에 자신의 비전을 상실하지 않기 때문에, 그로 인해 사람들에게 일어날 고통에 귀를 기울일 필요가 있다. 클리어 리더들은 자신들이 이끄는 사람들과 융합될 수가 없다. 그렇게 하지 않으면 다른 사람들의 감정에 굴복하거나 그들이 겪고 있는 감정을 외면하게 된다. 어떤 사람들은 단호한 리더가 되기 위해 '단절'이라는 정반대의 극단을 선택하기도 한다. 지금부터는 융합의 정반대 위치에 있는 '단절'에 대해 살펴보기로 하자.

단절 – 반응의 또 다른 종류

연속선continuum의 다른 끝에는 단절이 있는데, 이것은 다른 사람들과의 어떤 연결도 없이 극단적으로 자신의 개별성을 선택하는 데서 비롯된다. 내가 당신으로부터 단절된 상태에 있으면, 당신의 머릿속에 무슨 일이 일어나고 있는지 나는 전혀 생각하지 않게 된다. 이와 같은 단절의 형태는 소시오패스의 병리학적 단절에서부터, 다른 사람들이 당신의 말이나 행동에 어떻게 반응할지 고려하지 않는 일상적 단절까지 다양하게 나타난다. 융합과 마찬가지로 단절된 반응도 친밀불안이나 분리불안때문에 생긴다. 친밀함 때문에 생기는 불안에 대한 반응으로 단절을 보기 쉽지만, 그것 역시 분리의 고통을 느끼고 싶지 않다는 마음에서 동기가 유발되었을 수 있다. 왜냐하면 분리를 경험하고 싶지 않기 때문에 차라리 단절된 상태로 있고, 그래서 아무것도 느끼지 못하게 된다.

내가 단절되어 있을 때는, 당신에 대한 감각이 거의 없다. 당신의 마음 속에서 어떤 일이 일어나는지에 대해 자신이 생각하지 않고 있다는 것을 알아차리지 못한다. 당신을 대상이나 역할 또는 목표를 달성하는 데 필요한 수단으로는 인식하지만, 당신이 어떤 경험을 하는지에 대해서는 호기심이 없기 때문에 당신이 경험하는 것을 알아차리지 못한다. 내가 당신에게 어떤 영향을 미치고 있는지에 대해서도 별 관심이 없다. 그런데 이것은 관심을 두지 않겠다고 결심했기 때문이 아니다. 단절된 반응은 융합되었을 때 보이는 반응과 마찬가지로 무의식적인 상태에서 일어난다. 내가 단절상태에 있을 때는 내가 당신에게 미치는 영향에 대해 주의를 기울이지 않는다는 사실조차 의식하지 못한다. 만일 누군가 그 점을 지적해주면 그때서야 호기심이 부족했음을 알고 당황하게 된다. 이것은 중요한 차이점이다. 만일 내가 당신과의 관계를 끊고 다른 반응을 선택할 수도 있다는 것을 충분히 인식하고 있다면, 그 상태는 내가 지금 여기서 말하고 있는 종류의 단절은 아니다. 내가 무엇을 하는지 알면서 의식적으로 선택을 하기 때문이다. 융합된 상태에서 보여주는 대응처럼, 다른 사람에 대해 단절된 상태에서 보이는 대응도 반응적인 대응이다. 자신이 보이게 될 반응에 대해 아무 생각 없이 그냥 그렇게 하는 것이다. 이런 대응은 우리의 통제력을 벗어난 것이라고 할 수 있다. 즉, 우리 자신이 아니라, 단절 그 자체가 우리를 통제하는 것이다.

단절은 반응적인 상태이기 때문에, 융합과 마찬가지로 대인관계 혼돈을 가져온다. 융합되었을 때의 반응이 특정한 행동에 자주 나타나는 데 비해, 단절되었을 때 보여지는 반응은 그 사람의 전체에 나타나는 경향이 있다. 내가 당신과 단절되었을 때는 당신으로부터 감정적으로 영향 받는 것을 피하기 위해 무언가를 하게 된다. 동료로부터 단절되어 있는 사람은 다른 사람들에게 자신이 옳다고 느끼는 방법으로 행동하도록 강요하지 않는다. 그 대신, 자신의 불안을 통제할 목적으로 어떤 상황들에 들어가기도 하고 거기서 빠져나오기도 한다. 자신이 편안하다고 느끼지 않을 수 있는 상황이나 교류, 사람들을 피하게 된다. 말을 하거나 이메일을 쓸 때, 자신이 결정한 것에 대해 다른 사람들이 어떻게 생각하고 느끼는지는 생각하지 않는다. 그런 일들이 단지 그에게는 일어나지 않을 뿐이다.

당신은 단절이 융합의 또 다른 표현에 불과하다고 주장할 수도 있다. 그러나 단절의 근저에는 다른 사람들과 지나치게 가까워지면 그 사람에게 융합될 지도 모른다는 두려움이 도사리고 있다. 이것은 관계에서의 경계가 분명하지 않다는 것을 말하는데, 일종의 '모 아니면 도'와 같은 상태라고 할 수 있다. 장벽을 견고하게 쌓기만 하면, 그 장벽은 얼마든지 유지할 수 있다. 그러나, 장벽을 아주 조금이라도 낮춰주면, 수문은 열리게 된다. 단절을 다루는 것은 융합을 다루는 방식과는 매우 다르다. 집단에 소속되는 것 때문에 생기는 문제(융합)와 개인의 특성 때문에 생기는 문제(단절) 사이에 있는 중간 지점에 자아분화differentiation라는 것을 그려 놓으면, 사람들이 보다 직관적으로 이해할 수 있다.

단절은 조직의 고위 매니저들 사이에서 쉽게 볼 수 있다. 단절은 이성이 감정에 지배 받는 상태에 있지 않고, 특정 유형의 경험만을 표출하도록 요구하지 않는다는 점에서 융합과는 다른 양상을 보인다. 오히려 단절되어 있는 매니저들은 부하직원의 경험에 특별한 관심을 보이지 않는다. 그들은 다른 사람들이 경험하는 것이 사업이나 업무와는 아무 관계도 없다는 듯한 인상을 준다. 또한 자신의 아이디어나 행동이 미치는 영향에 대해서도 그다지 호기심을 보이지 않는 경향이 있다. 그들은 자신의 불편한 감정이 드러날 수 있는 상호교류를 의도적으로 힘들게 만드는 경향이 있다. 내가 경험했던 사례를 들어보면 이해가 될 것이다. 나는 오랜 기간동안 사업을 성공적으로 이끌면서 기반을 탄탄하게 다져온 대기업을 컨설팅한 적이 있다. 당시 이 회사의 최고경영자를 만나기 위해 임원층까지 가는 엘리베이터를 타야 했는데, 그곳에는 책상 뒤에 한 여성이 앉아있었고, 그녀 옆에는 2명의 경비원이 기관총을 들고 서있었다(이것은 9·11 사건이 일어나기 전의 일이다). 그녀는 내가 여러 개의 관문을 통과할 수 있도록 신호를 보내줬다. 복도를 따라 내려가니 또 다른 여성이 책상에 앉아있었는데 그녀의 신호를 받고 다른 몇 개의 문을 통과한 후에야 최고경영진들이 근무하는 구역(CEO, CFO 등의 사무실이 있는 곳)으로 들어갈 수 있었다. 거기가 끝이 아니었다. CEO의 비서를 통과한 후에야 마침내 CEO를 만날 수 있었다. CEO 사무실에서는 임원전용 주차장으로 연결되는 엘리베이터가 있었는데, 운전기사는 항상 그곳에서 대기하고 있었다. 짧게 말하면 CEO는 운전기사 외에 다른 누구와도 접촉하지 않고 사무실을 출입할 수 있었다. 이런 상황을 보고도 단절에 대해 말하지 말아야 할까? 이런 사람들에게는 단절에 대해 말해줘야 한다. 이 조직이 아주 심각한 대인관계 혼돈 속에 휩싸여 있다고 해도 놀랄 일은 아니다.

매니저들이 만들어내는 또 다른 형태의 단절된 상호교류도 있다. 매니저들은 사람들에게 어떤 경험을 하고 있는지에 대해 알려줄 것을 요청하면서도, 정작 자신들이 어떤 경험을 하는지에 대해서는 그들에게 말해주지 않는다. 새로 부임한 매니저는 부하직원들과 대화하면서 그들의 의견과 관점들을 얻어내면서도 자기 견해는 말하지 않은 채 갑자기 어떤 변화 조치를 발표한다. 이런 리더의 행동방식은 상당히 단절되어 있다고 할 수 있다. 다른 사람들이 타당한 방식으로 영향을 줄 수 있는 가능성을 사전에 차단함으로써 자기의 불안을 다스리는 경우에도 단절 상태에 있다고 볼 수 있다. 이런 매니저는 자기가 경험한 것에 대해 논의하는 것, 즉 그가 생각하고, 느끼고, 관찰한 것과 그의 욕구에 대해 논의하는 것을 회피한다. 이들은 자기가 경험한 것에 대해 다른 사람들이 어떻게 생각하는지 절대로 물어보지 않는다.

단절된 사람도 다른 사람들과 마찬가지로 의미형성을 한다. 자신이 중요하다고 생각하는 사람들에 대한 이야기를 만들어 내는데, 그다지 중요하지 않은 몇가지 정보만 가지고도 이야기를 만들어낸다. 만일 어떤 사람이 친밀함을 불러오는 것에 대해 말을 하면, 단절을 사용하는 사람은 그런 대화로부터 거리를 두게 해줄 방법을 찾기 시작한다. 예를 들면, 쏘아보기, 관련도 없는 농담 건네기, 주제 바꾸기 등이 그들이 잘 사용하는 방법들이다. 이런 행동들은 당사자가 전혀 인식하지 못하는 순간에 반사적으로 일어난다. 단절되어 있는 상황에서 상호작용을 할 때는 칭찬이나 비난은 아무 영향도 주지 못한다. 두 가지 모두 이 상황에서는 허용되지 않는다.

파트너와 단절된 상태에서 상호작용 하는 것을 좋아하는 사람은 파트너들의 경험과 사업문제를 분리하기 위해 노골적으로 행동한다. 이런 경우 문제가 되는 것은, 그의 파트너들의 경험이 그들의 사업에서 어떻게 의미를 만드는 지를 결정한다는 것이다. 이 두 가지 요소는 분리될 수 없다. "감정은 의사결정과 관련이 없다."고 말하는 사람은 자기 안에 있는 두려움 때문에 그렇게 말하고 행동한다. 감정은 사람들이 함께 일하는 방법을 결정하는 강력한 요소이다. 단절을 사용하는 사람은 연결되는 것을 두려워하기 때문에 사람들과 연결되는 것이 옳지 않은 것처럼 말하고 행동한다.

　서구의 조직에서는 단절을 사용하는 것이 융합되는 것보다 더 전문적인 것처럼 보는 경향이 있다. 단절을 사용하면서 마치 자신이 프로인 것처럼 행동하는 사람들도 많이 있다. 관리를 잘 하는 사람은 직원과 거리를 둘 수 있어야 하고, 직원들을 보살피는 행동은 하지 말아야 한다고 주장하기도 한다. 지휘와 통제 중심의 업무 시스템에서는 이런 주장이 잘 먹히고, 심지어 효과적일 수도 있다. 그러나 협력을 기반으로 하는 조직에서는 이런 행동이 치명적이다. 1장과 2장에서 새로운 협력 중심의 업무 시스템이 대인관계 측면에서 어떻게 다른 현실을 만들어내는지에 대해 이미 설명했었다. 이런 협력을 중시하는 업무시스템은 대인관계 접촉을 관리의 주요 요소로 본다. 지금까지 권한과 계층구조가 가진 문제점에 대해 설명을 했고, 대인관계 혼돈이 어떻게 야기되는지에 대해서도 자세히 다뤘다. 부하직원들은 권한을 가진 사람들이 미치는 영향과, 권한을 가진 사람들에 대해 자신들이 꾸며낸 이야기가 알려지지 않도록 숨겨둔다. 권한을 가진 사람들이 단절된 상태에서 활동할 때는, 권한과 리더의 단절이 결합되어 탁월한 조직이 요구하는 유형의 리더십을 발휘할 기회를 가지지 못하게 된다. 단절은 조직이 감당할 수 없는 종류의 프로페셔널리즘이라고 볼 수 있다.

전형적인 단절형 리더인 롭은 조직에서 변화를 만들어내기 위해 노력을 하고 있다. 그는 지난 10년간 전문지식을 기반으로 사업을 하는 기업에서 최고경영자로 근무하고 있다. 회사 내, 외부 사람들은 지금의 회사로 성장시켜 온 인물이 바로 롭이라면서 그의 능력을 인정한다. 이 회사는 특정 전략을 추구하면서 성공적으로 성장해왔지만, 롭은 지금까지 취해왔던 전략에 중요한 변화가 필요하다고 결정했다. 그래서 이전 전략에서 중심적인 역할을 해왔던 조직 중 일부에게는 다른 역할을 맡길 생각도 하고 있었다.

오랜 고민 끝에 롭은 전략 변화에 대해 조직에 발표를 했다. 그런 결정을 한 배경에 대해서도 자세히 설명하려고 했지만, 자신이 만든 새로운 비전 때문에 사람들이 불안해하는 것을 알게 되었다. 불안해하는 사람들을 바라보는 그의 마음 또한 편치 않았다. 나는 그가 내부 직원들이 두려워하고 우려하는 것에 대해 열린 마음으로 듣지 못하고 힘들어하는 것을 지켜보았다. 롭에 대해 알게 되면서 내가 발견한 것이 있었다. 직원들이 그에게 자신들의 문제를 털어놓으면, 롭은 직원들이 느끼는 두려움을 없애야 할 책임이 자신에게 있다고 느끼는 것 같았다. 그러나 직원들이 말하는 수많은 두려움과 우려가 그에게는 불합리한 것으로 보였다. 그래서 그는 그러한 두려움과 우려를 불식시킬 수 있는 이야기를 지어냈다. "그건 단지 변화에 대한 저항일 뿐입니다."라고 말이다. 그는 "변화가 모두에게 좋은 것이란 걸 알게 되면 그런 두려움과 우려를 잘 극복할 수 있을 겁니다."라고 말했다. 그러나 그의 기대와는 다르게 이렇게 말하면서 직원들과의 거리는 점점 멀어져갔고, 그들과의 소통은 점점 힘들어졌다. 결국 그는 회의하는 횟수도 줄여갔고, 당연히 다른 사람들과는 더 멀어졌다. 그를 만나는 것조차 쉽지 않았다. 심지어 부사장들이 전화해도 그는 회신도 하지 않았다.

이렇게 정보의 공백상태가 지속되면서 변화에 관련되어 있는 사람들이 느끼는 불안 정도는 점점 더 심해져갔다. 변화의 영향을 가장 많이 받고 있는 수석 매니저인 마리오는 롭과 만나는 회수가 줄어든 것이 자신이 해고될 수도 있다는 것을 암시한다고 생각했다. 그래서 마리오는 성과를 내기 위해 자신에게 더 많은 압박을 가했다. 롭이 정말로 원하는 것이 무엇인지 점점 더 알 수 없을 정도가 되자, 마리오의 불안도 훨씬 심해졌다. 상사를 만족시키기 위해 노력하면 할수록, 자신의 역량은 더 부족한 것처럼 여겨졌다. 마리오를 회사의 큰 자산이라고 여기고 있던 롭은 마리오가 보여주는 이런 모습이 이해되지 않았지만, 마리오가 회사를 떠날 수도 있다는 것을 어쩔 수 없이 받아들이기 시작했다.

마리오와 함께 일했던 사람들은 어땠을까? 그들은 변화로 인한 불확실성을 더 심각하게 느끼고 있었다. 마리오가 불안해하는 것을 그들도 알고 있었지만, 도대체 무슨 일이 벌어지고 있는지에 대해 알 수 있는 정보가 부족했기 때문에 그들은 이야기를 지어내기 시작했다. 당연히 좋은 이야기가 아니었다. 그들은 롭과 마리오가 부서를 축소하면서 기존에 있던 사람들 중에서 일부를 해고할 것이라고 생각했다. 사실 롭은 이 직원들이 모두 역량이 탁월한 사람이라고 생각해서 한 사람도 잃고 싶지 않았다. 그러나 그는 이런 생각을 한 번도 전달하지 않았다. 그 생각이 너무나 당연한 것이었기 때문에 굳이 말로 표현하지 않았던 것이다. 경쟁사들이 탁월한 성과를 내는 직원들을 빼내가려 해도 롭이 아무 말도 하지 않았기 때문에 사람들은 그의 속내를 알 수가 없었다. 마리오가 맡고 있던 부서의 사기는 점점 떨어져갔다. 이런 사기 저하는 나머지 조직에도 영향을 미쳤다. 왜 전략변화를 결정했는지 알 수도 없는 애매모호한 상황에서 변화의 본질은 점점 더 불명확해졌고, 확인되지도 않은 소문만 무성해졌다.

참다 못한 사람들이 도대체 변화가 왜 필요하냐는 말을 했을 때, 롭은 짜증을 내며 쌀쌀맞게 행동했다. 그의 내면에 있던 무의식적인 불안 때문에 그런 행동이 터져 나왔을 것이다. 이 사람들이 하는 말을 들어주면 그들은 변화라는 주제에서 벗어나는 말을 할 것이고, 그렇게 되면 자신은 확고한 입장을 견지할 수 없을거라는 두려움이 그에게 있었던 것이다. 롭이 화를 내는 것을 보고 있던 직원들은 고용에 대한 불안을 심하게 느꼈다. 그래서 그가 화를 낼까 두려워 그에게 어떤 질문도 하지 못했다. 내가 임원팀 개발 프로젝트를 하기 위해 이 회사에 갔을 때는 이미 최고의 인재들은 롭 모르게 이력서를 쓰면서 회사를 떠날 준비를 하고 있었다. 롭은 무언가 불편한 일이 일어나고 있다는 것을 알기는 했지만, 마리오가 변화의 본질에 대해 의사소통을 잘 하고 있어서 사람들이 변화에 곧 익숙해질 거라고만 생각했다. 모든 사람들은 무슨 일이 일어나고 있는지에 대한 자기들만의 환상을 가지고 있었고, 그 환상은 모두 잘못된 것이었다.

전략변화를 결정하기 전에 롭은 자신에게 단절을 취하는 경향이 있다는 것을 알았어야 했다. 직원들과 상호작용 하는 것이 불편해서 자신이 사람들을 피하고 있다는 것 또한 알았어야 했다. 프로젝트가 진행되면서 그는 직원들을 배려해주는 것이 불편함을 직면해야 할 상황에서는 오히려 그들을 불안하게 한다는 것을 알게 되었다. 임원들 사이에 회자되고 있던 모든 이야기와 그들이 어떻게 경험하고 있는지를 드러내기 위해 우리는 함께 노력했다. 그 결과, 롭은 자신이 추구했던 전략변화보다 사람들로부터 자신을 단절시켜온 그의 행동이 소중한 직원들을 더 불안하게 만들었다는 것을 깨닫게 되었다. 그에게는 아주 중요한 발견이었다. 이제 롭은 다른 사람들과 분리된 상태에 있으면서 동시에 연결되어 있는 것(자아분화 상태)에 대해 조금씩 이해하게 되었다. 그래서, 그의 원칙, 가치관, 비전을 단단하게 세우는 것과, 그것들 때문에 사람들이 경험하게 되는 것을 자신이 책임지지 않아도 되는 방법에 대해 배우기 시작했다. 동시에 다른 사람들이 경험하는 것을 잘 들을 필요도 있었다. 그것을 더 현실적으로 만들어야 했고, 부정확한 추측을 중단하고, 핵심인재가 자신이 핵심인재라는 것을 알 수 있도록 해야 했다.

자아분화 – 패러독스의 해결

자아분화self-differentiation라는 개념을 가지고 있으면 어딘가에 또는 누군가에 소속되는 것과 자신이 가진 개별성이 상호배타적이지 않을 수 있는 포인트를 발견할 수 있다. 그곳에서는 내가 당신과 분리되면서도 동시에 당신과 연결될 수 있다. 자아분화는 명확한 경계를 가지는 것을 말한다. 내 경험이 무엇인지 명확히 하고, 내 경험이 당신의 경험과 어떻게 다른지를 명확히 하는 것이다. 자아분화는 내가 가지고 있는 정보와 그 정보로 내가 지어낸 이야기 사이의 차이를 알도록 요구한다. 자아분화는 당신의 경험이 언제나 내 경험과 다르다는 것을 인정하고, 내가 괜찮다고 느끼는 특정한 경험을 당신이 반드시 경험해야 할 필요가 없다는 것을 전제로 한다.

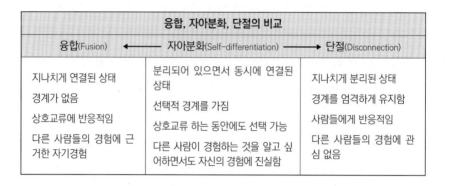

융합, 자아분화, 단절의 비교		
융합(Fusion) ◄———	자아분화(Self-differentiation) ———►	단절(Disconnection)
지나치게 연결된 상태 경계가 없음 상호교류에 반응적임 다른 사람들의 경험에 근거한 자기경험	분리되어 있으면서 동시에 연결된 상태 선택적 경계를 가짐 상호교류 하는 동안에도 선택 가능 다른 사람이 경험하는 것을 알고 싶어하면서도 자신의 경험에 진실함	지나치게 분리된 상태 경계를 엄격하게 유지함 사람들에게 반응적임 다른 사람들의 경험에 관심 없음

자아분화는 나 자신에게 진실하면서도 나와 당신의 관계에도 진실하다. 자아분화는 나의 필요와 우리의 필요를 동등하게 강조한다. 여기서 '우리'는 두 사람, 그룹, 또는 조직도 될 수 있다. 이렇게 하기 위해 자아분화는 나의 진실이라는 것이 정말로 무엇인지를 인식하는 것, 즉 내 경험이 무엇이고, 내 생각, 감정, 행동을 실제로 동기유발 시키는 것이 무엇인지를 아는 것이다. 이렇게 말하는 것은 쉽지만 이렇게 실행하는 것은 결코 쉬운 일이 아니다. 자아분화는 당신이 절대로 완벽할 수 없는, 날카로운 면도날 같은 줄 위에서 균형을 잡는 행동이라고 할 수 있다. 이것은 성공 못지 않게 실패할 수도 있는 방식으로 살아가는 삶에도 충실하겠다는 의지이기도 하다.

내가 '분화된 리더십 행동'이라고 부르는 것에는 적어도 다섯 가지 요소가 들어 있다.

1. 사람이 분화된 방식으로 행동할 때는 자신의 경험이 무엇인지 알고 있다. 다시 말해, 인식 자아Aware self가 되는 것이다. 그 사람은 자신이 선택할 수 있는 것과 자신이 현재 선택하고 있는 것이 무엇인지 인식하고 있다. 분화는 인식에 의해 결정된다. 인식하지 못하면 분화할 수 없다. 이 점에 대해서는 다음 장에서 보다 깊이 있게 다루기로 하자.

2. 사람은 다른 사람들의 경험을 공개적으로 이해하려고 할 때, 즉 호기심 많은 자아가 될 때 분화된 방식으로 행동하게 된다. 호기심 자아는 자신이 가지고 있는 지식에서 부족한 부분을 메우기 위해 이야기를 만들어 낼 때, 더 많은 정보를 얻어내기 위해 질문을 한다. 자신이 다른 사람에게 미치고 있는 영향을 알고 싶어 할 때는 그 사람의 마음을 바꿀 수 있기 때문이 아니라, 그렇게 함으로써 그 사람에게 실제로 일어나는 일이 어떤 것인지 자신이 알 수 있기 때문이다. 다른 사람들에게 자신이 그들의 경험의 진실을 정말 알고 싶어하고, 그들의 경험을 판단하거나 바꿀 필요 없이 냉정하게 들을 수 있다는 것을 전달할 때 분화된 방식으로 행동한다고 말할 수 있다.

3. 어떤 사람이 자신의 경험을 다른 사람들에게 설명할 때, 즉 서술 자아가 될 때는 분화된 방식으로 행동한다. 마음 속에 있는 것을 다른 사람들에게 말함으로써 서술 자아가 된다는 것은 마음 속에 있는 것이 무엇이든 다른 사람들에게 말한다는 의미가 아니다. 그것은 당신이 당신 경험의 진실을 말할 때, 그 경험이 하나의 경험에 블과한 것일 뿐이며,

그것이 다른 어떤 사람의 경험보다 더 유효한 것도 아니며 더 유효하지 않은 것도 아니라는 것을 온전히 인식하는 것을 의미한다.

4. 리더가 자신이 책임져야 할 권한의 범위, 다른 사람들에게 자신이 기대하는 것이 무엇인지, 그대로 이행되지 않을 경우 어떤 결과가 일어날 것인지에 대해 분명히 알고 있을 때, 그 리더는 차별화된 방식으로 행동한다고 볼 수 있다. 이럴 때는 자신이 어떤 결정을 했고, 어떤 것이 실행되기를 기대하는지, 그리고 다른 사람의 의견을 구한 후에 결정해야 할 것은 무엇인지가 아주 명확하다. 다른 사람들의 의견이 필요한 이슈가 무엇이고, 굳이 다른 사람의 의견이 필요하지 않은 이슈가 무엇인지도 명확히 알고 있다. 이런 리더는 어느 정도의 권한을 위임하는 것이 좋은지에 대해서도 분명한 기준을 가지고 있다. 이런 것들에 대해 자신의 입장을 분명히 밝히는 리더는 분화된 방식으로 행동한다고 볼 수 있다.

5. 분화된 방식으로 행동하는 리더는 어떤 행동을 할 때 명확한 근거를 가지고 있으며, 다른 사람들에게 자신의 행동에 대해 설명할 수 있다. 이럴 때 그 사람이 하는 행동은 불안이나 다른 반응적 감정 때문에 유발되지 않는다. 그는 감정이 주는 정보를 허락하고, 느낌이 전하는 메시지를 이해는 하지만, 감정이나 무의식적인 동기 유발에 압도되거나 통제되지 않는다. 다음 장에서 설명하겠지만, 그는 자신의 심상지도가 무엇인지 알고, 다른 사람들에게 그것을 기꺼이 설명해 준다. 또한 자신과 다른 사람들이 경험을 통해 학습할 수 있기 때문에 기존의 심상지도를 바꾸는 데도 마음이 열려 있다.

자아분화 상태에 도달하기 위한 학습은 평생 해야 하는 여정이다. 그것은 삶의 과정이자 존재 방식이다. 자아분화 상태에 있는 사람들은 자기가 원하는 모든 것을 결정할 수 있다. 즉, 그들은 자신을 정의하고 싶어하고, 자신의 필요와 욕구에 충실하다. 그러나 이들은 파트너들의 성장과 자기정의self-definition 뿐만 아니라 자신의 성장과 자기정의를 지원해주는 밀접한 파트너십 관계 또한 유지하고 싶어한다. 이 사람들이 이 용어를 사용하든 사용하지 않든간에 그들은 분화differentiation를 그들이 원하는 존재 방식으로 선택한 것이다.

대부분의 사람들은 특정한 상호교류에서 분화될 수 있다. 어떤 관계에서 감정적 문제가 적을수록 더 쉽게 분화할 수 있다. 그런데 우리 모두는 분화되는 것을 어렵게 하는 관계를 가지고 있다. 가장 어려운 관계는 친밀한 사람들과의 관계이다. 가족들간의 관계가 바로 그런 관계다. 우리는 성장해가면서 많은 관계에서 분화될 수는 있다. 그러나, 그렇게 되려면 그들과의 관계에서 분화되기 위해 의식적으로 노력해야 하고, 강한 의지도 가지고 있어야 한다.

분화는 건강한 경계에 대한 것이다

심리적 경계psychological boundaries라는 용어는 보통 사람들이 직면하는 심리적인 이슈와 관계에 관한 이슈들을 표현하고 설명할 때 사용된다. 건강한 경계healthy boundaries란, 무엇이 나이고, 무엇이 내가 아닌지의 차이를 내가 알고 있다는 것을 보여주는 경계이다. 내가 무엇을 받아들이고 무엇을 받아들이지 않을지 선택할 수 있음을 보여준다. 이런 경계는 자아분화에 필요하다. 그러나 실제로 대부분의 사람들에게 자기 안에 있는 것과 자기 밖에 있는 것이 무엇인지가 늘 명확한 건 아니다. 만일 당신에 대해 내가 만들어낸 이야기가 실제로 당신에 관한 것이라고 내가 믿으면, 그건 내가 나를 당신과 혼동한다는 것을 의미한다. 당신이 느끼는 감정이 내 책임이라고 생각하면, 이때도 나는 나와 당신을 혼동하고 있는 것이다. 건강한 경계는 나를 내 생각과 아이디어, 또는 그것들이 나타내려 했던 의미와 혼동하지 않는다는 것을 전제로 한다. 5장에서 설명하겠지만, 우리 모두는 외부 현실에 대한 내부표시 또는 심상지도mental maps를 만들어 내서, 지도map를 실제 영토와 끊임없이 혼동하고 있다. 자아분화는 내가 내 과거를 현재와 분리할 수 있어야 한다고 요구한다. 그러나 이것이 말처럼 쉽지 않다. 우리는 과거 경험에 의해 촉발된 감정, 태도, 인식을 가지고 현재 일어나고 있는 상황에서 반응한다.

사람들이 자신과 다른 사람들 사이의 경계를 혼동하고 있다는 것은 "당신이 나를 …하게 만들었다."(화나게, 슬프게, 행복하게, 당황하게, 미치게, 등등)라는 구절에서 알 수 있다. 내가 이렇게 말할 때는 당신이 내 경험을 만들어 내고 있다고 말하는 것과 같다. 내 경험을 실질적으로 만들어 내는 사람이 나인데도 나는 당신이라고 혼동하고 있는 것이다. 내가 내 자신의 경험을 만들어낸다는 원리를 좀 더 논리적으로 표현하면, 당신이 나에게 미치는 영향에 대한 책임은 나에게 있다는 것이다. 당신이 나로 하여금 어떤 것을 느끼게 하거나, 생각하게 하거나, 원하게 만드는 것이 아니다. 내가 스스로 그런 것들을 하는 것이다. 한 가지 예를 들어보겠다.

새로 입사한 로리가 내 부서로 왔다. 그런데 그녀가 약간 이상하게 보였다. 말투가 기이해서 정신적으로 결함이 있는 사람처럼 보였다. 그녀는 유쾌하고 웃음이 많았지만, 가끔 공상에 빠진 듯 주위에서 일어나고 있는 대화를 따라가지 못했다. 나는 그녀가 그다지 영리한 사람은 아니라고 보았지만 그대로 두기로 했다. 그러나 복잡한 일은 그녀에게 주지 않았다. 수개월 동안 그녀는 미소를 띠며 별 문제 없이 단순한 업무를 잘 처리해왔다.

그런데, 중견사원이 하던 일을 한 주동안 그녀가 대신해야 할 상황이 벌어졌다. 짐작조차 하지 못했는데 로리는 깜짝 놀랄 만한 수준의 보고서를 만들어왔다. 뿐만 아니라, 그녀는 머뭇거리면서 보고서의 명확성을 높이기 위해 자신이 어떤 점을 수정했는지에 대해 설명을 했는데, 그건 아주 훌륭한 작업이었다. 나는 충격을 받았다. 내가 전혀 기대하지 못했던 일이 일어났던 것이다. 그 이후, 그녀에게 좀 더 많은 관심을 두기 시작했는데, 그녀는 여전히 공상에 빠진 듯한 태도를 보였고 말투 또한 달라지지 않았다. 그러던 어느 날, 나는 그녀가 작은 보청기를 끼고 있는 걸 발견했다. 그래서 그녀에게 보청기에 대해 물어보았다. 얼굴을 살짝 붉히면서 그녀는 태어났을 때부터 거의 소리를 들을 수 없었지만, 그 사실을 누구에게도 말하지 않았다고 고백했다. 그 날 이후 그녀의 태도는 예전과 달라진 것이 없었지만, 그녀에 대한 내 경험은 완전히 바뀌었다. 나는 그녀가 놀랄 만큼 영리하고 용감한 사람이라는 걸 알게 된 것이다.

내가 로리에 대해 내 경험을 만들어냈다는 점을 눈여겨보라. 어느 순간에는 그녀가 다소 이상하고, 정신적으로 결핍된 사람이었지만, 다른 순간에 그녀는 영리하고 용감한 사람이 되었다. 그녀의 행동은 아무것도 바뀌지 않았다. 단지 나의 인식만이 바뀌었을 뿐이다. 내게 준 영향은 그녀가 만들어낸 것이 아니라, 내가 스스로 만들어냈던 것이다.

자아분화된 사람은 "당신이 내게 미친 영향은 내 책임이고, 내가 당신에게 미친 영향도 내 책임이다."는 입장을 취한다. 내가 당신에게 영향을 미치든, 당신이 내게 영향을 미치든, 모두 내 책임이라는 점을 당신은 알아차렸을 것이다. 이것은 근본적으로 임파워링에 대한 것이며, 이것을 통해 팀과 조직에서 학습을 이끌어낼 수 있다. 이것은 비난에 대한 것이 아니다. 누가 누구에게 무엇을 했냐는 것에 대한 것 또한 아니다. 당신의 내면에서 리더십 게임을 점점 심화해가다 보면, 지금 말한 질문들이 아무 가치도 없다는 걸 깨달을 수 있을 것이다. 비난은 당신을 권한이 없는 상태에 있게 하며, 당신을 자신보다 더 강한 힘의 희생자라고 느끼게 만들어서 당신이 원하는 것을 더 많이 얻을 수 있는 방법에 대해 아무것도 배우지 못하게 한다.

개인적으로 성장해가다가 어떤 지점에 도달하게 되면, 대부분의 사람들은 자신이 다른 사람들에게 미치는 영향에 관해 배우는 것과 그들의 행동을 바꿔서 자신이 원하는 영향력을 갖는데 관심을 갖게 된다. 그러나 다른 사람이 자신들에게 미치는 영향에 대해 책임져야 할 사람이 그들 자신이라는 점을 이해하는 수준까지 도달하는 사람은 아주 소수에 불과하다. 당신에 대한 반응으로 내가 원하는 것을 생각하고, 느끼고, 원하게 만드는 장본인은 바로 '나'일 뿐이다. 이러한 관점이 자아분화된 사람들이 보여주는 징표이며, 사회적 교류를 통해 새로운 것을 배우게 해주는 강력한 태도라고 할 수 있다. 예를 들어 보자. 우리 사무실에 젊은 직원이 새로 들어왔다. 내 경험에 의하면, 그는 영리하고, 외향적이며, 자신감 있고, 쾌활한 사람이다. 그러나 지넷은 그를 오만하고, 이기적이며, 진지하지 못한 사람이라고 생각한다. 누가 그 사람에 대해 올바른 경험을 가지고 있다고 생각하는가? 지넷이나 내가 그 사람에 대해 다르게 경험하는 것에 대한 책임은 누구에게 있다고 보는가?

만일 그가 학습을 잘 하는 사람이면, 자신이 지넷과 내게 미치는 영향을 이해하는데 관심을 가질 것이고, 그것으로부터 배우는 것이 있을 것이다. 예를 들어, 자신이 가진 장난기가 다른 사람들이 자신을 진지하게 대하는 데 방해가 된다는 것을 알게 될 것이다. 만일 지넷이 훌륭한 학습자라면, 그 젊은 직원이 자신에게 미치는 영향에 대한 책임을 지면서, 자신의 어떤 성향이 그 사람의 행동에 오만하다는 딱지를 붙이게 했는지를 배울 수 있을 것이다.

그렇지만 현실에서는 그녀에게 미치는 영향에 대해 책임져야 할 사람은 그 젊은 남자라고 믿는다. 잘못된 것은 그 사람에게 있기 때문에 그가 태도를 고쳐야 한다고 말이다. 만일 지넷이 좋은 매니저라면 그에게 건설적인 피드백을 주겠지만, 나쁜 매니저라면, 이유도 말해주지 않은 채 그 사람을 힘들게 할 것이다. 어느 쪽이든, 지넷은 아무것도 배우지 못하고 이 젊은 친구에게서 최고를 끌어내지 못할 것이다. 그 직원은 상사의 피드백에 그저 혼란스러워 할 뿐이고, 뭔지는 모르지만 자신에게 문제가 있다는 생각만 할 것이다. 그럴 경우, 그 직원은 적응해보려 노력을 할 수는 있겠지만, 창의성, 자신감, 동기를 상실하거나, 아니면 반항적인 태도로 조직의 걱정거리로 전락할 수도 있다. 어느 쪽이든, 자신이 경험한 것으로부터 유용한 것을 배우지 못하고, 파트너십을 쌓아갈 기회조차 일찌감치 상실하고 말 것이다.

자아분화는 다른 사람들에게서 보는 것이 바로 우리 자신의 모습이며, 그것이 우리에게 다시 반영된다는 것을 깨달을 때 일어난다. 이 중요한 사실을 이해하지 못하면, 누구도 사회시스템으로부터 학습을 이끌어낼 수 없다. 만약 친밀한 관계에 있지 않은 사람들에게 당신이 감정적으로 반응하면, 그것은 당신이 그들과 융합되어 있어서 자신을 그들로부터 분리하지 못하고 있다는 것을 의미한다. 당신이 상사라면, 당신이 반응하게 만드는 그들의 행동을 멈추게 할 수도 있지만, 그렇게 하는 과정에서 그들의 헌신commitment과 노력의 일정 부분은 잃게 될 것이다. 우리 대부분은 부정적으로 반응하는 사람들이 주변에 있지 못하게 할 방법을 찾는다. 그들과 파트너십을 갖는 것에 관심이 없는 경우라면 굳이 어떤 다른 행동을 취할 필요나 이유도 없다. 그러나 그 사람과 파트너십 관계에 있어야 한다면, 앞에서 말한 회피하는 행동은 효과적이지 못한 전략이다. 하지만 마브가 홀리와의 관계에서 했던 것처럼 접촉을 최소화할 수는 있다. 내가 도덕적으로 그들보다 우월하다고 느끼게 할 다른 부정적인 특성들을 그들에게 부여함으로써 내 마음속에서 그들을 악마화 할 수 있다. 그들을 벌주거나 배척하고, 그들을 떠나게 하거나, 그들을 변화시킬 수 있는 방법들을 상상해 낼 수 있다.

정확히 말하면, 내 경험을 통해 학습하려는 자세를 가장 어렵게 만드는 것은 다름 아닌 나의 부정적인 감정 반응의 강도라고 할 수 있다. 이 경우 정말로 나는 내 경험에 대해 책임을 지지 않는다. 합리적인 사람이라면 누구나 나와 똑같은 부정적인 반응을 보일 것이다. 그렇지 않은가? 이를 확인하기 위해 나는 내가 소중하게 생각하는 의견을 가진 사람들을 찾아가 나를 괴롭히는 것들에 대해 설명한다. 어떤 사람이 어떤 면에서 나쁘거나 결함이 있다는 것에 대해 그들이 동의하게 할 수 있다. 부정적인 경험을 하게 하는 근본원인이 다른 사람에게 있다는 믿음이 옳다고 그 사람이 검증해주면, 나는 현재 관점을 안전하게 유지할 수 있다. 그러나 이런 경우, 나는 아무것도 배우지 못한다. 그 사람을 효과적으로 다룰 수 없는 상태가 되어, 결국 파트너십을 만들 기회는 잃어버리고, 내가 원하는 것을 얻지도 못하게 된다.

그러나 서로에게 부정적인 반응을 보이고 있는 두 사람이 이 책에 있는 학습대화 스킬을 사용한다면, 마술과 같은 변화가 일어나고 그들이 서로 교류하는 패턴은 완전히 달라질 수 있다(두 사람 가운데 한 사람만 이 방법을 따라도 그들의 관계는 달라진다.). 두 사람 모두 자신이 지어낸 이야기와 상대의 실제 경험을 자신이 혼동하고 있다는 사실을 인식하고, 자신에 대해 새로운 것을 찾아내는 방법을 발견하게 될 것이다. 그러나 이런 경우는 극히 드물고, 이렇게 하기도 힘들기 때문에, 이런 시도를 할 때마다 우리는 깊은 학습 경험을 얻을 수 있다.

과거와 현재 사이의 경계

우리가 매 순간 경험하는 것은 우리 밖에 있는 것과 우리 내부에 있는 것, 이 두 가지에 의해서 만들어진다. 바로 우리들의 내부에 있는 것들 때문에, 같은 상황에 있는 사람들도 다르게 경험한다. 우리가 지각인자percepts를 만들어내는데 영향을 미치는 수많은 내면적 요소들은 우리의 과거에서 온 것들이다. 우리가 현재를 경험하는 방식은 많건 적건 간에 모두 과거로부터 조건화 된 것이어서, 우리 모두는 현재와 과거를 혼동하게 하는 문제를 안고 있다.

자아분화의 모든 측면 중에서 혼자 배우기 어려운 것이 바로 현재에 얽혀 있는 과거를 풀어내는 일이다. 나는 개인적으로 코치와 임상치료사, 파트너들로부터 많은 도움을 받아왔다. 그들은 내가 현재에 대해 반응하지 못하거나 인식하지 못할 때 그 사실을 알아차릴 수 있도록 도움을 주었다. 그랬을 때는 아마도 내가 상황에 맞지 않게 감정을 너무 심하게 드러냈기 때문일 수 있고, 어떤 일이 일어나고 있었는데도 내가 보인 반응이 그 상황에 비해 터무니없이 부족해서 였을 수도 있다. 어쩌면 내가 지어낸 이야기가 실제 사실과는 별 관련이 없었기 때문일 수도 있었을 것이다. 다시 말해 내가 보였던 모든 반응이 현재 못지 않게 - 어쩌면 더 많이 - 과거에 토대를 두고 있었다는 단서가 된다.

내가 만나온 대부분의 사람들은 클리어 리더십에 숙달된 사람들로 과거가 현재 자신에게 어떻게 영향을 미치는지를 탐구하는 데 시간을 보내고 있다. 이것은 그들이 과거에서부터 짊어져온 감정적인 문제들에 대해 학습하는 중이라는 뜻이다. 그들은 이런 노력을 통해 과거를 현재로부터 분리해내는 것을 배우고 있다. 또한 과거가 그들이 현재 경험하는 것에 무의식적으로 영향을 미치지 못하게 하거나, 과거 때문에 자신도 모르게 무의식적으로 행동하는 일이 일어나지 않게 하는 것을 배우고 있다. 기업체 임원들을 대상으로 일을 할 때, 나는 심리치료사와 함께 세션을 진행하려고 한다. 그렇게 하면 리더들은 자기 내면 깊은 곳에서 어떤 것이 작용하고 있는지에 대해 더 잘 인식할 수 있다. 이런 접근이 얼마나 중요한지, 한 가지 예를 가지고 살펴보자.

제레미는 빠르게 성장하고 있는 스타트업 회사인 '위츠 키드whiz-kid'의 설립자이다. 이 회사의 이사회에 속해 있는 노련한 위원 중 한 사람이 제레미가 리더십 스킬을 높일 필요가 있다고 주장해서 제레미와 함께 일을 하게 되었다. 제레미와 계약을 할 때, 나는 그의 내면과 외부 양 쪽 모두를 다뤘으면 좋겠다는 말을 했다. 내면에 대한 활동을 할 때는 나와 심리치료사인 내 파트너를 일주일에 한 시간씩 만나서 자신의 내면적 요소에 대해 깊이 이해하고 자신에 대한 인식과 통제력을 높이는 시도들을 하도록 도와주기 위해서 였다. 그가 흔쾌히 동의를 했다. 치료라는 말이 사람들을 두렵게 만들 수도 있기 때문에 나는 제레미에게 내 파트너가 노련한 심리치료사라는 말은 하지 않았다. 그러나 몇 주 지난 후 제레미는 그 사실을 알게 되었다.

약 3개월동안 이런 방식으로 함께 일을 했는데, 그 당시 제레미가 지킬 수도 없는 약속을 하는 것을 불편하게 생각하던 임원 몇 명이 나를 찾아와서 실제로 있었던 일들을 털어놓았다. 예를 들면, 해외 출장 중에 제레미가 합작회사 파트너에게 5백만달러를 보내기로 합의했지만, 당시 회사는 현금흐름 상황이 좋지 않아서 그런 큰 금액을 보낼 만한 여유 자금이 없었다. 그들은 제레미가 왜 그런 어리석고 불필요한 약속을 했는지 도무지 이해할 수가 없었다. 장기적으로 회사에 미칠 결과를 걱정하다 보니 화도 나고 몹시 두려웠다고 했다.

나는 제레미에 대한 심리치료 세션에서 그 이슈를 직접 다뤄보기로 했다. 세 번의 세션에 걸쳐서 그의 내면 깊은 곳에 있는 감정과 동기를 찾아내는 기법을 활용했는데, 제레미가 그들에게 그런 약속들을 하게 된 이유가 합작회사 파트너인 나이가 지긋한 남자들을 기쁘게 해주기 위해서 였다는 것을 깨닫게 되었다. 그런데 대화를 하면서 그가 정말로 기쁘게 해주고 싶었던 사람이 사실은 그의 아버지였다는 것을 알게 되었다. 제레미는 자신이 존경했던 나이든 사람들과의 상호교류에서 아버지가 했던 모든 일(과거)에 대해 고마움을 표현할 방법을 찾고 싶다는 개인적인 욕구와 사업 파트너들과의 거래(현재)를 구분하지 못하고 혼동하고 있었던 것이다. 제레미는 아버지에게 고마움을 표현하고 싶다는 욕구와, 그런 마음을 표현하기 위해 자신이 정확히 무엇을 하고 싶은지에 대해 이야기를 나누면서 좀 더 명확히 할 수 있었다. 그는 그것을 실행하기 위한 계획을 구체적으로 세우고 실행으로 옮겼다.

이 깨달음은 그의 행동 뿐만 아니라 조직에도 극적인 영향을 미쳤다. 앞에서 말한 상황을 겪고 난 후 2주동안 제레미는 그동안 회사에 크게 도움이 되지 않았던 3개의 중요한 합작 관계를 종료할 수 있었다. 자신이 아버지와 혼동하고 있었던, 그 나이든 사람들을 기쁘게 해주고 싶다는 단순한 마음 때문에 계약을 중단하지 못하고 끌어왔다는 사실을 깨달았던 것이다. 그때부터 제리미는 더 이상 지킬 수 없는 약속을 하지 않았고, 이전보다 훨씬 더 현명하고 분명하게 협상에 임하게 되었다.

당신은 이 사례에서 과거와 현재 사이의 경계가 명확하지 않아서 발생하는 문제 뿐만 아니라 '소속-개별성belonging-individuality'의 역설이 여전히 작동하고 있다는 것을 볼 수 있다. 이런 일은 언제나 일어난다. 제레미는 합작관계에 있던 나이든 사람들에게 융합되었으며, 자신이 경험했을 분리불안 때문에 '아니오'라고 말을 할 수 없었던 것이다. 그러나 그가 가진 불안의 근본적인 원인은 아버지와의 분리였다. 그들을 기쁘게 해주고 싶어하는 욕구는 그들에게 소속되고 싶다는 갈망의 표현이었다. 그에게 나이 든 사람들은 아버지와의 관계를 유지시켜주는 대리자였다. 그런 그가 이 사람들과의 만남에서 더 많은 선택 대안들을 가지고 자신에 대해 정의할 수 있게 된 것은 바로 자신이 무의식적으로 가지고 있는 동기를 명확하게 이해했을 때였다. 아버지와의 관계라는 실제 이슈를 다루기 위해 구체적인 행동계획을 세운 것은 아버지와 같은 인물들과 추후 교류할 때 발생할 수도 있는 분리 불안을 줄이는 데 도움이 되었다. 그렇게 함으로써 그는 보다 합리적이고 보다 명확하게 행동할 수 있게 되었다.

'여기-지금here-and-now' 현시점에서 벌어지고 있는 당신의 경험에 세밀한 주의를 기울이는 것, 그리고 그 상황이 당신의 반응을 정당화하거나 보장해 주지 못할 것 같은 순간을 알아차리는 것은 과거가 당신의 현재에 개입하여 방해하고 있는 순간을 알아차릴 수 있게 해주는 한 가지 방법이 된다. 하지만 그러한 경계를 강화하도록 도움을 주는 전문가와 함께 시간을 보내는 것보다 더 좋은 방법은 없다.

요약

이번 장에서, 우리는 파트너십을 기반으로 하는 조직에서 성공적으로 활동하는 사람들과 그렇게 할 수 없는 사람들 사이에 어떤 차이점이 있는지 살펴보았다. 함께 일하는 사람들과 너무 융합되거나 너무 단절되어 있는 사람들은 중요한 관계를 해칠 수도 있는 혼돈을 제거하는데 필요한 대인관계 명료성을 만들어낼 수 없다. 그들은 그들의 경험으로부터 집단으로서 함께 탐구하고 학습하는데 필요한 명료성의 문화를 만들어낼 수 없다. 그 대신, 그들의 행동은 '소속 대 개별성'의 역설에서 오는 불안을 피하고 싶어하는 욕구에 의해 촉발된다. 그들은 다른 사람들이 어떤 경험을 하는지 알아내려 하지 않고, 모든 것을 비밀로 남겨두거나, 아니면 어떤 특정 종류의 경험만 하는 것이 좋겠다는 메시지를 보낸다. 몇 가지 예를 살펴보자.

팀원들이 목표를 달성하는 자신들의 능력 때문에 두렵다는 말을 했을 때, 웬디는 두려움을 심각하게 생각하지 말라면서 그들을 격려했다.

팀원들이 추진해왔던 전략에 대해 걱정했을 때, 하린은 그들에게 넘겨 짚지 말고 더 열심히 일을 하라고 말했다.

세라는 팀원들이 회의가 만족스럽지 않았다고 말을 하자, 그 미팅이 끝난 후 수개월 동안 한번도 회의를 소집하지 않았다.

팀원들이 목표가 무엇이냐고 질문을 하자 마틴은 목표는 위에서 내려오는 것이라면서 더 이상 얘기할 게 없다고 말했다.

앞에 설명한 것과 동일한 일이 위에서 보여준 모든 사례에 잘 담겨 있다. 리더들은 다른 사람들이 어떤 경험을 하는지에 대해 호기심을 보이지 않는다. 어쩌면 그들은 자신이 그렇게 하고 있다는 것조차 알아차리지 못하고 있을 것이다. 이런 걱정과 질문 때문에 그들 내부에서 일어나는 불안감을 자신들이 피하려 한다는 사실을 인식하지 못한 채 말이다. 리더들의 이런 행동 때문에 누군가는 더 이상 같은 문제를 제기할 수 없게 된다. 그렇게 됨으로써 사람들은 자신들이 느끼는 두려움, 근심, 의문들을 신뢰할 수 있는 다른 사람들에게 가져가서 그들에게 털어놓는다. 결국 혼돈은 일어날 수 밖에 없고, 파트너십은 약화되고 만다. 뿐만 아니라 팀이 집단으로 경험하는 것이나, 그 경험으로부터 어떤 것을 학습한다는 건 기대조차 할 수 없게 된다. 상황은 점점 더 악화되어 갈 뿐이다.

자아분화는 다른 사람들이 하고 있는 경험이 명확하지 않은 순간을 알아차리고, 호기심을 사용해야 할 때와 그러지 않아도 될 때를 선택할 수 있는 것에 관한 것이다. 그것이 바로 클리어 리더십 스킬이 만들어지는 근간이 된다. 사람들은 클리어 리더십이 무엇인지에 대해 말을 할 수는 있지만, 자아분화 능력을 어느 정도 갖추지 않고는 클리어 리더십을 실행으로 옮길 수 없다. 자아분화는 다른 사람들의 경험에 당신이 책임지지 않고, 그 사람들 또한 당신이 경험하는 것에 대해 책임지지 않을 것을 요구한다. 그렇게 되기 위해서는 학습자가 되려는 의지를 가지고 있어야 할 뿐만 아니라 다른 사람들이 경험하는 것에 대해서도 호기심을 가지고 있어야 한다. 그렇게 할 때 비로소 당신이 다른 사람들에게 어떤 영향을 미치는지를 이해할 수 있으며, 그들이 당신에게 미치는 영향을 당신이 어떻게 만들어내는지 또한 이해할 수 있게 된다. 사람들이 집단경험에서 배울 수 있는 관계를 만들지 못하면, 진정한 파트너십을 오랫동안 유지해갈 수 없다. 자아분화는 자신의 개별성을 포기하지 않으면서도 집단에 소속할 수 있는 둘 다를 선택하고, 동시에 두 가지를 모두 갖출 수 있는 방법을 찾는 데서 생긴다. 클리어 리더십을 활용하는 사람들은 자신이 경험하는 것과 그들이 무엇을 의도하는지에 대해 스스로 정의할 수 있을 만큼 명료하다. 동시에 그들은 다른 사람들과 충분히 연결되어 자신이 한 행동의 결과를 볼 수 있고, 학습을 통해 일어나는 변화에도 열려 있다.

4

경험의 4가지 요소
경험큐브

이번 장에서는 경험에 대한 상세한 설명과 함께 기술적인 면에 대해서도 구체적으로 설명하려 한다. 분주한 조직생활과 동떨어진 것처럼 보이지만, 당신이 순간순간의 경험을 완전히 인식하는 것을 배운다면, 자아분화를 할 수 있는 능력 뿐만 아니라 효과적이고 지속적인 파트너십을 구축하고 학습을 이끄는 능력이 높아질 것이다. "경험의 4가지 요소" 모델은 3가지 스킬인 인식 자아, 서술 자아, 호기심 자아를 발휘하는데 필요한 핵심도구이다. 당신은 당신의 경험에 대해 서술하기 이전에 먼저 당신이 무엇을 경험하는지 제대로 인식해야 한다. 그리고 당신의 호기심을 잘 활용하기 위해 경험이 무엇인지 알아야 한다.

경험의 기본

우리가 만들어 내는 지각인자(Percepts, 지각의 기본적인 구성요소: building

blocks of perception)는 경험의 토대가 된다. 지각인자들은 이미지와 자극인데, 대부분 우리의 인식 아래에 있는 것들이다. 그것은 경험을 구성하는 기본적인 재료들이다. 우리는 외부에서 오는 감각적인 자극을 가지고, 또는 그것들 없이도 지각인자들을 지속적으로 생성해낸다. 이때 이 지각인자들은 우리 외부에 있는 것들과 결합하여 경험을 만들어내게 된다. 외부로부터 오는 자극이 동일해도 경험은 달라진다. 어느 날 아침 일어났을 때 기분이 좋지 않았다고 가정을 해보자. 이런 기분을 알아차릴 수도 있고 모를 수도 있다. 물론 스스로 "나는 아침 기분이 좋지 않을 거라고 생각해."라고 혼잣말을 하지는 않는다. 아침 식사를 위해 식탁으로 갔는데, 서둘러 등교해야 하는데도 음식을 앞에 두고 꾸물거리는 7살짜리 딸 아이를 본다. 아마도 당신은 화가 나서 빨리 밥을 먹으라고 아이에게 소리치게 될 것이다. 다음 날 아침에는 행복감을 느끼면서 일어났다고 가정해보자. 이때는 음식 앞에서 꾸물거리는 딸 아이에게 화를 내기보다 장난스럽게 안아주고 뽀뽀해주면서 아이의 늑장에 농담도 할 수 있다. 외부로부터 오는 자극은 동일하지만, 경험은 우리 외부에 있는 것이 내부로 들어오는 작용이기 보다는, 내부에 있는 것이 밖으로 나가는 작용이라고 할 수 있다.

지각인자는 어디에서 오는 것일까? 이것은 의식consciousness이 만들어내는 불가사의한 부분이다. 의식은 우리의 역사, 문화, 언어, 생물학적 기능, 심상지도(아이디어, 믿음 그리고 세상을 이해하기 위해 사용하는 개념)에 영향을 받는 것처럼 보인다. 지각인자가 어디에서 오고 어떻게 유발되는지 알지 못하더라도 당신은 얼마든지 명확해질 수 있다. 경험이란 당신에게 일어나는 어떤 것이 아니라, 당신에게 일어나는 것에 대해 당신이 무언가를 하는 것이라는 사실을 인식하기만 하면 된다.

경험이 4가지 요소, 즉 관찰, 생각, 감정, 욕구로 구성되어 있다고 생각하는 것은 도움이 된다. 본 장에서는 경험을 구성하는 각 요소에 대해 좀 더 자세히 살펴보기로 하자. 이 책에서 제시하는 모델의 핵심은 경험의 4가지 요소가 항상 우리와 함께 있다는 것이다. 주의를 기울이든 기울이지 않든 우리는 언제나 생각, 감정, 욕구를 가지고 있고, 당신이 감각을 차단하는 탱크에 갇혀 있지 않고 깨어 있는 한, 관찰 요소 또한 가지고 있다.

당신은 "잠깐, 나는 지금 이 순간 어떤 것을 느끼지도 바라지도 않아."라고 생각할지 모른다. 내가 제시하는 경험 모델은 당신이 완벽한 수준까지 진화된 제다이 마스터(영화 '스타워즈' 시리즈에서 공화국을 수호했던 평화를 숭상하는 무력조직 및 학자 겸 수도사 집단이다. 이들은 은하국을 수호한다. 끊임없는 명상과 수련을 통해 자신을 갈고 닦는다.)라면, 매순간 당신이 느끼고 원하는 것을 알고 싶어할 것이라고 본다. 하지만, 대부분의 우리들은 모든 경험을 매 순간 인식하기 위해 오랫동안 훈련해오지 않았을 뿐만 아니라 주의를 집중하지도 않았다. 대신에, 우리가 하는 경험의 일부는 우리의 의식 밖에서 일어난다. 이 말은, 우리가 하는 경험의 일부는 인식되지만, 일부는 인식되지 않는다는 것을 뜻한다. 당신 자신과 다른 사람과의 관계에서 명료성을 높이는 것은 당신의 경험이 무엇인지를 얼마나 많이 인식하느냐에 달려 있다.

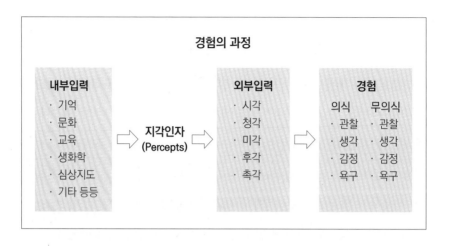

경험의 과정

내부입력		외부입력	경험	
· 기억		· 시각	의식	무의식
· 문화	지각인자	· 청각	· 관찰	· 관찰
· 교육	(Percepts)	· 미각	· 생각	· 생각
· 생화학		· 후각	· 감정	· 감정
· 심상지도		· 촉각	· 욕구	· 욕구
· 기타 등등				

처음에는 무의식적인 경험이라는 개념을 파악하는 것이 어려울 수 있다. 하지만 정의에 따르면, 경험이란 당신이 인식하는 어떤 것이지 않은가? 이 질문을 경험의 가장 객관적인 형태인 관찰을 통해 살펴보자. 나는 같은 복도를 열 번도 넘게 지나 다녀도 벽 색깔을 잘 알아차리지 못하는 사람이다. 반면, 내 아내는 자기가 방문했던 모든 집의 평면도까지 당신에게 말해줄 수 있는 사람이다. 그녀와 나는 관찰한 것을 인식하는 방법이 아주 다른 사람들이다. 만일 내가 최면에 걸린다면, 내가 지나갔던 복도의 벽 색깔을 말할 수 있을 것이다. 비록 내가 그걸 인식하지 못했을지라도 그 정보는 내 안에 있기 때문이다. 즉, 내가 경험은 했지만, 그것을 인식하지는 못한 것이다.

나는 집단 프로세스를 관찰하는 훈련을 받은 적이 있다. 한 시간 동안 그룹 안에 함께 있으면 그 시간 동안 누가 누구에게 무엇을 말했는지 상당 부분 재생해 낼 수 있다. 그러나 그 정도로 재생해내려면 정신적으로 관찰 스위치를 켜 두고 있어야 한다. 그런데 그 모습은 평상시

내 모습은 아니다. 내가 말하고 싶은 핵심은, 누구든 경험의 요소들을 많이 인식하도록 훈련 받을 수 있다는 것이다. 모든 사람은 인식의 표면 가까이 있어서 쉽게 인식할 수 있는 경험의 측면을 가지고 있지만, 아주 깊은 곳에 가라앉아 있어서 인식하기 힘든 측면의 경험도 가지고 있다. 이것은 아래의 '경험 큐브experience cube'라고 부르는 그림에 요약되어 있다.

경험 큐브는 경험으로 가는 로드맵이라고 할 수 있다. 경험 큐브는 자신의 경험을 더욱 깊이 인식하고, 다른 사람의 경험에 호기심을 집중하는 데 활용할 수 있다. 다음 장에서는 조직 학습과 파트너십에 기반한 성공적인 팀과 조직을 이끌기 위해 경험에 대한 인식을 어떻게 사용하는지에 대해 설명할 것이다. 이 장에서는 경험이 무엇인지에 대해서만 집중하고자 한다.

경험 큐브

관찰
(observations)

생각
(thoughts)

욕구
(wants)

감정
(feelings)

생각과 관찰이라는 요소

생각은 모든 인식 프로세스와 관련이 있다. 이 프로세스들에는 사고, 판단, 지각, 해석, 계산, 믿음, 아이디어, 환상, 시각적 이미지, 내적 대화, 백일몽(역자 주: 사람이 실재와의 접촉이 흐릿해져 부분적으로 시각적인 공상, 특히 행복하고 즐거운 생각, 희망, 야망으로 대체되는 것을 말하며, 깨어 있는 동안 경험하게 된다.)같은 것들이 포함되어 있다. 서구 문화권에서 가장 많이 발달된 요소는 '생각'이다. '생각'은 학교에서 많은 시간을 들여 개발하기 위해 노력하는 것이다. 우리는 뛰어난 사고력을 높이 평가한다.

경험의 모든 요소와 마찬가지로, 자신이 생각하는 것을 인식하는 깊이와 그 인식에 접속하는 속도는 사람마다 다르다. 어떤 사람은 말을 하면서도 생각할 수 있지만, 어떤 사람은 생각하는데 시간을 필요로 한다. 우리는 우리가 인식하는 범위 밖에 있는 생각도 가진다. 다시 말해서, 생각의 일부는 인식의 영역 안으로 가져올 수 있지만, 인식 영역으로 가져올 수 없는 부분들도 있다는 말이다. 예를 들어, 운전할 때 당신은 자신이 하고 있는 모든 것(지금 발을 들어 브레이크를 밟고, 신호가 바뀌면 브레이크에서 발을 떼는 등)을 생각하면서 하지는 않는다. 비록 그것들을 쉽게 인식영역으로 가져올 수 있다고 해도, 그런 생각은 대개 당신의 인식 범위 밖에서 일어난다. 그런데 인식 영역으로 가져오기가 훨씬 더 어려운 생각들이 있는데, 예를 들어, 어릴 적에 갖게 되어 그것을 억누르는 법을 배우기는 했지만 완전히 제거하지 못한 우리 자신에 대한 부정적인 판단 같은 것들이 그에 속한다. 하지만 매니저들의 클리어 리더십 능력을 높이기 위한 프로젝트를 했던 내 경험에 의하면, 4가지 경험의 요소 가운데 생각은 매니저들이 도움이 필요하다고 여기는 정도가 가장 낮은 부분이다. 대부분의 사람들은 대인관계 명료성을 만들어내기에 충분할 정도로 자기 생각을 인식하고 있다.

경험의 4가지 요소 중에서 더 자주 발생하는 문제는 관찰과 생각을 혼동하는 것이다. 다음 문장에서 관찰에 해당하는 것을 한번 골라 보라.

- 나는 당신이 화내는 것을 보고 있다.
- 나는 그가 배고파 하는 것을 보고 있다.
- 나는 그녀가 열심히 일하는 것을 보고 있다.

위의 3가지 중에서 어떤 것도 관찰이 아니다. 3가지 모두 내 생각일 뿐이다. 이것들은 어떤 행동에 대한 해석이고, 다른 사람의 경험에 관해 꾸며진 이야기, 혹은 다른 사람의 행동에 대한 판단이다. 자아분화의 토대가 되는 것 중 하나는 경험의 4가지 요소들을 구분할 수 있는 능력이다. 대인관계에서 스스로 명확해지려면 당신은 자신이 생각하는 것, 느끼는 것, 원하는 것, 관찰하는 것의 차이를 구분할 수 있어야 한다. 모든 차이점들 가운데, 학습을 이끄는데 가장 중요한 것은 아마도 관찰과 생각을 구분하는 능력일 것이다. 자신이 관찰한 것과 자기가 생각한 것의 차이에 대해 말할 수 없는 사람은 경험에서 어떤 것도 배울 수 없다. 그런 사람들은 자기가 해석하고 판단한 것 속에서 길을 잃고, 자신이 보고 싶은 것만 보고, 실제로 일어나는 것은 놓치게 된다.

어떤 사람이 마음에 상처를 입었다는 생각을 하게 될 때 당신이 관찰하게 되는 것은 무엇일까? 아마도 그 사람이 방에서 초초하게 서성거리거나, 울고 있거나, 팔짱을 낀 채 서 있거나, 얼굴을 찌푸리는 것을 보게 될 것이다. 이 모든 것들은 관찰에 해당한다. 관찰은 비디오 카메라가 현장을 찍어서 보여주는 것과 같다. 대개는 당신이 보고 들은 것이다. 다른 세 가지(촉각, 미각, 후각) 감각도 관찰에 기여하긴 하지만, 조직학습을 위해 주로 다루게 되는 것은 시각과 청각이다. 비디오 카메라는 어떤 사람이 열심히 일하고 있는 것을 포착하는 게 아니라, 그 사람이 일한 시간의 길이를 포착해 낼 뿐이다. 그 사람이 열심히 일하고 있는지 아닌지는 판단에 해당된다.

4가지 경험요소 가운데 객관성을 가지고 있는 유일한 요소는 관찰이다. 당신은 무엇을 했거나, 혹은 하지 않았다. 그녀는 어떤 것을 말했거나, 혹은 말하지 않았다. 불행히도 우리 중 어느 누구도 비디오 카메라처럼 순수하게 보거나 듣는 사람은 없다. 정확한 인식에는 수많은 장애물이 있다. 우리가 관찰하는 것은 우리의 내부 자극에 의해 형성된다. 지각인자에 의해 영향을 받는다는 뜻이다. 따라서 관찰 스킬을 개발하는 부분적인 방법은 실제 당신이 보고 듣는 것에서 당신의 지각인자(행복한지 짜증나는지)가 미치는 영향을 제거하는 것이다. 당신이 관찰한 것을 제대로 설명하려면, 당신의 입장에서 어떤 사람이 실제로 보고 들은 것을 설명해야 하는데, 이때 가능한한 당신의 개인적 편견이 뒤섞이지 않도록 해야 한다.

대인관계 역량 가운데 하나는 정확하게 해석하고 판단하는(그것이 부정확할 수 있고, 검증이 필요하다는 것을 명심하면서) 능력이다. 당신이 의미형성을 멈추거나 사실만 보도록 노력해야 한다고 주장하는 것이 아니다. 무엇이 관찰이고, 무엇이 생각인지 최대한 명확히 해야 한다는 것을 말하고 싶은 것이다. 그렇게 하면, 당신은 보다 효과적으로 사람들이 자신의 경험을 통해 집단적으로 학습하는데 도움이 되는 다음의 세 가지를 할 수 있다.

* 당신에게 생각과 아이디어에 대한 데이터가 얼마나 많고 적은지 파악하고, 데이터를 충분히 확보하지 못했을 때는 혼자 밀고 나가는 것을 피할 수 있다.

* 당신이 해석하게 된 근거가 되는 관찰이 무엇이었는지에 대해 다른 사람에게 말할 수 있다. 이때 당신이 관찰한 것은 다른 사람이 당신을 이해하는데 도움이 되는 당신 경험의 핵심 부분이다. 이것은 학습 대화를 하는데 반드시 필요한 요소이다.

* 자신의 신념과 배치되는 것을 관찰할 수 있다. 만족스러운 이야기를 만들어낸 후에도, 개방적인 태도로 상황에 관해 보다 명료하고 정확하게 생각할 수 있다.

관찰한 것을 인식하는 능력이 비록 사람마다 다르기는 해도, 관찰은 우리가 판단하고 해석하는 데 상당히 큰 영향을 미친다. 우리가 교류할 때 말로 설명하는 내용보다 비언어적 단서들에 얼마나 더 많이 의존하는지 실제로 알지 못하지만, 대부분 그러한 경우가 더 많을 거라고 추정한다. 상호교류를 하는 동안, 우리는 다른 사람들이 실제로 말하고 있는 것보다 우리가 그들을 관찰하는 것으로부터 더 많은 의미를 만들어 낸다. 그것을 인식하든 아니든, 우리는 다른 사람에 대한 이야기를 만들어 내고, 그들이 말하는 것을 해석하기 위해 그들이 손으로 무엇을 하는지, 얼굴 표정은 어떤지, 어떻게 움직이는지, 말하거나 들을 때 어디를 보는지 등등에 끊임없이 주의를 기울인다. 당신이 이렇게 하고 있다는 것을 스스로 인식하면, 당신이 지어내는 이야기와 당신이 실제로 아는 것을 구별할 수 있게 된다.

잘 관찰할 수 있는 스킬이 있으면 마음 속으로 기록했다가 말과 행동으로 표현된 것을 편견없이 재생할 수 있다. 이 정도의 관찰 스킬을 개발하려면 상당한 노력과 연습이 필요하다. 많은 사람들은 상호교류에 깊이 참여하는 것과 상호교류를 관찰하는 일, 두 가지 모두 어렵다는 것을 알고 있다. 당신이 상호교류에 깊이 관여해서 다른 사람과 자신을 더 많이 볼수록 당신의 경험으로부터 더 많은 것을 배울 수 있을 뿐만 아니라, 그룹에서 학습을 리드할 수 있게 된다. 이러한 관찰자적 기능은 바로 인식에 관한 것이다. 데이터는 항상 거기에 있지만, 인식은 그렇지 못한 경우가 많다.

당신의 생각에 힘을 실어줄 수 있는 훌륭한 관찰 스킬이 없으면, 다른 사람에게 도움이 되는 피드백을 줄 수 없다. 또한 당신의 생각과 판단의 근거에 대해 설명을 할 수도 없고, 다른 사람을 효과적으로 대면할 수도 없다. 이 책을 읽어가다 보면 내가 왜 이렇게 말하는지가 보다 명확해질 것이다. 당신이 목표로 둬야 할 것은 매순간 당신 안에서(내가 이런 생각을 하고, 이런 이야기를 만들고, 이런 감정을 느끼고 있다) 그리고 당신 바깥에서 무슨 일이 일어나는지 관찰하는 능력을 키우는 것이다. 그렇게 할 수 있을 때, 당신은 성과를 내면서도 학습을 이끌어갈 수 있고, 성공적이고 지속적인 파트너십을 구축할 수 있게 된다.

감정이라는 요소

서구 문화는 생각이라는 요소를 높은 수준으로 발전시켜 온 반면, 감정에는 훨씬 덜 익숙하다. 우리는 좋은 생각을 판단하는 기준을 가지고 있는데, 그렇다면 좋은 감정이란 무엇일까? 이 질문이 타당하기는 한가? 많은 조직에서 사람들은 감정을 드러내놓고 말하기를 꺼린다. 그런데 감정이 왜 중요한가? 감정을 그냥 자기 안에 묻어 두고, 사실과 논리에 입각해서만 행동하는 것이 더 낫지 않은가?

나는 그 입장을 이해한다. 감정은 너무 주관적이다. 그것은 다루기도 어렵다. 우리들 대부분은 감정을 확실히 이해하지 못한다. 하지만 문제는 여기에 있다. 즉, 감정이 우리의 행동과 의미형성에 강력한 영향을 미친다는 점이다. 놀랍게도 감정은 경험의 모든 요소들 가운데 우리가 타인들에게서 가장 많이 주의를 기울이는 요소이며, 우리가 다른 사람들과 상호교류를 하는 방법을 선택할 때 가장 크게 영향을 미친다. 예를 들어, 당신이 상사와 민감한 사안에 관한 대화를 원한다고 가정해보자. 대화를 시작하기 전에, 제일 먼저 무엇을 확인하는가? 상사의 기분은 어떤가? 그는 지금 무엇을 느끼고 있는가? 우리가 단절되지 않은 상태에 있다면, 다른 사람들의 감정을 지속적으로 모니터링하고 그들이 무엇을 느끼고 있는지에 대한 이야기부터 만들 것이다. 내가 방금 말한 것을 상사는 어떻게 받아들일까? 그가 그것을 괜찮다고 느낄까? 우리가 감정을 인정하지 않고 그것에 대해 말하지 않는다면, 그들은 대인관계 혼돈에 빠질 것이다.

왜 우리는 다른 사람의 감정에 그렇게 많은 주의를 기울이는 것일까? 그 이유는 감정이 사람들의 의사 결정과 행동에 얼마나 강력한 영향을 미치는지를 우리가 직관적으로 알고 있기 때문이라고 생각한다. 우리가 먼저 느끼고, 그런 다음에 생각한다는 것을 밝혀주는 과학적 증거가 늘어나고 있다. 의사결정에 대한 연구에 의하면, 사람들은 어떤 것에 대한 느낌에 따라 결정하고, 그 후에 결정을 뒷받침하기 위해 생각을 정리한다고 한다. 사람들이 차를 구매할 때도 그렇게 하고, 경영진이 전략을 수립할 때도 그렇게 한다. 우리가 감정에 대해 말하지 않고 인정하지 않으면, 벌어지고 있는 일에 대한 중요한 정보 소스를 배제하는 셈이 된다. 당신이 느끼고 있는 것을 다른 사람에게 말하지 않으면, 그들은 바로 당신의 감정에 대해 이야기를 꾸며낼 것이다.

감정feelings은 2가지 요소, 즉 감각sensation과 감성emotion으로 이루어진다. 둘 다 모두 몸에서 실제로 느낄 수 있는 것이기 때문에, 감각과 감성은 모두 감정이다. 감성은 감각들이 결합된 것이다. 당신이 어떤 것을 몸으로 느끼지 못한다면, 그것은 감성이 아니다. 하지만 감성은 감각과 다른데, 당신의 존재 상태에 대한 판단이 감성과 결합되었기 때문이다. 감성은 명확한 메시지를 가지고 있지만, 감각은 그렇지 않다. 예를 들어, 내가 사랑을 느낀다면, 감각은 가슴 부위의 따뜻함이다. 그러나 내가 사랑을 느끼고 있다는 것을 아는 것은 그 감정의 대상과 나와의 관계에 대해 많은 것을 말해주는 데 반해, 가슴 부위의 따뜻함은 그 자체로 그 이상에 대해 말해주지 않는다. 만일 내가 화가 나면, 턱에 약간 긴장감이 있고, 정말 많이 화가 나면, 복부에 가벼운 메스꺼움이 있다. 다시 말해, 감성으로서 화는 근육의 긴장과 메스꺼움보다 더 많은 의미들을 함축하고 있는 것이다.

경험에서 감각이 하는 역할에 대해서 먼저 설명한 후, 감성에 대해 살펴보기로 하자.

(1) 신체 감각 Body Sensations

신체 감각은 경험의 일부이지만, 많은 사람들이 가장 잘 모르기도 하고, 가장 관심을 기울이지도 않는 부분이기도 하다. 신체 감각은 뜨거움, 차가움, 그리고 고통과 기쁨, 긴장과 이완 같은 것들이다. 그것은 경험의 기본이 되면서 우리의 행동에 강력한 영향을 미친다. 예를 들어, 뜨거운 난로에 손이 닿을 때 생각할 틈도 없이 순간적으로 손을 떼는 것처럼, 우리가 고통을 감각할 때도 우리는 아주 빠르게 반응한다.

만일 댄스, 요가, 명상, 기공, 또는 신체적 정신치료와 같은 훈련을 통해 몸에 관심을 가지는 훈련을 받아 본 적이 없다면, 당신은 자신의 몸을 무시하고 그것을 인식 밖으로 밀어내는 데 숙달되었을 확률이 크다. 내가 처음 몸 상태에 주의를 기울이기 시작했을 때, 나는 얼마나 많은 무의식적인 통증(내가 무감각했던 근육통)을 내가 가지고 있는지를 발견하고 무척 놀랐다. 만일 당신이 무의식적인 신체적 통증이 있는지를 확인하고 싶다면, 마사지를 받아보라. 당신이 보통의 사람이라면, 근육에 많은 통증을 가지고 있지만 누군가가 그 근육을 건드리기 전까지는 자신이 무감각한 상태에 있었다는 걸 알게 될 것이다. 나는 강하고 깊숙하게 누르는 마사지를 말하는 게 아니라, 약하고 부드러운 터치에서 오는 통증에 대해 말하는 것이다.

우리는 유아기 때부터 신체 감각을 인식 밖으로 밀어내기 시작한 것 같다. 마치 작은 몸에 비해 감각이 너무 커서 우리를 압도하는 것처럼 말이다. 남자들이 20세 정도가 되면, 목에서 사타구니까지 감각이 없다는 농담을 많이 한다. 적어도 내 세대는 그랬다. 스포츠와 학교의 거친 환경 속에서, 소년들(그리고 점차적으로 소녀들)은 의식 밖으로 신체감각들을 밀어냄으로써 자신의 반응을 통제하는 법을 배운다. 그래서 육체적, 혹은 감성적 상처를 드러내지 않고 항상 아무렇지 않은 척 쿨하게 보이려 한다. 우리는 6살 때부터 하루 6시간 이상씩 조용히 앉아 있어야 한다고 배운다. 이렇게 함으로써 신체 감각이 우리를 끊임없이 곤란에 처하게 할 수 있는 상황에서도 우리 자신을 흔들리지 않고 잘 유지하는 법을 몸에 익히게 된다.

우리 사회는 신체 언어를 가지고 있지 않다. 아픈 경우를 제외하고는 몸 상태에 거의 주의를 기울이지 않는다. 하지만 신체 감각은 경험의 주요한 형태이자 중요한 정보를 많이 가지고 있는 곳이며, 우리가 생각하고 요구하고 행동하는 것에 큰 영향을 미친다는 것이 밝혀졌다. 그것들은 주관적 진실의 타당성을 검증하기 위해 우리가 갖고 있는 유일한 기반이다. 많은 사람들은 자신이 무엇을 느끼고 원하는지 잘 확신하지 못한다. 질문을 받으면 자신이 어떻게 느끼는 지를 재빨리 말할 수 있는 사람들이 일부 있기는 하지만, 대부분의 사람들은 자신의 감정을 인식하거나 표현하는 방법을 한번도 배운 적이 없다.

10대 시절, 나는 내가 다양한 감정들을 가지게 될 것이라 배웠고, 어떤 상황에서 어떤 감정을 갖는 것이 적절한지도 배웠다. 이후에 나는 감정에 대한 수업을 듣고 워크숍에도 참가했지만, 감각과 몸에 대해 주의를 기울이는 법은 배우지 못했다. 결국 내가 무엇을 느끼고 무엇을 원하는지에 대해 실제로는 배우지 못했다. 20대 후반 무렵에는, 대부분의 상황에서 내가 무엇을 원하지 않는지는 알았지만, 내가 원하는 것이 무엇인지는 알지 못했다. 그래서 나는 몸에 대해 주의를 기울이기 시작했고, 인식하고 있지는 않았지만 여전히 나에게 영향을 미치고 있던 수많은 감각, 감정, 욕구들을 내가 가지고 있다는 것을 깨달았다.

무의식적인 감각이 누군가와의 중요한 파트너십을 파괴했던 어떤 사람의 사례를 들어 보겠다.

쇼나는 마일로와 같은 부서에서 일하며, 마일로의 관리자로서의 능력과 역량을 존중했다. 그들은 수년간 함께 일하며 서로에 대해 상당한 친밀함과 배려심을 키워 왔다. 그런데, 처음 몇 년동안 쇼나는 마일로와 상호교류를 하고 나면 가끔씩 기분이 좋지 않다는 것을 알게 되었다. 처음에는 왜 그런지 이유를 알지 못했지만, 그 문제에 더 관심을 두면서 자신이 마일로와 가까워졌다고 느낄 때마다 마일로가 마치 그들 사이의 친밀감을 줄이려는 듯 미묘한 방식으로 그녀를 깎아내리려 한다고 믿게 되었다.

어느 날 마일로가 쇼나의 업무에 관해 문제를 지적한 직후(비록 고객으로부터 성공적이라는 찬사를 들었음에도 불구하고), 그녀는 그의 의도를 의심하면서 정면으로 부딪치고 말았다. 마일로는 정당한 상황에서 건설적인 피드백을 제공한 것 이상의 행동을 했다고 생각하지 않았다. 그는 거리를 두겠다는 생각도 하지 않았고, 그럴만한 논리적인 이유도 없었다. 하지만 쇼나의 관점에서 보면, 그녀가 우려하는 행동을 마일로가 보게 하려고 할수록 그런 행동이 더 많이 일어났다. 컨설턴트로서 내가 이 상황에 관여하게 되었을 때, 쇼나는 자신의 일을 좋아하고 마일로와 좋은 팀이 될 수 있을 거라고 느끼고 있었지만 퇴사를 심각하게 생각하고 있었다. "마일로의 행동은 제 자존감에 상처를 줄 뿐입니다. 성과를 개선하는 것과 관련이 있다고 생각하지 않아요."라는 것이 그녀의 생각이었다. 마일로는 쇼나가 민감하게 대응하는것이 성가시다고 느꼈다. 쇼나가 업무관계 외에도 자신에게 많은 것을 원한다고 생각했다. 바로 그 점 때문에 쇼나가 자기에 대해 불만을 갖게 되었다고 생각했다. 그들이 파트너십 관계를 유지할 수 있는 가능성은 점점 줄어들었다.

나는 마일로가 쇼나의 경험을 단호하게 묵살하는 것에 더 많은 호기심을 갖게 되었다. 다른 사람의 관점에 호기심이 없고 그것을 단호하게 묵살할 때는 그 사람에게 어떤 무의식적인 것이 작동하고 있다는 것을 보여주는 신호가 된다. 나는 마일로가 자신의 일부분을 잘 모르고 있다는 생각이 들었다. 그래서 실험을 제안했다. 두 사람 모두 그것에 동의했다. 나는 마일로가 방 한 곳에 서 있도록 부탁하고, 쇼나에게는 다른 쪽 끝에 서 있게 했다. 그러고는 쇼나에게 마일로를 향해 천천히 걸어가게 하면서, 마일로에게는 그의 신체 감각에 어떤 변화가 있는지 주목하도록 요청한 다음 무슨 일이 일어나면 쇼나를 멈추게 하라고 요청했다. 쇼나가 마일로에게 3미터 정도로 접근했을 때, 그는 "멈춰" 라고 외쳤다. 나는 무슨 일이 일어났는지 물었다. 마일로는 내장이 뒤틀리는 느낌을 받았다고 했다. 나는 쇼나에게 천천히 뒤로 물러나라고 부탁했다. 쇼나가 몇 발짝 뒤로 물러선 후 마일로는 감각이 없어졌다는 사실에 굉장히 놀라워했다. 나는 쇼나가 여러 차례 앞으로 왔다가 뒤로 물러나는 동작을 되풀이하게 했다. 쇼나가 마일로에게 3미터 정도로 가까이 다가올 때마다 마일로의 감각이 되풀이되어 나타났다.

이 순간에 마일로의 의식에는 몇가지 중요한 생각들이 비처럼 쏟아져 내리고 있었다. 그는 쇼나와 접촉하지 않고 지내왔던 것과 그녀에게 무의식적인 반응을 보인 자신에게 화가 났다. 뒤틀려 있는 느낌에서 벗어나고 싶어서 그는 쇼나에게 자신을 향해 걸어와 달라고 요청했다. 그러자 마일로는 목이 조이는 것처럼 숨을 쉬기도 힘들어했다. 결국 쇼나는 다시 뒤로 물러섰다.

마일로는 쇼나가 자신에게 너무 가까이 있다고 느꼈을 때, 그의 내장이 뒤틀리는 무의식적인 감각에 자신이 반응해왔다는 것을 알게 되었다. 그는 쇼나에게 "건설적인 피드백"을 준다고 생각했지만, 사실 그것은 그녀를 밀어냄으로써 자신이 느끼는 불편감을 줄이기 위해 무의식적으로 취했던 방법이었다는 것을 깨닫게 되었다. 마일로는 이제 자신의 감각을 알아차릴 수 있게 되었다. 더 이상 그녀를 밀어내지 않고, 필요한 경우에는 편안하게 거리를 유지해 달라고 부탁할 수 있게 되었다. 그녀 또한 기꺼이 그렇게 해주었다. 그 후 그의 내장이 뒤틀리는 감각은 사라졌다.

여기에서 당신이 이해했으면 하는 것은 신체 감각의 힘이고, 신체 감각이 무의식적으로 우리의 행동을 강제하는 수준이다. 이러한 감각은 임의로 존재하지 않는다. 위의 사례에서 쇼나에 대해 느끼고 있던 마일로의 친밀 불안intimacy anxiety과 그가 실제로 원하는 것이 무엇인지 마일로 자신이 인식하지 못하는 상태였다는 것을 여러분은 알게 되었을 것이다. 하지만 그의 감각이 그것을 알게 해주었다. 감각은 우리 내부에서 무슨 일이 일어나는지에 대한 유용한 정보를 담고 있다. 어떤 사람들은 위에서 나는 꼬르륵거리는 소리, 목 부위의 통증, 어깨의 긴장 등과 같이 경고를 주는 감각을 듣는 방법을 배울 수 있다. 때때로 그들은 실제적인 감각을 알아차리지 못하면서도 말로 표현할 수 없는 감각에 대해 끊임없이 말을 한다.

몸에 귀 기울이는 것을 배움으로써 우리는 생각, 감성, 욕구의 무의식적인 측면을 인식하는 법을 배울 수 있다. 신체 내부에 장착된 신체 감각 탐지기에 대한 인식을 발전시킴으로써 우리 자신에 대해 만들어낸 이야기가 진실인지 아닌지 알 수 있다. 우리가 무의식 단계에서 유지하고 있는 주관적 진실은 감각을 통해 최초로 인식 영역으로 진입한다.

(2) 감성 Emotions

감성은 메시지를 담고 있는 감각이다. 영어에는 수백 가지 감성과 관련한 단어들이 있지만, 내 수업에 들어오는 학생들은 몇 분동안 감성을 표현하는 20개 단어를 적는 것도 힘들어한다. 만일 당신의 감성 지도emotional map가 얼마나 풍부한지 알고 싶다면, 책을 덮고, 1분 간 당신이 생각해 낼 수 있는 감성 관련 단어를 모두 적어보라.

얼마나 많은 단어를 적었는가? 당신이 실제로 감성을 적은 것인지 지금 확인해 보라. 어떤 사람들은 판단과 감정을 헷갈려 한다. 사람들은 "나는 괜찮아I feel OK"와 같은 말을 한다. 그들은 몸 어디에서 괜찮다고 느끼는 것일까? 이것은 그들이 어떻게 느끼는지에 대한 판단(생각)이지, 감성은 아니다. 그들이 행복, 흥분, 기쁨을 느낀다면, 이것은 어떤 사람이 "괜찮아"라고 판단할지도 모르는 3가지 다른 감성이 될 수 있다. 차가움, 뜨거움, 배고픔 같은 감각은 감성과는 다르다. 비록 이 단어들이 때때로 감성으로 표현되기도 하지만 말이다. 태양으로부터 내가 느끼는 뜨거움은 감각이다. 내가 옷을 입었을 때 덥다고 느끼는 것은 감성이다. 당신이 작성한 목록 중 얼마나 많은 단어들이 이 책 5장 말미에 감성을 나타내는 단어표에 있는지 확인해보라. 만일 단어들이 목록에 없다면, 이 질문을 자신에게 던져보라. 당신의 몸 어디에서 이 감성을 느끼는가? 그것을 알기 위해서는 그것을 다시 느낄 때까지 기다려야 할지도 모른다.

당신이 단어 수를 줄여나간 후, 유효한 감성들이 몇개나 목록에 남아있는지 확인해보라. 만일 15개 정도가 남아있다면, 당신은 대학교육을 받은 평균적인 북미인보다 훨씬 풍부한 감성 어휘력을 가지고 있다고 할 수 있다. 물론, 사람들은 수백 개의 감성과 관련된 단어들을 인식하지만, 감정 지도feeling map안에서 자유자재로 사용하고 있는지는 별개의 문제다. 그러한 감성 단어들을 가지지 않고는 스스로에게나 다른 사람에게 감성을 표현하는 것은 어렵다.

당신은 아마도 감성과 관련된 단어를 알고 있지만, 실제로 몸에서 그것을 느끼고 있다고 생각지는 않을 것이다. 당신은 분노와 행복감을 가질 수 있지만, 대개는 그와 관련된 다양한 감정을 인식하지는 못한다. 남자들이 느낄 수 있는 능력이 활성화되지 않는 한, 이런 일은 남자들에게 흔히 일어난다. 1980년대 남성 운동을 시작한 로버트 블라이Robert Bly가 주장하기를, 일반적으로 남성은 자신의 감정을 느끼는 법을 터득한 나이 많은 남성과 가까이 지내면서 자신의 감정을 느끼는 법을 배울 수 있다고 했다. 내 인생에서도 그랬다. 아기의 탄생도 남성의 감성을 활성화시킬 수 있지만, 감성의 전체 스펙트럼은 어떤 방식으로든 자신의 감정에 접속했던 사람들에게만 나타난다. 또한 블라이는 여성의 경우 이런 방식으로 감정에 접속하는 절차가 필요치 않은 것 같으며, 여성이 남성을 자신의 감정으로 유도할 수는 없다고 말한다.

우리의 신체감각을 마비시키는 동일한 상황들은 우리의 작은 몸이 감당하기에는 너무 크고, 우리의 경험을 압도할 정도로 많은 종류의 감성들을 알아차리지 못하게 한다. 우리는 그것들을 느끼지 않으려 하고, 많은 사람들은 느끼지 않기도 한다. 어떤 가족은 특정한 감성만 허용한다. 화를 표현하는 것은 괜찮지만, 두려움을 표현하는 것은 허용되지 않고, 행복감을 느끼는 것은 괜찮지만, 슬픔을 느끼는 것은 허용되지 않는다(그 반대도 마찬가지다). 우리는 가족들 사이에서 허용된다고 배운 감성들은 인식하려고 하지만, 그 나머지 감정들은 인식하지 않으려 한다.

감성은 우리의 경험에 엄청난 영향을 미친다. 그래서 조직에서 일어나는 의사결정과 행동에도 큰 영향을 미친다. 어떤 조직에서는 감정에 대해 말하는 것이 적합하지 않다고 생각한다. 이런 조직문화에서는 파트너십을 기반으로 하는 조직을 구축하는 것이 어렵다. 너무 많은 사람들이 의식되지도 않은 감정에 따라 행동하는 것만으로도 충분히 나쁜 상황이다. 이렇게 하는 자체만으로도 감정을 인식과 선택 바깥에 있는 힘으로 만들어 버린다. 의식되지 않은 감정을 사회적으로 받아들일 수 없게 만들고, 그에 대한 논의조차 배제하는 것은 더욱 불행한 일이다. 사람들은 감정을 가지고 있고, 그 감정들은 그들이 말하고 행동하는 것에 강력한 영향을 미친다. 감정을 무시하면 그것은 지하로 밀려나서 점점 더 관리하기 어렵게 된다.

이미 결정한 사항들이 사람들의 감정을 침해한다는 이유로 실행되지 않을 때가 있다. 급진적인 변화를 촉구했지만 결국은 무시된 대기업들의 전략 계획들은 어떠한가? 내가 일했던 한 회사는 리더없이 권한을 부여받은 자율 경영팀을 확대하는 내용이 포함된 전략을 만들었지만, 당연히 이 전략은 전혀 실행되지 않았다. 말로는 이 전략에 동의한다고 했던 임원들도 새로운 전략에 대해 매우 복잡한 감정을 가지고 있었던 것이다. 경영진은 리더 없는 그룹이 불편했지만, 논리적으로 자율 경영팀 자체는 좋은 아이디어였기 때문에 속마음을 그대로 말하는 것에 부담을 느꼈다. 그래서 공식적으로는 그 전략에 동의했지만 결국 실행에 옮기지 않을 계획들을 전달했던 것이다. 그 결과, 사람들은 미래에 무엇을 믿고 무엇을 할 수 있을지 확신할 수 없었다. 그들에게 어떤 기회비용이 들지 누가 알겠는가? 조직이 감정을 인정하고 문제해결과 의사결정에 감정을 통합시킬 때, 사람들이 실행에 옮길 수 있는 더 좋은 계획이 만들어진다. 그것이 바로 당신이 현실적으로 얻을 수 있는 결과인 것이다.

감성적 성장을 나타내는 전형적인 특징은 자신의 감각과 감성에 압도되지 않고 그것을 충분히 느끼는 능력, 감각과 감성을 약화시키지 않으면서도 억제할 수 있는 능력, 감각과 감성이 목적에 맞고 이성적으로 작용하고 있다는 것을 인식하는 능력이다. 나에게 있어서 이것이 의미하는 것은 불안을 느끼면서도 위험을 감수하고, 필요한 조치를 적극적으로 취하는 와중에도 슬픔을 느끼고, 내가 아는 것을 다른 사람에게 말하는 것이 그들을 불안하게 할 지도 모르지만 그들을 진정으로 배려하는 마음을 느끼는 법을 배우는 것을 의미한다. 이는 자아분화에 대한 모든 것이기도 하다.

욕구라는 요소

경험의 네 번째 요소는 욕구wanting다. 욕구란 당신이 추구하는 목적, 대상, 이상, 목표 외에도 매 순간 당신이 가지는 욕망, 의도, 동기, 야망, 필요, 갈망 등을 말한다. 우리는 언제든 자신이 원하는 것에 대해 명확한 감각을 가지고 태어난다. 어린 아이들을 보라. 어린 아이들은 자신이 원하는 것을 정확히 안다. 그러나 우리는 사회에서 성장하는 동안 스스로 원하는 것을 인식할 수 없게 되었다. 아이였을 때, 우리는 충분한 이유를 들어가며 가질 수 없다고 들었던 많은 것들을 갖고 싶어했다. 그러나 살아남기 위해 우리는 욕구를 억누르는 법을 배워야 했고, 다른 어떤 것을 하고 싶었지만 교실에 조용히 앉아 있어야만 했다. 만족감을 늦추기 위해 우리가 배웠던 것은 수많은 좋은 결과들을 낳았지만, 다른 한 편으로는 우리가 가지고 있는 현재의 욕구를 잘 인식하지 못하게 하는 부정적인 결과를 낳았다. 게다가 우리 자신이 무엇을 원해야 하는지에 대해 끊임없이 메시지를 내보내는 소비사회는 우리 자신의 진정한 욕구가 무엇인지 더욱 혼란스럽게 만든다. 성인이 되어 사람들은 너무나 혼란스러운 나머지 자신이 원하는 것보다 원하지 않는 것을 더 명확히 알게 되었다. 때로는 우리가 정말로 원하는지 알아보기도 전에, 우리가 원한다고 생각하는 것을 얻어야 할 때도 있다.

　욕구를 인식하지 못하게 방해하는 것 중 하나는 우리가 욕구를 표현하는 것에 너무 신중하다는 것이다. 어떤 사람들은 욕구를 드러내는 것이 이기적이거나 공손하지 못한 것이라고 배웠다. 또 다른 사람들은 자신의 욕구에 대해 말하면 대인관계에서 문제가 발생할 수 있기 때문에 아무것도 말하지 않는 것이 더 낫다고 배웠다. 두 가지 경우 모두, 우리가 원하는 것을 말할 때 부정적으로 반응하는 사람들 주변에서 우리가 적용해온 결과다. 이 책의 3장에서 융합이 문제가 될 때에 대해 살펴보았다. 내가 당신에게 융합되어 있을 때 나는 당신이 원한다고 말한 것에 하는 수 없이 반응하게 된다. 당신이 원하는 것을 말만 하고 그대로 두는 것은 옳지 않다고 생각하기 때문이다. 내가 융합되면, 나는 두 가지 중 하나를 취하게 된다. 하나는 당신이 원하는 것을 주려고 노력하면서 당신이 그것을 얻는 방법을 알아내도록 도와주는 것이고, 다른 하나는 당신이 그것을 원하는 것이 아니라고 하거나 당신에게 좋은 것이 아니라고 당신을 설득하는 것이다. 나는 당신의 욕구에 부담을 느끼고 짜증을 낼 수도 있다. 이런 상황이 되면 사람들은 자신이 원하는 것을 말하면 반응적인 사람들이 보여주는 반응에 맞서서 싸울 수 밖에 없다는 것을 안다. 그렇기 때문에 차라리 아무 말도 하지 않는 편이 더 낫다고 생각하게 된다.

문제는 당신이 욕구를 표현한다는 것에 있지 않다. 내가 당신의 욕구를 만족시켜 줄 것으로 당신이 기대한다면, 그건 문제가 된다. 표현된 모든 욕구를 만족시키고 변화시켜야 한다고 생각하는 매니저에게는 경계boundary에 대한 문제가 생긴다. 경계 문제에 불을 붙이는 분리 불안separation anxiety은 부정적인 느낌과 더 많은 대인관계 혼돈으로 되돌아온다. 매니저가 사람들이 무엇을 원하는지 모른다면 어떻게 그들에게 동기를 불러일으키고 그들을 이끌어갈 수 있는가? 그렇게 할 수는 없다. 사람들이 자신이 원하는 것에 대해, 특히 서로에게 원하는 것이 명확하지 않은 상황에서는, 파트너십을 구축하고 유지하는 것은 불가능하다. 하지만 융합되어 있는 매니저는 다른 사람의 욕구에 어쩔 수 없이 반응해야만 한다고 느끼기 때문에 욕구를 표현하거나 더 많이 원하는 것은 좋은 것이 아니라는 메시지를 전달함으로써 애초에 다른 사람의 말을 듣는 것 자체를 피하려고 할 것이다.

여타 다른 종류의 관계들과 마찬가지로, 조직 안에서 자신이 원하는 것이 자신에게나 다른 사람에게 명확하지 않으면, 원하는 것을 얻는 것은 불가능하다. 자신이 원하는 것을 얻지 못하면, 파트너십을 맺고 싶지 않게 되기에 욕구를 표현하는 것은 반드시 필요하다. 다른 사람이 무엇을 원하는지가 명확치 않으면, 당신은 협상을 잘 할 수 없고, 모두에게 유리한 해결책을 개발할 수도 없다. 또한, 높은 동기를 가지고 있는 사람들에게 임무를 부여할 수도 없다. 이것은 매우 단순하지만 사실은 어려운 일이다. 파트너십을 위한 첫번째 규칙은 자신이 원하는 것을 말해야 한다는 것이다. 두 번째 규칙은 자신들이 원하는 것을 반드시 얻을 거라고 기대해서는 안 된다는데 있다. 다른 사람이 원하는 것을 주어야 할 책임이 없지만, 파트너십 관계에 있고 프로젝트나 프로세스의 성공을 위해 서로에게 몰입해야 한다면, 아마도 그들은 다른 사람들이 원하는 것을 얻게 해줄 방법들을 찾고 싶어 할 것이다.

매니저들에게 치명적인 함정 중 하나는 직원들이 원하지 않는 것이 무엇인지에 대해서만 말하게 해놓고는, 자신이 여전히 직원들을 만족시키기 위한 책임을 지는 것이다. 이런 일은 경영진과 노조의 상호관계에서 자주 볼 수 있다. 노조가 "당신들은 회사측이니까 당신들이 제안하면, 우리가 그것을 좋아하는지 아닌지 말해주겠습니다."라고 말할 때이다. 매니저들은 부하직원들이 생각하는 것이 무엇인지, 느끼는 것이 무엇인지에 대해 물어보지만, 그들이 원하는 것이 무엇인지 물어보는 것을 '잊어버리는 경우가 있다. 이런 경우는 직원들이 생각하고 느끼는 것이 무엇인지 일단 알게 되면, 그들의 욕구가 확실히 드러날 거라고 매니저들이 추측하기 때문이다. 하지만 항상 그런 것은 아니다. 이미 알고 있다고 생각했지만 나중에 사람들이 원하는 것을 말했을 때 놀랄 때가 종종 있다. 사람들의 욕구가 무엇일거라고 추측해서 생각하고 그 욕구를 충족시키려 하는 것은, 그들이 원치 않는 것이 무엇인지만 당신에게 말하도록 허락하는 것만큼이나 당신을 힘들게 한다.

마지막으로 우리의 욕구가 어떤 면에서 그릇되거나, 합법적이지 못하거나, 성숙하지 못하다고 하는 것과 같이 우리의 욕구가 옳지 않다고 생각하는 것도 문제다. 현실을 한번 제대로 보자. 우리가 스스로에게 주지는 못하지만 우리가 원하는 것은 많다. 나는 침대에서 나오기도 싫고 출근하기도 싫지만, 어떻게든 일어나서 출근을 한다. 나는 실용적이지 못한 빨간색 컨버터블 차를 사고 싶고, 당신은 오직 일년에 두 번 정도 밖엔 입지 않을 검은색 칵테일 드레스를 사고 싶어하지만, 우리는 그것을 행동으로 옮기지는 않는다. 단지 사람들에게 당혹감을 주는 것을 피하기 위해 우리 모두는 자신의 진정한 욕구와 동기를 다른 사람에게 말하는 것을 부분적으로 검열한다. 사람들이 서로 함께 잘 어울리기를 원하기 때문에 정말로 원하는 것이 무엇인지 말하지 않고 있다면, 이것으로 인해 파트너십이 위험해질 수 있다. 제리 하비Jerry Harvey는 한 가족의 유명한 이야기를 예로 우리에게 들려준다. 먼지투성이인 어느 날, 점심을 먹기 위해 누구도 가고 싶어 하지 않았지만, 이 가족은 100마일을 운전해서 애벌린(텍사스 주 소재)에 갔다. 서로의 기분을 상하게 하고 싶지 않아서 가족 중 누구도 그곳에 가고 싶지 않다고 말하지 않았기 때문이다. 사람들은 자신이 원하는 것을 말하기를 두려워하기 때문에, 혹은 다른 사람들을 배려하고 그들이 원하는 것에 기꺼이 동조하고 싶어하기 때문에, 이런 종류의 일은 충분히 일어날 가능성이 있다. 이 이야기에 등장하는 가족들은 좋은 의도를 가지고 있었지만 그들의 스킬은 형편없었다. 그들은 자신의 경험에 대한 진실을 솔직하게 말하지 않았다. 그들은 이기적으로 보이는 것을 피하고 싶어서, 다른 사람들이 애벌린에 가고 싶어한다고 자신들이 지어낸 이야기들(가족들이 멀리 점심 먹으러 가고 싶어한다는 생각)을 존중하고 싶었기 때문에 자신이 경험한 것을 사실대로 말하지 않았다.

파트너십을 지속적으로 유지하려면 파트너십 관계를 맺고 싶은 사람들의 욕구와 동기를 잘 이해해야 해야 할 필요가 있다. 그들은 사장, 동료, 부하 직원, 공급사, 고객사, 누구든지 될 수 있다. 클리어 리더로서 당신은 자신의 욕구를 진실되게 말하고, 다른 사람의 욕구에 대해 진정으로 호기심을 가짐으로써 명료한 문화를 만들도록 이끌어야 한다. 사람들은 당신만큼만 솔직하기 때문에 그들이 욕구를 억누르기를 원치 않는다면, 당신의 욕구를 검열하기 전에 한 번 더 고민해야 할 필요가 있다. 당신도 인간이고, 유치하거나 비현실적인 욕구를 가질 수 있으며, 충족될 것이라 기대하지 않고도 그러한 욕구를 표현할 수 있다는 것을 당신 부하들이 알게 하는 것이 더 좋을 수 있다.

요약

클리어 리더십은 모든 사람들이 자신의 고유한 경험을 만들고, 비슷한 상황에 있는 모든 사람이 각자 독특한 경험을 한다는 것을 가정한다. 경험 큐브는 경험을 설명하는 모델로서, 앞으로 소개할 3개의 장에서 여러분은 클리어 리더십에 대한 유용한 도구를 살펴보게 될 것이다. 관찰은 우리가 보고 들은 것을 비디오 카메라처럼 기록하는 것이다. 생각은 우리가 가진 해석, 아이디어, 판단, 신념이다. 감정은 우리 몸에 있는 감각과 감성이고, 욕구는 우리의 행동에 생기를 불어 넣는 욕망, 동기, 목표, 야망을 말한다.

경험 큐브 모델Experience Cube Model은 우리 각자가 매 순간 관찰, 생각, 감정, 욕구를 가지고 있다고 제시한다. 이들 4가지가 우리의 경험을 구성한다. 당신은 이중에서 일부는 인식하지만, 일부는 인식하지 못한다. 경험으로부터 학습하려면 자신의 경험의 4가지 요소 모두에 접근할

수 있어야 하고, 그것을 다른 사람에게 서술할 수 있어야 한다. 이 능력
은 자신이 경험하는 것을 인식하는 것에서 시작된다.

5

인식 자아
매 순간 일어나는 경험 인식

리더십 관련 책이나 강의마다 자기 인식self-awareness의 필요성에 대해 말하고 있다. 그러나 그것이 의미하는 바는 무엇일까? 이 책에서 내가 강조하고 싶은 것은 가능한 한 자기 인식의 의미를 최대한 구체화 하라는 것이다. 클리어 리더십 모델에서 자기 인식의 핵심은 매 순간, 현재 시점에서 하는 경험이 무엇인지를 아는 능력이다. 진정한 자기 인식의 모든 유형은 여기에서 유래된 것이다.

클리어 리더에게 인식이 기본 스킬인 이유는 무엇일까? 왜냐하면 우리가 경험한 것으로부터 종합적으로 배우려면, 먼저 우리가 경험하는 것이 무엇인지 알아야 하기 때문이다. 자신의 경험을 이해할 수 없고, 다른 사람들의 경험 또한 알지 못하면 학습을 이끌 수 없다. 당신이 집단적 경험을 바탕으로 배우고, 적용하고, 조율할 수 없다면, 당신은 파트너십을 유지할 수 없다. 그렇기 때문에 자기 인식을 유지하는 것에 전념하는 것이 제일 먼저 해야 할 일이다.

다음 페이지의 그림은 인식 자아를 보여주는 심상지도mental map이다. 이것은 매 순간의 경험이 무엇인지 아는 것이 인식 자아에 숙달되게 해준다는 것을 보여준다. 이를 위해서 내가 발견한 최고의 모델과 기법은 다음과 같다.

- 큐브를 채운다
- 명확한 언어를 사용한다
- 바로 지금, 바로 여기에 대해 말한다
- 당신의 심상지도를 확인한다

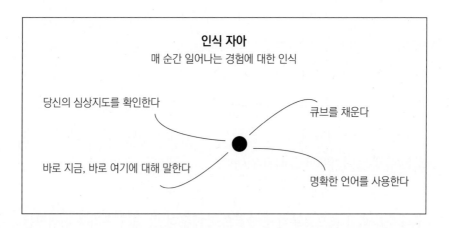

인식 자아
매 순간 일어나는 경험에 대한 인식

당신의 심상지도를 확인한다

큐브를 채운다

바로 지금, 바로 여기에 대해 말한다

명확한 언어를 사용한다

순서는 중요하지 않다. 4가지 모두 중요하며, 자기 인식을 최대화하려면 이 4가지를 병행해서 활용해야 한다.

먼저 경험 큐브의 4가지 요소를 인식하는 것부터 살펴보자. 그리고 나서 우리 자신과 다른 사람들에게 우리의 경험을 혼란스럽게 만드는,

언어를 사용하는 방식에서 우리가 사용하는 특성을 찾아내고, 그것을 어떻게 바로잡을지를 살펴볼 것이다. 이어서 '지금 여기' 현 시점here and now에 대해 설명하고, 파트너십을 유지하고 학습하기 위해 현재에 집중하는 능력이 왜 필요한지에 대해 소개할 것이다. 마지막으로 우리의 생각구조에 의해 경험이 어떻게 형성되는지, 그리고 그것을 인식하는 것이 조직 학습을 이끄는 데 왜 중요한지를 보여줄 것이다. 본 장의 끝부분에는 인식을 높여주는 데 도움이 되는 몇 가지 연습방법을 제시할 것이다.

큐브를 채운다

우리 모두가 4개의 상자(경험의 4가지 요소)를 가지고 있다고 상상해 보자. 우리는 언제든지 멈춰 서서 상자 안에 손을 담궈 무엇이 있는지 알아볼 수 있다. 다른 사람들은 다른 종류의 상자에 다른 깊이로 손을 담글 수 있다. 우리 중 일부는 한, 두개의 상자에는 손을 아주 깊게 담글 수 있지만, 그 외 상자들은 어디에 있는지조차 모를 수 있다. 또 다른 사람들은 네 개 상자의 윗부분은 훑어보지만 아래로 깊이 내려가지 못할 수도 있다. 사람들이 자신의 경험을 인식하는 데는 수도 없이 많은 차이가 차이가 있지만, 우리 모두는 동일한 상자를 가지고 있다. 그 상자들 각각에 대해 깊이 들어갈 수 있는 방법은 얼마든지 배울 수 있다.

인식에 관한 문제는 주의를 얼마나 집중하느냐에 따라 달라진다. 사람들이 큐브의 4가지 부분 모두에 주의를 집중할수록 자신의 경험에 대해 더 많이 인식할 수 있다. 문제는 '지금 여기' 현 시점에 있을 수 있는가이다. 순간 순간의 경험에 주의를 더 많이 집중할수록 자신의 경험 가운데 얼마나 많은 부분이 당신의 인식 밖에 있으면서도 당신에게 영향을 미치고 있는지 알 수 있다.

사람들이 각각의 요소에 대해 인식하는 수준은 다르다. 인식하는 데 걸리는 속도도 다르다. 어떤 특정 순간에 자신이 생각하는 것을 완벽에 가까울 정도로 잘 인식하는 사람들이 있을 수 있지만, 자신이 생각하는 것을 이해하기 위해서 시간을 필요로 하는 사람들도 있다. 어떤 사람들은 느끼는 그대로 자신의 감정을 안다. 그러나 어떤 것을 느끼는 것에 대한 감각이 전혀 없는 사람들도 있다. 그리고 감정뿐만 아니라 관찰과 욕망의 경우도 마찬가지다. 각각의 경험 요소에는 인식의 연속체continuum of awareness가 있으며, 우리가 경험의 각 요소에 대해 인식하는 정도는 모두 다르다. 인식 자아Aware self 스킬은 당신이 관찰하고, 생각하고, 느끼고, 원하는 것을 매 순간 온전히 인식하는 것을 의미한다.

생각

생각은 전문가와 사업가들에게 가장 잘 발달되어 있는 경험의 요소다. 사람들은 그들이 느끼고, 관찰하고, 원하는 것보다 그들이 생각하고 있는 것을 더 많이 인식하는 경향이 있다. 우리가 인식하지 못하는 생각들도 있는데. 특히 이러한 생각들이 어떤 방식으로든 어떤 사람에게 위협이 된다면 그 생각을 우리가 인식하지 못할 가능성은 더 높다. 내가 생각하고 싶지 않은 것들은 인식범위 밖에 있으면서도 머릿속을 어지럽게 만든다. 어떻게 무의식적인 생각이 우리의 의사결정, 선택과 행동에 영향을 미칠 수 있을까? 예를 한번 들어보자.

피터와 모센은 같은 조직에 있긴 하지만 다른 부서에 근무하는 마케팅 매니저들이다. 그들은 다른 영업 채널을 맡아서 회사 제품을 마케팅하고 있다. 그들의 직속상사는 다르지만, 두 사람 모두 효과적인 파트너십이 매우 중요하다고 생각한다. 피터와 모센은 6개월 전에 빠르게 성장하고 있는 이 회사에 입사했다. 단시간에 아주 가깝게 지내면서 서로의 성공을 위해 서로 협력해왔다. 이들은 서로에게 농담하기를 좋아했고, 퇴근 후 함께 술을 마시기도 했다. 그러나 시간이 지날수록 피터는 점점 더 시간을 내기가 어려워졌다. 피터와의 소통부족 때문에 모센이 곤란을 겪는 일이 생겼다. 피터가 모센에게 조언을 구하거나 알리지 않고 혼자 마케팅에 대한 결정을 내렸던 것이다. 그들이 함께 있을 때는 아무 일이 없는 것처럼 보였지만, 모센은 피터가 자신을 피한다는 느낌을 지울 수 없었다.

회사가 조직개편 가능성을 찾아보기 위해 나에게 프로젝트를 의뢰했을 때 모센은 자신이 처한 상황에 대해 내게 털어놓았다. 모센은 피터가 자신을 제치고 승진하는 데만 집중하고 있기 때문에 더 이상 그를 신뢰할 수 없다고 했다. 내가 피터를 만나 이야기했을 때는 그런 낌새를 느끼지 못했다. 오히려 피터는 모센이 가지고 있는 전문성을 존중하면서 그와의 파트너십을 고맙게 생각하고 있었다. 그래서 나는 조심스럽게 피터에게 모센이 서로에 대해 어떻게 경험하고 있는지 알아보라고 해봤지만, 피터는 그들의 관계에 아무 문제도 없다고 했다. 나는 다시 모센에게 가서 피터로부터 들은 말을 전해주었다. 그리고 나서 모센이 지금 피터에 대한 경험을 만들어내고 있는 중이기 때문에 그것을 반드시 정리해야 한다는 말까지 해줬다. 내 말을 듣고 나서 모센은 내게 코칭을 받으면서 피터에게 학습대화를 하자고 요청을 했다. 피터도 동참하겠다고 동의했다.

우리는 모센이 자신이 경험한 것을 서술하는 대화, 즉 피터와 자주 만나지 못해서 충분히 소통하지 못했던 경험을 얘기하는 것으로 대화를 시작했다. 처음에 피터는 방어적으로 대응했다. 피터는 자신의 행동에는 전혀 달라진 것이 없으며, 설령 그렇다고 하더라도 바빠서 그랬을 것이기 때문에 문제될 것이 없다고 주장했다. 모센이 소통에서 멀어지게 된 구체적인 시기와 상황에 대해서 설명하자, 피터는 당시 상황과 그럴 수밖에 없었던 이유를 설명하면서 그 상황이 모센과는 아무 관련이 없다고 했다. 나는 모센에게 그에 대해 어떻게 느꼈으며 무엇을 원했는지를 설명해달라고 요청했다. 그러자 모센은 피터와 좋았던 관계와 함께 즐겁게 지냈던 시간을 얼마나 그리워하고 원했는지에 대해 마음을 털어놓기 시작했다. 이 지점에서 피터는 방어적인 행동을 조금씩 내려놓으면서 점점 깊은 생각에 잠기기 시작했다. 피터는 모센이 말한 것을 듣고 매우 놀랐다고 했다. 내가 업무상황이나 업무 외 상황에서 모센에 대해 경험하고 있는 것에 대해 물어보자, 피터는 가끔씩 말을 멈추고 잠시 다른 곳을 응시하더니 마침내 이렇게 말했다. "내가 모든 것이 괜찮고, 아무런 문제가 없는 것처럼 보이려고 노력했지만, 실제로는 괜찮지 않았어요. 모센이 나를 깎아내린다는 걸 인정하고 싶지 않아서, 그걸 무시해 왔어요. 그런데 점점 그가 나를 존중하고 있지 않다는 생각이 들기 시작하더라구요." 대화를 하면서 밝혀진 것은, 모센이 우스갯소리를 한 적이 있는데, 그것이 피터에게는 상처가 되었던 것이다. 그러나 피터는 그런 속마음을 드러내고 싶지 않았을 뿐만 아니라 아예 그것에 신경을 쓰고 있다는 걸 인정하고 싶지도 않았다. 그는 마음의 상처를 안고 혼자서 힘든 시간을 보내온 것이다.

모센과 피터 둘 다 주고 받는 대화를 불편하게 느끼고 있는 것 같아서 우리는 분위기를 가볍게 하기 위해 두 사람이 결혼한 부부 같다는 농담을 주고받았다. 모센은 자신이 피터에게 미친 영향에 대해 듣고는 깜짝 놀라서 그에게 사과했다. 두 사람은 일을 잘 하기 위해 좋은 파트너십을 유지하고 싶다는 욕구를 재확인하면서 함께 한 잔 하러 나가기로 했다. 얼마 지나 모센은 피터와의 관계가 예전보다 좋아졌다고 웃으며 내게 말해주었다.

　무의식적인 생각, 감정 혹은 욕구는 경험에서 매우 중요하게 작용한다. 왜냐하면 그것이 무의식적으로 일어나고, 우리가 선택할 수 있는 경계 밖에 있기 때문이다. 피터는 모센이 자신을 존중하지 않는다고 자신이 생각한다는 것을 인식하지 못했다. 그런 상황을 생각하는 것조차 원

하지 않았기 때문에 인식할 수 없었던 것이다. 하지만 그 상황은 피터의 행동에 지속적으로 영향을 주었다. 다만 자신이 모센을 피하고 있다는 것을 알아차리지 못했을 뿐이다. 이런 상황은 무의식적인 생각과 관련하여 아주 자주 발생하는 일이다. 무의식적으로 하는 생각이 우리가 의식적으로 선택할 수 없는 방식으로 우리의 행동에 영향을 미친다. 주변 사람들은 우리 행동의 변화를 알아차릴 수 있어도 우리 자신은 알아차리지 못한다. 이 경우에서, 피터가 무의식적으로 하던 생각은 모센과 파트너십을 형성하고 싶다는 의식적인 욕망과 반대되는 방향으로 행동하게 한 것이다. 만일 모센과 피터가 학습대화를 하지 않았다면, 그들의 파트너십은 위기를 맞았을 것이다.

피터가 자신의 생각을 무의식적인 상태에 남겨두려고 했던 이유는 심리치료의 영역이지 우리가 여기서 다룰 문제는 아니다. 나는 사람들이 무의식적인 부분을 의식하도록 하기 위해 왜 경험의 일부를 무의식 상태로 두었는지를 배울 필요는 없다고 생각한다. 이 장의 끝 부분에 생각에 대한 인식을 높이는 몇 가지 스킬을 제시할 것이다. 다만 지금 중요한 것은 당신 경험의 일부는 생각으로(믿음, 가치, 의견, 판단, 인지 등) 이루어져 있고, 그러한 생각 중 일부는 당신의 인식 영역 밖에 있을 수 있지만, 그것 또한 여전히 당신 경험의 일부라는 것을 이해해야 한다는 것이다. 생각을 인식영역 안으로 가져오려면 다른 사람과 대화를 해야 한다. 당신 혼자 생각을 인식영역 안으로 가져오는 것이 어렵기 때문이다.

감정

어떤 문화에서는 다른 문화보다 감정을 더 중요하게 여긴다. 감정을 중요하게 여기지 않는 문화권에서는 감정을 인식하지 않도록 미묘한 방식으로 훈련시킨다. 감정을 억누르는 한가지 방법은 흉곽 아래 몸의 중앙에 있는 횡격막을 닫는 것이다. 이렇게 하면 감정이 가슴으로 올라와서 인식되는 것을 막을 수 있다. 내가 이런 방법으로 감정을 억눌렀을 때는 횡격막이 따갑기는 했지만, 횡격막을 찌르기 전까지는 그 감각을 의식하지 못했다. 또 다른 결과는 억눌린 강한 감정이 닫힌 횡경막에 힘을 주게 함으로써 척추가 미묘하게 회전하게 되고, 이로 인해 허리통증이 생겼다. 지금은 괜찮지만 나는 지난 몇 년 동안 허리통증때문에 고생을 했다. 우리 사회에서 억압된 감정이 얼마나 많은 허리통증을 일으키게 하는지 궁금할 때가 있다.

조직에서 감정을 억누르게 하면 조직이 약화된다. 그런데 조직 안의 개인들이 자신의 감정을 잘 인식하고 있는데도, 조직은 그들이 감정을 표현하는 것을 장려하지 않는다. "의사결정과 계획은 감정이나 느낌이 아닌, 사실의 분석과 논리에 입각해야 한다."는 말은 조직차원에서 감정을 억압하게 한다. 하지만 내가 앞 장에서 지적했듯이, 감정은 경험을 만들어내는 핵심적인 부분이고 수많은 의미형성과 연관되어 있다. 사람들은 논리와 분석에 대해 말하지만, 실제로 그들이 의사결정을 하고 행동하는 것은 다른 어떤 것보다 감정에 근거하고 있다. 감정을 드러내놓고 말을 하지 않으면, 우리는 감정을 우리가 인식할 수 없는 곳에 두게 된다. 그래서 그 감정에 대해 토론하거나 다룰 수 없게 된다. 가장 강력한 감정이지만 조직에서 거의 언급되지 않는 감정은 불안anxiety이다.

불안의 역할

수많은 집단에서 의사결정을 하거나 결정을 회피하는 것을 지켜보면서, 나는 조직행동 측면에서 가장 강력한 힘은 하나의 감정, 즉 불안을 회피하는 것이라는 결론을 내렸다. 이윤추구를 위한 동기는 비교적 약하다. 나는 수백만 달러가 방치되거나 허비된 채 의사결정이 내려지는 것을 보아 왔다. 그렇게 하면 굳이 불안을 조장하는 이슈를 다룰 필요가 없어지기 때문에 사람들은 그렇게 한다. 성과를 내지 못하는 매니저나 부서와 정면으로 부딪치지 않는 것, 사람들의 능력이나 안전지대 너머에 있는 새로운 아이디어를 탐구하지 않는 것, 현재 받아들여지고 있는 견해에 도전하는 시각이나 관점을 제시하지 않고 침묵하는 것, 경쟁적 위협이 증가한다는 신호를 무시하는 것, 다른 의견이 강하게 제기될 때 의사결정을 회피하는 것 등은 불안을 회피하는 전형적인 예가 된다. 당혹감은 우리가 어떠한 경우에도 피하고 싶어하는 불안의 일반적인 형태이다. "당황하지도 말고 다른 사람을 당황하게 만들지도 말라."는 규칙이 조직을 지배한다. 규칙을 지속적으로 어기는 사람은 전통적인 조직에서 살아남지 못한다.

한편으로, 불필요한 당혹감과 불안을 일으키면 사람들과 효과적으로 일을 할 수 없게 된다. 학습을 이끌려면 불안해하지 않아야 한다. 이 말은 현 상태에 안주하는 것을 참아주거나 시스템을 유지하기 위해 어떤 조치가 필요한데도 불구하고 우려되는 것을 덮어두라는 의미가 아니다. 대인관계 명료성을 만들어내려면 불안하게 하는 문제와 똑바로 바라보고 맞설 수 있는 의지가 필요하다. 당신 자신의 불안을 견딜 수 있어야만 한다는 것을 의미한다. 다시 말하면, 불안으로부터 분화된 상태에서 불안을 행동으로 표출하지 않고, 불안을 인식하는 상태에서 불안을 느낌에도 불구하고 합리적으로 행동할 수 있어야 한다는 말이다.

불안은 성공한 사람들에게는 특히 어려운 문제인데, 그들 중 많은 사람들이 불안하다는 것을 인식하지 못하기 때문이다. 불안을 인식하지 않도록 배우면 야망이 있는 사람들은 유용한 결과를 만들어낼 수 있다. 불안은 우리를 무력화시킬 수 있고, 위험을 감수하지 못하게 할 수도 있다. 불안은 말문이 막히게 하고, 재치가 가장 필요한 순간에도 그것을 발휘하지 못하게 만든다. 우리가 두려움을 인지하지 못할 때는 용기 있는 것처럼 보일 수 있다. 자신만만하고, 자신감 있고, 스스로 확신에 찬 사람들은 대개는 사업에서 성공하는 사람들이다. 불안은 좋게 보이지 않는다. 겉으로 보여지는 불안은 다른 사람들이 그들 스스로 불안해한다는 것을 알게 하기 때문에 훨씬 더 환영받지 못한다. 그 결과, 조직에는 자신의 불안을 인식하지 못하는 고위 간부들의 수가 넘칠 정도로 많다.

이렇듯 불안에 대한 인식부족 때문에 생기는 문제는 불안이 행동에 무의식적으로 영향을 미친다는 것이다. 사람들은 자신들의 행동이 불안을 표출하는 것이라는, 아니 더 정확히 말하면 불안을 회피하려는 욕구를 표출하고 있다는 사실을 알지 못한다. 예를 들어, 중독적인 행동은 불안과 여타 힘든 감정을 일차적으로 우리의 인식 영역 밖으로 보내기 위한 것이다. 이처럼 불안에 대한 인식 부족이 개인에게 미치는 영향 외에도, 팀과 조직에서 파트너십을 만들어내는 데도 두 가지 부정적인 결과를 초래한다. 첫째, 불안에 대한 인식이 부족한 리더들은 자신이 합리적이라 생각하고 있을 때에도 실제로는 합리적으로 행동하지 않는다는 것이다. 둘째, 불안에 대한 인식이 부족한 사람들은 함께 일하는 사람들과 점점 더 단절되어 간다는 점이다. 왜냐하면 무의식적으로 불안해하는 사람들은 불안의 원천을 밀어내는 방식으로 자신의 불안을 관리하기 때문이다. 만일 의사결정이 불안을 야기할 수 있다는 생각이 들면 그들은 의사결정을 미룬다. 어떤 사람이 불안을 만든다면, 그 사람이 떠나고 싶어하도록 어떤 행동을 한다. 이러한 일들은 의식하지 않는 상태에서 이루어지기 때문에, 무의식적으로 불안을 가진 사람은 무슨 일이 일어나고 있는지를 전혀 깨닫지 못한다. 심지어 본인이 사람 중심적이고 배려심이 있다고 생각하는 사람들조차도 무의식적 불안으로 인해 이런 행동을 한다. 3장에서 이미 언급했듯이, 그들은 점점 다른 사람들로부터 단절된다. 다음은 그에 대한 전형적인 예이다.

한 부하 직원이 무의식적으로 불안해하는 상사에게 프로젝트를 업데이트 해주는데 거기에는 나쁜 소식이 들어있다. 그 상사는 나쁜 소식 때문에 불안해하면서 본인이 무엇을 왜 하는지 인식하지 못한 채, 상황을 충분히 이해하지도 못하면서 부하직원에게 그 상황을 어떻게 해결할 것인지 말하기 시작한다. 부하직원이 상사가 제시한 해결책을 이미 해봤다고 말하거나 추가 정보를 말해주려고 할 때마다 상사는 더 많은 해결책을 제시하면서 직원의 말을 끊는다. 그 시간이 길어지자 부하직원은 자신이 진정으로 무엇을 생각하고 느끼고 원하는지 상사에게 더 이상 말하지 않고 아예 입을 닫아버린다. 그리고는 모든 것이 잘 될 것이니 걱정하지 말라고 상사를 안심시켜 주는 말로 상황을 정리하지만, 부하직원은 좌절감과 상사가 자신에게 아무 도움이 안된다는 생각, 자신의 몸

에서 힘이 빠지는 느낌을 가지고 자리를 뜬다. 그런데도 상사는 상황을 감지하지 못한 채 부하직원이 다시 정상궤도에 들어서도록 자기가 충분한 역할을 했다고 생각한다. 이렇게 되면 두 사람의 관계에서 혼돈은 그 어느 때보다 심해지고, 부하직원은 상사로부터 파트너십을 전혀 느끼지 못하게 된다.

감정은 우리가 생각하고, 원하는 것에 영향을 미치고, 행동하도록 동기를 유발시킨다. 그 감정이 불안이든 아니면 어떤 무의식적인 감정이든, 우리는 스스로의 행동을 이해할 필요가 있다. 그렇게 되면, 감정에 의해 촉발된 행동에 대해 충분한 외적 정당성을 찾을 수 있을 것이다. 예를 들어서, 나를 불안하게 할 누군가와 상대하는 것을 회피하려고 할 때, 나는 여러 가지 방법으로 그것을 합리화할 수 있다. 지금 당장은 그 사람을 상대하기에 너무 바쁘다, 또는 급하게 해결해야 할 다른 일들이 있다, 금요일 오후니까 월요일로 미루자, 그 사람에게서 친밀감을 느낄 수가 없다, 다른 누군가가 처리해야 할 일이다, 내가 상대하면 틀림없이 상황이 더 악화될 것이니 무슨 일이 일어나는지 좀 더 두고 보자, 등의 생각을 하면서 자신을 합리화하게 된다.

경험의 다른 요소들처럼 우리가 인식하지 못하는 감정도 우리가 통제할 수 없을 정도로 강력한 영향력을 발휘한다. 감정이 합리적인 의사결정과 행동에 방해가 된다는 것을 인정하면 무슨 일이 벌어질까? 그렇게 인정하고 나면, 우리는 좀 더 합리적으로 행동할 수 있다. 감정에 이름을 붙여주면 그 감정이 가지고 있는 힘을 떨어뜨릴 수 있을 뿐만 아니라, 의사결정 과정에서 그 감정을 고려할 수 있다. 그렇게 되면 실행 가능성은 높아질 것이다.

욕구

욕구를 인식하는 건 어떤 사람들에게는 힘든 일이다. 앞 장에서 그 이유에 대해 이미 설명을 했다. 주의력이 부족하거나 알고 싶지 않기 때문에 우리는 인식하지 못할 수 있다. 어떤 사람들은 진정으로 자신에게 필요한 것이 무엇인지 알기 위한 내적 자원이 결여되어 있어서 자신의 욕구를 인식하지 못할 수도 있다. 아주 중요한 유아기에, 그들이 필요한 것을 제대로 얻지 못했거나, 진짜로 필요한 것에 대해 알 수 있는 능력을 전혀 개발하지 못했을 수도 있다. 이런 사람들은 그들이 원한다고 생각하는 것을 얻어서 그 느낌을 직접 알게 될 때까지는 진짜 그들이 무엇을 원하는지 알지 못한다. 만일 당신이 위의 경우처럼 심리적으로 손상을 입은 사람이라면, 자신이 원하는 것이 무엇인지 배우기 위해 유아 발달기 치유 전문가로부터 치료를 받는 것이 필요할 수도 있다. 하지만 어떤 순간에도 우리에게는 욕구가 있다고 가정을 하고, 우리에게 동기를 촉발시켜주는 것이 무엇인지에 대해 세심한 주의를 기울이기만 하면 얼마든지 우리가 가지고 있는 욕구에 대한 인식을 높일 수 있다.

인간의 정상적인 동기는 사회적으로 받아들여질 수 있지만, 어떤 동기는 그렇지 못하다. 인식되지 못하는 동기들은 대부분 받아들여지지 못하는 것들이다. 언제나 내 주장을 관철시키고 싶어하는 내 안의 일부, 즉 탐욕스러운 모습이나 복수심에 불타는 모습 등을 나는 보지 않으려 한다. 내가 내 안의 그러한 측면을 의식하지 못하기 때문에, 내가 하는 행동이 그런 것에 기인한 것이 아닌 척한다. 그래서 필요 이상으로 욕심을 부려 원했던 것을 충분히 가졌던 때나, 무조건 이기기 위해 주장을 펼쳤던 때를 나는 인식하지 못하게 된다. 내가 이러한 욕구들을 인식할 수록, 내 행동을 더 잘 통제할 수 있다. 내가 필요 이상으로 무언가를 더 가지려 한다는 것을 알면, 다른 사람을 위해 좀 남겨둘지 아니면 욕심을 부려도 될지를 내가 선택할 수 있다는 것을 알아차릴 수 있다. 내 욕구를 알아차리면, 그 욕구를 멈추게 하지는 못해도, 내가 취할 행동은 보다 쉽게 선택할 수 있게 된다.

내가 가지고 있는 완벽하지 못한 동기를 드러내고 그것을 있는 그대로 받아들이면, 나 자신에 대한 동정심을 키울 수 있을 뿐만 아니라 타인에 대한 동정심도 더 많이 키울 수 있다. 이렇게 하면, 다른 사람들도 내 앞에서 자신들의 불완전한 동기를 더 쉽게 인정할 수 있게 된다. 그래서, 우리가 원하는 것과 필요로 하는 것이 갖는 현실적인 측면과 한계를 알아보고, 우리가 계속해서 추진할 수 있는 것을 선택할 수 있게 된다.

진정한 동기를 발견할 수 있는 좋은 방법은 당신이 만들어낸 결과를 살펴보는 것이다. 동일한 상황에서도 당신은 당신만의 경험을 만들어내고 있고, 다른 사람들은 그들만의 경험을 만들어내기 때문에, 특별한 경험을 하고 싶어하는 당신의 어떤 일면이 분명이 있을 것이다. 만일 당신이 계속해서 어떤 것을 쟁취하고 있다면, 이기고 싶어하는 당신의 어떤 면이 존재하고 있음이 틀림없다. 이는 대부분의 사람에게 적용되는 것이다. 만일 당신이 계속 무엇에 실패하고 있다면, 분명히 실패하기를 원하는 어떤 일면이 당신 내부에 있을 것이다. 이것은 다소 불명확하게 보일 수도 있지만, 내 경험으로 볼 때, 그것은 주관적인 진실이다. 왜 어떤 사람은 어떤 일을 하고서 실패하고 싶어할까? 매우 흥미로운 질문이다.

나는 직장 생활 초기에 형편없는 상사들을 많이 만났다. 더 정확하게 말하자면, 내가 잘 지내지 못했던 상사들, 내 눈에 무능해보였던 상사들, 내가 경멸했던 상사들, 결국은 나를 해고했던 상사들에 대해 경험을 했다. 같은 경험을 서너 번 하고 나자, 어쩌면 상사들이 문제가 아닐 수도 있다는 생각이 들었다. 내가 무언가를 했고, 그것이 나로 하여금 무능해 보이는 상사와의 경험을 하도록 만들었을 수도 있다는 생각이 든 것이다. 내 욕구 깊은 곳에 무엇이 있는지를 곰곰히 생각해본 후에야, 권한을 가진 모든 사람들에게 스타로 인식되고 싶다는 내 욕구를 발견할 수 있었다. 나는 상사들이 내가 얼마나 뛰어난 사람인지를 빨리 알아차려 주기를 원했고, 그들에게서 따뜻함과 친밀함을 느끼고 싶어했다. 상사들로부터 이런 것을 느꼈을 때는 나는 훌륭한 직원이 되었지만, 그렇게 느끼지 못했을 때는 그들에게서 벗어나 내 마음에서 그들이 가지고 있는 권한과 중요도를 덜어낼 이유를 찾기 시작했다. 상사들이 내가 가진 역량을 신속하게 발견하고 받아들여주지 않았기 때문에 나는 그들이 무능하다고 믿고 싶었던 것이다. 그들과 더 이상 거기서 일하고 싶지 않았다. 결국 모든 것은 내가 만들어 낸 결과였다.

어떤 사람들은 이런 관점을 너무 극단적으로 받아들인다. 그들은 "당신이 암에 걸린다면, 당신은 분명 죽고 싶어할 것입니다."라고 말할 수도 있다. 나는 사람들이 자신에게 일어나는 일을 근간으로 자기의 경험을 만들어 낸다고 생각한다. 하지만, 스스로 선택할 수 없는 일들도 일어날 수 있다. "나는 나만의 고유한 경험을 만들어낸다."는 것의 반대가 되는 측면은 "예기치 않은 일도 생긴다"는 것이다. 하지만 삶에서 얻게 되는 것을 내가 불러들였다는 것, 그리고 나의 무의식적인 욕구를 알고 싶으면 내가 불러들인 것을 살펴보면 도움이 된다는 관점을 취하는 태도는 우리가 인식하는 데 도움이 된다.

어떤 파트너십에서든 욕구의 중요한 측면은 바로 내가 당신에게 원하는 것, 즉 당신이 행동하고, 말하고, 느끼고, 원하는 것들이다. 나는 나와 함께 일하는 사람들이 어떤 종류의 경험을 하기를 원한다. 대부분의 학습대화는 서로가 서로에게 원하는 것이 무엇인지 말하는 지점에서 일어난다. 그러나 내가 단지 어떤 것을 원한다는 것이 그것을 가지게 될 거라 기대하는 것을 의미하는 것은 아니다. 당신이 어떤 경험을 하기를 원한다는 것을 내가 알고, 그것을 당신에게 설명하고, 내가 원하는 것을 얻지 못했을 때 내가 어떻게 행동할지 선택의 여지를 갖는 것은 당신에게 융합되는 것과는 완전히 다른 것이다. 내가 융합되었을 때는 내가 무엇을 하고 있는지 잘 인식하지 못한다; 그저 나의 나쁜 감정에 반응하게 되며, 당신이 말하고 행동하는 것을 당신 스스로 바꾸게 하려고 노력한다. 파트너십을 형성하고 학습을 이끌어 내려면 내가 실제로 필요로 하는 것(조직 내에서 이 사람들과 지속적으로 함께 일하기 위해 절대적으로 반드시 가지고 있어야 하는 것)이 무엇인지 명확히 해야 하고, 내가 필요로 하는 것과 내가 원하는 것의 차이 또한 명확히 해야 한다. 나의 필요와 욕구, 이 둘의 차이에 대해 더 많이 인식할수록 다른 사람들과 함께 일하는 것에 방해가 되지 않게 할 수 있다. 그래서 나는 권한을 가진 사람들의 눈에 반짝거리는 존재가 되기를 원할 수도 있지만, 그것을 필요로 하지 않는다는 것 또한 안다. 나를 특별한 사람이라고 생각하지 않는 사람과도 나는 원만히 협력하며 일할 수 있다. 그리고 내게 필요한 것이 무엇인지 명확히 알기 때문에, 그것을 얻게 해줄 수 있는 경험을 할 가능성은 높아진다.

인식이 제일 먼저 일어나야 한다. 우리의 인식은 대부분 언어를 통해 형성된다. 우리 자신의 경험을 혼란스럽게 만드는 언어의 보편적 오류들을 멈출 때 우리의 인식은 높아진다. 생각은 주관적 현실과 객관적 현실 사이의 차이에 집중하게 되고, 그러면 욕구는 더욱 명확해진다. 이것은 인식 자아의 두 번째 측면으로 연결된다.

명확한 언어를 사용한다

우리가 경험한 것을 어떻게 말해야 할지에 대해 배웠던 방식에는 우리 내면에 있는 것과 외부에 있는 것을 혼동하게 만드는 것이 있다. 그 방식은 우리 자신을 다른 사람들과 혼동하게 만들고, 우리가 각자의 고유한 경험을 만든다는 인식을 떨어뜨린다. 이런 현상은 여러 문화에 두루 나타나는 것 같다. 나는 서로 다른 언어를 사용하고 다른 문화를 가지고 있는 사람들도 유사한 행동을 한다고 생각한다. 우리 모두는 내면에 있는 것을 마치 우리 외부에 있는 것인 양 말한다.

예를 들어, 만일 어떤 사람이 방에 들어와서 춥다고 느낀다면, "여기는 춥네요."라고 말한다. 추위라는 것은 감각이며 내면의 경험이다. 방안에 있는 사람들에게 확인해보면, 어떤 사람들은 춥다고 하고, 어떤 사람들은 덥다고 하며, 또 어떤 이들은 춥지도 덥지도 않다고 한다. 춥다는 느낌은 사람의 내면에 있는 것이다. 이렇게 생각하고 말하는 보편적인 방식이 어떻게 경험의 근원을 사람들로부터 끄집어내서 방 안으로 가져오는지 살펴보면, 우리가 우리 내면에 있는 것이 마치 우리 외부에 있는 것처럼 서술하고 있다는 것을 알 수 있다. 언어가 우리가 생각하는 방식을 형성하기 때문에, 우리가 혼란을 자초해서 내면에 있는 것을 외부에 있는 것이라고 생각하게 된다. 내가 "여기는 덥네.", "저 팀은 긴장감이 넘치네." 혹은 "이 조직은 재미있네."라고 생각할 때, 나는 안과 밖을 혼동한 것이다. 이 조직이 재미가 있는 게 아니라, 내가 이 조직에서 즐기는 것이다. 전혀 즐기지 못하고 있는 다른 사람들이 있을 수도 있다. 내가 이렇게 통상적인 방식으로 말 할 때는 내 안에 있는 것과 그렇지 않은 것 사이에는 명확한 경계가 사라진다. 그래서 나는 분화가 덜 된 상태에 있게 된다. 우리의 언어가 우리의 경험(덥고, 긴장하고, 재미있고)이 곧 모든 사람의 경험이라고 가정해버리면, 우리도 그렇게 생각한다. 그렇게 되면 우리는 그것을 우리가 경험하는 것이라고 보지 않고, 오히려 장소나 집단이 가지고 있는 질적인 측면으로 생각해서 다른 사람들도 우리와 같은 경험(즉 질적인 면에 대한 평가)을 할 것이라고 가정하게 된다. 실제로 우리는 주관적 진실을 마치 상호주관적인intersubjective 혹은 객관적인 진실인 것처럼 다루고 있다.

대인관계 혼돈을 야기시키는 우리의 혼돈, 즉 내면과 외부를 혼동하는 한가지 방식은 실제로는 '나'에 대한 것일 때, '당신you'이라고 말하는 것이다. 많은 사람들이 이렇게 한다. 이렇게 하면 그들이 말하고 있는 대화 상대뿐만 아니라 자신까지 혼란스럽게 한다. 아래에는 새로운 디자인이 제품의 품질을 충분히 개선하지 못했다고 실망을 토로하는 한 엔지니어와 내가 했던 인터뷰 내용이다.

공장에서 그들이 한 것을 가서 보면, 당신은 그들이 엉망으로 만들어 놓은 것에 대해 비

명을 지르고 싶을 겁니다. 우리가 기계를 개량하고 품질을 획기적으로 향상시키기 위해서 정말 열심히 일했지만, 당신이 그들의 태도를 보면 틀림없이 고개를 절레절레 흔들 것입니다. "내가 이 공장을 운영했다면, 정말로 다른 결과를 만들어 냈을텐데..."하고 혼자 생각하면서 말입니다. 하지만, 그것은 당신에게 달린 문제가 아닙니다. 당신이 할 수 있는 건 아무것도 없습니다. 우리는 최선을 다했지만, 상황은 이미 우리 손을 떠났습니다.

분명히, 이 말을 하는 당사자는 당시 상황에 대해 소리를 지르고 싶어하는 사람이다. 당신you을 주어로 말하는 방식You-language은 너무도 널리 퍼져 있어서 그런 말을 들을 때는 그 단어를 해석해야 한다. 기계를 개선하기 위해서 열심히 일한 '우리'는 도대체 누구인가? 그 '우리는' 바로 위의 말을 한 당사자였다. 그러나 그러한 사실은 내가 물어보기 전까지는 분명치 않았다. '당신'을 주어로 하는 언어You-language와 '우리'를 주어로 하는 언어We-language가 사람들에게 자신들의 경험을 마치 다른 사람도 그 상황에서 똑같이 느끼고 생각하는 것처럼 일반화해서 생각하도록 만든다는 것에 주목해야 한다. 누가 무슨 경험을 했는지 알아차리는데 혼란을 줄 수 있기 때문이다. 내가 "우리는 이렇게 저렇게 생각한다."라고 말할 때마다, 나 자신도(듣는 사람은 말할 필요도 없고) 누가 무엇을 생각하고 있는지 혼란을 겪는다.

명확한 언어에 대한 규칙은 간단하다. 당신 자신의 경험에 대해서 말할 때는 '나'를 주어로 말하면 된다. 매우 간단한 것 같지만, 당신과 당신이 맺고 있는 관계에 미치는 효과가 크기 때문에 만일 당신이 현재 '나'를 주어로 하는 언어 I-language를 사용하고 있지 않다면, 이것은 자아분화와 파트너십 상황에서 학습능력을 높이기 위해 당신이 제일 먼저 해야 할 가장 중요한 과제가 된다.

'당신'을 주어로 하는 언어_{You-language}를 부적절하게 사용하면, 서로 관계 맺는 것이 어려워진다. 한 회의에 진이 앉아 있는데, 나탈리가 "밥의 머리 꼭대기에 올라 앉지 않고서는 당신은 절대 밥이 경청하게 할 수 없어요."라고 말했다고 치자. 그런데 진이 그런 경험을 한 적이 한번도 없다면 어떤 일이 벌어질까? 그런 대화에 참여할 수 있는 한 가지 분명한 방법은 진과 나탈리가 실제로 다른 경험을 갖고 있어서 그 말에 동의하지 않는다는 것을 나탈리에게 표현하는 것이다. 나탈리는 자신의 주관적 진실을 마치 객관적 진실인 것처럼 이야기했다. 대부분의 사람들은 자신이 그 말에 동의하지 않는다는 말로 대화를 시작하는 것을 원하지 않기 때문에 대개는 그냥 넘어간다. 나탈리는 You-language를 사용함으로써, 진을 대화에 참여시켜서 나탈리가 경험한 것에 진이 호기심을 갖도록 하는 것을 더욱 어렵게 만들었다.

언제 어디서든 너무나 자연스럽게 '당신'을 주어로 하는 언어_{You-language}를 사용하기 때문에, 심지어 비디오로 자신이 말하는 것을 지켜보며 '당신'을 주어로 하는 언어_{You-language}를 사용하지 않기 위해 연습을 하고 있는 중에도 자신이 '당신'을 주어로 하는 언어_{You-language}를 사용하고 있다는 것을 알아차리지 못한다. 다음은 You-language, We-language, I-language를 알아차리기 힘든 몇가지 흔한 사례이다.

- 그것은 당신이 그것을 어떻게 보느냐에 달려 있다(실제로는 내가 그것을 어떻게 보느냐에 달려 있을 때).

- 우리에게는 휴식이 필요하다(실제로는 내게 휴식이 필요할 때).
- 우리는 당신이 와서 기쁘다(당신이 와서 내가 정말 기쁠 때).
- 상사에게 사실대로 말하는 것은 두려운 일이다(그 사실을 상사에게 말하는 것이 내가 정말 겁날 때).

우리는 왜 우리 자신을 혼란스럽게 만드는 방법으로 말을 할까? 우리는 왜 마음속에 있는 것을 마치 밖에 있는 것처럼 만들고, 서로 다른 종류의 진실을 뒤섞어 버리는 것일까? 우리들 중 일부는 '나'로 말하는 것이 공손하지 못하거나 효과적이지 못하다고 배웠다. 어린 시절 우리는 '나'를 주어로 말하는 것은 이기적이거나 자신에게만 관심있는 사람으로 보이게 한다고 배웠다. '나'에 대해 말하면 사람들이 우리를 좋아하지 않을 것이라고 걱정한다. 어른이 되었을 때는, '팀'에는 '나'가 없다고 배워왔던 사람들도 있다. 그들은 '나'라는 용어 대신 '우리'라는 표현으로 말하면 공동체 정신이 더 높아진다고 믿는 사람들이다. 우리가 생각하는 것' 혹은 '우리가 원하는 것' 같은 표현으로 자신의 경험을 표현하는 매니저들이 정말로 더 큰 팀워크를 만들어 만들어낸다고 할 수 있는가? 나는 그렇지 않다고 생각한다. 만일 우리가 생각하는 것이라고 말하는 매니저의 말을 듣는 부하직원이 실제로는 그렇게 생각하지 않는다면 오히려 반대의 결과를 낳을 것이다. 클리어 리더십 과정을 수료한 많은 매니저들은 'You-language'에서 'I-language'로 표현방식을 바꾼 후부터 다른 사람과 연결되었다는 느낌과 친밀감이 훨씬 높아졌다고 했다. I-language는 매니저들을 자기만 아는 사람으로 보이게 하는 대신에, 보다 개방적인 사람으로 보이게 해줄 뿐만 아니라 매니저의 개별성까지 드러나게 해준다. 대화는 보다 흥미로워지고, 사람들은 핵심을 더 빨리 알아차린다. 또한 다른 사람이 이야기하는 전체적인 요점도 보다 명확하게 볼 수 있다. 그런데 I-language의 효과가 이렇게 긍정적인데도 왜 많은 사람들은 You-language를 사용하는 것일까?

한 가지 이유는 You-language를 쓰면 우리의 경험에 책임을 지지 않는 것이 좀 더 쉬워지기 때문이다. 우리가 하는 경험이 우리 밖에 존재한다면, 우리는 그것에 대해 책임감을 가질 필요가 없다. 내가 "여기는 긴장감이 느껴지네요."라고 말하면, 내가 느낀 긴장감에 대해 굳이 책임질 필요가 없다. 긴장감을 느끼지 않고 있는 다른 사람들이 있을 수 있다는 가능성을 대면할 필요도 없고, 다른 사람은 그렇지 않은데 왜 나만 긴장감을 느끼는지 자신에게 물어볼 필요도 없다. 스스로를 취약하게 하고, 노출되는 느낌을 주게 하는 나 자신에 대해 말하기 보다는 차라리 상황에 대해 말하게 된다.

또 다른 이유는 You-language나 We-language가 우리의 의견이나 판단에 대한 책임을 피할 수 있게 해준다는 점이다. 앞의 사례에 나온 엔지니어는 제품의 질을 개선하기 위해 자신이 쏟은 노력이 정말 효과적이었는지 깊이 생각해 볼 필요가 없었다. 왜냐하면 그의 내면과 외부를 혼동하는 방식 때문에, 그가 처한 상황에 있던 어느 누구라도 그것을 공장의 잘못으로 볼 것이기 때문이다. "우리는 최선을 다했다."고 말하면서 존재하지도 않는 'we'로 책임을 분산시킴으로써 그는 심지어 개인적인 실패도 피할 수 있었던 것이다.

이런 식으로 상황을 혼동하게 하면 '소속과 개성의 역설belonging-in-dividuality paradox'을 보다 쉽게 관리할 수 있다. 이렇게 함으로써 다른 사람들로부터 자신을 분리시키는 것들을 말하지 않아도 되면서도 자신의 개성 또한 포기하지 않아도 되기 때문이다. You-language는 그룹 내에서 나의 소속감에 위협이 되지 않게 하는 방식으로 내 개인적인 판단을 표현할 수 있게 해준다. 내가 "상사에게 사실대로 말하는 것은 두려운 일이지요."라고 말한다면, 나는 타인들, 특히 내 상사와의 관계에 위협이 될 수 있는 어떤 것을 말하고 있는 것이다. 이렇게 주관성을 배제하고 외재화된 방식으로 말함으로써 "나는 당신에게 사실대로 말하는 게 두려워요."라고 말하는 것보다 위협감을 훨씬 덜 느낄 수 있다. 이것은 다른 모든 형태의 융합처럼 불안을 줄일 수 있다는 측면에서는 도움이 되는 것처럼 보인다. 그러나 이런 방식으로 표현하면 대인관계 혼돈을 낳기 때문에 상황을 더 악화시킬 수 있다. "상사에게 사실대로 말하는 것은 두렵지요."라는 첫 번째 표현은 마치 세상 일이 돌아가는 방식에 대해 일반적으로 언급하는 것처럼 보이게 함으로써, 나와 상사와의 상호교류를 혼란스럽게 한다. 이렇게 말하면 내 경험을 말하는 것처럼 보이지 않게 해주기 때문이다. 이 말에 대한 객관적 진실 여부에 대해 논쟁을 할 수도 있지만, 그건 그다지 중요하지 않다. 왜냐하면 내가 실제로 의미하는 것은 상사인 당신에게 진실을 말하는 것이 두렵다는 것이고, 그래서 그 표현을 암호화해서 말하고 있다는 것이다. 상사가 이미 내 의도를 파악했을 수도 있고 아닐 수도 있다. 어쩌면 내가 모든 사람이 자신의 상사에게 사실대로 말하는 것을 두려워하는 건 아니라는 것을 깨닫지 못했을 수도 있고, 우리가 왜 솔직하게 상사에게 말하는 것을 두려워하는지 논의조차 시도해보지 못할 수도 있다. 그러나 중요한 것은 "나는 당신에게 사실을 말하기가 두려워요."라고 직설적으로 표현하는 것만이 제대로 인식할 수 있게 해준다는 것이다. 그렇게 말함으로써 각자의 경험에 대한 진실을 서로에게 말하고, 그것으로부터 함께 배울 수 있는 대화를 촉진할 수 있다.

상황을 명확하게 하는 언어를 사용할 때, 우리는 객관적인 진실과 주관적인 진실, 상호주관적인 진실을 혼동하지 않게 된다. 다시 말해, 우리가 이것들을 구별할 수 있기 때문에 명료성과 다른 사람들과의 합의를 더 쉽게 만들어낼 수 있다는 말이다. 가끔씩 다른 사람의 경험에 동의하지 않는다고 말하는 사람들을 볼 때가 있다. 그런 표현을 들을 때마다 나는 깜짝 놀라곤 한다. 한 사람이 자신의 주관적 진실을 명확히 말하고 있는데, 다른 사람은 거기에 대해 "나는 동의하지 않아요."라고 말을 하는 것이다. 이때 그 사람이 표현하는 것은 "나는 그것이 당신의 주관적 진실이라고는 믿지 않습니다."라는 의미는 아니다. "그 사람이 실제로 표현하는 것은 "그것은 나의 주관적인 진실이 아닙니다."라는 것을 의미하는데도, 그 사람은 주관적 진실의 본질을 혼동하고 있는 것이다. 여기서 실제로 벌어지고 있는 일은 동의하지 않는 사람이 자신의 생각 속에서 무언가 건너뛰고 있다는 것이다. 다시 말하면, 그 사람은 상대방의 경험에 대해 자신이 방금 지어낸 이야기에 반대하고 있는 것이다. 그 사람은 다른 사람의 '나'를 가져 와서, 그것을 '당신you' 또는 '우리we'로 바꿔버린 것이다.

여러분이 '당신'을 의미할 때 정확히 '당신'에 대해 생각하고 말하는 것, 나를 의미할 때 정확히 '나'에 대해 생각하고 말하는 것, '그것'을 의미할 때 정확히 '그것'을 생각하고 말하는 것, 그리고 '우리'를 의미하는 것일 때 정확히 '우리'에 대해 생각하고 말하는 것은 다양한 종류의 진실을 혼동함으로써 생길 수 있는 문제를 피할 수 있게 해 준다. 이것은 가장 단순하면서 강력한 클리어 리더십 스킬 중 하나이고, 효과적인 파트너십을 만들고 유지하는 능력을 높여줄 것이다. 명확한 언어를 사용하면 여러분의 인식이 훨씬 높아지고, 주변에서 일어나는 대인관계 혼돈을 줄일 수 있다. 그러나, 이렇게 말하기는 쉽지만 이대로 실행하는 것은 쉽지 않다. 숙달할 때까지는 많은 연습과 코칭이 필요하다.

'바로 지금 바로 여기'right here, right now에 대해 말한다

혼자서 성찰을 통해 자아인식을 높일 수 있긴 하지만 파트너십을 형성하여 서로의 경험을 통해 배우는 집단 학습의 대부분은 상호교류를 통해 이루어진다. 서로의 경험에 대한 탐문을 주고받음으로써 미처 인식하지 못했던 경험의 일부를 인식할 수 있게 된다. 내가 과거에 대해 생각하고 있을 때 나는, 내가 경험한 것을 기억한다. 내가 가진 기억에서 경험의 새로운 측면을 밝혀내는 건 거의 불가능하다. 기억이 나의 신념과 심상지도에 의해 형성되기 때문에, 내가 이미 인식하고 있는 과거 경험의 부분들만을 알아차릴 수 있을 뿐이다. 내가 경험하는 동안, 오직 내가 경험하고 있는 것에만 주의를 기울임으로써 내가 인식한 것에 대해 방어적으로 행동하는 것을 피할 수 있다. 조직학습과 파트너십에 더 중요할 수 있는데, 내가 당신의 경험에 미치고 있는 영향을 이해할 수 있는 것은 오직 '지금-여기'에서 뿐이라는 점이다. 상호교류의 패턴을 탐색해봄으로써 새로운 지식과 상호교류 패턴을 바꿀 수 있었던 내 초기 경험 중에서 한 가지를 소개하고자 한다.

10대 후반 대학 재학 시절에 몇몇 여학생들이 내게 오만하다는 딱지를 붙인 적이 있다. 그들이 내게 오만하다고 했을 때는 그들이 무슨 말을 하고 있는지 이해할 수 없었다. 그 당시 여학생들에 대한 내 내적 경험은 불확실했고, 매우 취약했으며, 두렵고, 혼란스러웠는데, 어떻게 그것이 우월하고, 모든 것을 알고 남을 무시하는 오만함이라는 인상을 주었는지 도무지 이해가 되지 않았다. 그래서 한 여학생에게 왜 내게 오만하다는 딱지를 붙였는지 물어보았다. 그러자 그녀는 과거에 그녀와 가졌던 어떤 상호 교류에 대해 말해주었다. 그런데 그것은 내가 기억하고 있는 것과 완전히 달랐다. 나는 심각하게 오해를 받고 있다고 느꼈다. 이것은 당연히 여학생들에 대한 나의 두려움과 혼란을 더욱 가중시켰다.

내가 속한 학생회가 주말을 이용하여 리더십 행사를 했는데, 거기에는 다양한 체험활동이 포함되어 있었다. 우리는 두 그룹으로 나누어 팅커토이Tinkertoy 탑을 쌓는 시합을 했다. 진행자가 우리 그룹으로 와서 팅커토이 조각들을 쏟아부었을 때, 나는 다른 네 명의 작업자들과 함께 원형으로 둘러앉아 있었다. 내가 맞은 편에 앉아 있는 여학생에게 조각들을 넘겨주기 시작했을 때, 그녀는 내게 "저비스, 너 또 그렇게 하고 있잖아."라고 말했다. 나는 물러나 당황스러운 나머지, "뭘 다시 한다는 말이야?"라고 물었다. 그 여학생은 "네가 지금 팅커토이 조각들을 나눠주고 있잖아!"라고 말했다. 나는 의아해하며 "맞아. 그래서?"라고 다시 물었다. 그녀는 "그게 바로 너가 가진 오만함이야. 누가 너한테 책임지고 그 조각들을 나누어 주라고 했어?"라고 말했다. 그때서야 구름이 걷히기 시작했다. 내가 받은 피드백을 통해 비로소 나의 행동과 의도를 연결시킬 수 있었다. 팅커토이 조각들이 우리 앞에 놓여 졌을 때 내가 경험한 것은, 어떻게 내가 도움이 될 수 있을까 고민해서 내가 할 수 있는 유일한 일이 팅커토이 조각들을 나눠주는 것이라고 생각했었다. 그런데 그녀가 내게서 경험한 것은 내가 통제권을 움켜쥐고 마치 리더처럼 행동한다는 것이었다. 비록 그것은 내가 의도한 것은 아니었지만, 내 행동이 어떻게 그 친구에게 그런 영향을 미쳤는지 알 수 있었다. 마치 "나는 팅커토이 조각들을 나눠줄 수 있는 사람이야."라고 내 마음대로 일방적으로 말한 사람처럼 비쳐졌던 것이다. 비록 내 생각이 다른 사람에게 도움이 된다고 생각했더라도, 생각을 행동으로 옮기기 전에 동의를 구해야 한다는 것을 마침내 이해할 수 있었다.

그때의 상황은 내게 아주 좋은 학습기회(그 동료와의 관계에서 돌파구가 되었던 대화)였지만, 내가 그때 나눴던 대화를 '지금-여기' 시점에서 즉시 하지 않았다면 결코 경험하지 못했을 것이다. 남들에게 도움이 되고 싶어했던 내 생각만으로 나 자신을 보았다면 다른 사람이 나를 통제적이고 자기중심적인 사람이라고 보는 것을 내가 어떻게 이해할 수 있었겠는가? 경험이 일어나고 있는 그 순간에 다양한 경험들을 통합해서 보지 않으면 그 상황을 제대로 이해했다고 할 수 없다.

'바로 여기, 바로 지금'이란 무엇이고, 그것이 보통 우리가 말하는 것과는 어떻게 다를까? 위의 그림은 '지금 여기'에서 말하는 것과 '그때 거기'에서 말하는 것의 차이를 보여준다. 내가 여기here에서 말한다고 할 때, 내가 이야기하는 내용이 무엇이든 내가 대화하고 있는 대상(사람들)과 관련이 있다. 만일 내게 일어났던 일이지만 그들에게 관련이 없는 걸 말하고 있다면, 나는 '여기'에 있지 않은 것이다. 내가 대화에 참여하고 있지 않은 사람들에 대해 말하고 있다면, 이 역시 나는 '여기'에 있는 것이 아니다. 내가 '지금now' 말한다고 할 때, 내가 무엇을 말하든지 그것은 나의 현재 경험과 관련되어 있다. 그것은 단순히 내가 '지금' 하고 있는 관찰, 생각, 감정, 욕구들이 아니다. 과거에 일어났던 어떤 것이거나, 미래에 내가 생각할 어떤 것이라 해도 그것이 만일 내가 지금 하

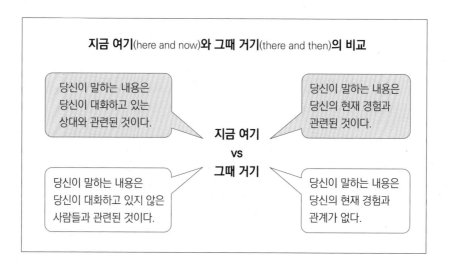

지금 여기(here and now)**와 그때 거기**(there and then)**의 비교**

당신이 말하는 내용은 당신이 대화하고 있는 상대와 관련된 것이다.

당신이 말하는 내용은 당신의 현재 경험과 관련된 것이다.

지금 여기
vs
그때 거기

당신이 말하는 내용은 당신이 대화하고 있지 않은 사람들과 관련된 것이다.

당신이 말하는 내용은 당신의 현재 경험과 관계가 없다.

고 있는 관찰, 생각, 감정, 욕구들에 영향을 미친다면, 나는 '지금now' 말하고 있는 것이다. 그래서 내가 당신이 지난 주에 한 어떤 일에 대해 당신에게 말하고 있고, 그것이 내가 오늘 느끼고 있는 것에 영향을 미치고 있다면, 그것은 '지금 여기'의 대화here and now conversations라고 할 수 있다. 만일 내가 6개월 전에 결정한 것이 어떻게 조직의 성공에 영향을 미쳤고, 그것이 우리가 현재 내리고 있는 의사결정에 대한 내 생각에 어떠한 영향을 미치고 있는지를 내가 당신에게 말하고 있다면, 이 또한 '지금 여기' 시점의 대화이다. 하지만 다른 직원의 행동에 대해 내가 우려하고 있는 것을 당신에게 말하고 있는데, 해당 직원이 그 대화에 참여하고 있지 않다면, 그것은 현시점의 대화가 아니다. 만약에 내가 내 부서의 서비스를 어떻게 개선할 것인가에 관한 아이디어를 당신에게 말하고 있는데, 당신이 내 부서 소속이 아니라면, 그것 역시 '지금 여기' 시점에서의 대화는 아니다.

조직학습을 리드하고 파트너십을 유지하는 데 있어서, '지금 여기' 시점에서의 대화에 가장 중요한 부분은 바로 '지금 여기'에서 파트너와의 경험에 대해 말할 수 있는 당신의 능력이다. 당신은 그들을 마주보고, 당신이 그들에 대해 실제로 관찰하고, 생각하고, 느끼고, 원하는 것을 바로 이 시점에 그들에게 말할 수 있는가? 당신의 파트너가 당신과의 경험을 바로 '지금 여기' 시점에서 서술하는 동안 당신은 침착한 태도를 유지할 수 있는가? 그렇게 할 수 있는 당신이 가진 능력의 한계는 당신이 집단적인 경험을 인식하고 그것으로부터 학습하는 당신이 가진 능력의 한계가 된다.

내가 진행하는 훈련 과정을 통해 나는 진실로 '지금 여기' 시점에서 말하려고 애쓰는 사람들을 보아왔다. 어떤 사람들은 그렇게 하는 것이 부자연스럽다고 했지만 나는 동의하지 않는다. 미취학 단계의 아이들을 보자. 그들은 오로지 '지금 여기'에 머문다. '지금 여기' 시점에 있는 것이 자연스러운 상태인 것이다. 그러나 어른이 된 우리는 그러한 상태에서 벗어 나도록 훈련을 받아왔다. 낯선 사람들 사이에서 강한 유대관계를 가진 파트너십을 만드려면, 서로의 경험을 서술하고 존중하면서 단지 몇 시간만 바로 '지금 여기' 시점에서 대화를 나누기만 하면 된다. 그것이 사실이라는 것을 나는 그동안 일해왔던 수많은 그룹과의 작업을 통해 얼마든지 증언할 수 있다.

심상지도Mental Maps를 확인한다

심상지도는 경험을 통한 학습의 결과다. 우리는 태어나자 마자 바깥 세상에 대한 내적 표상을 만들어내기 시작한다. 그 표상들 중 일부는 우리가 원하는 것을 어떻게 얻을 수 있는가에 관한 것이다. 어떻게 먹을 것을 얻을 수 있을까? 어떻게 칭찬과 관심을 받을 수 있을까? 어떻게 벌을 피할 수 있을까? 어떤 지도는 상황에 관한 것이다. 나는 누구인가? 무엇이 좋은 것이고, 무엇이 나쁜 것인가? 나는 무엇을 잘할 수 있는가? 이러한 질문들에 대한 답들은 우리가 사용하는 수백, 수천 개의 심상지도들을 구성한다. 우리의 삶을 성공적으로 항해하도록 이끌어 줄 심상지도를 개발하는 것은 성장 과정의 일부가 된다. 여러 학자들은 이것을 '개념', '이론', '공식', '패러다임', '스키마타schemata', '소프트웨어'라고 불러왔다. 당신은 피터 센게Peter Senge가 쓴 조직학습에 관한 책에서 그가 심상모델Mental models이라고 언급한 것을 읽었을 지 모른다. 나는 '심상지도', 혹은 그냥 짧게 '지도'라는 표현을 쓰고자 한다. 여느 다른 지도처럼 심상지도는 영토territory에 대한 상징적 표상이지만, 의미론의 대가인 알프레드 코지프스키Alfred Korzybski의 말에 따르면, 우리는 종종 지도를 영토로 오해한다고 한다. 이것은 우리의 심상지도를 이해하는 것이 왜 인식 자아의 중요한 부분이 되는지를 말해주고 있다.

우리는 새로운 상황에 들어갈 때마다 그 상황에 대한 지도부터 만든다. 처음에 지도를 만들 때는 우리가 하고 있는 일을 충분히 잘 의식한다. 비즈니스 문제를 어떻게 해결할지, 어떤 옷을 입는 것이 적합할지, 혹은 사업 부서 사람들을 어떻게 다루어야 할지 등, 무엇에 대한 것이든 간에 노력을 통해 우리가 성공할 수 있게 해주는 지도를 천천히 만들어 가는 동안 우리는 성공만큼이나 실패로부터도 많은 것을 배운다. 일단 우리를 위해 작동하는 심상지도를 만들고 난 다음에는 그것을 계속 되풀이하여 쓰게 되는데, 나중에 그것은 우리의 의식 밖에 있게 되어 점점 중요하지 않게 된다. 좀 더 시간이 지나면 우리는 지도에 따라 살아가고 있다는 사실조차 깨닫지 못한다.

잘 새겨진 지도는 우리가 인식하고 의미형성을 하는 플랫폼이라고 할 수 있다. 우리는 무작위로 사람들에 대한 이야기를 지어내지는 않는다. 그런 이야기는 우리가 이해하고 있는 상황에서 일반적으로 행동하는 사람들에 관해 우리 스스로 개발한 심상지도로부터 만들어진다. 이것들은 편향biases 혹은 인지적 여과perceptual filters라고 불려진다. 이것은 우리의 경험에 아주 큰 영향을 미친다. 그런데 우리에게 지도가 없으면 우리는 혼란을 겪게 되고, 우리가 형성하는 의미는 보다 일시적인 것이 되어, 결국 우리는 다른 대안을 구하게 된다. 그러나 우리에게 잘 새겨진 심상지도가 있으면, 우리는 그것을 적용하고 있다는 걸 의식하지 않으면서도 자동적으로 심상지도를 적용할 수 있다. 좋은 지도는 우리가 효과적으로 활동할 수 있도록 도와주기 때문에 가치가 있다. 그 지도 덕분에 모든 것을 처음부터 다시 배울 필요가 없다. 하지만 심상지도는 우리의 주의를 집중시키기 때문에 문제를 일으키기도 한다. 우리는 오직 우리의 심상지도에 있는 것만 보고 그렇지 않은 것은 놓치는 경향이 있다. 우리가 심상지도를 현실로 착각하고 있다는 걸 인식하지 못할 때는 우리의 지각은 왜곡된다. 심상지도는 다른 사람들이 실제로 행동하는 것을 보지 못하게 하거나, 실제로 이야기한 것을 듣지 못하게 만들 뿐만 아니라, 그들이 실제로 하지 않은 것을 보게 만들고, 실제로 말하지도 않은 것을 듣게 하는 현상을 야기할 수 있다.

심상지도는 우리의 인식을 좋게 만들 때도 있지만, 나쁘게 만들 때도 있다. 만일 지도에 어떤 것이 없는 경우에는, 우리는 그것을 찾는 방법조차 알지 못한다. 존재하는지 알지도 못하는 것을 인식하는 것은 어려운 일이다. 우리가 새로운 지도에 대해 배우면 우리의 인식도 바뀐다. 이 책에서는 이미 많은 심상지도를 보여주었는데, 앞으로 계속 더 많은 지도를 다룰 것이다. 만일 당신이 대인관계 혼돈이나 그것이 조직에 미치는 영향에 대해 한번도 생각해 본 적이 없다면, 이제부터는 생각하게 될 것이다. 만일 You-language의 부정적인 결과에 주의를 기울여 본 적이 없다면, 이제부터는 그러한 결과를 알아차리기 시작할 것이다. 이것이 바로 심상지도가 작동하는 방식이다. 즉, 심상지도는 인식에 도움이 되기도 하고 장애가 될 수도 있다.

사람들이 타인과 그들의 조직에 대해 만들어 내는 수많은 심상지도는 아이디어의 타당성 검증을 확인한 결과가 아니라, 아이디어의 타당성 확인을 회피한 결과로 만들어졌다는 사실이 중요하다. 이것은 무엇을 뜻하는가? 예를 들어, 자신에게 동의하지 않는 누군가에게 매우 마음이 상해 있는 새로 부임한 상사의 모습을 내가 보게 되었다고 하자. 비록 내가 관찰한 이 한번의 시간에 상사를 짜증나게 한 이유가 많은 데도 불구하고, 나는 "나의 상사는 자신의 의견에 동의하지 않는 사람을 싫어한다."라는 이야기를 만들어낸다. 내가 그녀의 말에 동의하지 않고 무슨 일이 일어나는지 지켜보면서 내가 지어낸 이야기를 확인할 가능성은 얼마나 될까? 내가 자기 파괴적이지 않은 이상 그렇게 하지는 않을 것이다. 그러면 내가 그것에 대해 직접 상사에게 물어볼 것 같은가? 통상적인 대인관계 혼돈 상황에서는 그렇게 하지 않을 것이다. 십중팔구 나는 그녀의 의견에 이의를 제기하는 행동을 피하면서, 대신 다른 사람들이 어떻게 하는지 지켜볼 것이다. 나는 다른 사람들도 그녀의 의견에 이의를 제기하지 않는다는 것을 알게 될 것이다(과연 새로운 상사에게 공개적으로 이의를 제기하는 일이 얼마나 자주 일어날까?). 내가 지어낸 이야기를 다른 사람에게 말하면 그들 역시 그녀의 의견에 반대하는 말을 할 수는 없다고 말해줄 수도 있다. 어쩌면 나는 어떤 시점에 그녀의 의견에 동의하지 않는다는 필요성을 강하게 느끼게 되어 그녀가 미묘하게 다른 관점을 가질 수 있도록 정교한 전략을 생각해낼 수도 있다. 내 시도가 성공적으로 잘 먹혀들면 사람들은 대놓고 그녀의 의견에 이의를 제기해서는 안되지만, 대신에 그녀가 감지하기 어려울 정도로 미묘한 방식을 쓰면 된다는 나의 심상지도를 강화해줄 것이다.

칼 웨익Karl Weick은 조직의 현실organizational reality이 이런 방식으로 만들어진다는 것을 제일 먼저 이야기한 사람이다. 그에 따르면 놀랍게도 많은 심상지도들이 존재하는데, 그 이유는 사람들이 현실에 대한 아이디어들을 검증했기 때문이 아니라, 사람들이 그들의 심상지도를 반증할 시험을 회피해서라고 지적했다.[2] 사람들이 정상적인 방법이라고 생각하는 많은 것들이 그렇게 된 이유는, 단지 그들이 다르게 해 보려는 시도를 두려워했기 때문이라는 것이다. 이는 사회적인 과정에서 왜 혁신이 신참자로부터 시작되는 경향이 있는지 설명해준다. 신참자들은 어떤 일들이 통상적으로 실행되는 방법을 알지 못한다. 상당히 고루하고 규모가 큰 전통적인 조직에서 초급매니저로서 일하고 있던 한 클리어 리더는 매니저들이 새로운 기술에 관심을 가지도록 애를 쓰고 있었다.

그는 이 새로운 기술에 능통한 챔피언인 다른 부문의 총괄책임자에게 공장으로 와서 강의를 해 달라고 요청했다. 이것을 본 다른 매니저들은 경악하고 말았다. 초급매니저가 부문의 총괄책임자를 부르는 일은 있을 수 없는 일이었기 때문이다. 공장의 선임 매니저들은 이 사태가 초래할 문제를 논의하기 위해 회의까지 열었다. 누군가 그 총괄책임자에게 전화를 걸어 사과해야 하는 건 아닌지, 아니면 허세를 부리면서 위기를 모면해야 하는 건 아닐까? 이러한 모욕을 준 것 때문에 공장은 어떤 응징을 감내해야 할까? 의견이 분분했다. 그런데 놀랍게도 그 총괄책임자는 공장에 나타났다. 그는 자신을 초대해 준 것에 감사를 표하면서 아주 훌륭하게 강의를 해 주었다. 그 후로 공장에는 초급매니저가 부문의 총괄책임자에게 전화를 걸었다는 걸 기억하는 사람은 아무도 없었다.

우리가 심상지도의 타당성을 검증하지 않는 것은 대인관계 혼돈의 또 다른 형태라고 할 수 있다. 우리의 심상지도가 사람, 일, 또는 프로세스에 대한 것이든 아니든, 함께 일하는 사람들은 부정확하고, 타당하지 않고, 어긋나 있거나, 서로 다르거나 목적이 엇갈린 지도를 가지고 있을 수 있다. 그래서 우리는 심상지도를 테이블 위에 올려놓고 그것들을 함께 보면서 무엇이 문제를 야기시키는지 살펴보고 필요하다면 지도를 바꿔야 한다.

그런데 그렇게 하는 일이 간단한 일이라면 내가 이 책을 쓸 필요도 없다. 하지만 여러 이유 때문에 해결책을 만드는 건 쉽지 않다: 우리는 자신이 가진 심상지도들을 모두 인식하지 못한 상태에서 지도에 감정적으로 몰입해 있으며, 우리의 지도가 영토가 아니라는 점을 쉽게 잊어버린다. 사람들을 불안하게 하는 심상지도의 종류나 대화의 종류는 사람마다 다르다. 우리가 안전지대에서 벗어나 있을 때는 자신의 지도를 보여주고 대화하는 것을 불안해한다. 조직학습을 이끄는 것은 우리의 지도와 다른 사람들의 지도를 노출하고 탐색함으로써 야기되는 불안을 자제하는 것을 주로 다루게 된다고 할 수 있다. 또한, 조직학습을 이끄는 것은 제일 먼저 자신의 심상지도가 무엇인지 발견하고 이해하는 데 도움을 주는 것에 관한 것이다. 카드 작업은 당신이 활용할 수 있는 한 가지 기법인데, 이것은 6장에서 보다 자세히 다루기로 한다.

만일 내 심상지도가 실제 현실이라고 생각한다면, 나는 대안이 될 수도 있는 지도에 관심을 갖지 않게 된다. 이럴 때 다른 사람들은 나를 세상 돌아가는 방식에 대해 매우 강한 의견을 가진 사람으로 볼 것이다. 상사인 내가 다른 사람이 대안이 될 수도 있는 지도에 대해 내게 말하는 것을 불편하게 여긴다고 치자. 그러면, 대인관계 혼돈은 더 커지고, 파트너십은 사라지고 말 것이다. 심상지도가 갖는 또 하나의 문제점은 사람들이 자신의 지도에 동일시되면 그 지도에 집요하게 매달릴 수 있다는 것이다. 자신의 지도에 동일시되면, 자신의 정체성을 지도와 혼동하게 된다. 사람들이 변화에 저항하는 이유 가운데 하나는 흔히 변화가 성공에 필요한 새로운 지도를 요구하기 때문이다. 환경이 변해서 자신이 동일시된 지도가 더 이상 작동하지 않으면, 대부분의 사람들은 이전 상황으로 돌아가게 되고, 결국 예전의 지도가 계속 작동될 것이다. 집단, 조직 혹은 국가에서 더 많은 규칙과 규정을 요구하는 것은 이런 종류의 변화에 대한 저항 때문이다. 내 생각에는, 우리가 심상지도에 강하게 매

달리는 가장 큰 이유는 그것이 우리의 불안을 감소시켜 주기 때문이다. 불확실성은 우리를 불안하게 만든다. 그런데 지도가 있으면 불확실성을 감소시킬 수 있다.

세 가지 종류의 심상지도

나는 이 책에서 세 가지 종류의 지도에 대해 언급하고자 한다. 다른 사람들에 대한 이야기, 사물을 확인하는 지도, 원인과 결과에 대한 아이디어와 관련된 지도가 바로 내가 소개하고 싶은 세 가지 지도들이다.

(1) 다른 사람들에 대한 이야기들

첫번째 유형의 지도는 우리가 다른 사람들에 대하여 꾸며내는 이야기다. 우리들은 함께 일하고 있는 중요한 사람들 각각에 대한 지도를 만들어낸다. 여기에는 그들이 생각하는 방식, 원하는 것, 좋아하고 싫어하는 것, 그리고 편향성과 뜨거운 쟁점 등이 포함된다. 우리는 이미 이것들을 이 책에서 자세히 살펴보았다. 사람들에 대해 당신이 지어내는 이야기는 왜곡, 편향성, 부정확성에 노출될 가능성이 있기 때문에 그 사람들에 대한 당신의 지도가 실제 그들의 모습이라고 생각하지 않는 것이 중요하다. 그리고 그들의 실제 모습에 당신이 놀랄 수도 있다는 가능성을 항상 열어 두어야 한다. 당신이 인식 자아Aware Self 상태일 때는, 당신은 지도에 없는 것들, 즉 사람들의 새로운 면을 보는 것에 개방되어 있어야 한다.

(2) 정체성 지도

두 번째 유형의 지도는 정체성 지도이다. 이것은 사물이 어떤 것인지를 확인하는 것이다. 직장에서 사람들은 목표에 대해, 누가 무슨 역할을 수행하는지, 성공, 품질, 고객만족 등등의 개념 정의 같은 것에 대한 정체성 지도를 가지고 있다. 나는 클리어 리더십에 대한 지도를 가지고 있다. 이것은 이 책에서 서술하고 있는 것처럼 4개의 스킬로 이루어져 있다. 대개의 경우, 정체성 지도들은 충분히 많은 수의 사람들이 동일한 지도를 갖고 있기 때문에 타당성을 획득한다. 정체성 지도는 상호주관적 진실의 한가지 예시가 된다. 팀 목표에 대한 내 지도의 정확성은 내 지도가 타인의 지도와 비교하여 얼마나 비슷한 지에 달려있다.

그런데 우리가 이러한 지도를 마치 객관적인 진실인 것처럼 다루면 스스로 문제를 만들게 된다는 또 다른 측면이 있다. 품질이나 성공을 정의하는 특정한 방식의 측정 시스템을 만드는 것은 가능하지만, 그것은 객관적인 진실에 대한 겉모습만을 보여줄 뿐이다. 품질이나 성공의 본질은 그것을 정의하는 일단의 사람들에 달려있다. 예를 들면 한 기업에서는 성공을 투자수익률이 올라가는 것으로 보지만, 다른 기업에서는 시장 점유율이 증가하는 것으로 정의한다. 1999년 내가 이 책의 초판을 썼을 때, 비지니스 세계의 부에 대한 전통적인 지도는 웹 기반 기업들에 의해 좌우되었다. 그런데 이들 기업은 이익을 거의 내지 못했고 유형 자산도 없었지만, GE보다 기업 가치는 더 높았다. 그래서 2001년에는 지도와 영토 간 차이에 관해 많은 교훈을 얻을 수 있었다. 인식 자아Aware Self는 자신의 정체성 지도가 객관적인 진실이 아니며, 우리가 자신의 정체성 지도를 보고 있지 않을 때는 상호주관적 진실이 바뀔 수 있다는 것을 인식할 필요가 있다.

(3) 원인과 결과에 대한 생각들

세 번째 중요한 지도는 원인과 결과에 대한 우리의 생각에 의해 만들어진다. 즉, 사건이 어떻게 일어나고, 과업과 목표를 어떻게 달성하느냐에 대한 것이다. 크리스 아지리스Chris Argyris와 도널드 쇤Donald Schon은 이런 종류의 지도를 설명하기 위해 행동이론theory of action이라는 용어를 만들었다.[3] 나는 어떻게 클리어 리더십을 통해 파트너십을 유지할 것인지에 대한 행동이론 지도를 가지고 있다. 그것이 바로 이 책이 다루는 일부분이다. 내가 조직에서 파트너십을 만드는 리더들에게 도움을 주기 위해 노력한다면, 이 지도는 나의 행동을 인도할 것이다. 당신이 행하는 모든 목표 지향적 행위는 그러한 행위가 어떻게 목표로 이어지는지에 대해 당신이 가지고 있는 이론에 근거해 있다. 당신이 당신의 이론을 완전히 인식하고 있든 그렇지 않든, 그 이론은 거기에 있다. 우리가 함께 목표를 이루고자 한다면, 공통의 행동이론에 따라 움직이는 것이 도움이 된다.

뮤리엘은 25명 정도의 직원을 둘 정도로 드물게 성공한 소매 상점 설립자였는데, 사업체가 너무 커져서 자신이 원했던 것보다 더 많은 시간을 할애해야 할 상황이 되었다. 그러나 그녀는 지난 몇년 동안 자신만의 삶을 살고 싶어했다. 그러기 위해 자신의 경영 스타일을 바꿔야 한다는 결론에 도달한 그녀는 나에게 도움을 요청했다. 나는 그녀가 소매 상점의 일부에 대한 운영을 맡길 누군가를 데리고 올 때마다 얼마 지나지 않아 그녀가 다시 복귀해서 사업에 깊이 개입한다는 것을 알게 되었다. 가끔 그녀는 새로운 매니

저가 내린 결정을 뒤집었는데, 그것때문에 사람들은 혼란스러워했고 화를 냈다. 그녀는 상점 내부에서 승진도 시키고 외부에서 사람을 데려오려고 노력도 했지만 사업의 일부를 맡길 충분한 역량을 갖춘 사람을 찾을 수 없었다.

뮤리엘이 통제권을 포기하지 않으려 한다고 뮤리엘에 대한 이야기를 지어낼 수도 있다. 실제로 많은 직원들이 그런 이야기를 만들어냈다. 나는 그녀와 함께 조직 구조를 재설계하고 상점의 일부 프로세스 리엔지니어링 작업을 시작했다. 물론 그동안 업무 프로세스는 좋든 싫든 진화되어 왔지만, 가장 효과적인 운영을 위한 업무 프로세스를 설계하는 데 대해서는 많이 생각하지 않았다. 그래서 우리는 그러한 작업을 통해 그녀의 개입 없이도 자체적으로 사업이 잘 운영되는 영역을 찾아낼 수 있을 것으로 생각했다. 업무 프로세스를 이해하기 위해 노력하는 과정에서 뮤리엘은 자신이 처음에 이루고 싶어했던 것이 무엇인지를 명료하게 인식할 수 있었다. 분명히 소매점은 이익을 내기 위해 존재했지만, 그것은 그녀의 주된 목표가 아니었고 한번도 그랬던 적이 없었다. 그녀는 성공적인 소매업자가 되는 것에는 전혀 관심이 없었다. 그녀는 항상 그녀 자신과 소매점이 지역사회를 위한 자원이 되고 싶어했다. 이러한 욕구가 더 명확해짐에 따라, 그녀의 행동 이면에 있는 논리와 더불어 그녀의 눈에 무능하게 보였던 매니저들의 문제가 보다 선명하게 보였다.

핵심은 뮤리엘의 정체성 지도와 행위이론이었다. 매니저들은 그녀와 동일한 행동이론에 따라 움직이지 않았기 때문에 사업을 잘 운영하지 못했다. 예를 들어, 한 매니저의 행동이론의 경우 이익을 올리는 것이 성공 방정식이라고 보았다면, 그 매니저는 뮤리엘과는 다른 지도를 가지고 사업을 운영한 것이다. 뮤리엘은 보통의 수준으로 돈을 벌어서 일정 금액의 돈을 소매점에 재투자하기를 원했다. 뿐만 아니라, 그녀의 마음 속에는 마치 고객의 돈을 뜯어내기라도 하는 것처럼 이윤을 내는 것에 대한 죄의식이 있었다. 가능한 최저 가격으로 고객에게 가치 있는 서비스를 제공하는 것이 그녀가 가진 행동이론의 중요한 부분이었다. 이것을 매니저들이 이해하지 못해서 그들의 행동이 그녀에게는 올바른 것으로 보이지 않았던 것이다.

뮤리엘은 본인이 가진 행동이론을 인식하지 못했기 때문에 그것을 다른 사람에게 설명할 수도 없었다. 그녀가 알고 있었던 것은 사람들이 그녀가 원하는 방식으로 일을 하지 않는 것처럼 보인다는 것이었다. 그녀가 행동이론과 정체성 지도를 설명할 수 있게 되자, 그녀는 소매점 일부를 책임질 수 있는 사람을 교육시킬 수 있게 되었다. 그 이후부터 그녀의 삶은 자신이 가장 관심을 두는 것에 에너지를 집중하는 단계로 나아갔다.

우리가 어떤 결과를 성취하기 위해 함께 일할 때, 그 일의 효과성은 정체성 지도와 행동이론 지도를 설명하고, 비교하고, 함께 배울 수 있는 능력에 달려 있다. 우리에게 자신의 행동을 이끄는 지도가 있다는 것을 인식하지 못하면, 우리는 지도와 현실을 혼동하게 된다. 뮤리엘의 경우, 그녀는 자기가 가지고 있는 지도를 자신이 채용했던 매니저의 역량과 혼동했다. 그녀가 자신의 지도를 설명할 수 없었기 때문에, 그녀와 다른 사람들은 함께 학습할 수 없었다. 그래서 채용했던 매니저마다 계속해서 실패했던 것이다.

뮤리엘은 상점을 소유하고 있었으며, 목표가 무엇인지 결정할 권한도 가지고 있었다. 직원들과 공유할 필요가 있는 성공지도 또한 가지고 있었다. 그리고 그 목표들을 어떻게 달성할 것인가에 대한 다양한 아이디어와 행동이론도 개발했다. 직원 관리에 관한 그녀의 행동이론은 다소 독특했고, 제품 선택을 위한 행동이론 또한 상당히 특이했다. 일단 그녀가 성취하고자 하는 것을 그녀 스스로 인식하게 되자(정체성 지도), 그녀를 위해 일했던 사람들은 그것을 달성하기 위해 새롭고 보다 나은 방식을 고안하기 시작했다(행동이론). 새로운 매니저들이 그녀의 성공 지도에 따라 움직이는 것을 보고 믿게 됨에 따라, 그녀 또한 유연하게 사업을 이끌어가는 모습으로 바뀌었다. 자신이 가지고 있던 통제 권한도 문제 없이 내려놓을 수 있게 되었다.

우리가 파트너십을 맺거나 효과적인 팀이 되기 위해 반드시 같은 경험을 할 필요는 없다. 하지만, 파트너십과 팀워크는 몇 가지 공통적인 지도를 필요로 한다. 파트너십에 바탕을 둔 조직에서 권한을 가진 사람들은 팀, 부문, 조직으로부터 원하는 것에 대해 분명한 지도를 가지고 있어야 한다. 우리는 이러한 종류의 지도를 '비전'이라고 부른다. 비전은 정체성 지도이다. 리더들은 다른 사람들이 그들의 마음을 바꿀 목적으로 불가피하게 시도해올 때는 정체성 지도인 비전을 잡고 있어야 한다. 협력적 조직은 모든 사람이 동등한 발언권을 가진 무질서한 난장판이 아니다. 하지만, 파트너십을 유지하려면, 리더들은 행동이론에 유연해야 할 필요가 있다. 행동이론에 강하게 집착하는 매니저들이 자신들의 방식이 결과를 낼 수 있는 유일한 방법이라고 생각한다면, 그들은 창조와 혁신을 억누를 수 있다.

자신이 지지하는 지도와 이론을 사용하는 것에 대하여

일을 하는 매 순간 나는 경험을 한다. 나의 지도는 인풋이 되고, 그것들 중에서 일부가 경험을 만들어낸다. 내 지도는 결과Outcome이기도 하다. 내가 경험에 바탕을 두고 내 지도를 만들거나 수정하기 때문이다. 지도-경험-지도로 이루어지는 순환의 대부분은 내 인식 밖에서 일어난다.

내 지도가 내 경험을 어떻게 만드는지, 경험에 따라 내 지도가 어떻게 수정되는지에 대해 보통은 아무 주의도 기울이지 않는다. 이런 일들은 호흡처럼 자연스럽게 일어난다. 내 지도에 있는 대부분의 것들이 내 인식 밖에 있기 때문에 나는 지도에 대해 불완전한 지식을 갖고 있다. 어느 순간에 당신이 "왜 그런 식으로 행동했어요?"라고 내게 물으면, 나는 아마도 합리적으로 대답을 할 수 있을 것이다. 그러나 그 대답이 반드시 타당성 있는 답은 아닐 수 있다. 바로 그 안에 조직학습에 가장 크게 장애가 되는 요인이 숨어 있다. 그것은 당신이 하는 매 순간의 경험 in-the moment experience에 주의를 기울이는 법을 배우는 것이 왜 그렇게 유용한지를 말해주는 또 하나의 이유가 된다.

30여 년 전, 크리스 아지리스와 도널드 쇤은 조직학습의 핵심적인 장애요인 하나를 찾아냈다. 그것은 사람들이 자신의 행동이론이라 서술하는 것(지지하는 이론)과 실제 행동이론(실제 활용된 이론) 사이에는 차이가 있다는 것이다.[4] 우리가 '지지하는 이론'은 우리 자신과 다른 사람들에게 우리가 한 행동을 설명하기 위해 만들어 낸 이야기들이다. 우리가 활용하는 이론theories in use은 진짜 이유이자, 우리의 실제 심상지도이며, 우리들의 경험과 행동에 기반이 된다. 우리가 사용하고 있다고 말하는 지도와 실제 사용하고 있는 지도는 같을 수도, 겹칠 수도, 전혀 닮지 않을 수도 있다. 심리적 방어로부터 단순한 무관심에 이르기까지, 우리가 우리의 행동이론 지도들을 인식하지 못하는 데는 많은 이유가 있다. 우리의 목적상, 그 이유들은 그다지 중요하지 않다. 다만, 우리가(사용하고 있다고) 생각하는 지도가 실제 사용하고 있는 지도와 동일한지에 대해서 항상 확신할 수 없다는 것을 이해하고 인정해야 한다.

대다수 사람들은 이에 대해 직관적인 감각을 가지고 있는 것으로 알려져 있다. 사람들에게 왜 그렇게 행동하는지 알고 있는가를 묻는 것은 그리 특별한 것은 아니다. 어떤 사람이 그의 행동에 대해 합리화를 하는 것처럼 말하고 있는 것을 들을 때, 그 사람이 그렇게 행동하는 실제 이유에 대해 당신 자신이 이야기를 만들어내고 있다는 것을 알 수도 있다. 아마도 당신은 그가 진실 전체에 대하여 말하지 않는다고 생각하거나, 그가 자신에 대하여 잘 모른다고 생각한다. 만일 후자라면, 당신은 그가 지지하는 이론(그의 이야기)과 그의 활용이론(당신이 생각하기에 실제 이유)을 구별하고 있는 것이다.

바로 이 점이 파트너십에 충실한 사람들이 문제 패턴에 대해 논의하고 그 문제패턴을 바꾸기 위해 노력하는 통상적 시도들이 자주 실패하는 핵심적인 이유가 된다. 비록 어떤 사람이 그의 지도를 기꺼이 설명하려고 해도 다른 사람들은 그것이 그 사람이 활용하고 있는 지도라고 믿지 않을 수도 있다. 지적인 토론을 통해 확실히 알 수 있는 방법은 없다. 사람들이 더 자주 취하게 되는 행동은 자신의 의구심과 그 의구심에 관해 만들어 낸 이야기를 마음 속에 담아두는 것이다. 그래서 어떤 일이 왜 일어났는지에 대해 추상적으로 대화할 수 밖에 없는데, 그렇게 되면, 대인관계 혼돈을 없애기보다 오히려 더 많이 발생시키게 된다.

이 같은 상황에서, 매순간 당신의 경험을 추적하는 능력은 매우 가치있는 일이 된다. '지금 여기'에서 인식 자아로서 행동함으로써 당신이 지지하는 지도들의 문제를 비켜가면서, 당신의 실제 주관적 진실에 대해 인식을 높일 수 있다. 당신의 경험에 면밀히 집중함으로써 당신이 실제 사용하고 있는 지도가 무엇인지 발견하게 될 것이다. 한가지 예를 살펴보자.

로즈는 작은 시골 병원의 원장으로 일하고 있었다. 척은 그 병원에서 서열 두 번째였다. 병원은 그 지역에서 50년 이상 진료를 해왔다. 구성원들은 가족적인 분위기에서 일을 하고 있었다. 이 병원은 당시 미국의 모든 의료기관들이 겪고 있던 비용 위기를 겪고 있던 체인 중 하나였다. 로즈가 척보다 나이가 열다섯 살이나 적었지만, 척은 의료산업이 겪고 있는 엄청난 격동기에서 미래를 예측할 줄 아는 로즈의 지적인 능력을 존중했다. 반면, 로즈는 척의 경험과 업무 감각을 존중했다. 그들은 스스로 훌륭한 팀이라고 생각하고 있었는데, 최근 몇 달간 상황이 안좋게 변하기 시작했다. 척은 자신을 불편하게 하는 한 가지 패턴에 주목하기 시작했다. 로즈와 척은 병원이 장기적으로 살아남으려면 보다 효율적으로 운영되어야 한다는 것에 합의했지만, 로즈는 예산을 초과한 부서를 그냥 내버려두고 있었다. 로즈가 예산을 초과한 부서에 대해 그렇게 할 때마다, 척은 로즈에게 문제점을 지적하며 그녀의 행동이 초래할 영향에 대해 걱정을 드러냈다. 척의 행동이론에 따르면, 사람들은 고생을 해봐야 비로소 보다 효율적으로 운영하는 것에 진지해진다는 것이었다. 로즈가 이에 동의하지 않는 것은 아니었다. 로즈는 동일한 지도를 공유하고 있었다. 하지만, 로즈는 초과된 예산을 보충해줄 수 있는 예비비를 확보할 때마다 그녀가 한 행동에 대한 합당한 이유를 척에게 설명했다. 척은 설명 자체는 일리가 있다고 생각했지만, 전반적인 패턴에는 문제가 있다고 생각했다. 그가 그녀와 이 문제를 논의하려 할 때마다 그녀는 척의 심상지도와 행동이론에 동의하면서도 다른 방식으로 일을 처리했다.

그 당시, 나는 본사 직원들에게 컨설팅을 해주고 있었는데, 조직의 상급자들을 대상으로 인터뷰를 진행하기로 되어 있었다. 척이 나에게 로즈에 대한 고민을 털어놨을 때, 나는 그들이 이전과 다르게 대화하도록 도와줄 수 있다고 제안했다. 나는 그것에 대해 로즈와도 이야기를 나눴다. 그녀는 이런 시도가 어떤 도움이 될지 이해가 안된다고 하면서도, 척과의 관계 악화를 걱정하면서 혹시나 나아질 수 있을 가능성이 있다면 척과 함께 만나보자고 했다.

우리는 로즈의 사무실에서 만났다. 나는 척이 먼저 자신의 경험을 서술하도록 했다. 그는 지난 6개월 동안 일어났던 4가지 사건에 대해 말했다. 나는 척이 느꼈던 것을 설명할 때 로즈에게 단지 경청만 해달라고 부탁했다. 그는 조직에 대한 두려움과 로즈의 행동이 준 혼란에 대해 이야기를 들려주었다. 내가 추가 질문을 하자, 예산을 현재 수준으로 유지시키는 과정에서, 로즈는 좋은 사람인 척하고 자기는 나쁜 사람으로 고착되는 것에 대해 억울함을 토로했다. 그녀가 척을 거의 배신하는 것처럼 행동을 해서 그는 속상해 했고 상처를 받았다. 척이 재빨리 "그냥 해본 소리입니다."라고 했지만, 사실 그 말은 척이 마음 속에 담아 둔 응어리였다. 나는 척에게 자신이 원했던 것을 말하도록 했다. 그는 로즈가 예산 한도를 지켜주길 바랐다고 생각했었는데, 지금 생각해보니 그가 로즈와 한 팀이라는 느낌을 더 많이 갖고 싶어한다는 것을 알게 되었다고 했다.

이어서 나는 척이 말하는 것을 듣고 충격을 받은 로즈에게로 고개를 돌렸다. 그녀는 재빨리 사과하면서, 그를 배신할 의도가 전혀 없었고, 그녀의 행동이 척에게 미친 영향을 알지 못했다고 했다. 그 상황에서 그녀의 말을 막고, 그녀에게 몸에서 감각할 수 있는 것에 집중하라고 부탁했다. 그녀는 몇 초간 멈췄다가 "뱃속에서 뭔가 가라앉는 느낌이 든다."고 했다. 나는 그녀에게 슬프고 침울한 얼굴로 그녀의 맞은 편에 앉아 있는 척을 바라보라고 하면서, 그때 로즈의 내면에서 벌어지고 있는 것에 주목해 보라고 요청했다. "로즈, 당신은 지금 무엇을 원합니까?"라고 내가 물었다. "나는 그의 상처가 사라지길 바랍니다. 나는 이 일이 모두 잘 해결되길 바랍니다."라고 그녀가 답했다. 이후 나는 그녀에게 그녀가 느낀 감각들이 익숙한지, 그런 감각을 과거에도 가졌던 기억이 있는지 물어보았다. 그녀는 잠시 멈춘 후, 아래를 보다가 머리를 들어 올리면서, "그래요, 예산을 초과한 한 부서장이 슬픈 표정을 하고 똑같은 의자에 앉아 있을 때(척을 가리키면서)와 같은 느낌입니다."라고 말했다.

로즈는 총명했다. 그녀가 '지금 여기'에서 느껴지는 경험에 주의를 기울임으로써 얻게 된 통찰의 영향이 바로 드러났다. 그녀는 "어머나, 이것이 내가 하고 있는 행동인가요?"

라고 말했다. 척이 실제 활용하는 이론과 짝이 된 로즈가 지지하는 행동이론이 실제로 그녀가 활용하는 이론이 아니라는 것이 명확해졌다. 그러자 그녀는 무척 당황해하며 쉽게 동정심을 보이는(다른 사람과 융합된) 자신의 모습을 끊어버리고 싶다고 하며, 다시는 그렇게 하지 않겠다고 약속을 하고 싶어했다. 하지만 나는 그녀에게 자신이 한 행동 이면에 있는 긍정적인 의도를 보다 면밀히 살펴보고, 그녀의 실제 행동이론이 무엇이었는지를 이해하려고 우리가 더 노력해봐야 한다고 말해줬다. 우리는 그녀가 가지고 있는 지도 중 하나가 CEO로서 그녀의 역할이 사람들과 부서를 위한 자원을 확보하는 것이라는 사실을 발견했다. 그녀가 가지고 있는 또 다른 지도는 병원 내에서 가족 같은 분위기를 유지하는 것이 환자를 돌보고 병원의 효과성을 높이는데 중요하다는 점이었다. 그녀는 사람들이 불필요하게 고통을 느끼는 것을 원치 않았다. 비용 절감의 필요성이 너무나 명백하고 압도적이어서 그녀는 자신이 모순된 지도를 가지고 있다는 것을 인식하지 못했다.

척은 "모든 사람들이 여기 함께 있다."는 느낌을 유지하는 것이 병원 전체의 효과성에 중요하다는 점에 동의하면서, 그들이 이전에 가지고 있었던 행동이론(사람들을 변화시키기 위해 적정한 고통을 유도하는 것)이 부정적인 결과를 초래할 수 있다는 점에도 동의했다. 비용을 초과해서 사용하는 것에 대한 로즈의 생각에도 장점이 있다는 점을 인정했다. 그러나 비용을 통제하려면 패턴이 바뀌어야 했다. 척과 로즈는 자신들이 한편으로는 팀워크, 응집력, 소속감을 중요하게 생각하면서도 다른 한편으로는 비인격적인 통제와 힘든 규율을 통해 조직의 효과성을 관리하려던 대립적인 가정들에 빠져 있었다는 사실을 발견했다. 모든 상황에 맞는 하나의 행동이론을 만들어 낼 수 없기 때문에, 로즈는 앞으로는 척과 논의하지 않고는 예산 초과를 받아들이지 않기로 했다. 동시에 개별 사례에 대해서는 두 사람이 서로 논의해가면서 합의점을 찾아나가기로 했다.

그때까지 로즈와 척이 오랫동안 병원을 운영할 수 있는 최선의 방식에 대해 논리적이고 합리적으로 의논을 하긴 했어도 바뀐 것은 아무

것도 없었던 것이다. 로즈가 자신이 사용하고 있는 지도가 자신이 지지하고 있는 지도와 일치하지 않는다는 것을 알지 못했기 때문이다. 자신이 지지하는 지도와 일치하지 않는 방식으로 행동할 때마다 그녀는 합당한 이유를 댔다. 이것이 바로 의미형성이 작동하는 방식이다. 우리가 하는 행위에 대해 언제나 합리적이고 논리적으로 설명을 할 수는 있지만, 그렇다고 해서 우리가 설명하는 것이 타당하다는 것을 의미하지는 않는다.

당신이 매 순간 '지금 여기'에서의 경험을 추적하는 것을 배우면, 당신이 지지하고 있는 지도가 가지고 있는 문제점을 해결할 수 있게 된다. 합리화하거나 설명하려 하지 않고 지금 당신의 마음 속에서 실제로 일어나고 있는 것에 집중해야 한다. 당신이 진지하게 이렇게 하면서 당신의 생각뿐 아니라 감각에도 집중하면, 당신이 한 행동 저변에 깔려 있는 진짜 감정과 동기가 분명해진다. 당신의 진짜 지도가 테이블 위로 올라오면 진정한 학습과 변화가 일어난다. 이것이 바로 인식 자아가 우리에게 약속해주는 것이다.

인식 자아를 개발하기 위한 연습

스킬들을 다루는 각 장에는 클리어 리더십 스킬 중에서 한 가지 이상을 개발해보고 싶어하는 사람들을 위해서 별도의 섹션이 추가되어 있다. 그런데, 이런 연습을 하려면 실습 파트너가 있어야 한다. 이것들은 파트너십 스킬이며 경험으로부터 함께 학습하는 스킬들이기 때문에 그리 놀랄만한 것은 아니다. 이 책의 초판을 읽었던 사람들은 책에서 배웠던 통찰과 스킬을 생활에 적용할 수 있었다고 말했다. 나로서는 매우 기쁘고 흐뭇하다. 하지만, 클리어 리더십 과정을 이수했던 사람들은 모두 책으로 읽었을 때보다 실제 훈련을 통해 훨씬 심도 있게 스킬과 개념을 이해하게 되었다고 했다. 경험 학습이 그런 결과에 도움이 되기 때문에 나는 독자들도 스킬 개발을 코치해 줄 수 있는 선생을 찾아보기를 권한다. 당신이 전문가 도움 없이도 이러한 스킬들을 시도하고 개발해야 한다면 이 책을 읽고 나서 자신의 스킬을 개발하고 싶어하는 사람들과 함께 연습할 것을 권한다.

연습 1: '지금 여기'에서 당신의 경험 알기

파트너와 마주 보고 앉아서 주어진 시간 동안 당신이 매순간 인식하는 것에 주목하라. 당신이 인식하게 된 것은 무엇이든 말해보라. 파트너가 듣는 동안 당신은 의식의 흐름에 따라 먼저 1~2분동안 말해본다. 그리고 나서 역할을 바꾼다. 이렇게 하는데 익숙해지면, 계속해 나갈 수 있을 때까지 시간을 늘린다.

- 말할 때마다 "지금 내가 인식하는 것은~"으로 시작하면 도움이 된다.
- 사람들이 이런 연습을 처음 시도할 때는 주로 관찰한 것에서 시작한다. (예를 들면 "나는 지금 벽이 초록색이라는 것을 안다. 나는 당신이 의자에 앉아 있다는 것을 안다. 나는 지금 불빛으로부터 나오는 소리를 알아차린다.") 하지만 관찰한 것이 더 이상 없으면, 알아차리기 위해 자신의 내부를 응시하도록 한다.
- 이때 파트너가 해야 할 일은, 상대방이 경험의 4가지 요소 가운데 어느 것을 인식하는지를 듣고 알아차리는 것이다. 듣는 사람은 말하는 사람이 말을 마치면, 그 사람이 알아차린 경험의 요소가 무엇인지를 그 사람에게 말해준다. 4가지 요소 모두를 인식하도록 연습하라.

연습 2: 경험의 각 요소 인식하기

이번 연습에서는 이전에 한 것처럼 정해진 시간 동안 구체적인 경험 요소에 초점을 맞춘다. 당신의 파트너는 그 요소를 당신이 인식하는지 질문하고, 당신은 대답한다. 파트너는 당신에게 고맙다고 말하고 나서, 다시 질문한다. 1~2분동안 진행하고, 더 잘 할 수 있게 되면 시간을 늘려 나간다. 다음의 예를 살펴보자.

파트너: *당신이 지금 느끼고 (관찰하고, 생각하고 또는 원하고) 있는 것은 무엇입니까?*
당신: *신경이 거슬립니다.*
파트너: *고맙습니다. 당신은 지금 무엇을 느끼십니까?*
당신: *확실치 않습니다.*
파트너: *고맙습니다. 당신은 지금 무엇을 느끼십니까?*

오랫동안 침묵하지 않도록 하라. 어떤 것을 말하고 나면 바로 이어서 계속 진행하라. 그런 다음 역할을 바꾼다

연습 3: 시간을 설정한 인식(Timed Awareness)

이것은 가장 유용한 스킬 실습이 될 것이다. 당신의 학습 파트너와 3~5시간동안 상호교류가 끝나고 나면, 서로에 대한 '지금 여기'에서의 경험을 나눠보라. 먼저, 고마운 것이나 긍정적인 경험에 대해 말하는 것으로 시작하는 것이 좋다. 당신의 의미 형성(sense making)이 어떻게 당신이 '지금 여기'에 대해 말하는 것을 방해하는지를 주목하라 – 당신 내면에서 진짜로 일어나고 있는 것을 말했을 경우 야기되는 결과에 대해 당신이 지어낸 이야기가 처음부터 당신을 방해한다는 것을 알 것이다. 그것을 어떤 식으로든 말하라. 그러나 그것을 판단하지 말고(다음 장에서 보다 구체적으로 다룰 것임) 오직 당신의 경험만을 서술하라. 만일 당신이나 파트너가 방어적으로 대응하지 않는 것이 어려울 것 같으면 이 연습을 하는 동안 듣는 사람은 상대가 말한 것에 대해 최소한 한 시간 동안은 코멘트 하지 않기로 약속하고 진행하면 도움이 된다.

연습 4: 당신의 관찰자 개발하기

당신과 다른 사람들이 말하고 행동한 것을 정확하게 기록하고 똑같이 재생하는 능력은 여러 면에서 크게 도움이 된다. 이렇게 하면 당신의 경험으로부터 훨씬 많은 것을 배울 수 있을 것이다. 이때 당신에게 요구되는 중요한 스킬은 경험하고 있는 시간동안 모든 것을 기록하는 것이다. 이 스킬을 개발하려면, 단순히 이것만 연습하면 된다. 하루에 두세차례 미팅에 참여하거나, 다른 사람과 대화한 후에 몇 분간 혼자만의 시간을 가지고 다시 그 회의나 대화했던 상황으로 되돌아가서, 누가 무엇을 어떤 순서대로 말했는지 정확히 기억해내도록 시도해보라. 당신이 보통 사람과 같다면, 처음에는 기억할 수 있는 것이 거의 없다는 것에 놀랄 것이다. 그러나 학습에 대한 의지를 가지고 지속적으로 연습하면 분명히 달라질 것이다. 짧은 시간만 투자해도 당신은 더 많은 것을 기억해 낼 수 있음을 알게 될 것이다. 한 시간 동안의 회의를 마치고, 그 시간동안 일어났던 일을 차례로 재현할 수 있으면, 당신이 이 스킬을 완전히 마스터했다고 할 수 있다.

연습 5: 당신의 실제 욕구 알기

이번 연습을 위해 아무도 당신의 소리를 듣지 않고 당신이 큰 소리로 말할 수 있는 장소에 혼자 있도록 한다. 당신이 정말로 좋아하지 않는 성과물이나 결과물에 대해 생각한다. 당신이 직장이나 삶 속에서 어떤 사람과의 사이에서 생긴 문제패턴일 수도 있고, 당신을 화나게 만든 어떤 구체적인 상호작용이 될 수도 있다. 당신에게 스스로 "내가 왜 (...)을 만들었는가?"라고 질문을 하고, 머릿속에 처음 떠오르는 것을 큰 소리로 말하라. 당신의 첫 번째 생각을 검열하거나 미리 판단하지 않는 것이 매우 중요하다 – 그냥 떠오르는 대로 말하라. 혼자 하는 활동이므로 당신이 말한 이유에 대해 다른 사람들이 어떻게 생각할지 걱정할 필요도 없다. 이것은 자랑스럽지 않거나, 당혹스러운 것일 수도 있다. 당신이 크게 소리치지 않으면, 그것은 금방 무의식 상태로 물러난다. 꿈처럼 무의식적인 내용은 기억에서 금방 희미해지지만, 당신이 크게 소리를 내서 말하면, 의식상태에 머물게 된다. 한 가지 예를 보자.
리처드는 동료와 대화만 하고 나면 계속 화가 난다는 것을 알게 되었다. 시간이 지나면서, 왜 화가 났는지를 말해주는 이유를 찾아냈는데, 모두 동료의 부적절한 행동과 관련된 것이었다. 그는 이 동료와 꼭 일을 해야 했다. 이 사람은 조직 내에서 영향력이 있는 사람이었다. 그래서 좋은 관계를 맺기로 다짐하고 화를 내지 않기로 했다. 그러나 그 다짐은 아무 도움이 되지 않았다. 클리어 리더십 과정을 마친 후, 그는 이 상황에서 자신이 원인이 된 부분이 있는지 알아보려고 배운 대로 해보기로 했다. 그래서 사무실 문을 닫고, "왜 내가 엠마에게 항상 화를 내는 것일까?" 라고 큰 소리로 외쳤다. 그의 입에서 바로 튀어나온 답은 "그녀가 멍청하고 망할 여자이기 때문이야"였다. 깜짝 놀라서 리처드는 곰곰 생각해보았다. 이 대답은 도대체 어디서 비롯된 것인가? 그는 자신이 가지고 있는 평등의식과 성별이나 인종에 대한 차별없이 사람들을 대하는 것에 스스로 자부심을 가지고 있었다. 엠마가 단지 여자이기 때문에 얕볼 리는 없지 않은가? 하지만 좀 더 오래 두고 이것이 어떤 느낌인지 보기로 했다. 그런데 과거 학창 시절에 매력을 느꼈던 여자 아이들, 때로 그를 경멸하곤 했던 그 여자아이들에게 느꼈던 감정과 똑같은 상반된 감정을 엠마에게 갖고 있다는 것을 알아차리게 되었다. 사실 리처드는 엠마에 대해 자신이 알고 있는 것보다 훨씬 많은 관심을 가지고 있었다. 그녀에게 화를 낸 이유는 그녀가 경멸할지도 모른다는 두려움으로부터 자신을 보호하기 위한 그 나름의 방식이라는 것을 깨달았다. 그의 무의식적인 욕구는 자기 자신이 무시당하는 것으로부터 자신을 보호하려는 것이었다. 이것을 깨닫자 화는 사라졌고, 그는 자신이 원하는 것을 선택할 수 있게 되었다. 즉, 그는 엠마와 좋은 관계로 일할 수 있게 되었다.

만일 당신이 당신 자신의 경험을 만들어낸다는 것을 받아들이고, 당신이 어떤 경험을 만들어내고 있는 이유를 이런 방식으로 자신에게 진지하게 물어볼 수 있다면, 당신은 언제나 답을 얻을 수 있을 것이다.

연습 6: 당신의 인식 높이기

전문 치료사의 도움 없이 스스로 학습할 수 있는 가장 효과적인 방법은 일기를 쓰는 것이다. 아이라 프로고프(Ira Progoff)는 자기 인식을 높여주는 일기 쓰는 방법에 관한 책을 쓴 뛰어난 저자이다. 만일 당신이 이런 시도에 관심이 있다면, 그가 쓴 책들 중 하나를 읽어보기 바란다. 일기를 쓰면서 당신은 일상적으로 자신의 경험, 관찰, 생각, 감정 그리고 욕구에 대한 기록을 남길 수 있다. 가끔 당신이 썼던 일기로 되돌아가서 근원적인 테마와 경험의 유형들을 분석해보라. 이것은 당신이 삶에서 실제로 생각하고, 느끼고, 원하는 것을 파악하는 데 큰 도움이 될 수 있다.

연습 7: 명확성을 주는 언어 사용하기

이것을 연습할 수 있는 유일한 방법은 상황에 적합한 대명사(I- language)를 사용하고, 당신이 잘하고 있는지 피드백을 받는 것이다. 비디오 테이프에 녹화된 자신을 관찰하는 것도 크게 도움이 된다. 가장 좋은 방법은 당신이 대명사를 혼란스럽게 사용할 때마다 파트너에게 지적해 달라고 요청하는 것이다. 혼자 하는 것보다 다른 사람이 잘못된 것을 찾아주는 것이 훨씬 쉽다.

빠르게 생각하고 기꺼이 당신을 위해 상황을 알아차려줄 사람이 가정이나 직장에 있다면, 당신이 혼란스러운 언어를 사용할 때마다 알려달라고 그 사람에게 요청해보라.

예를 들어서, 당신이 '나'라는 말 대신 '당신', 혹은 '우리'라고 말할 때마다, 그 파트너는 '누가?'라고 질문하는 것이다. 몇 주가 걸릴 수도 있지만, 당신의 언어는 실질적으로 바뀌기 시작할 것이다. 당신 또한 자신의 분화 감각에 미치는 영향을 주목하게 될 것이다.

요약

이 장에서 우리는 인식 자아가 되기 위한 스킬을 탐색해보았다. 우리는 매 순간 경험을 서술할 수 있는 방법이 어떻게 자아 인식에 핵심이 되는지를 살펴보았다. 경험을 4가지 요소로 구분함으로써 당신의 경험을 인식할 수 있는 방법도 살펴보았다. 당신의 경험을 안다는 것은 매순간 당신이 관찰하고, 생각하고, 느끼고, 원하는 것을 안다는 것을 뜻한다. 많은 경험이 대부분 무의식적으로 일어나기 때문에 우리의 인식 범위 밖에 있다. 이 말은 무의식이 우리에게 영향을 미치지 않는다는 것을 의미하지는 않는다. 대신에, 무의식적인 경험은 선택할 수도 없고 통제할 수도 없는 방식으로 우리에게 영향을 미친다. 자아 인식 스킬을 높이는 것은 경험의 4가지 요소 각각에서 무슨 일이 일어나고 있고, 당신의 지도가 그것에 어떠한 영향을 미치고 있는지에 대해 더 많이 인식하는 것에 대한 것이다.

인식 자아는 자기 자신이나 다른 사람들을 위해 자기가 한 경험의 출처를 명확히 하는 방식으로 언어를 사용한다. 인식 자아는 경험을 혼란스럽게 하는 것을 피하게 해준다. 인식 자아는 명확한 언어를 통해서 인식을 높인다. 또한 인식 자아는 자기에게 있는 심상지도들이 기껏해야 상호주관적 진실일 뿐이라는 것을 알고 있다. 그것이 타당한지는 어떤 객관적 진실 못지 않게 다른 사람들의 생각에 따라 좌우된다는 것도 알고 있다. 인식 자아는 자신의 지도가 자신의 인식에 영향을 미치고 있다는 것을 알고 있으며, 그 지도들이 눈에 보이게 하고, 그것들을 영역과 혼동되지 않게 함으로써 지도들에 의해 눈이 멀어지지 않도록 노력하게 해준다. 인식 자아는 자신의 지도가 실제로 무엇인지를 아는 것이 어렵고, 자신이 타당하지도 않은 이야기를 만들어 낼 수 있다는 것을 알고 있다. 즉, 어떤 사람은 어떤 것이 자신을 동기부여 한다고 믿지만, 실제로는 다른 것이 동기 부여를 하고 있을 수도 있다. 매 순간 경험을 인식하는 것은 당신이 실제로 사용하고 있는 이론이 무엇인지 알고, 지금 어떤 일이 일어나고 있는지를 이해하는 데 도움이 되는 신뢰할만한 가이드가 되어준다.

우리는 왜 인식 자아를 개발해야 할까? 많은 이유가 있다. 그 중에서 가장 중요한 이유는 인식이 선택과 동일하다는 점일 것이다. 우리가 인식하지 못하면, 우리의 선택 영역 밖에 있는 외부의 힘이 우리를 밀어 부칠 것이다. 만일 다른 많은 사람들처럼 당신에게 자신의 감정이나 욕구와 융합되는 경향이 있다면, 당신이 당신의 경험을 인식하는 것 자체가 자아분화적이 되도록 해준다. 대부분의 성인들은 자신이 관찰한 것이나 생각이 바로 자신인 것은 아니라는 것을 잘 알고 있지만, 어떤 사람들은 자기가 자신의 감정이나 욕구와는 별개라는 사실을 잊고 있다. 나 자신과 내 감정 사이의 경계가 명확하지 않으면 나는 내 감정에 의해 통제를 받게 되고 다른 사람들은 내가 보이는 비이성적인 행동을 두려워하게 될 것이다. 내가 내 욕구와 나 자신을 동일시할 때, 나는 자기 중심적이게 되고, 내 만족감을 충족하는데 사로잡히게 된다. 내가 내 경험으로부터 분화되면(분리되어 있으면서도 여전히 연결되어 있는 상태) 다른 사람들에게 덜 반응적으로 행동할 수 있으며, 더 많은 선택안을 가지고 그들을 대할 수 있게 된다. 나를 내 경험과 분리할 수 있으면, 다른 사람과도 쉽게 분화할 수 있다.

6

서술 자아
당신에 대한 이해를 통해 혼란 감소

대인관계 혼돈을 없애고 대인관계 명료성을 만들어내려면 자신이 경험하는 것과 다른 사람이 경험하는 것, 그들 모두가 사용하는 지도, 그리고 그 지도들이 서로 어떻게 다른지 차이를 명확히 하는 것이 필요하다. 앞 장에서 논의한대로 이것은 인식 스킬을 요구한다. 대인관계 명료성을 위한 두번째 스킬은 서술 자아Descriptive Self에 속한다. 서술 자아의 궁극적인 스킬은 다른 사람들이 당신에 관한 이야기를 만들어내야 할 때를 알아차리고 그들이 당신의 머릿속에서 어떤 일이 일어나고 있는지에 대한 정확한 그림을 그리는데 필요한 정보를 그들에게 줌으로써 혼돈을 멈추게 하는 것이다. 이렇게 하는데 가장 어려운 점은 당신과 그들 사이에 문제가 되는 패턴problem pattern이 있을 때 그들에 대해 당신이 경험한 것을 말해주되, 그 과정에서 그들을 방어적이게 만들거나 상처를 주거나 화나게 하지 않고, 관계를 구축할 수 있는 방식으로 말해줘야 한다는 점이다. 아래에 소개하는 모델과 기법들은 서술 자아 스킬을 개발하는데 도움이 된다.

- 친밀함이 아니라 투명성을 유지한다
- 질문하기 전에 (질문배경을) 먼저 설명한다
- 반응하기 전에 (상대의 질문/발언의) 영향을 먼저 서술한다
- 판단이 아니라 경험을 서술한다

이 장의 마지막에 있는 연습과제로 넘어가기 전에 위에서 소개한 서술 자아Descriptive Self의 측면들을 자세히 탐구해보자.

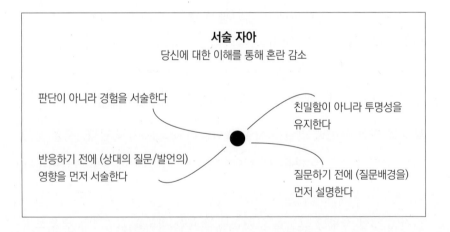

친밀함이 아니라 투명성을 유지한다

직장에서의 파트너십은 친밀함을 요구하지는 않는다. 서술 자아가 되라는 말은 개인의 인생 이야기나, 비밀을 공개하는 것, 혹은 '모든 걸

솔직히 털어놓는 것'을 말하는 것이 아니다. 친숙해지거나 사적인 것에 대한 이야기를 하라는 말도 아니다. 개방적이 되라는 상투적인 말도 아니며, 당신 마음 속에 있는 모든 것을 말해야 한다는 말은 더더욱 아니다. 서술적이 된다는 것은 내가 머릿속에서 어떤 생각을 하고 있는지 다른 사람에게 말해줌으로써 그들이 더 정확한 정보를 가지고 의미형성을 하게 한다는 것을 뜻한다. 당신은 파트너가 될 사람들을 친구로 삼을지 아닐지 선택할 수 있지만, 그것은 클리어 리더십 스킬과는 무관하다. 우정은 이슈가 되지 않는다. 즐거운 것이나 매력적인 것도 핵심이 아니다. 클리어 리더는 불필요하게 사람들을 화나게 만들지도 않지만, 그렇다고 과도하게 친절하지도 않다. 클리어 리더들의 공통점을 한 단어로 말하면, '진실성' 또는 '진정성'이다. 당신을 솔직하게 대하는 클리어 리더를 당신은 신뢰할 수 있을 것이다.

많은 사람들이 처음 이 스킬을 배울 때는 투명성과 친밀성의 차이를 이해하기 어려워한다. 투명하다는 것은 다른 사람들에게 당신의 주관적 진실을 있는 그대로 말하는 것을 의미한다. 이 말이 친밀하게 대해야 한다는 말처럼 들리지만, 내가 이 책에서 이 말을 사용하는 방식과는 차이가 있다. 지금-여기here and now와 그때-거기there and then 사이의 차이를 파악하는 것은 아주 도움이 되는 구분 방식이다. 당신이 현재 서술 자아가 되려면, '지금 여기'의 경험에 대해 이야기해야 한다. '여기'는 당신이 말하고 있는 것을 듣고 있는 사람과 관련이 있다는 뜻이다. '지금'이란 의미는, 바로 지금 이 순간 당신의 머릿속에서 일어나고 있는 것을 서술한다는 것을 뜻한다. '그때-거기'는 현재 당신의 이야기를 듣고 있는 사람들과는 관계가 없는 인물이나 사건에 대해 말하는 것이다. 다음의 예를 살펴보자.

내가 어떤 한 그룹과 일을 하고 있을 때, 그룹의 멤버였던 마크는 자신이 그 그룹에 영향을 미치고 리더십을 행사하고 싶은 욕구를 가지고 있다고 밝힘으로써 위험을 감수하고 나섰다. 그것은 드러내 놓고 말하기 민감한 주제였지만, 관심을 가지고 있던 멤버들에게는 매우 중요한 말이었다. 그때 마크는 자신이 그렇게 하는데 얼마나 신나하는지에 대해서 뿐만 아니라 아이디어와 욕구를 아주 투명하게 서술해나갔다. 그리고나서, 자신이 영향력을 가지는 것에 끌리게 된 이유와 함께 자신이 태어난 나라를 떠나 새로운 이곳에서 가족을 부양하는 것이 힘들다는 사실까지 털어놓았다. 자신이 걱정하는 것을 털어놓았을 때는 눈에 띌 정도로 심란해보였다. 그렇게 말할 때 마크는 투명성에서 친밀함으로 태도를 바꿨는데, 그것이 그룹에 미친 영향은 컸다. 사람들은 듣는 것을 멈추었고, 그들 중 몇사람은 몸을 뒤로 뺐다. 사람들은 왜 그가 그런 말을 했는지에 대해 무수한 이야기를 지어내기 시작했다. 나는 마크가 하는 말을 중단시키고, 사람들에게 그 순간 마크에 대해 그들이 지어낸 이야기를 들려달라고 부탁했다. 그들이 지어낸 이야기들은 마크가 감정적인 협박을 통해 리더십에 대한 지원을 얻고자 했다는 것에서부터, 그가 다른 사람들에게 그들의 약한 감정을 드러내게 하려 했다는 생각까지 무척 다양했다. 사실, 마크는 왜 자신이 그렇게 개인적으로 행동했는지 알지 못했다. 그 행동이 그가 말하고자 한 요점과는 별 관련이 없다고 생각했다. 마크가 이렇게 말하는 것을 들은 덕분에 사람들은 본래 진행되던 상황으로 돌아와 다시 그가 하는 말에 귀를 기울일 수 있었다.

따뜻하고 상냥하고 친밀하게 말하는 것, 지난 주말에 한 일이나 아이들이나 과거에 대해 말하는 것은 학습대화와 아무 관련이 없다. 학습

대화와 관련된 것은 다른 사람들이 당신의 경험을 이해하는 데 도움이 되는, 당신 내면에서 일어나고 있는 생각, 감정, 관찰과 욕구들이다. 왜냐하면 그것들이 당신이 다루고 있는 문제와 관련이 있기 때문이다. 그래서 학습에 적합한 태도는 다른 사람들을 친밀하게 대하는 것이 아니라 그들에게 얼마나 투명할 수 있느냐에 달려 있다.

그런데 파트너십에는 친밀하게 대하는 것이 필요하다. 결혼관계가 가장 좋은 예가 될 수 있지만, 어떤 파트너십에도 우정을 포함할 수 있다. 우리는 직장에서 다른 사람들과 주말에 있었던 이야기를 나누고, 그들의 이야기도 듣고 싶어 한다. 그것이 잘못된 것은 아니다. 다만 그런 것들이 대인관계 명료성과 관련이 없을 뿐이다. 친밀하지 않은 관계에서는 그런 태도들이 오히려 방해가 될 수 있다. 모든 관계들에는 친밀함의 안락지대Intimacy Comfort Zone, 즉 다른 사람이 듣고 싶어하는 개인적인 세세한 이야기들이 일정 부분 존재하는 것처럼 보인다. 만일 당신이 이 안락지대의 경계를 벗어나는 행동을 보이면 다른 사람들은 불편해진다. 친밀한 관계에서 느끼게 되는 그러한 불편감은 개인적인 세부사항을 충분히 얻을 수 없기 때문에 생긴다. 친밀하지 못한 관계에서 느낄 수 있는 불편함은 원하지도 않는 정보가 너무 많을 때 일어난다. 어떤 사람이 친밀함의 안락지대를 벗어나 다른 사람들에게 너무 많은 정보를 줄 때, 명료성을 얻고 혼돈을 제거하려는 관심이 사라지는 것을 나는 여러 번 목격했다. 그럴 때는 앞에서 소개한 마크의 이야기처럼, 왜 굳이 과도하게 친밀한 정보를 흘리는지에 대해 사람들이 이야기를 만들어 내기 시작하면서 혼돈 제작기가 작동된다. 그러나 상대가 투명성을 유지하고 있으면, 나는 공백을 메우기 위해 '지금 여기'에서의 경험에 대한 정보를 당신에게 제공해 줄 수 있다. 그렇게 함으로써 당신은 내가 경험하는 것에 대한 이야기를 지어낼 필요를 느끼지 못한다. 내가 친밀한 상태에 있으면, 내가 살아온 인생이야기나 그것과 연관된 사람들 등에 대해 당신에게 이야기함으로써, '지금 여기'의 시점을 넘어서게 된다.

친밀한 관계와 업무 관계의 또 다른 중요한 차이는 감정을 표현하는 방식에 있다. 친밀한 관계에서는 감정을 표현하는 것이 적절하고, 어쩌면 필요하기도 하다. 감정을 표현할 때는 하는 말 뿐만 아니라 비언어적인 방식으로도 감정의 강도를 표출하게 된다. 즐거움을 감추지 못하면 펄쩍펄쩍 뛰면서 춤도 출 수 있다. 상처받았을 때는 울기도 한다. 화가 나면 고함을 지르거나 화가 난 목소리로 말을 할 것이다. 하지만, 감정을 그렇게 표출하는 것은 특히 친밀하지 않은 관계에서는 명료성을 조성하는 데 도움이 되지 않는다. 대신, 당신에게 필요한 것은 감정을 표현하지 않고 감정의 상태에 대해 서술하는 것이다. 만일 화가 난다면, 할 수 있는 한 조용하고 냉정하게 당신이 화가 난다고 말하라. 감정을 서술하는 것과 감정을 표현하는 것의 차이는 서술 자아가 되는 데에는 정말 중요하다. 당신이 서술한 것이 다른 사람의 말문을 닫아버리거나, 그들의 호기심을 떨어뜨리면서 당신에 관해 더 많은 이야기를 지어내게 할 때는 그런 당신을 효과적인 서술 자아라고 할 수 없다. 이런 상황은 업무적인 관계에 있는 사람들이 감정을 표현할 때 흔히 나타나는 모습이다. 이런 상황이 발생하면, 표출된 감정이 그들을 통제하기 때문에 그 자리에 있는 사람들은 조심스럽게 행동할 수 밖에 없다. 결국 명료성에 대한 모든 관심은 사라지고, 감정을 억누르는 데만 관심을 두게 된다. 그렇기 때문에 서술 자아가 되어야 할 때는 감정을 표현하는 행동을 피하는 것이 좋다는 경험법칙을 우리는 얻을 수 있다. 감정적이 되지 않고 자신에게 올라오는 감정에 대해 차분히 서술함으로써 상대가 필요로 하는 정보, 즉 당신이 하고 있는 말과 행동 너머까지 이해하는데 중요한 정보를 상대에게 제공할 수 있게 된다. 이것이 바로 투명성이다.

질문하기 전에 (질문배경을) 먼저 설명한다

자신을 서술할 때, 당신은 설명문statements을 사용하게 된다. 문제 패턴의 원인이 된 부하 직원과 대화를 시작할 때, 좋은 의도를 가진 대부분의 매니저들은 자기 입장을 설명하지 않고 먼저 질문을 한다. 그렇게 하면 그들은 훨씬 숙련된 매니저처럼 보인다. 질문하는 사람이 그냥 설명만 하는 사람보다 경청을 더 많이 하는 것처럼 보이기 때문이다. 그렇다. 리더들은 경청을 해야 한다. 하지만, 들어야 할 때와 말해야 할 때가 있다. 경청하고 있는 상황이라면 질문을 해도 된다. 하지만, 서술 자아가 되려면 그 상황에 대해 명확히 서술할 수 있어야 한다.

권한을 가지고 있는 어떤 사람이 당신에게 질문을 하면, 당신에게 어떤 일이 일어날 것 같은가? 당신이 보통사람이라면, 그 질문이 어디서 온 것인지, 왜 그런 질문을 하는지, 무슨 답을 얻고 싶어하는지 등등에 대한 이야기를 만들어 내기 시작할 것이다. 당신이 질문에 대한 맥락과 이유에 대해 먼저 설명하지 않고 질문을 하면, 당신은 대인관계 혼돈을 만들어내게 된다.

예를 들어, "당신은 우리가 준비한 계획을 지지합니까? 아니면 지지하지 않습니까?"는 솔직한 질문인 듯 보이지만, 그것을 듣는 사람은 마음 속으로 의미형성을 하게 된다. 어떤 사람은 자신을 불신하고 있다고 생각할 수도 있고, 다른 사람은 왜 그 질문을 하게 되었는지에 대해 상상하기 시작할 것이다. 어쩌면 세 번째 사람은 그 계획에 대해 의심을 하면 분명히 환영받지 못할 것이라고 생각할지도 모른다. 질문은 서술적인 설명이 선행될 때 비로소 모든 면에서 훨씬 명료해진다. 예를 들어보자. "어제 당신이 샐리에게 그 계획을 설명하고 있을 때, 당신은 그 계획에 진심으로 몰두해 있는 것처럼 보였어요. 하지만 오늘은 당신이 한 약속을 계속 얼버무리고 있네요. 좀 혼란스럽습니다. 당신은 우리 계획을 지지하는 겁니까, 아니면 지지하지 않는건가요?" 질문하기 전에 이처럼 먼저 설명을 해주도록 하라.

어떤 사람들은 질문 뒤에 숨는다. 그들이 질문하는 한 자신을 드러낼 필요가 없기 때문이다. 질문을 수사적으로 사용하는 사람들도 있다. 그들은 실제로는 설명을 하고 있지만, 그것을 질문하는 것처럼 가장한다. 이 가운데 가장 악의적인 것은 "그렇게 생각하지 않습니까?"와 같은 형태의 질문이다. "그렇게 생각하지 않습니까?"로 묻는 사람은 대개는 "나는 당신이 당연히…해야 한다고 생각한다."라는 뜻이지만, 질문의 형태로 표현함으로써 자신을 덜 취약하고 덜 강압적으로 느끼게 한다. "그렇게 생각하지 않습니까?" 라는 질문을 받은 사람은 그 안에 있는 암시적인 판단을 듣게 되고, "정답"이 무엇인지 잘 안다. 이렇게 하면 질문을 받는 사람의 마음에 불신을 일으킬수 있다. 그런 질문은 대답해야 할 사람으로 하여금 질문한 사람이 무엇을 생각하고, 느끼고, 원하는지에 대한 이야기를 지어내게 함으로써, 혼돈을 만든다. 그러나 다른 사람들에게 의견이 무엇인지 물어보기 전에, 단순히 당신이 믿고 있는 것을 먼저 서술하는 것만으로도 당신은 명료성을 지원해줄 수 있다.

어떤 매니저들은 자기가 먼저 말하면, 다른 사람들이 실제로 무슨 생각을 하는지를 알아내지 못한다고 단언한다. 그들은 자신이 가진 권한이 다른 사람들로 하여금 자신의 생각에 동의하는 척하게 만든다는 것을 학습해왔다. 그들의 심상지도는 "내 견해를 말하기 전에 질문을 하면 보다 솔직한 답을 얻을 수 있다."는 것에 근거한다. 나는 그 지도가 오히려 그들을 방해한다고 생각한다. 어떤 사람들은 상사가 듣고 싶어 하는 것만 말하겠지만, 그것은 상사가 다른 관점을 가진 부하들을 불편하게 했을 경우에만 해당된다. 당신이 정말로 다른 사람들이 무슨 생각을 하는지 알고 싶어서 그들에게 그런 당신의 마음을 말해주면서 그들이 가진 다른 관점에 고마움을 표현한다면, 당신의 생각을 먼저 말하는 것에 대해 걱정할 필요가 없다. 사실, 그들은 당신 질문에 답하기 위해 나름의 맥락을 가지고 있고, 그들이 동의하는 것과 동의하지 않는 것, 그리고 당신 견해의 어떤 부분이 이해가 되지 않는지에 대해 서술할 수 있기 때문에, 당신의 생각을 먼저 말하는 것이 오히려 그들을 더 쉽게 만들어줄 수 있다.

조직 학습에서 우리가 문제 패턴에 대해 언급해야 할 때는 이 점이 큰 이슈가 된다. 대부분의 사람들은 다른 사람에 대해 자신이 경험한 것을 서술하는 것이 위험하다고 생각한다. 특히 그들이 속한 조직에서 이렇게 하는 것이 관행이 아닐 경우에는 더 그렇게 생각한다. 위험이 높은 상황에서는 리더가 먼저 나서야 하는데도 리더가 그렇게 행동하지 않으면 그 리더가 이끌고 있다고 할 수는 없다. 매니저가 팀원들의 질문에 답해주고 자신의 지도와 경험에 대해 충분히 서술해주지 않으면, 그 매니저는 팀원들이 자신들이 가진 지도와 경험에 따라 솔직하게 질문에 대답할거라고 기대할 수는 없다. 학습을 잘 이끌어나가려면 다른 사람들이 마음 속에서 어떤 생각을 하고 있는지 물어보기 전에, 당신이 어떤 생각을 하고 있는지에 대해 먼저 서술해야 한다. 혼돈을 계속해서 제거하려면 당신이 왜 그런 질문을 하는지에 대해 설명을 하면서 대화를 시작하는 것이 좋다. 질문하기 전에 당신이 머릿속에서 어떤 생각을 하고 있는지 사람들이 알게 해주면, 그들이 하게 될지도 모르는 부정확한 의미 형성의 정도를 줄일 수 있고, 또한 그들 스스로 만들어 낼 지도 모르는 불안을 방지하는 데도 도움이 된다. 질문하기 전에 그들에게 질문의 목적을 먼저 말해주라. 이렇게 하면, 당신이 그들에게서 원하는 정보인 '내 경험의 진실을 말하기'와 같은 서술방법에 대한 본보기를 보여줄 수 있다.

반응하기 전에 (상대의 질문/발언의) 영향을 먼저 서술한다

모든 대화에는 두 가지가 동시에 존재하는데, 그것은 대화 내용과 대화 경험이다. 당신이 내게 무언가 말할 때, 당신은 당신이 서술하는 내용 이상으로 내게 영향을 준다. 내가 서술 자아가 되어야 할 때는, 당신이 방금 말한 것에 내가 반응하기 전에 우리가 대화하는 동안에 내가 경험한 것을 먼저 서술해주는 것이 좋다.

내용과 경험의 차이가 의미하는 것은 무엇일까? 다음 페이지에는

'수'와 '밥' 사이에 일어난 유사 소설 형식의 대화가 있는데, 두 사람은 업무 중에 늘 하던대로 전화 통화를 하고 있다. 내가 '유사 소설 형식'이라고 말한 이유는 두 사람 중 한 사람이 이것을 내게 말해주고, 상대방이 말하는 것은 내가 지어낸 것이기 때문이다. '수'는 다양한 부서들이 참여하는 프로젝트 팀을 이끌고 있고, 프랭크는 밥에게 보고하는 팀원이다. 그들의 대화를 한번 들어보자.

수: 우리가 ABC 프로젝트를 어떻게 관리하고 있는지 이야기를 좀 나눠보고 싶은데요.

밥: 그럼요. 혹시 어떤 생각을 하고 계신지요?

수: 이 프로젝트가 회사의 장기적인 성공에 정말로 중요하다는 점에 우리 모두 동의한다고 생각합니다.

밥: 네, 아마도 그럴 겁니다.

수: 그래서 이 프로젝트에 최고의 관심과 자원을 배정해야 합니다.

밥: 그래서, 요점이... 무엇인지요?

수: 글쎄요, 프랭크가 맡은 일을 제대로 처리하지 않고 있다는 불만을 많이 받았습니다. 이 상황에 대해 조치가 필요한 것 같습니다.

밥: 이번에는 문제가 무엇인가요?

수는 지난 2주 동안 다른 부서 사람들이 프랭크가 제출한 보고서에서 숫자가 맞지 않았던 것을 발견한 두 가지 사례를 말해줬다. 뿐만 아니라 프랭크는 몇 개의 보고서는 마감 시한을 넘겨서 제출했다는 것까지 포함해서 말해줬다.

밥: 좋습니다. 제가 프랭크와 이야기해보겠습니다. 지금 말씀해주신 문제들에 대해 프랭크가 설명해줄 거라고 믿습니다.

수: 그렇게 해주시면 고맙긴 한데, 우리가 이 문제로 대화를 나눈 것이 처음이 아니기 때문에 당신이 어떤 대안들을 가지고 있는지 궁금합니다.

밥: 이를 테면 어떤 것 말입니까?

수: 글쎄요, 당신 부서에는 지금 다른 중요한 일이 있는 것으로 알고 있습니다. 프랭크를 그 프로젝트에서 빼고, 그 일을 내게 넘겨주는 걸 고려해보면 좋겠습니다.

밥: 흥미로운 제안이네요. 생각해보고 다시 연락드리지요. 적어도 당사자인 프랭크와 먼저 얘기를 나눠봐야 할 거라고 보는데, 그렇지 않습니까?

어느 조직에서든 일어날 수 있는 통상적인 대화처럼 보이지 않는가? 대화가 이렇게 진행될 때는 대화를 하는 두 사람은 각자에게 어떤 영향을 미치게 될까?

아래의 표 오른 쪽에는 대화를 하는 동안 각자가 받은 몇 가지 영향을 기록해 놓았다.[1] 이 영향은 상대에 대해 서로가 지어낸 이야기이다. 이 사례를 보면, 밥은 자기가 받은 영향을 많이 표현하지 않은 것으로 보인다. 만일 표현을 했다면, 밥은 정직할 수는 있었겠지만, 수를 화나게 하거나 고립시켰을 수 있다. 밥이 받은 영향의 대부분은 수가 던지는 판단하는 말 때문에 생겨났다. 다음에 이어질 기본법칙에서 논의되겠지만, 판단은 학습대화에 도움이 되지 않는다. 여기에서 말하는 영향이란, 밥이 경험하고 있는 것을 말한다. 다시 말해, 바로 밥 자신이 만들어 낸 이야기, 즉 그가 어떤 것을 느끼게 하고, 판단하게 했으며, 욕구를 갖게 한 이야기를 말한다. 만일 밥이 수와 관련된 이 경험을 통해 학습을 하려면, 그에게 일어난 느낌, 판단, 욕구가 바로 그가 서술해야 할 필요가 있는 영향이라는 점을 알아야 한다. 이 원칙은 수에게도 해당된다.

눈에 보이지 않는 영향	
그들은 서로에게 어떻게 반응했나	그리고 각자 받았던 영향은…
수: 우리가 ABC 프로젝트를 어떻게 관리하고 있는지 이야기를 좀 나눠보고 싶은데요.	밥: 오, 그래. 당신을 지금 괴롭히는 게 뭐지? 나는 매번 당신이 전화할 때마다 내가 해결해야 할 문제가 더 많이 생겨서 긴장이 느껴져. 당신과 한번이라도 다른 종류의 대화를 하고 싶은데 말이야.
밥: 그럼요. 혹시 어떤 생각을 하고 계신지요?	수: 당신 오늘 기분 좋아 보이네. 어쩌면 프랭크 건을 마무리 지을 수 있겠는 걸. 달리기 경주를 위해 출발선에 대기하고 있는 선수 같은 기분이 드는군. 나는 정말이지 이 문제에 관해 근본적인 해결책을 내고 싶은데, 그게 당신을 성가시게 할 거란 걸 알지만, 그렇게 되길 바라지는 않아.
수: 이 프로젝트가 회사의 장기적인 성공에 정말로 중요하다는 점에 우리 모두 동의한다고 생각합니다.	밥: 맞아, 그녀는 확실히 내게 무언가 바라고 있네. 내 경계심이 높아지는 걸 느낄 수 있어. 프랭크에 관한 문제가 아니기를 바랄 뿐이야. 프랭크는 퇴직이 2년 밖에 안 남았는데, 난 그 사람과 묶여 있어. 제기랄 35년이나 일해 온 사람은 점잖게 대접받을 가치가 있다고.
밥: 네, 아마도 그럴 겁니다.	수: 어허, 이 친구 방어적으로 나오네. 이 친구가 이 문제에 마음을 열게 하려면 어떻게 해야 하지? 때로는 그의 태도에 상처를 입히는 게 어쩔 수 없다고 느껴.
수: 그래서 이 프로젝트에 최고의 관심과 자원을 배정해야 합니다.	밥: 이런 제길, 프랭크 이야기로군. 이번에는 또 무슨 일을 저질렀다는 거야? 그에게 또 다시 고민거리를 줘야 하는 게 지겹다고. 이 쓸데없는 일을 다루는 것보다 더 중요한 일들이 많은데 말이야.
밥: 그래서 요점이 무엇인지요?	수: 그래, 분명히 내 문제는 아니지만, 밀어부쳐서 이 일을 끝내 버리는 게 좋을 것 같은데..

수: 글쎄요, 프랭크가 맡은 일을 제대로 처리하지 않고 있다는 불만을 많이 받았습니다. 이 상황에 대해 조치가 필요한 것 같습니다.	밥: 당신이 진짜로 불만을 들었는지 궁금하군. 그거 당신 불만 아니야? 어쨌건 프랭크에 대해서 무슨 말을 듣긴 한거야? 그가 좀 느리긴 하지만 그는 착실한 사람이고, 최선을 다해.
밥: 이번에는 문제가 무엇인가요?	수: 글쎄, 적어도 물어보긴 하는군. 이제야 이 문제를 열린 자세로 보기 시작하는군. 약간 희망의 빛이 보여.
수는 지난 2주 동안 다른 부서 사람들이 프랭크가 제출한 보고서에서 숫자가 맞지 않았던 것을 발견한 두 사례를 말해줬다. 뿐만 아니라 프랭크는 몇 개의 보고서는 마감시한을 넘겨서 늦게 제출했다고 했다.	밥: 몇 가지 숫자가 누락되어서 큰 문제라는 거군. 누가 작업하든 간에 그런 것들은 거듭 확인했어야 하는데 말이야. 사실 너무 작은 일이라 안심이 되는군. 당신이 좀 냉정해지면 좋겠어. 모든 사람이 당신처럼 완벽주의자는 아니야.
밥: 좋습니다. 프랭크와 이야기해보겠습니다. 지금 말씀해주신 문제들에 대해 프랭크가 설명해줄 거라고 믿습니다.	수: 오, 아니야. 지난번에도 두 번이나 그렇게 말했지. 하지만 나아진 게 전혀 없어. 나는 당신이 이 프로젝트가 우리 회사의 수익성에 막대한 영향을 미칠 잠재력을 갖고 있다는 걸 제대로 이해한다고 보지 않아. 좋아. 플랜 B로 시도해 보자. 당신이 이것은 수용해 주길 바래.
수: 글쎄요, 그렇게 해주시면 고맙긴 한데, 우리가 이 문제로 대화를 나눈 것이 처음이 아니기 때문에, 당신이 어떤 대안들을 가지고 있는지 궁금합니다.	밥: 당신이 누군가 다른 사람에게 이 프로젝트를 맡기도록 바라는 것 같은데, 나는 그렇게 할 수 없어. 우리는 전체적으로 인력이 부족하단 말이야. 그리고 다른 사람에게 맡겨서 속도를 맞추려면 적어도 2주가 필요하다고. 하지만 내가 거절한다고 당신이 받아들일거라 생각하지는 않아. 왜 프랭크와 같이 일하는 법을 한번 배워보지 그래? 그는 약점도 있지만 강점도 있거든. 그것들을 활용해 보자는 거지.

밥: 이를 테면 어떤 것 말입니까?	수: 나는 당신이 프랭크를 대체할 인력이 없다는 걸 알아. 당신이 그를 감독하고 있기 때문에, 그는 내가 결과를 얻기 위해 그에게 가하고 있는 어떤 열기도 느끼지 못하고 있어. 내 첫 번째 선택은 당신이 그를 내게 넘기는 거야. 하지만 당신이 절대 그렇게 하지 않을 것이라는 걸 알아. 그래서 난 기꺼이 매주 토요일에라도 와서 일이 제대로 되고 있는지 확인할 준비가 되어 있단 말이야. 매번 잘못된 보고서를 만들면 우리에 대한 신뢰가 떨어지고, 궁극적으로는 이 프로젝트가 아무런 영향도 갖지 못한다는 사실을 당신은 이해하지 못하는 건가?
수: 글쎄요, 중요한 일이 있는 것으로 알고 있습니다. 당신이 프랭크를 그 프로젝트에서 빼고, 그 일을 내게 넘겨주는 걸 고려해보면 좋겠습니다.	밥: 우와. 거기서 잠시만 멈춰봐. ABC 프로젝트에서 완전히 손을 털기를 내가 원하는지는 아직 확신하지 못하지만, 어쨌든 우리 부서는 그 숫자에 책임을 지고 있어. 당신이 여기서 하려는 게 도대체 뭐지? 내가 당신을 믿을 수 있을까? 음... 혹시 당신이 내 등에 올라타겠다는 건가? 당신이 그런 종류의 사람은 아닌 거 같지만, 지금부터 당신에 대해 조심해야 할 것 같군.
밥: 흥미로운 제안이네요. 생각해보고 다시 연락 드리겠습니다. 적어도 당사자인 프랭크와 먼저 얘기를 나눠봐야 할 거라고 보는데, 안 그렇습니까?	수: 당신은 내 제안을 수용하지 않는군. 제길, 나는 프랭크 때문에 생긴 손해를 수습할 방안을 찾아야 하는데 말이야. 당신이 그와 억지로 붙어 있다는 건 알지만, 나는 당신이 얼렁뚱땅 그 사람을 내게 넘기지 않기를 바래. 당신이 그렇게 하겠다고 고집 부린다면, 적어도 그가 일을 잘하는지 확인할 수 있도록 내게 일부 권한을 줘야만 해. 이거 정말 맥 빠지는 군.

밥과 수가 학습대화를 하려면 표의 오른쪽에 있는 내용 중 일부는 드러내놓고 말을 해야 한다. 전부일 필요는 없지만(그것은 솔직한 것일 수 있지만), 그 중 일부는 말해야 한다. 밥과 수에게는 문제 패턴이 있다. 그들이 프랭크에 관해 대화를 나누고는 있지만, 실제로는 아무 일도 일어나지 않는다. 수는 프랭크와 밥이 문제라고 생각한다. 밥은 수가 문제라고 생각한다. 그러나 진짜 문제는 상황에 대한 각자의 경험이나 그들이 믿고 있는 것에 대해 서로 털어놓지 않아서 패턴이 변하지 않는데 있다.

자신이 받은 영향에 대해 서술할 때는 '지금 여기'에서의 관찰, 생각, 감정, 욕구를 조용하고 냉정한 방식으로 털어 놓아야 한다. 이것을 다른 사람을 공격하거나, 비판하거나, 비난하지 않는 방식으로 털어 놓아야 한다. 단순히 대화 내용에 반응하는 대신, 양측 모두가 볼 수 있도록 그들의 경험을 공개하는 것이 좋다. 그런 후에 내용에 반응하면 된다. 양측이 모두 이렇게 할 때, 문제 패턴을 야기시키는 바로 그 의미 형성의 과정을 눈으로 볼 수 있게 된다.

매일 벌어지는 일상적인 대화를 앞페이지 표의 오른쪽 칸에 모두 서술할 필요는 없다. 그렇게 하면 너무 시간이 많이 걸려서 우리를 미치게 할지도 모른다. 우리가 파트너십을 맺고 싶지 않은 사람들과도 그렇게 할 필요는 없다. 하지만 우리 모두가 프로젝트나 프로세스의 성공을 위해 전념하는 관계에 있기를 바란다면, 상호교류의 패턴이 문제가 된다면, 다른 사람이 우리에게 미치는 영향에 대해 말을 해야만 한다. 학습대화를 하는 동안에는 '지금 여기'에서 다른 사람들이 우리에게 미치고 있는 영향을, 그것이 일어나고 있는 그대로 서술해야 한다. 그것이 그들에게 우리 내면에서 무슨 일이 일어나고 있는지 올바른 그림을 그리게 할 수 있는 유일한 방법이다. 그렇지 않으면, 그들은 그들이 가진 부정확한 정보를 기반으로 이야기를 지어내는데, 그것이 어쩌면 문제 패턴 problem pattern을 만들어 내는 첫번째 요인일지도 모른다.

실제 예를 보여주기 위해서, 밥과 수가 내용에 반응하기 전에 서로에게 미치고 있는 영향을 설명할 때 가질 수 있는 학습 대화 한 토막을 소개한다.

수: 프랭크에 대해 이야기하는 우리의 대화 패턴과, 그다지 변화가 없는 상황에 대해 당신과 학습대화를 나누고 싶습니다.

밥: 우리가 나누는 대화에 문제가 되는 패턴이 있다는 것에 동의합니다. 하지만, 당신이 이 문제를 제기한 영향 때문에 약간은 긴장감이 들고 조심해야 한다는 느낌마저 드네요. 그건 우리가 이 점에 대해 얼마나 많이 이야기해왔는지와 프랭크에 대해 제가 느끼는 감정과 관련이 있는 것 같아요. 나는 ABC 프로젝트가 좋은 프로젝트라 생각하고 당신을 돕고 싶지만, 그것은 프랭크의 자존감이나 제 부서가 해야 할 일을 희생하지 않는 범위 내에서 하기를 원해요.

수: 저 역시도 긴장되고 조심스럽습니다. 하지만 당신이 솔직히 말해주니 조금은 안도하게 되고 희망을 갖게 됩니다. 당신이 처리해야 하는 다른 업무를 위험에 빠뜨리지 않기를 원한다는 점도 이해하고요, 저도 그렇게 되지 않도록 해결책을 찾고 싶습니다. 하지만, 당신이 ABC 프로젝트를 지지한다는 사실을 저는 다시 확인하고 싶고, 여기에 문제가 있다는 것을 당신이 알았으면 합니다. 당신이 프랭크에 대해 방금 말한 것을 듣고 조금 놀랐는데요, 저는 당신이 그 사람에 대해 어떻게 생각하고 있는지 잘은 모릅니다. 그래서 그 점을 더 이해하고 싶습니다.

밥: 당신이 제 부서의 일을 끝내야 할 필요성을 존중해준다는 말을 들었을 때 마음이 조금 놓이면서도, 제가 그동안 당신이 자기 프로젝트만 챙기고, 제가 가진 문제에는 관심이 없다고 생각했다는 걸 알게 됐어요. 그건 사실이 아니었던 것 같군요. 프랭크에 대해

조금 말씀드릴께요. 프랭크는 이 회사에서 35년동안 근무하면서 회사에 상당한 공헌을 했습니다. 그가 은퇴를 몇 년 앞두고 있기 때문에 저는 남은 기간이 그에게 생지옥이 되어서는 안 된다고 생각합니다. 그가 좀 느린건 분명하지만, 많은 경험과 지혜를 가지고 있어요. 저는 당신이 정말로 그를 알려고 하거나 그의 강점을 이해하려고 노력했다는 생각은 들지 않습니다. 당신이 프랭크와 함께 프로젝트 일에 좀 더 신경을 써 주기를 바랍니다. 당신이 프랭크와 직접 상대해서 제가 중간에 끼는 일이 없으면 더 좋을 것 같습니다.

수: 프랭크에 대한 당신의 생각을 존중합니다. 저도 회사를 위해 오랫동안 애쓴 사람들을 형편없이 대해서는 안된다고 생각하지만, 그래도 프로젝트의 성공이 위험에 빠져도 된다고 생각하지는 않아요. 저는 프랭크 뿐만 아니라 어느 누구와 함께 일을 해도 프로젝트가 잘 되기를 바랍니다. 프랭크에게 프로젝트를 수행할 역량이 있다고 믿지만, 제가 그의 관심을 끌 수 있을 것 같지는 않아요. 제가 당신에게 연락한 이유는 당신이 그의 상사이고, 그 사람은 당신이 말하는 것만 신경을 쓰는 것 같기 때문입니다. 정말로 저는 당신을 끌어들여서 일을 하고 싶지는 않지만, 당신이 프랭크를 계속 관리하고 싶어한다고 생각했어요. 진짜 문제는 프랭크의 시간에 대한 통제권이 제게 없다는 것입니다. 그래서 제가 그에게 바라는 만큼 그는 프로젝트에 관심을 기울이지 않고 있다는 겁니다.

밥: 지금까지 제가 상황을 다르게 이해하고 있었군요. 저는 당신이 프랭크의 역량이 부족해서 다른 사람으로 교체해주기를 원한다고 생각했었습니다. 제가 프랭크에게 다른 업무도 보게 하는 것은 사실입니다. 그래서 그가 ABC 프로젝트의 중요성에 대해서 확실히 알지 못할 수도 있어요. 제 생각에는, 해결책을 제대로 찾으려면 프랭크를 포함해 3자 대화를 하는 하는 게 좋을 것 같습니다. 그런데 그렇게 하기 전에, 우리 두 사람이 이 문제에 관해 명확히 해야 할 다른 것들이 더 있는지 궁금합니다.

이런 대화가 흔히 있는 볼 수 있는 대화처럼 들리는가? 만일 그렇다면, 당신은 명료성 문화를 가진 조직에서 일하는 것이 틀림없다. 그러나

대부분의 경우, 사람들은 일을 할 때 학습대화를 하지 않는다. 그것이 바로 대인관계 혼돈이 그토록 견고한 이유이다. 하지만 당신은 앞 페이지에서 소개한 것처럼, 밥과 수가 그들의 파트너십을 본궤도로 되돌리는데 학습대화가 얼마나 중요한지 충분히 알 수 있었을 것이다. 학습을 이끌고 파트너십을 지속하려면, 당신은 이런 대화를 할 수 있어야 한다. 심지어 서술 자아의 기본 원칙에 대해 아무 것도 모르는 사람들과 대화할 때도 그렇다.

나는 당신이 이 대화에서 두 가지를 주목하길 바란다. 맨 먼저 주목해야 할 것은 밥과 수가 상대가 말한 내용에 반응하기 전에 상대가 방금 말한 것에 자신들이 어떤 영향을 받았는지를 먼저 서술한다는 점이다. 예를 들면, 프랭크에 대해 밥이 어떻게 느끼는지에 대해 물어본 것에 반응하기 전에, 밥은 수에게 자기의 부서 업무를 위험에 빠뜨리지 않겠다는 그녀의 설명이 그에게 미친 영향에 대해 언급해주었다. 이것이 바로 '반응하기 전에 영향을 서술하라'라는 원칙이 의미하는 것이다. 학습대화에서는 반응하기 전에, 상대방이 내게 미친 '지금 여기'에서의 영향, 즉 상대방이 말한 것에서 내가 만들어 낸 경험을 먼저 서술해야 한다. 이런 방법으로, 두 사람은 매 순간 그들이 가지는 경험을 추적할 수 있고, 대인관계 명료성을 만들어낼 수 있게 된다. 앞 장에서 설명했듯이, 정말 까칠한 문제 패턴에서 새로운 통찰이 드러나게 되는 것은 사람들이 매 순간 서로 간에 겪고 있는 '지금 여기' 현재 시점의 경험을 바라봄으로써 가능하다. 이것이 바로 우리에게 있는 무의식의 경험을 알아내는 최적 경로가 된다.

당신이 주목해야 할 두 번째는 밥과 수가 서로에 대한 경험을 서술할 때 경험의 4가지 요소를 사용하고 있다는 점이다. 거의 모든 대화에서 무슨 생각을 하는지, 어떤 느낌이 드는지, 원하는 것이 무엇인지, 그리고 관찰하고 있는 것이 무엇인지를 서술했다. 그들은 이 상황에서 자신들이 가지고 있는 지도를 공유해주었다. 이것이 바로 서술 자아가 되는 방법이다.

판단이 아니라 경험을 서술한다

이 기본 규칙은 사람들의 관계와 상호교류의 패턴을 개선할 수 있게 해주는 열쇠가 된다. 이것이 바로 조직 학습에 대한 이 접근법이 개방적이고 정직하라는 인간관계 접근법과 다른 점이다. 수년 동안 나는 조직 개발 컨설턴트가 되기 위한 훈련을 받았는데, 개방적이고 정직한 것이 더 낫다고 가르치는 코스들을 들었다. 며칠 후, 나는 "좋아, 개방적이고 정직해보자. 그리고 무슨 일이 일어나는지 한번 보자." 하고 마음을 먹었지만, 매번 나는 사람들을 화나게 했다가 재빨리 물러나 내가 말한 것에 조심하게 된다. 내 머릿속에 처음 떠오르는 것을 말했을 때, 사실은 그것이 내가 항상 사람들과 그들의 행동에 대한 판단이었다는 사실을 깨닫게 되었다. 밥과 수가 처음에 나눴던 대화를 떠올려보면 내 말이 무슨 뜻인지 이해가 될 것이다. 밥과 수는 서로에 대해 판단을 하고 있었다. 그들이 자신이 판단한 것을 정직하게 공개했다면 아마도 아래와 같은 대화들이 오갔을 것이다. 개방적이고 정직한 입장에 있었다면 상황이 어떻게 달라졌을지 한번 상상해보자.

밥: 오 이런, 또 당신이군요. 당신은 문제가 있을 때만 전화하네요!

수: 당신은 벌써 방어적인 모습을 보이시네요. 당신은 지금 내가 무엇 때문에 전화했는지도 모르잖아요. 프랭크가 하는 일에 대한 불만이 점점 더 많아지고 있어요.

밥: 아니예요. 난 방어적이지 않아요. 당신은 항상 내게 전화해서 프랭크에 대한 불만을 말하죠. 실제로 사람들이 불만을 말했나요? 혹시 당신의 불만을 말하는 건 아닌가요? 도대체 그 사람과 어떻게 어긋나게 된 겁니까?

수: 내가요? 도대체 당신과 프랭크는 어떤 관계인가요? 나는 당신이 프랭크와 아주 가깝다고 알고 있는데, 왜 이 문제에서 도망가려고 하는 거죠?

내가 판단에 대해 서술하면 '당신'에 대해 말하게 된다. 즉 당신은 문제가 있을 때만 전화하고, 방어적으로 나오고, 그에게 어떤 불만을 가지고 있지만, 계속 피하려고 한다는 것이다. 실제로 나는 당신에 대해 내가 지어낸 이야기가 내게만 진실인 것이 아니라, 진짜 객관적인 진실인 것처럼 말하고 있다. 이것은 중요한 차이다. 당신의 판단 속에 담긴 것은 내가 옳다 그르다 또는 좋거나 나쁘다는 것이다. 내가 나에 대해 당신이 판단한 것을 들을 때, 나는 반박하고 나 자신을 방어하고 싶어진다. 보다 명료해지려 노력하는 대신, 그렇게 판단하도록 우리가 꾸며대고 있는 이야기를 제대로 확인도 해보지 않은 채, 우리는 서로에 대해 판단한 것들만 거칠게 퍼붓고는 대화를 끝낸다. 우리가 상처 받고 화가 나서 물러나는 것 이상으로, 우리의 관계는 아무 대화도 하지 않았을 때보다 더 나빠진다.

나는 이것이 대인관계 혼돈이 널리 퍼지는 주된 이유 가운데 하나라고 생각한다. 우리가 진실(우리가 진짜 생각하는 것)을 말하면 다른 사람들을 화나게 하고, 더 나아지기는커녕 상황이 악화된다는 것을 되풀이해서 배우게 된다. 여기에서 정말로 일어나고 있는 것은 우리가 무엇이 진실인지 이해하지 못한다는 것과, 진실을 말하는데 필요한 단순한 스킬이 우리에게 결여되어 있다는 것이다. 내가 만들어 내는 경험과 판단은 나의 주관적인 진실이지 당신에 대한 진실이 아니다. 내가 판단한 것을 당신에게 쏟아낼 때 나는 마치 나의 주관적인 진실이 객관적이거나 상호주관적인 진실인 것처럼 행동하지만 실제로는 그렇지 않다. 나의 판단은 단지 나의 의미형성이 만들어낸 결과일 뿐이다. 따라서, 나는 내가 의미형성을 하는 데 사용하고 있는 이야기와 정보를 당신에게 보여줄 필요가 있다. 그것을 말할 때는 그것이 단순히 나의 진실일 뿐, 당신의 진실과 같지 않을 수 있다는 태도를 취해야 한다. 그렇게 하면 나는 당신을 화나게 만들지 않고도 나를 당신에게 이해시킬 수 있게 된다.

내가 나의 경험을 서술할 때, 나는 '나'에 대해 말해야 한다. 나는 나의 생각이 내가 만든 이야기에 입각한 것이고, 그래서 내 이야기가 정확할 수도 틀릴 수도 있다는 것을 인정한다. 즉, 그것은 단지 내 이야기일 뿐인 것이다. 물론, 내 이야기는 당신에 관한 내 판단을 포함할 것이다. 그렇지만 내가 내 경험을 서술하고 있을 때 나는 이러한 판단을 내 머릿속에서 일어나고 있는 것으로 표현하는 것이기에, 당신이 그것을 알도록 해서 만일 내가 틀렸다면 당신이 바로잡을 수 있게 허락하는 것이다. 나는 경험 큐브를 나를 안내하는 도구로 사용한다. 나의 관찰, 생각, 감정, 욕구를 서술했을 때에야 비로소 나는 내가 한 경험을 충분히 서술했다고 할 수 있다. 여기 몇 가지 예시를 살펴보자.

판단 서술하기 vs 경험 서술하기	
판단	경험
이 속도라면 보고서를 제때에 제대로 처리하지 못할거네.	이번 주에 한 번도 자네로부터 아무 말도 들은 적이 없을 뿐만 아니라(관찰), 나와 논의없이 어떻게 보고서를 진척시킬 건지 이해가 되지 않아서(생각), 무척 걱정이 되네(감정). 자네가 제 시간에 제대로 된 보고서를 꼭 끝내줬으면 하네(욕구).
당신은 나를 무시하고 이 회의를 통제하려 드는군요.	무엇을 어떻게 해야 할지 저에게 몇 가지 아이디어가 있었습니다(생각). 그런데 지난번에 두 번이나 그걸 제시해보려 했는데 두 번 모두 당신이 제 말을 막았습니다(관찰). 그래서 화가 났습니다(감정). 회의 진행에 대해서는 모두에게 동등한 발언권이 있다고 생각합니다(생각). 그래서 당신이 제 말을 경청하고 제가 말한 것을 고려해주실 것인지 알고 싶습니다(욕구).
저는 당신이 최선을 다하고 있다고 생각하지 않아요.	지금 당신에 대해 제가 만들어낸 이야기는 당신이 이 일에 최선을 다하지 않고 있다는 겁니다. 제 말이 맞나요?(생각) 아니라고요? 그렇다면, 제가 무엇 때문에 그렇게 생각하게 되었는지 설명해보겠습니다(욕구).

위에서 보다시피, 내가 내 경험을 서술할 때, 나는 당신이 가진 생각, 감정, 그리고 욕구를 함부로 가정하지 않는다. 다만 그것을 확인할 뿐이다. 내가 당신에 대해 가지고 있는 내 지도를 단지 현재 나의 이야기로 인지하고 있다는 사실을 당신에게 보여주고, 당신이 기꺼이 당신의 진실을 내게 말해준다면, 나 역시 지금 내가 가지고 있는 지도를 기꺼이 바꿀 의향이 있다는 것을 나타내는 것이다.

지도 서술하기

서술 자아가 되는 스킬 중 하나는 다른 사람들에게 간단하고 이해하기 쉬운 방법으로 당신의 지도를 서술할 수 있는 능력이다. 요즈음은 지도 만들기에 접근하는 방법은 규정을 만들어서 엄격하게 적용하는 방법(예를 들어 Fish-bone이나 시스템 사고)에서부터 직관적이고 창의적인 방법(예를 들어 마인드 맵핑)까지 아주 다양하다. 여러분에게 도움이 되는 소프트웨어가 개인과 그룹이 사용할 수 있도록 개발되었고, 성능도 점점 좋아지고 있다. 여러분의 용도에 따라 가능한 많은 지도 제작 도구들mapping tools을 발전시켜 보길 권한다. 몇 년 전에 톰 피트먼Tom Pitman과 나는 심상지도를 서술할 수 있게 해주는 유용한 접근법을 개발했다. 그것은 클리어 리더의 필요에 잘 맞을 뿐만 아니라, 단순하고 직접적인 방법으로 자신과 다른 사람들의 지도를 명확하고 분명하게 표현할 수 있게 해 준다. 이 연구에서는 전문가들의 스키마타Schemata(심상지도를 칭하는 학문적 용어)와 초보자들의 심상지도(예를 들어, 사람들을 가르치거나 관리하는 방법, 자동차를 수리하는 방법에 대한 사람들 간의 생각 차이))를 비교했었다. 이러한 일련의 연구에서 밝혀진 한 가지 일관된 점은, 초보자들은 이슈나 활동에 대해 제대로 통합하지 않은 채 목록을 장황하고 길게 갖는 경향이 있다고 한다. 초보자와 달리 전문가들은 목록을 짧고 개요를 나타낼 수 있도록 통합적인 형태로 가지고 있는 것으로 밝혀졌다. 행동에 대한 초보자들의 행동이론theory of action은 문자적literal이고 선형적lineal인데 비해, 전문가들의 행동이론은 전체적holistic이고 상대적relativistic이고 은유적metaphorical이다. 카드 워크Cardwork는 우리 각자가 가진 천재성을 드러내고 서술하는 것을 도와주는 테크닉이다. 어떤 의미에서 그것은 당신이 전문가처럼 생각하도록 만들어준다. 이 장의 마지막 부분에서 카드를 만드는 방법을 상세히 설명하겠다.

카드에는 두 가지 종류가 있다. 즉, 정체성identity 카드와 행동이론 카드다. 모든 카드는 그 자체가 하나의 완전한 지도다. 예를 들어, 이 책은 정체성 카드를 바탕으로 한 것이다. 즉, 이것은 협력적 업무 시스템에서 파트너십에 필요한 스킬들에 대해 내가 만든 지도이다. 내 카드는 아래에 있는 그림에서 볼 수 있다.

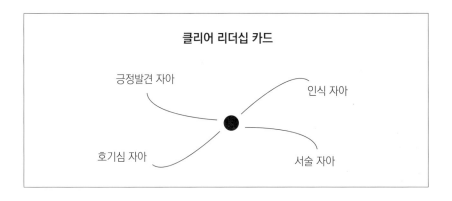

이 카드를 만들기 위해 나는 조직학습을 주도하는 내 지도의 복잡성을 프로펠러의 4개의 바퀴살로 줄여 단순한 용어로 설명해 놓았다. 프로펠러에 달린 바퀴살에는 새로운 카드를 추가할 수도 있다. 물론 이 책에서도 그 방식을 적용하고 있다. 각 스킬을 소개하는 장은 그 스킬들이 어떻게 파트너십을 만들어내고 지속적으로 유지할 수 있는지에 관한 나의 행동이론을 바탕에 두고 있고, 이론을 설명하는 카드는 각 장을 시작하는 부분에서 소개하고 있다.

클리어 리더들은 그들의 행동이론이 무엇인지 알고, 그것을 함께 일하는 사람들에게 간단하고 직접적인 방법으로 설명할 수 있다. 이것은 서술 자아가 되는데 가장 중요한 또 다른 측면이다. 당신이 다른 사람을 관리하거나, 팀이나 그룹에 리더십을 발휘하고 싶다면, 나는 당신의 행동이론들을 결정해서 함께 일하는 사람들에게 그것에 대해 말해줄 것을 강력히 권고한다. 모든 매니저들은 성공, 팀워크, 품질(혹은 고객서비스), 갈등관리, 상사관리, 출세하기 등의 주제들에 대해 명확한 지도 세트set를 즉시 활용 가능한 상태로 준비하고 있어야 한다. 주제에 대한 제목을 다르게 변형시켜서(예를 들어 성공, 우리는 성공한다, 함께 성공하기) 실험을 해보라. 이렇게 하는 이유는 각 지도가 중요한 차이점을 제시해 주기 때문이다. 그것을 벽에 붙여 놓고 남들이 볼 수 있게 하라. 학습해 가면서, 특정 주제에 대한 지도를 계속 수정 보완하라. 다른 사람들이 보다 나은 지도들을 제시하도록 북돋아주라. 당신이 경험한 성공과 실패로부터 함께 학습하라. 계속해서 당신의 지도와 실제 사용 중인 행동이론을 더 많이 인식하도록 노력하라.

서술 자아를 개발하기 위한 연습

다음은 당신이 서술 자아를 개발하는 데 도움을 주는 5가지 연습이다.

연습 8: 경험 서술하기

경험 큐브를 발로 직접 걸어보는 것은 이 스킬을 연습해볼 수 있는 훌륭한 방법이 된다. 마스킹 테이프를 사용해 경험 큐브가 표시되도록 바닥에 십자가를 만든다. 파트너에게 최근 당신에게 어떤 일이 일어났는지 말하라. 이야기를 하면서 당신이 말하고 있는 그 큐브의 한 부분 위에 선다. 말을 계속하면서 이야기가 전환될 때마다 당신이 말하는 경험 요소로 이동하라. 생각, 의견, 판단, 해석을 서술하고 있을 때는 생각을 나타내는 사각형 부분에 서 있어야 한다. 느낌과 감정을 서술할 때는 감정을 나타내는 사각형에 서 있어야 한다. 보고 들

은 것을 서술할 때는 관찰의 사각형에 서고, 당신의 동기, 의도, 욕망, 필요를 서술할 때는 욕구의 사각형에 선다. 그리고 나서, 당신이 대부분의 시간을 어느 부분에서 보내는지, 어느 부분에서 가장 시간을 적게 쓰는지를 주목하라. 각 요소에서 당신의 경험을 충분히 탐색하고 서술하라. 파트너는 당신이 큐브의 틀린 부분에 서 있을 때는 어디에 서야 하는지 당신이 알도록 도와야 한다. 또한 파트너는 당신이 시간을 가장 적게 보내는 부분에서 당신이 좀 더 깊이 탐색하도록 돕기 위해 질문을 던질 수도 있다.

걸어다니면서 진행하는 이 활동은 경험 큐브의 개념이 몸에 배게 해준다. 클리어 리더십 과정을 이수한 많은 관리자들은 사무실이나 회의실 바닥에 큐브를 만들어서, 상황이 가열되거나 혼란스러워질 때는, 차례로 경험큐브를 걸어본다고 한다.

연습 9: 감정 서술하기

감정은 많은 사람들이 서술하는 데 가장 어려움을 겪는 요소다. 감정 상태에 어떤 이름을 붙여줄지를 아는 것보다 무엇을 느끼는지를 아는 것이 좀 더 쉽다. 감정은 수백 가지가 있어서 각각에 이름을 붙일 수 있을 정도로 배우려면, 평생을 통한 자기성찰이 필요할 수도 있다. 그래서 적은 수의 기본적인 주요 감정부터 시작하는 것이 더 도움이 된다.

만일 당신이 감정을 잘 분별하지 못하는 사람에 속한다면, 초보자들도 쉽게 알 수 있는 감정 꾸러미에서부터 시작해보라. 즉, 몹시 화가 난, 슬픈, 기쁜, 상처받은, 무서운 감정 등이다. 느낌마다 강도의 차이는 있지만 대체로 이 5가지로 분류될 수 있다. 심지어 자신이 무엇을 느끼는지 전혀 모르겠다고 말하는 사람들조차 초보자 꾸러미에서 지신의 감정을 서술할 만한 단어를 찾을 수 있다.

다음 단계로 올라가면, 몸에서 감각을 알아차릴 수는 있지만 그것들을 어떻게 명명해야 할지 어려워하는 사람들을 위해서 다음 페이지에 감성 단어표(Emotional Words Chart)를 정리해두었다. 그 표에는 14개의 주요 감성과 각 감성에는 강도가 다른 감정 단어들을 분류해 놓았다. 감정에 이름을 붙이는 것이 어렵다면 그냥 14가지 감성에서부터 시작해보라. 당신이 느끼는 감정을 어떻게 불러야 할지 고민될 때마다 대부분은 아래 목록에서 찾을 수 있을 것이다. 14개의 감성 각각을 식별하는 것이 익숙해진 후에는, 보다 미묘한 차이와 강도를 알차차리도록 해보라. 당신이 이것을 정말 시도해보고 싶다면, 종이에 14개 단어를 타이핑하거나 적어서, 혹은 그 표를 복사해서 항상 가지고 다녀라. 그러면 당신이 무엇을 느끼는지 알아내려고 할 때마다, 그 표를 참고할 수 있다.

감정 단어장

감성단어	연관된 느낌
친절한	감사하는, 배려하는, 염려하는, 따뜻한, 충성스러운, 사랑하는, 탐욕스러운, 매력적인, 호기심 있는, 흥미 있는, 공손한, 형제 같은
기쁜	충분히 기쁜, 의기양양한, 행복한, 황홀한, 흥분한, 명랑한, 영감을 받은, 즐거운, 완전한, 넋을 잃은, 놀라운, 굉장한, 평화로운, 만족한, 감동한, 웃음이 나는
무서운	두려운, 불안한, 오싹한, 겁먹은, 걱정스러운, 성가신, 곤란한, 우려되는, 협박당한, 과민해지는, 의심스러운, 수상쩍은, 섬뜩한
놀란	혼란스러운, 어리둥절한, 의심스러운, 깜짝 놀란, 속은, 기만당한, 배반당한, 충격 받은, 말문이 막힌, 난처한, 상실한
미친	신경질이 난, 화난, 격분한, 산란한, 격노한, 좌절된, 실망한, 짜증난, 약오르는, 심술부리는, 방어적인, 만족하지 않은, 분개한, 독선적인, 성난
바람직한	아름다운, 상냥한, 귀여운, 매력적인, 섹시한, 잘생긴, 뜨거운, 원하는,
수줍은	소심한, 부끄럼타는, 내성적인, 망설이는, 머뭇거리는, 자신이 없는, 분명하지 않은, 떨리는, 작은, 나약한, 하찮은
외로운	혼자의, 고립된, 버려진, 헤어진, 동요하는, 배제된, 외로운, 혼자 있기를 좋아하는, 고립된, 단절된, 분리된
당황스러운	부끄러운, 겁에 질린, 겸연쩍은, 양심의 가책을 느끼는, 죄책감이 드는, 후회하는, 창피한, 깔보는
상처 입은	다친, 학대받은, 상실한, 고통받은, 아픈, 피해를 입은, 뭉개진, 두들겨 맞은, 패배한, 파괴된, 이용 당한, 잘못 사용된
지친	성급한, 바쁜, 기진맥진한, 초조한, 소진한, 졸리는, 소극적인, 축 늘어진, 무감각한, 활발하지 않은, 게으른, 지루한, 냉담한, 무기력한, 생기 없는, 활기 없는, 형식적인
자신 있는	유능한, 강한, 확실한, 차분한, 자부심 있는, 숙련된, 할 수 있는, 적합한, 준비가 된, 침착한, 틀림없는, 확신하는, 신념 있는, 용감한, 용기있는

흥분한	열정적인, 생기있는, 공격적인, 정력적인, 의욕을 가진, 활기찬, 명랑한, 새롭게 시작하는, 외향적인, 넘쳐나는, 기운찬, 익살맞은, 들떠 있는, 사로잡힌, 생생한
슬픈	의기소침한, 기운없는, 울적한, 슬퍼하는, 동요된, 우울한, 슬픈, 비참한, 지독한, 비탄에 잠긴, 애절한, 불행한

이들 주요 단어들에 포함되지 않은 몇 가지 중요한 감정: 감사하는, 고맙게 여기는, 위압당한

당신의 삶의 여러 상황에서 당신이 가졌던 감정을 서술하는 연습을 학습 파트너와 해보라. 당신이 연습할 때 파트너는 당신이 감정 단어를 사용하지만 실제로는 감정을 서술하지 않고 있는 순간을 놓치지 않고 주의를 기울여야 한다. "나는 …라고 느낀다." "나는 …같이 느낀다." 또는 "나는 마치 …처럼 느낀다." 등으로 시작하는 문장들은 그 뒤에 따르는 것이 전혀 감정이 아닌 경우가 대부분이다. 이것은 생각이거나 욕구일 가능성이 높다.

연습 10: 반응하기 전에 영향을 먼저 서술하기

이 연습은 당신이 자신의 경험에 반응하는 것과 경험을 말하는 것 사이의 차이점을 배우는데 도움이 될 것이다. 당신의 파트너가 당신에 관해 논쟁의 여지가 있는 어떤 것을 당신에게 말하도록 하라. 만일 당신이 그것을 참아낼 수 있는 정도이면, 파트너에게 정말로 신경을 거슬리게 하는 어떤 것을 말하도록 요청하라. 그가 그렇게 할 때, 당신의 마음속에 제일 먼저 떠오르는 것이 무언지 말하라. 그것이 어떤 종류에 대한 것인지 주목하라. 파트너가 같은 것을 다시 당신에게 반복하게 하라. 이번에는 내면에서 당신이 경험하는 것을 알아차리고, 그 순간 당신이 관찰하는 것, 생각하는 것, 느끼는 것, 바라는 것에 대해 서술한다. 아래에 당신의 파트너가 사용해 볼 수 있는 몇 가지 문장을 소개한다.

- 당신은 그다지 똑똑하지 않아요. 그렇지 않습니까?
- 내가 당신이라면, 그냥 포기할 겁니다.
- 우리가 최선을 다해 할 수 있는 건 그저 그렇게 어리석은 … (그룹의 이름을 넣음)을 공격하는 것 뿐입니다.

연습 11: 판단이 아니라 경험을 서술하기

이 스킬을 연습하는 재미있는 방법 중 하나는 당신이 판단을 많이 하고 있는 어떤 사람에 관해 파트너에게 말하는 것이다. 당신의 파트너가 바로 그 사람이라고 여기고, 당신이 그 사람에게 가지고 있는 모든 판단을 동원해 5분 동안 퍼부어라. 당신 자신을 진정으로 충분히 풀어주도록 하라. 모든 것을 쏟아 버려라. 다 마치면, 그렇게 해보니 어땠는지, 당신이 지금 어떻게 느끼는지 잠시동안 서술하라. 당신의 파트너에게 판단의 상대편이 되었던 것이 어땠는지 물어보라. 이제 당신의 파트너에게, 다시 한번 그가 당신이 판단하고 있는 대상인 그 사람인 것처럼 말하라. 하지만 이번에는 당신의 판단 대신, 경험을 서술하라. '당신'이라고 말하는 대신, '나'를 주어로 말하라. 다시 5분 후에 멈추고, 당신과 당신 파트너에게 방금 수행한 활동이 어땠는지 말해보라.

이 스킬의 가장 어려운 부분은 상대방에게 그들에 대해 당신이 가진 경험을 그 순간에 서술하는 것이다. 그렇게 하는 데 있어서 불안, 취약성, 당혹감을 가지게 될 여지가 많아서, 당신과 문제가 되고 있는 패턴에 놓여 있는 어떤 사람과 학습대화를 시작하기 전에, 이것을 연습하면 크게 도움이 된다.

연습을 시작하는 좋은 방법 중 하나는 당신의 학습 파트너와 상황을 고조시켜 보는 것이다. 두 사람 모두 학습 파트너가 되는 것에 대해 어떻게 생각하는지 먼저 이야기를 나눠보라. 그러고 나서 스킬 실습 파트너로서 서로의 경험을 서술하는 것으로 넘어가라. 그리고 난 후, 이것이 당신이 앞으로 해야 할 것이라 말하고나서, '지금 여기' 현시점, 바로 이 시점에서 서로에 대한 경험을 서술하라. 어떤 생각, 감정, 욕구, 또는 감각들을 당신이 언급하지 않았는지 주목하라. 왜 그것들을 꺼내놓지 않았는지에 대해서도 주목하라. 그것을 당신의 학습 파트너에게도 말해준다. 당신이 이것을 몇 번 해 보고 익숙해지면, 연습 1 '지금 여기 시점에서 당신의 경험 알기'를 사용하라. 상대방과 관련 지어서 시도해보라. "지금 현재 내가 당신을 경험하고 있는 상황에서, 나는…"로 시작하는 문구를 사용하여 의식의 흐름을 서로 약속한 시간(각 사람당 5분 이내) 동안 서술하라. 그것을 반복해서 말하라. 경험 큐브를 중심으로 체계적으로 연습하라. 즉 당신이 관찰하고, 생각하고, 느끼고, 원하는 것과 관련해 당신이 경험하고 있는 것을 말해보는 것이다. 당신이 이렇게 하는 것이 점점 편안해지면, 당신의 경험이 자연스럽게 드러나도록 허용하라.

연습 12: 지도를 서술하기 위해 카드워크(Cardwork) 사용하기

카드워크는 당신의 정체성 지도와 행동이론을 명확하게 만들어서 그것들이 서술되고, 논의되고, 시험해볼 수 있게 해준다. 그것은 또한 다른 사람들의 지도를 명확히 이해하게 해주는 방법이기도 하다. 직장에서 그것을 드러내놓고 사용하지 않더라도, 행동이론에 대한 명확성을 얻기 위한 연습에 사용할 수도 있다.

흐름도(flow diagram)와 핵심경로 챠트(critical path charts)는 행동이론을 파악해내는데 도움이 된다. 이 두 가지는 끝을 향해 가는 일련의 활동을 세부적으로 서술하게 해준다. 그러나 카드워크는 이것들과는 매우 다르다. 나는 3×5인치 크기의 빈 카드를 사용한다. 잘 설계된 카드들은 다음의 특성을 가진다.

5개 혹은 6개의 부분. 행동이론 카드는 제목, 부제목, 3개 또는 4개의 문구(4개 이상은 안된다)가 회전하는 프로펠러 이미지로 연결된다.

그 자체로 완성된 상태. 제목은 행동이론이 무엇에 관한 것인지 설명한다. 부제목은 성공적으로 행동했을 때의 결과를 나타낸다. 그 문구들은 어떻게 그 결과에 이르는지에 대한 완전한 이론을 구성한다.

모든 방향으로 회전함. 각 문구는 목표, 과제 또는 행동을 성취하는 방법에 대해 중요한 점을 담고 있지만, 한 단계씩 순차적으로 하지 않아도 된다. 각 문구는 회전할 수 있고, 한 개 이상의 연관된 의미를 가질 수 있다.

시의 규칙. 제목, 부제목, 그리고 문구는 도움이 되는 연상을 가능한 한 많이 불러일으키도록 구성된다. 메마르고 정밀하고 지적인 언어에 반대되는, 촉촉하고 달라붙을 수 있고 은유적인 언어를 사용하라. 카드가 완성되었는지를 알기 위해 '맨 위 오른쪽에서부터 읽어서 마치 시처럼 들려야 한다'는 규칙에 잘 맞는지 확인하도록 한다. 예를 들면,

> 5개 또는 6개의 부분
> 그 자체로 완성된 상태
> 모든 방향으로 회전
> 시의 규칙

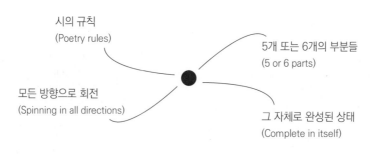

카드워크(Cardwork)
행동이론을 담아서 커뮤니케이션 하기

시의 규칙
(Poetry rules)

5개 또는 6개의 부분들
(5 or 6 parts)

모든 방향으로 회전
(Spinning in all directions)

그 자체로 완성된 상태
(Complete in itself)

나는 다른 사람들의 것들은 물론, 내 자신의 행동이론이나 정체성 지도를 이해하는데 카드 워크가 매우 유용하다는 것을 알게 되었다. 정체성 카드 한 장은 행동이론과 같은 방식으로 구성되지만, 부제는 갖지 않는다. 다른 사람이 카드를 만들 수 있도록 도와주면, 양측 모두 가 그들이 가진 지도에 보다 깊은 통찰을 얻을 수 있도록 이끌어줄 뿐만 아니라, 좋은 업무 관계를 이루는데도 기여한다.

당신 자신의 행동이론을 확인해보고 싶으면, 카드워크를 사용하여 실습해보라. 시작하는 데 좋은 몇 가지 카드는 '팀을 이끄는 것', '다른 사람들에게 영향을 주는 것', 그리고 '고객 을 만족시키는 것' 등이 될 수 있다. 먼저 제목을 정하고, 효과적인 행동의 결과가 무엇인지 결정하라. 만일 당신이 '팀을 이끄는 것'에 대한 카드를 작업한다면, "당신은 탁월한 팀 리 더십이 만들어내는 것이 무엇이라고 생각하는가?"에 대한 대답이 부제가 된다. 그다음에 는, 결과를 만들어 내기 위해 리더가 해야 할 모든 것들을 브레인스토밍해본다. 일단 브레 인스토밍을 마치면, 브레인스토밍에서 나온 리스트로 돌아가서 리스트 갯수를 줄이는 작업 을 하라. 비슷한 아이디어는 한데 묶고, 중복되는 것들은 제거하라. 이 작업을 4개 이하의 핵심 포인트만 남을 때까지 계속하라. 이들을 정렬해서 어느 정도 시처럼 읽히도록 한 다 음, 당신의 카드를 그려라. 만일 당신이 이 실습이 유용하다고 생각한다면, 업무의 모든 영 역을 목록으로 만들어서 당신의 행동이론으로 작동하게 하라.

다음 그림은 파트너십을 지속하기 위한 나의 행동이론 카드다.

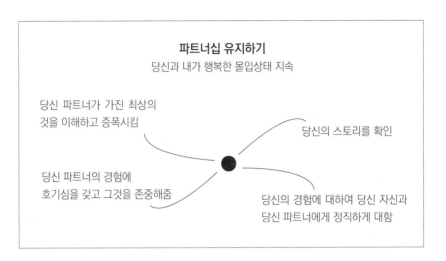

파트너십 유지하기
당신과 내가 행복한 몰입상태 지속

당신 파트너가 가진 최상의
것을 이해하고 증폭시킴

당신의 스토리를 확인

당신 파트너의 경험에
호기심을 갖고 그것을 존중해줌

당신의 경험에 대하여 당신 자신과
당신 파트너에게 정직하게 대함

이 카드는 성공적으로 파트너십을 유지하는 결과가 당신과 내가(우리가 어떤 프로젝트나 프로세스에 참여하고 있든) 행복하게 헌신할 수 있도록 해주는 것이며, 그렇게 하기 위해 어떤 일들이 일어나야 한다고 생각하는지를 말해준다. 아마도 당신이 알 수 있듯이, 이 심상지도는 이 책 전체에 걸쳐 설명되고 있다.

요약

서술 자아가 되는 것은 당신의 생각, 감정, 욕구, 관찰한 것, 지도를 다른 사람들이 당신의 머릿속에서 무슨 일이 일어나고 있는지 볼 수 있도록 도와주는 방식으로 서술하는 것이다. 그러면 그들은 당신이 더 정확한 이야기를 지어내는 데 필요한 정보를 줄 수 있다. 나의 동료 중 한 사람인 조앤 마라Joan Mara는 시범을 통해 서술 자아가 되는 적절한 태도에 관한 실제 예시를 보여주었다. 먼저, 그녀는 사람들이 눈싸움(snowball fight) 연기를 하도록 한다. 눈싸움은 판단을 쏟아붓는 것과 같다. 사람들은 눈덩이를 맞지 않기 위해 피하면서, 서로를 향해 눈덩이를 던진다. 마지막에 모든 눈덩이들은 땅에 떨어져서 녹는다. 그러고 나서 그녀는 사람들이 캐치볼 게임을 하도록 한다. 사람들이 캐치볼 놀이를 할 때, 공을 던져서 다른 사람이 그 공을 잡을 수 있게 한다. 이것은 당신이 서술 자아로서 해야 할 일이다. 즉, 다른 사람들에게 당신이 '정말로 생각하는 것'을 던져서 그들이 그것을 잡을 수 있게 하라!

클리어 리더십 스킬의 일부는 다른 사람을 위해 당신이 서술 자아가 되어야 할 때와, 그들이 정확하지 않은 이야기를 만들어 낼 가능성이 높은 때가 언제인지 아는 것이다. 스트레스가 많고 불명확하고 혼란한 상황에서는 부정적인 이야기를 만들어내기가 쉽다. 그 때가 바로 우리가 파트너십을 갖고 싶은 사람들에게 진정으로 서술적이 되어야 할 시점이다. "내가 방금 말한 것을 어떻게 생각하십니까?"하고 물어보는 것은 아주 유용한 습관이다. 특히 새로 관계를 맺을 때나, 서로 다른 지도에 따라 행동하고 있을 때 더욱 그러하다. 그 다음에는 상대방이 정확하게 들을 때까지 당신이 무엇을 의미하는지를 반복해서 말하라. 서술 자아로서 말함으로써, 우리는 대인관계 혼돈을 대인관계 명료성으로 대체할 수 있는데, 그저 우리가 서로가 하는 말을 경청해주기만 하면 얼마든지 가능하다. 서술 자아가 되는 것은 학습대화의 절반에 불과하다. 나머지 절반은 호기심 자아가 되는 것이다. 이제 그 다음으로 넘어가 보자.

7

호기심 자아
다른 사람의 경험을 밝혀냄

효과적인 리더들에게서 볼 수 있는 특성 중 하나는 천성적으로 호기심이 많다는 것이다. 그들은 언제나 들을 자세가 되어 있고, 다른 사람을 관찰하고 의견을 수집할 기회를 놓치지 않는다. 모든 사람은 어느 정도 호기심을 가지고 있지만, 단절, 융합, 무의식적인 불안에 대한 반응 때문에 호기심을 멈추게 된다. 사람들 사이에서 대인관계 혼선을 줄이기 위해서는 자기 자신을 서술하면서 다른 사람에게도 호기심을 가지는 균형 잡힌 능력이 요구된다. 호기심이 있다는 것은 다른 사람의 머릿속에서 일어나는 일을 경청하기 위해 스스로를 개방하는 것을 뜻하고, 동시에 다른 사람의 경험을 발견할 수 있는 능력을 갖추고 있다는 것을 의미한다. 여러분이 호기심 자아 스킬에 숙달해지려면 상대가 자신의 심상지도와 경험을 인식한 후, 그것을 당신에게 말하도록 도와주는 능력을 갖추고 있어야 한다. 여기엔 크게 두 가지가 있다. 첫 번째는 다른 사람들이 그들이 경험한 진실을 당신에게 기꺼이 말하도록 하는 것이다. 하지만 사람들이 자신의 경험을 항상 인식하는 건 아닐 뿐만 아니라 경험의 일부는 아예 그들의 인식 범위 밖에 있다. 호기심 자아는 스킬과 테크닉을 사용하여 사람들이 자신의 경험을 말하는 동안 그들 자신의 경험을 더 잘 인식하도록 도울 수 있다.

모든 사람은 호기심 스킬을 향상시킬 수 있다. 아래 테크닉과 모형은 여러분이 호기심 자아를 이해하고 발전시키는 데 도움이 될 것이다.

- 관심을 유발한다
- 반응을 유보한다
- 통찰을 얻도록 직면시킨다
- 경험큐브로 경청한다

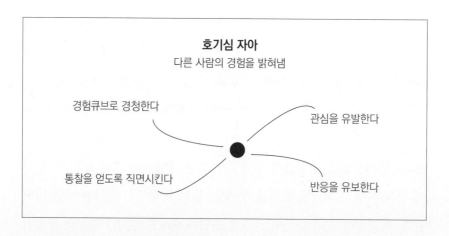

호기심 자아
다른 사람의 경험을 밝혀냄

경험큐브로 경청한다   관심을 유발한다

통찰을 얻도록 직면시킨다   반응을 유보한다

호기심 자아의 이 같은 측면을 좀 더 배운 후, 이 장 끝 부분에 있는 연습을 통해 일부 스킬을 더 개발해볼 것을 추천한다.

관심을 유발한다

타인을 향해 호기심을 보인다는 것은 그 사람이 서술 자아가 되도록 초대하는 것이다. 서술 자아가 되는 일은 일반적이지는 않다. 우리에게는 서술 자아가 되는데 필요한 스킬이 부족할 뿐만 아니라, 자기 자신에 대해 말하는 것에 신중했어야 했던 괴로운 과거의 경험이 있다. 그렇기때문에 당신은 상대의 경험을 진심으로 경청하길 원하고 상대의 경험을 신뢰한다는 확신을 주어야 한다. 사람들에게 그들이 경험한 진실을 당신에게 말해 달라고 요구하는 것은 어려운 일이다. 그들이 실제로 생각하고, 느끼고, 원하는 것을 숨기는 것은 쉬운 일이나 그들이 말해주지 않는 이상 당신은 그것을 알 길이 없다. 경험한 것을 진실 그대로 말하는 것은 자발적으로 하는 활동이다. 자신의 말이 존중되고 어느 정도의 존엄성을 가질 것이라고 믿는다면, 진실을 말할 가능성은 높아진다. 사실 존엄성이라는 말은 이제 경영학 책에서 흔히 보기 힘든 단어가 되었다. 존엄성은 당신이 여기(이 집단에, 이 조직에, 이 세상에) 당연히 있을 가치가 있다고 대우받는 것이고, 당신의 경험이 당신 자신에게 타당하다는 것을 인정받는 것이다. 적어도 그들이 생각하기에 우리가 그들의 사회적 정체성을 위협하고, 더 나아가 그들이 가지고 있는 소속감을 위태롭게 한다면, 우리는 그들에게서 존엄성을 빼앗는 것이 된다(수치심에 관한 부분에서 이것에 대해 더 자세히 다룰 것이다). '호기심 자아'를 가늠해볼 수 있는 특성은 다른 사람이 그의 내면에서 경험하는 것을 폄하하지 않고 진정으로 열린 자세로 그들을 경청하는가에 달려 있다.

사람들이 무슨 경험을 하고 있든지 상관없이 그들 마음대로 하도록 허용하는 것이 가장 기본이 되는 것인데, 그들 경험의 진실을 당신에게 말해주도록 관심을 유발하는 것이 가장 어려운 부분이다. 그들의 생각에 귀를 기울이되, 그것을 바꾸려 하지 말아야 한다. 그들의 감정에 귀를 기울이되, 그들의 기분이 나아지게 하려고 하지 않아야 한다. 그들의 욕구를 경청하되, 그 욕구를 충족시켜줘야 한다는 책임감을 버려야 한다. 간단해 보이고 단순한 개념이지만, 나는 이것이 매니저들이 가장 하기 어려운 일 중 하나라는 것을 알고 있다. 그것은 마치 다른 사람이 자신의 경험, 두려움, 걱정, 혼란을 우리에게 털어놓을 때, 우리가 할 일은 그들에게 조언을 해주고 그들을 위해 문제를 해결해 주는 것이라고 믿는 것과 같다.

나는 수업에서 종종 이 문제가 어떻게 많은 남자들이 가진 전형적인 문제가 되었는지 농담을 하곤 한다. 여성들과 관계를 맺었던 초창기에 나는 언제나 말썽이었다. 그런 일은 여성들이 직장이나 친구와 겪은 문제를 2, 3분 정도 말하는 것을 들은 직후 내가 그들에게 해결 방법을 말해주었을 때 일어났다. 그들은 내가 한 말 때문에 짜증이 났던 것이다. 내가 이 이야기를 하면 여성들은 이미 알고 있다는 듯 고개를 끄덕인다. 여성들이 내게 원했던 것은 문제 해결이 아니라는 사실을 깨닫기까지 꽤 오랜 시간이 걸렸다. 그들은 내가 그저 그들의 경험을 경청하고 이해해주기를 원했다. 여성들도 당연히 상대방의 문제를 해결해주려고 애쓰지만, 그 전에 그들은 충분히 오래 기다려준다. 남자들이 동성 친구보다는 여성들에게 자신의 문제를 말하고 싶어하는 이유도 이 때문일 것이다. 동성 친구들에게 고민을 말하면 1, 2분도 지나지 않아 바로 조언을 쏟아낸다. 당신의 경험에 대해 겨우 몇 분 정도의 정보만 주었을 뿐인

데, 상대방이 당신에게 조언하기 시작하면 어떤 기분이 들까? "오 이런, 고마워, 나는 이 문제로 20년이나 씨름을 했는데, 너는 90초 만에 해결책을 내놓는구나. 와, 나는 정말 바보가 틀림없어." 내가 문제해결 방법을 상대에게 조언하기 시작하는 순간, 나는 모든 것을 아는 지혜로운 자, 당신은 해결책이 필요한 사람이라는 상하관계를 만들게 된다. 이렇게 하면 상대의 관심을 유발하지 못한다. 기껏해야 짜증이 나서 대화를 그만두고 싶어할 뿐이다. 최악의 경우, 이러한 시도는 그 사람으로부터 존엄성을 빼앗게 된다. 어느 쪽이든 대화의 끝은 결국 그들이 당신의 조언을 거부하게 될 것이기에, 이 같은 반응을 유도하게 되면 그들은 다시는 당신에게 그들이 경험한 진실을 말하고 싶지 않게 될 것이다. 사람들이 당신에게 와서 확실히 조언을 구한다고 의사 표명을 하는 경우는 다르지만, 호기심 자아가 되기에 적합한 대부분의 상황에서는 그런 일은 벌어지지 않는다. 일반적으로, 먼저 대화를 시작하는 건 호기심 자아다.

조언을 해주고, 나쁜 감정을 없애주고, 다른 사람들의 경험을 고쳐주고, 그들이 더 나은 경험을 가질 수 있게 해주고 싶은 충동은 배려심이 작동하는 곳에서 나타난다. 그러한 충동은 융합되어 있을 때도 생겨난다. 많은 사람들에 따르면, 다른 사람의 경험을 듣고 있는 동안 경청하고 있는 내용에 대해 자신의 의견을 말하지 못하는 상황이 되면 육체적으로 동요를 느낀다고 했다. 그래서 나는 다른 사람들의 경험에 개입하려는 사람들의 욕구가 실제로 그 사람을 걱정해서인지, 아니면 자신들이 걱정하고 있는 것을 없애기 위한 시도인지 궁금하지 않을 수 없다. 호기심 자아가 되려면 그런 반응을 유보해야 한다. 다른 사람이 당신에 대해 완벽하지 않은 그들의 경험에 대해 설명할 때는, 그들의 경험을 있는 그대로 허용하는 것이 훨씬 어려워진다. 그래도 당신은 학습대화에서 상대가 이렇게 말하는 것을 틀림없이 듣게 될 것이다.

학습대화에서 주제로 삼는 것은 상호교류 패턴과 관련된 문제들이다. 이때 당신은 나에 대해 당신이 지어낸 이야기를 나에게 하게 되는데, 그 이야기에는 아마도 내가 했거나, 말했거나, 느꼈거나, 의도했던 것이 포함될 것이다. 뿐만 아니라, 내가 정확하지 않다고 믿고 있는 것도 포함될 것이다. 그런 순간에는 자연스럽게 당신의 말을 멈추고 싶어서 이렇게 말할 것이다. "아니, 그건 내가 말하려고 했던 뜻이 아니야." 하지만 그렇게 말하면 학습대화를 망치게 된다. 조직 학습대화를 효과적으로 하는데 필요한 가장 중요한 기술은, 당신이 자신의 경험에 관해 무언가를 말하기 전에, 그저 상대의 말을 경청하고, 나에 대해 상대가 어떻게 경험하는지를 탐색한 후, 당신이 그것을 충분히 이해했다는 것을 상대에게 알려주는 행동이다.

다른 사람의 올바르지 못한 관찰이나 잘못된 논리를 맹렬히 비난하는 것은 그 사람의 말문을 닫게 한다. 누가 옳고 그른 지 시비를 가리려는 태도는 학습대화를 승패를 가르는 시합의 장으로 만들어버린다. '호기심 자아'가 되는 일은 다른 사람들의 오해나 부정확한 추측을 파악하기 위해 호기심을 오래 유지하라는 것이 아니다. '호기심 자아'는 사람들의 경험을 충분히 이해하고, 그들의 경험이 무엇인지 탐색하기 위해 노력한다. 상대방 입장에서 그들이 바라보는 방식으로 세상을 바라보고, 그들이 만들어낸 의미를 이해하기 위해 노력한다. 다른 사람이 '서술 자아'가 되도록 초대하는 것은 상대방의 주관적 진실이 무엇이든, 그것이 그 사람 자신에게 타당하다는 것을 당신이 기꺼이 인정해 주는 것을 의미한다.

　서술 자아가 되는 것은 취약성을 드러내는 행동이기에, 서술하고 싶은대로 해도 괜찮다는 안전한 환경을 만들어 줄 필요가 있다. 당신이 상대방에 대해 권한을 가지고 있을 때는 상황을 안전하게 만드는 일이 쉽고 빠르게 일어나지는 않는다. 특히 상대가 자기 자신을 서술하는 것에 익숙하지 않다면, 그들이 압박을 받거나 위협을 느끼지 않을 시간과 장소를 정하면 그들의 진실에 좀 더 편안하게 다가갈 수 있다. 많은 사람들은 학습대화를 하기 전에, 관련자들을 일대일로 만날 수 있을 때까지 학습대화를 미루고 싶어 한다. 이렇게 하면 학습대화에서 발생할 수 있는 위험요소를 줄일 수는 있지만, 또 다른 문제가 있을 수 있기 때문에 영향을 받을 수 있는 모든 사람들을 학습대화에 참여시키는 것이 나을지에 대해서도 고려해 볼 필요가 있다. 최상의 팀은 모든 사람이 함께 한 자리에서 그들이 가진 이슈를 털어놓을 수 있는 팀이다. 우리가 기억해야 할 기본원칙은 관계의 문제를 해결할 수 있는 사람은 오직 그 관계 속에 있는 사람들 뿐이라는 점이다. 당신과 나는 당신이 앞에서 소개한 밥과 관련된 문제 패턴을 해결할 수 없다. 오직 당신과 밥만이 해결할 수 있다. 게다가 그 문제가 서너 명 이상의 사람과 관련되어 있고, 그들이 연루된 혼돈을 명료한 상태로 전환시키고 싶다면, 그 사람들 모두가 대화에 참여해야 한다.

　당신이 호기심을 갖는 이유에 대해 사람들에게 말해주는 것도 도움이 된다. 다시 말해, 서술 자아가 되어서 이끌어보라는 말이다. 사람들이 마음을 여는 것을 꺼린다면, 자신을 서술하는 것이 얼마나 도움이 되는지 직접 그들이 볼 수 있게 하라. 당신이 서술 자아가 되면서 얼을 수 있는 것이 무엇인지, 왜 당신이 더 많이 얻어내고 싶어하는지, 그리고 당신이 그들에게 바라는 것을 말하라. 그들 스스로 서술 자아가 되는 상황이 한번으로 그치지 않기를 원한다면, 그들은 당신과의 대화를 즐기거나, 적어도 당신과의 대화를 괴로워하지 않아야 한다. 솔직하게 터놓고 말하기 전에, 그들은 당신의 신뢰성을 테스트해보고 싶어할 것이다. 당신이 실제로 얼마나 잘 경청하는지, 반응하거나 융합되지 않은 상태에서 당신이 경청한 것을 얼마나 잘 수용하는지, 그렇게 획득한 정보로 당신이 무엇을 하려고 하는지 테스트해보려 할 것이다. 사람들이 경험한 진실을 당신에게 말하도록 관심을 불러일으킬 수 있는 요소 중 하나는, 당신이 그들의 경험을 경청하는 일을 진정으로 가치 있게 여기고, 그들의 생각을 질적으로 평가하지 않고, 그들이 얼마나 신경 과민인지 함부로 짐작하거나 그들의 욕구가 얼마나 수용가능한지 판단하지 않는 것이다. 다시 말해서, 그들의 경험이 그들 자신에게는 타당한 것이라는 것을 당신이 진정으로 신뢰하고 있다는 것을 그들이 직접 보게 해주는 것이다.

한 가지 더 분명히 말하고 싶은 것이 있다. 나는 다른 사람에게 서술 자아가 되라고 요구하는 것이 효과적이라 생각하지는 않지만, 매니저들에게 클리어 리더십 스킬을 사용해야 한다고 말해줄 필요는 있다고 생각한다. 매니저들은 결과에 대해 책임을 지는 사람들이다. 만일 그들이 클리어 리더십 스킬을 사용해서 최상의 결과를 낼 수 있다고 믿는다면, 다른 성과지표가 성취되기를 원하는 것과 마찬가지로 클리어 리더십 스킬을 사용하도록 요구할 수 있다. 하지만 권한을 가진 사람들이 권력을 함부로

쓰거나 다른 사람들이 준 정보를 남용한다면, 사람들은 입을 다물게 되고, 결국 대인관계 혼돈이 지배할 것이다.

반응을 유보한다

누군가 내 마음 안에 있는 버튼을 건드릴 수 있는 언짢은 말이나 행동을 하면, 대개는 그것에 대해 날카로운 말로 반응을 한다. 그러면 상대도 다시 반응해온다. 토론을 할 때 이런 일이 일어날 수도 있고, 말다툼을 할 때도 이런 일이 일어날 수 있다. 어쩌면 서로에 대한 반응을 혼자 감당하겠다면서 모든 연결을 끊어버리고 그 자리를 박차고 나갈 수도 있다. 내가 상대에 대한 반응으로 행동을 할 때 발생하는 중요한 문제는 내가 상대를 이해하려는 행동을 멈추게 된다는 것이다. 그런데 반응을 유보한다는 것은 반응적으로 행동하는 대신에 호기심을 유지하는 상태에 있는 것을 말한다.

사람들이 상대를 충분히 이해하기도 전에 반응부터 하게 되는 이유는 수도 없이 많다. 우리가 흔히 볼 수 있는 경우는 막 촉발된 무의식적인 분리 불안이나 친밀 불안, 당혹감, 또는 상대방의 잘못된 인식을 바로잡아주고 싶어하는 마음과 같은 것들이다. 이럴 때 우리가 반응에 따라 자동적으로 행동을 하면, 상대방은 자기 방식대로 하던 것을 멈추고 그때까지의 경험을 바꾸게 해줄 방법, 예를 들면, 그들의 인식이나 판단 또는 그들의 감정이나 욕구를 바꾸게 해줄 방법을 찾게 된다. 다른 사람이 이렇게 행동하는 것은 쉽게 발견할 수 있다. 그러나 우리 자신이 이렇게 행동하고 있다는 것을 알아차리는 것은 쉽지 않다. 사람들이 처음 학습대화를 할 때 볼 수 있는 흔한 실수는 상대방의 전체 경험을 듣지 않은 채, 고작 1분 남짓 듣고는 듣는 사람 입장에서 다르게 본 것만을 가지고 서술하는 것이다. '호기심 자아'는 이렇게 섣부르게 행동하기 전에 상대가 하는 말을 끝까지 들어준다.

우리가 경험한 것을 다른 사람에게 서술하지 못하도록 우리를 가르쳐온 많은 이유 가운데 하나가 바로 반응성이라고 나는 생각한다. 과거에 우리가 경험한 '진실'을 있는 그대로 이야기했을 때, 어떤 사람들은 화를 내거나 방어적으로 행동하는 것과 같은 반응을 보였을 것이다. 그 다음부터 우리는 조심해야 한다는 것을 배우게 된다. 그래서 진실을 조금씩 잘라서 나눈 다음, 어떤 일이 일어나는지 살핀다. 만일 상대가 자신의 경험을 당신에게 서술할 때 당신이 반응적인 태도를 보이면, 게임은 거기서 끝나고 만다.

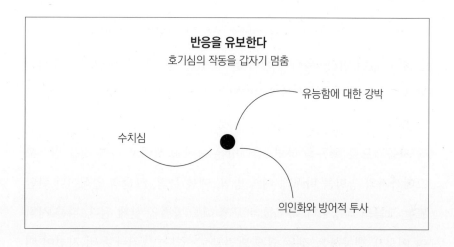

반응을 유보한다
호기심의 작동을 갑자기 멈춤

유능함에 대한 강박

수치심

의인화와 방어적 투사

그렇기 때문에 반응을 유보하고, 반응에 따라 행동하지 않는 법을 배우는 것이 무엇보다 중요하다. 반응적인 행동이 어디서 생겨나는지 이해하고 나면 자신의 반응을 보다 쉽게 유보할 수 있다. 이것이 너무나 중요하기 때문에 아래와 같이 별도의 카드를 개발했다.

상대가 반응적이 되는 것은 쉽게 볼 수 있지만, 자기 안에서 일어나는 반응성을 보는 것은 결코 쉽지 않다. 우리는 자신에 대해서는 반응적이라는 딱지를 붙이지 않는다. 내가 반응적일 때는, 내가 무슨 말이나 행동을 하든 스스로 정당하다고 생각한다. 내가 당신의 경험을 바꾸려는 이유는 당신의 경험이 정확하지 않기 때문이다. 내가 화를 내는 이유는 당신이 나를 모욕했기 때문이다. 내가 조용히 있었던 이유는 당신이 한 말이 당황스러웠기 때문이다. 우리가 반응하고 있다는 것을 알게 해주는 중요한 행동은 우리가 더 이상 상대방의 경험에 대해 궁금해하지 않는 것이다. 호기심이 사라지면, 당신은 상대방과 싸우거나 도망치는 반응을 보인다. 다시 말해서, 상대방이 한 말을 바꾸게 만들거나 더 이상 대화하지 않고 물러나려 한다. 내가 비록 당신의 경험을 이해하지 못한다고 해도, 내 호기심이 더 이상 작동하지 않는다는 것을 스스로 알아차릴 수만 있다면, 반응하는 행동을 유보하고 호기심을 다시 작동시킬 수 있다. 바로 이것이 우리가 개발해야 할 강력한 스킬이다.

나는 나 자신과 다른 사람들의 반응성, 특히 조직에서 학습을 가로막는 반응성의 유형을 이해하기 위해 오랫동안 노력해왔다. 그 결과 반응성이 대체로 다음 세 가지 중 하나에서 발생한다는 것을 알게 되었다. 유능함에 대한 강박, 의인화와 방어적인 투사, 그리고 수치심이 바로 그것들이다. 이 세 가지에 대해 더 자세히 살펴보자.

유능함에 대한 강박

의미형성은 매우 개인적인 차원에서 일어날 수 있는 반면에, 조직 내부에서 일어나는 의미형성에는 몇 가지 패턴들이 있다. 그 중 하나는 유능함에 대한 강박이다. 간단히 말해서, 유능함에 대한 강박은, 많은 사람들이 1)그들 스스로를 유능하다고 보고, 2)다른 사람들도 자신을 유능하게 본다고 확신하면서, 직장에서 그들에게 일어나는 일에 대해 의미형성을 할 때 가지게 되는 강박을 말한다.[1] 그러나 학습과 성과는 반비례 관계에 있기 때문에 자신을 유능한 사람이라고 생각하면서 남들에게 유능하게 보여야 한다는 강박감을 갖게 되면, 학습에 필요한 정보에 반응적으로 행동할 수 있다. 학습에 필요한 정보가 나타나면 그것에 대해 호기심을 가지는 대신 방어적인 태도를 취하게 된다는 의미다.

학습을 할 때는 성과를 잘 내는 것이 불가능하다. 성과를 잘 내고 있을 때는 학습을 많이 하고 있는 상태는 아닐 것이다. 학습과 성과의 이러한 반비례 관계는 조직학습을 강화하고자 하는 매니저들에게 많은 문제점을 초래한다. 왜냐하면 바로 이 점이 매우 효율적인 고성과 조직들이 왜 학습하고, 변화에 적응하고, 혁신하는 것에 그토록 어려움을 겪는지를 설명해주는 이유가 되기 때문이다. 낮은 성과를 참을 수 없는 사람들은 학습할 시간을 허용하지 않는다. 그러한 상황에서 내가 잘하지 못한 것을 누군가가 지적한다면, 어떤 일이 벌어질까? 그들이 지적한 것에 호기심이 갖기보다는, 자신이 유능하다는 것을 상대방이 알도록 자기 행동을 설명하고 싶은 충동을 느끼게 될 것이다. 아니면 그들이 관찰한 것이 정확하지 않거나 주목할 만한 가치가 없다는 식으로 상황을 해석하고 싶어할 것이다. 어떤 경우이든, 상대가 관찰한 결과에 호기심을 갖지 않게 되고, 그들의 경험을 더 이상 알려고 하지 않게 된다.

이것이 바로 다른 사람들 앞에서 한 사람에게 이슈를 제기하는 것이 어려운 이유이다. 업무 중 다른 사람들 앞에서 내가 유능하다는 이미지를 유지하고 싶어하는 욕구는 상호교류에 대한 나의 의미형성에 영향을 미친다. 만일 당신이 그러한 이미지에 타격을 줄 만한 이슈를 제기한다면, 설령 당신의 의도가 나의 유능함을 지지하고 높여주기 위한 것일지라도, 나는 매우 반응적이 될 수 있다.

효과적인 서술 자아가 되기 위해서는 여기에 열거된 모든 반응성의 근원을 이해하는 것이 도움이 된다. 내가 당신에 대한 경험을 당신에게 말하고 싶은데 그렇게 하는 것이 당신이 덜 유능하게 보일 수 있게 한다면, 유능함에 대한 당신의 강박을 초래하지 않는 방식을 고민해 볼 필요가 있다. 하지만 내가 이 장에서 강조하고 싶은 것은, 당신 자신이 유능함에 대한 강박을 겪고 있는지에 대해 스스로 알아차리고 그것을 유보하는 방법을 파악하여 반응적이 되지 않도록 해야 한다는 것이다. 다시 말하면, 어떤 사람이 당신의 심상지도가 틀렸다는 것을 입증하려 하거나 그것에 의문을 제기할 때, 호기심을 작동시켜서 방어적이지 않은 태도를 유지하겠다는 당신의 의도가 무엇보다 중요하다는 말이다. 학습 대화와 같은 공식적인 탐구 과정이나 확인되지 않은 정보를 마주하게 되더라도 스스로 반응적이지 않을 수 있다면, 앞에서 내가 말한대로 할 수 있다. 하지만 그런 일이 갑자기 닥치거나 예기치 못한 상태에서는 호기심을 가지고 비방어적으로 행동하는 것이 쉽지는 않다. 어떤 사람의 경험이 당신이 가진 유능한 이미지를 위협하고 있어서 당신이 그의 경험을 무시하고 있다는 것을 알아차리게 되면, 모든 반응을 유보하도록 하라. 반응하는 대신, 당신의 호기심을 작동시켜라.

조직문화는 직장에서 일어나는 반응성의 크기와 학습에 극적인 효과를 준다. 대다수 사람들에게 유능함에 대한 강박이 작용하고 있는 상황에서 만일 리더가 구성원들의 실수나 무능력에 벌을 준다면 상황은 악화될 것이다. 반대로, 학습이 어떤 사람이 유능하다는 것을 말해주는 표시로 받아들일 수 있는 문화를 조성하면, 유능함에 대한 강박이 주는 영향을 줄일 수 있다. 학습을 적극적으로 추구하는 리더들은 확인되지 않은 정보를 찾아내고, 사람들이 반대되는 견해나 의견을 표현할 때 호기심을 가지며, 다음에 더 나은 결과를 만들기 위해 자신들이 내린 결정이나 행동 중에서 보완이 필요한 부분을 드러내서 함께 토론을 한다. 또한 이렇게 행동하는 사람들을 유능한 사람이라고 리더가 말을 하면, 이런 행동이 조직에 미치는 효과는 훨씬 커진다. 이렇게 함으로써 리더들은 조직 학습에 대한 방어적인 태도를 상당 부분 줄일 수 있다. 다음에 소개할 다른 두 가지 반응성의 원천들은 개인적인 특성이기 때문에 유능함에 대한 강박보다 다루기가 훨씬 어렵다.

의인화와 방어적 투사

내가 교수로 부임한지 얼마 되지 않았을 때의 일이다. 한 나이 많은 교수에게 내가 상당히 반응적으로 행동한다는 것을 나중에야 알게 되었다. 나는 그를 데릭Derek이라 부르겠다. 회의 중에 그가 한 말 때문에 종종 화가 나곤 했다. 우리 두 사람이 가지고 있는 가치관과 우선순위가 너무나 달라서 그가 나에 대해 부정적인 판단을 하고 있다고 나는 확신하고 있었다. 그래서 가급적 그를 피해 다녔다. 캠퍼스에서 좀 멀리 돌아가야 했지만, 나는 그가 다니지 않는 길로 다녔다. 가끔은 토론에서 그가 지는 상상을 하기도 했다. 데릭이 나에 대해 어떻게 생각하는지 나는 그다지 아는 것이 없다는 것을 자각할 때까지 이러한 상황은 몇 달 동안이나 지속되었다. 나는 왜 그가 나에 대해 그토록 부정적인 생각과 감정을 갖고 있다고 생각했을까?

상상이 어떻게 작용하는지에 대한 하나의 이론은 우리가 자신이 가진 속성을 의인화하기 위해 다른 사람들을 선택하게 되는데, 그 사람들이 우리가 꾸는 꿈과 백일몽에 나타난다는 것이다. 우리가 상상하고 있는 모든 것이 정말로 우리의 일부로 구성되어 있고, 그것들이 우리의 관심을 끌기 위해 아우성을 친다고 생각하면 된다. 이 이론에 따르면, 우리는 자신의 일부를 의인화하기 위해, 실제로 존재하거나 허구적이거나, 신화적인 어떤 사람을 선택한다고 한다. 앞에서 말한 데릭과 내 관계로 돌아가보면, 나는 나 자신에 대해 내가 부정적으로 판단한 것을 데릭에게 의인화했던 것이다. 무엇 때문인지는 몰라도, 내가 가진 가장 나쁜 모습을 본 사람으로 그를 선택한 것이다. 그래서 내가 데릭 앞에 있을 때마다 그의 눈에 반사된 것을 본 것은 바로 내가 좋아하지 않는 나의 부분들이었다. 그러니 내가 그 사람에게 반응적인 태도를 보였을 수밖에...

만일 머릿속에서 당신이 어떤 사람들과 대화하느라 많은 시간을 보내고 있다면, 당신은 그들을 이용해서 그들에게 당신의 어떤 측면을 의인화하는 것일 수 있다. 그리고 바로 그 부분이 당신이 싫어하는 측면이고, 회피하거나 거부하려고 애를 쓰고 있는 부분이라면, 당신은 그의 면전에서 반응적으로 행동할 가능성이 상당히 높다. 그러면 당신은 도대체 왜 당신의 가장 나쁜 측면을 의인화하고 있는 어떤 사람의 경험에 호기심을 가지게 되는 것일까? 이 경우에는, 당신의 의미형성을 사실과 분리시켜 놓는 것이 매우 중요하다. 이 사람들이 당신에 대해 이렇게 판단하고 있다는 것을 당신이 어떻게 아는가? 만일 그들이 당신에게 그렇다고 직접 표현한 적이 없다면, 그건 당신이 지어내서 그들에게 투사한 이야기일 뿐이다.

제1장에서 투사는 우리가 지어내는 이야기 중 하나라고 설명한 적이 있다. 방어적 투사는 자신이 인정하고 싶지 않은 자신의 부분을 인식하지 않게 해주는 과정이다. 예를 들어, 내가 가진 옹졸한 모습을 보고 싶지 않을 때는 그런 모습을 보지 않기 위해 어떤 에너지와 노력을 필요로 한다. 그런데 내 모습 중에서 일부는 내 옹졸한 모습을 알고 싶어하지만 다른 부분은 그 모습을 알고 싶어하지 않는다. 방어적 투사는 나의 옹졸한 모습을 당신에게 전가하는 일종의 정신적 술책이라고 할 수 있다. 당신의 옹졸한 모습을 보고 내 옹졸함을 깨달을 수 있지만, 나는 내 안에 있는 옹졸한 모습을 보는 대신 당신 안에서 옹졸한 모습을 보게 된다. 그 옹졸함 때문에 당신을 싫어하지만, 동시에 나는 당신의 옹졸함을 부추겨주는 방법을 찾아내서 그것을 계속해서 당신에게 투사하게 된다. 이 같은 과정에 대한 연구는 심리학 책에서 수도 없이 다루고 있지만, 방어적 투사를 하는 목적이 어떤 것을 의식하지 않으려는 것이기 때문

에, 자신이 그렇게 한다는 것을 알아차리기는 지극히 어렵다.

내가 알아낸 한 가지 방법을 소개하고자 한다. 나는 감정이 폭발하기 전까지는 내가 분노하고 있다는 것을 알지 못하는 경향이 있어서, 아내와 다음과 같은 상호교류를 자주 한다.

저비스: *당신 화났어요?*

카르멘: *아니요, 화 안 났어요.*

저비스(조금 후): *당신 나한테 화나 보이는데, 진짜 화 안났어요?*

카르멘: *아니요, 전혀 화가 난 감정을 느끼지 않아요.*

저비스(몇 분 후): *잘은 모르지만, 당신 안에 화가 있다고 느껴지는데… 화를 억누르고 있지 않은 게 확실해요?*

카르멘(화를 내서 말하기를): *화났다 뭐다 하는 거 그만 좀 할래요?*

저비스(혼자 말로, 혹은 정말 내가 싸우고 싶다면 큰 소리로): *거 봐요, 화난 거 맞잖아요.*

이 상황에서 실제 화난 사람은 나지만, 아내를 자극하고 화나게 만들어서 내가 화났다는 것을 내 인식 바깥으로 밀어냈기 때문에 결국 그녀에게서 내 화를 볼 수 있게 된 것이다. 그 일이 있고 난 후부터는 그녀가 한두 번 화가 나지 않았다고 대답하면, 실제로 화난 사람은 나일 거라고 생각하게 되었다. 내가 그렇게 생각하면, 내 안에 있는 화를 알아차리고 그 화가 무엇에 관한 것인지도 명확히 이해할 수 있다.

처음에 어떤 사람에게 투사를 하는 이유는 그 사람에게 무엇인가 있기 때문이다. 우리는 어떤 특성을 함부로 투사하지는 않는다. 상대는 보통 투사에 맞아 떨어지는 몇 가지 특징을 가지고 있다. 내가 당신에게 내 질투심을 투사하기 전에, 나는 당신에게서 질투하는 것처럼 보이는 어떤 행동을 봐야 한다. 하지만 이때 내가 보는 것은 더 이상 당신의 질투심이 아니라, 내가 당신에게 투사한 것을 볼 뿐이다. 놀랍게도, 당신이 내 안의 질투심을 내가 보지 않도록 피할 수 있게 도와주고 있기 때문에, 나는 계속해서 투사하고 싶어한다. 그래서 나는 당신의 질투심 어린 행동을 말해주는 증거를 찾아 나선다. 그렇게 하면 나 자신의 질투심을 스스로 직면하지 않아도 되기 때문이다. 그래서 내가 믿는 것만을 보게 되는 일반적인 의미형성의 과정에서, 투사는 내가 지어낸 이야기를 바꿀지도 모르는 어떤 것도 내가 보지 않게 해준다.

투사는 의인화와 다르긴 하지만, 둘 다 우리를 반응적이게 하는 동전의 양면과 같다. 이 두가지 현상은 모두 나와 데릭의 관계에서 일어나고 있었다. 나는 상상 속에서 그를 이용하여 내가 싫어하는 나의 부정적 측면을 의인화했을 뿐 아니라, 내가 가지고 있는 부정적 측면의 일부를 그에게 투사했다. 그에게 반응적으로 굴었던 몇 개월이 지난 후, 나는 차분히 앉아서 데릭에 관해 내가 싫어하는 것들을 모두 적어 보았다. 그리고는 나 자신이 이 특성들 중에서 어떤 것을 지니고 있는지 자문해 보았다. 그 결과, 그런 특성들이 나한테 있다는 것을 인정하지 않을 수 없었다. 이렇게 해봄으로써 내가 그러한 특성을 데릭에게 투사하고 있었을 가능성을 깨닫게 되었다. 이렇게 깨달은 후부터 믿을 수 없는 일이 일어났다. 내가 그에게 더 이상 반응적인 행동을 하지 않게 된 것이다. 뿐만 아니라, 그에게서 내가 좋아하는 점들을 발견하기 시작했다. 우리가 같은 위원회에서 일을 했을 때 서로가 많은 것들에 동의했다는 사실을 알게 되었다. 시간이 지나면서, 나는 실제로 그를 좋아하게 되었다.

사람들이 다른 사람에 대해 부정적으로 판단한다고 해서 그것이 반드시 방어적으로 투사한다는 것을 뜻하지는 않는다. 그러나 반응적으로 행동하거나, 다른 사람의 경험에 호기심을 갖는 것이 꺼려질 때는 방어적으로 투사하고 있다고 볼 수 있다. 만일 당신이 어떤 사람과 파트너십을 맺고 싶지만 당신의 반응성 때문에 그 사람에 대해 호기심 자아가 되는 것이 어렵다면, 다음과 같은 테스트를 한번 해보라. 당신이 생각하기에 그 사람이 당신에 대해 부정적으로 판단하고 있는 것들을 생각해보고, 그것이 당신 자신에 대한 부정적 판단인지 아닌지를 살펴보라. 만약 당신 자신에 대한 부정적 판단이 맞다면, 당신은 그 사람을 이용해 당신의 부정적인 일부 모습을 스스로 의인화하고 있는 것이다. 다른 사람에 대해 갖고 있는 부정적 판단들을 열거해보고 나서 그것이 어느 정도나 당신 자신에게 해당되는지 살펴보는 일은 어려운 일이다. 나는 이것을 '투사 삼키기Eating Projection'라고 부른다. 만일 상대에 대해 당신이 부정적으로 판단하고 있는 것을 당신 자신에게서 볼 수 있으면, 다른 사람을 이용해 당신 자신을 인식하지 않으려고 방어하는 것을 그만둘 수 있다. 그렇게 되면, 당신은 그들에게 더 이상 반응적이지 않게 되고, 그들의 경험에 대해 호기심 자아를 작동시킬 수 있게 된다.

수치심

클리어 리더십 스킬을 배워서 사용하고 있는 사람들을 대상으로 한 임상 연구에서, 나는 선의를 가진 보통 사람들이 학습대화를 시도하는

데 가장 큰 방해물이 수치심이라는 결론에 도달했다. 당신이 조직학습을 이끌고 싶다면, 조직생활 중에서 수많은 부정적 환상들과 반응성을 촉발시키는 수치심을 피해갈 수 있어야 한다. '서술 자아'가 되기 위해 배워야 할 것은 다른 사람에 대한 당신의 경험을 그들이 수치심을 느끼지 않도록 서술할 수 있는 방법이다. 호기심 자아가 되기 위해 당신이 배워야 할 또 다른 부분은 당신의 수치심 버튼shame buttons이 무엇이며, 당신이 느끼는 수치심으로부터 자신을 방어하고, 그 수치심을 유보할 수 있게 해주는 방법에 관한 것이다.

수치심은 우리 모두에게 있다. 그것은 우리가 쓸모없고, 하찮고, 부적절하다는 느낌을 가지게 한다. 죄의식이 우리가 잘못된 행동을 했을 때 느끼는 감정인 반면, 수치심은 우리가 잘못된 상태일 때 발생한다. 우리들의 마음 깊은 곳에는 마음을 상하게 하는 장소가 있다. 실제로는 우리가 그곳에 들어가 있지 않은 데도 불구하고, 우리에게 뭔가 심각하게 잘못된 게 있어서 만일 다른 사람이 우리의 실체를 알게 되면 우리를 받아들이지 않을 것이라고 믿게 만드는 곳이다 그것이 바로 우리의 수치심이다. 어떤 사람들은 수치심이 표면 가까이 있어서 언제나 수치심을 느끼는데, 우리는 이런 사람들을 '수치심에 기반한 성격'이라고 부른다. 다른 사람들은 수치심을 마음 깊은 곳에 묻어 두거나, 인식에서 멀리 떨어진 곳에 두기도 있다. 우리들 대부분은 이 두 유형 사이 어딘가에 속해 있다. 나는 내면에 마음을 상하게 하는 장소를 갖고 있지 않은 사람이 있을지도 모른다고 상상해 보지만, 실제로 그런 사람을 만나본 적은 없다. 매우 성공적이고, 영향력 있고, 아름다운 사람이라 할지라도 수치심을 느낄 때가 있다고 생각한다. 수치심은 우리로 하여금 성공적이고, 영향력 있고, 매력적이 되도록 열심히 노력하게 만드는 요인이 될 수도 있다.

우리 모두는 수치심 버튼을 가지고 있다. 그것은 우리가 자신을 어떤 면에서 미흡하거나, 결함이 있거나, 적합하지 않다고 여기는 이미지들이다. 영리하지 못하다, 세심하지 못하다, 남들에게 호감있게 보이지 못한다, 매력적이지 못하다 등과 같은 것이 가장 흔한 예인데, 수치심의 범위는 인간의 경험만큼이나 광범위하다. 물론 사람들이 느끼는 수치심의 정도도 매우 다양하고, 수치심 버튼들이 얼마나 겉으로 드러나 있는지도 사람에 따라 다르지만, 확실히 우리 모두는 수치심 버튼을 가지고 있다. 당신이 내 수치심 버튼을 건드리면, 나에게는 나에게 고통을 주는 하나의 이미지가 인식되어 나타난다. 그 순간 나는 내장을 칼에 찔린 것 같은 극심한 고통을 느끼게 된다. 그리고 나서 그것에 즉각적으로 반응하고 그 고통이 사라지길 바라는데, 그것은 당신이 사라져주기를 원한다는 것을 의미한다. 이 경우, 내게 수치심을 준 것이 무엇이든 간에, 내가 당신의 경험에 호기심을 갖거나 탐문하는 일이 일어날 가능성은 거의 없다. 그럼에도 불구하고 내가 내 경험(고통)을 당신과 분리시켜, 나에 대한 끔찍한 판단을 내리고 있는 사람은 당신이 아니라 바로 나 자신이라는 사실을 깨달을 수만 있다면, 나는 그 고통을 유보하고 당신이 나에 대해 그러한 경험을 하게 된 이유를 이해하는 데 보다 개방적인 태도를 취할 수 있다.

당신이 받아들일 수 없는 것으로 내가 당신을 모욕하려 든다면, 당신은 그것에 대해 전혀 신경 쓰지 않을 것이다. 당신에게 상처를 줄 수 있는 유일한 모욕은 당신이 받아들이는 모욕이다. 당신이 자신에 대한 이미지를 가지고 있기 때문에, 내가 그 이미지에 대해 굳이 언급하지 않고서도 당신이 그 이미지를 알아차릴 수 있게 할 수 있다. 가령 당신이 스스로 정돈되지 못한 사람이라는 셀프 이미지를 가지고 있다고 가정해보자. 내가 당신의 사무실로 들어가서 어질러진 서류 뭉치들을 둘러보는 시선때문에 당신이 불쾌감을 느낀다면, 당신은 수치심을 느끼는 것이다. 여기서 판단을 하고 있는 사람은 누구인가? 그건 아마도 나일 것이다. 그러나 그 순간 당신은 자신이 수치심을 느낀다는 것을 알지 못한다. 당신이 알고 있는 전부는 당신이 상처받았다는 사실 뿐이다. 만일 수치심이 당신을 지배하면, 당신은 내가 어떻게 판단하는지 알아보려는 행동을 하지 않을 가능성이 높다.

수치심은 유아기때 형성된다. 우리는 에너지와 활력이 넘치고, 호기심을 가득 안고 이 세상에 태어났지만, 부모님은 '착한' 자녀를 원했다. 그들은 우리 몸이 만들어내는 모든 멋진 것들에 별로 감동받지 않았다. 우리는 시끄러운 소리로 세상의 놀라움을 나누고 싶었지만, 부모들에게는 그것이 그리 대단한 일이 아니었다. 우리가 활력에 차서 부산하게 움직이면, 오히려 심하게 꾸중을 했다. 유아기를 지나 아동기가 되면, 우리는 우리의 경험이 옳지 않다는 것을 수많은 방식으로 듣게 된다. 그것들 중 많은 부분이 살아가는데 필수적인 훈련이긴 하지만, 그것은 다른 결과들도 가져온다. 거셴 코프먼Gershen Kaufman은 아이들이 수치심을 배우게 하는 일등 공신은 질문을 했음에도 대답을 듣지 못할 때라고 주장한다.[2] 부모가 다른 사람들과 대화하는 중에 아이들이 부모의 다리를 잡고 늘어지고, 조용히 하라는 말을 듣거나 무시당하는 상황이 얼마나 흔하게 일어나는지 생각해보라. 누가 곤란을 겪는 부모를 탓할 수 있겠는가? 하지만 문제는 "내가 가치 있는 사람이라면, 내게 대답을 해 주었을 텐데."라고 아이들 스스로 생각한다는 것이다. 그때 아이들이 느끼는 수치심은 '수치심 창고shame tank'에 던져진다. 수치심 창고는 집에 있을 때나 학교에 있을 때나 아이들이 언제나 짊어지고 다니는데, 자신이 옳지 않거나 충분히 좋지 않다는 메시지를 받은 순간을 아이들은 그 수치심 창고에 저장하게 된다. 해가 지나면서, 수치심 창고는 배경 속으로 밀려나 버리고, 아이는 수치심 창고에 저장된 수치심을 더 이상 알지 못한 채 수치심은 그 아이의 일부가 되어 버린다. 문제는 당신이 수치심 창고를 가지고 있는지 없는지가 아니라, 그것이 얼마나 가득 차 있고, 당신의 수치심에 대해서 지금 무엇을 하고 있는가이다.

누군가 당신의 수치심 버튼을 건드리면, 바로 그 순간 당신은 방어적으로 행동하게 되고, 호기심은 완전히 사라지고 만다. 이게 전부가 아니다. 수치심은 한 사람이 학습대화를 시작조차 하지 못하게 하는 요소로 작용한다. 내가 얼마나 가치 있고 괜찮은 사람인지 스스로 확신이 없을 때는 서술 자아가 되기 어렵다. 대신 뒷전으로 물러나 어떤 것을 말하거나 행동하기 전에, 무엇이 옳은 말이고 어떤 게 옳은 행동인지 파악하려 한다.

우리가 학습대화를 하기 어렵게 만드는 것은 단지 수치심만이 아니라, 어린시절에 가졌던 수치심에 대항해 우리 자신을 방어하려고 터득해온 방법들이다. 누군가에게 수치심이 들게 하면 학습대화를 닫아버리게 할 수 있지만, 우리들 대부분이 터득한 방어기제들은 학습대화를 시작조차 하지 못하게 할 가능성이 높다. 수치심에 근거한 반응은 단절을 가져온다. 다음은 학습대화를 어렵게 만드는 수치심에 기반을 두고 반응한 것들을 열거한 것이다.

- 멍청하고, 어리석거나, 무능력해 보이지 않기를 원함
- 무슨 말이나 행동을 하기 전에, 먼저 그것을 올바로 이해부터 하려고 함
- 다른 사람들의 의견이 내 의견과 같아서 내가 받아들여지고 있다고 느끼고 싶어함
- 다른 사람들에게서 항상 '잘못된' 것들을 찾으려 함
- 무슨 말을 하기 전에 먼저 남들이 무슨 생각을 하는지 알고 싶어함
- 내가 다른 사람에게 주는 인상을 완전히 통제하고 싶어함
- 자신이 완벽하지 못할 때마다 자기를 질책함
- 사람들에 의해 위협을 느낌
- 자신에 대해 스스로 높은 기준을 설정함

내가 관찰한 바에 의하면 위의 반응들은 수치심을 느낀 사람들이 자신을 보호하기 위해 취하는 7가지 기본 방법에 근거한 것들이다. 코프먼은 그것들을 위축, 완벽, 경멸, 분노, 권력, 유머, 남에게 수모 주기로 설명했다.[3] 우리가 내부에 잠재해 있는 수치심을 없애려는 노력을 하지 않는다면, 이 7가지 반응은 평생동안 우리를 따라다닐 것이다. 각 반응은 학습을 하지 못하게 한다. 그 이유는 서술적이 되려는 의지를 감소시키기 때문이기도 하지만, 대부분의 경우 호기심을 가지려는 의지를 줄이기 때문이다. 이 요소들을 간단히 설명하면서 그것이 어떻게 학습대화를 어렵게 만드는지 자세히 살펴보자. 이 7가지 중에서 당신에게 익

숙한 것이 있는지를 찾아보라.

*위축*Withdrawal. 내가 사람들 눈 앞에서 사라지면, 나는 수치심을 당하지 않아도 된다. 그래서 나는 뒷전으로 숨어버린다. 서술 자아가 되는 것은 엄두도 못 낼 일이다. 그건 너무나 두려운 일이다. 사람들은 나를 조롱할 것이다. 만일 누군가가 나에게 주관적 진실에 대해 묻는다면, 안전한 말을 생각해 낼 때까지는 위험하지 않은 말만 할 것이다.

*완벽*Perfection. 내가 완벽하면 누구도 나에게 수치심을 줄 수 없다. 그래서 나는 완벽한 직장을 얻으려 하고, 완벽한 파트너를 만나고, 나에게 딱 맞는 옷을 입고, 완벽한 집에서 살고, 완벽한 보고서를 만들어 내는 일 등을 하려 한다. 완벽해진다는 것은 매우 불안정한 일이기 때문에, 나는 완벽하게 할 수 있는 일(또는 완벽에 가까운 일)에만 전념한다. 내가 자신과 상황을 통제해야 하는데, 학습대화는 지나치게 불확실성이 많은 활동이다. 나의 불완전함이 다른 사람들의 눈에 띌 확률이 너무 높다. 만일 당신이 내가 알고 있는 완벽하지 않은 나에 대한 것들에 대해 문제를 제기하기 시작하면, 나는 즉시 "나도 알아요."라고 말하고, 진정한 학습이 일어나기 전에 대화를 중단하려 할 것이다.

*경멸*Contempt. 내가 당신을 존중하지 않으면, 당신은 내게 수치심을 줄 수 없을 것이다. 왜냐하면 당신의 의견은 고려해 볼 만한 가치가 없기 때문이다. 이러한 방어는 '경멸'이라는 단어가 시사하는 것 보다 훨씬 더 미묘한 것일 수 있다. 당신이 지식이나 경험이 부족한 사람이고, 당신의 가치가 내가 감탄할만한 것이 아니라는 것을 나는 바로 알아차린다. 내가 높이 평가하지도 않는 사람의 경험에 관해 도대체 왜 호기심

을 가져야 하는가? 내가 왜 당신의 주관적 진실에 신경을 쓰고, 나의 주관적 진실을 당신이 이해하도록 노력해야 하는가?

분노Anger. 당신이 내게 수치심을 주려 할 때 내가 화를 내면, 당신은 겁을 먹고 그만둘 수 있다. 어쩌면 당신은 이미 이런 사람들을 알고 있을 수도 있다. 당신은 상대가 분노할 것이 두려워 조심스럽게 그들 주변을 맴돌 수밖에 없다고 느낄 것이다. 이런 전략을 사용하는 사람은 어떤 사람이 그의 수치심 버튼에 접근하기만 하면 화를 낸다. 그 다음에는 자신의 분노로 다른 사람을 겁주거나 자신을 진정시키기 위해 노력하는데, 이렇게 되면 결국 호기심은 갖기 어려워진다.

권력Power. 나에게 권력이 있으면, 당신은 감히 내게 수치심을 갖게 할 엄두를 내지 못할 것이다. 그래서 나는 남들이 원할 만한 자원이나 나에 대한 말을 이러쿵 저러쿵 함부로 떠벌리지 못하게 할 수 있는 권한을 갖기 위해 노력할 것이다. 나는 나한테 수치심을 주지 않는 것이 좋을 거라는 것을 명확히 하기 위해 내 권력을 사용한다. 다시 말해, 이슈를 제기하거나 나와 학습대화를 갖는 것이 매우 위험한 일이 될 수 있다는 점을 확실히 하기 위해 내가 가지고 있는 권한을 사용한다. 당신이 내 수치심 버튼을 건드리면, 나는 더 이상 호기심을 보이지 않고 내 권력을 써서 당신의 입을 닫아버리게 만들 것이다.

유머Humor. 내가 항상 밝고 농담을 잘 하면 당신은 내게 수치심을 줄 수 없다. 내가 당신을 웃게 하면, 나는 당신이 나에 대해 가지고 있을 법한 우려들을 비켜갈 수 있다. 당신이 우리의 상호교류에서 문제 패턴을 끄집어내는 모습을 보이기만 하면 나는 그것에 호기심을 보이는 대신 농담을 하면서 넘어간다. 자신을 비하하는 농담은 심각한 대화가 발생하지 않게 하는 데 효과가 있다.

*남에게 수모 주기*Shaming others. 정신적 술책을 쓰면, 수치심을 피할 수 있다. 수치심이 올 때마다, 나에게 도달하기 전에 그 수치심을 상대에게 넘겨버리는 것이다. 당신이 내 수치심 버튼을 누르면, 당연히 수치심을 당신에게 돌려준다. 당신이 너무 버거운 상대일 경우에는, 내 옆에 있는 사람에게 수치심을 준다. 우리가 학습대화를 하는 중에 내가 갑자기 수치심을 느끼게 되면, 나는 어쩔수 없이 당신을 공격하게 될 것이고, 결국 학습대화는 나쁘게 끝나고 말 것이다.

이 같은 반응들은 우리가 가지고 있는 우리 자신의 괴로운 이미지들을 떠올리지 않게 하는 데는 도움이 될지 몰라도, 학습은 전혀 일어나지 않는다. 우리들 대부분은 수치심에 대해 하나 이상의 방어기제를 가지고 있다. 수치심에 대해 당신이 가지고 있는 방어기제들을 알면 도움이 된다. 그것을 사용하고 있을 때와 유보하고 있는 순간에 당신 자신을 이해할 수 있기 때문이다. 물론, 사람들이 고통을 감수하면서도 그들의 호기심을 작동하게 만드는 단지 스킬만이 아닌 어떤 것, 예컨대 성품이나 강한 자아와 같은 요소들이 있다. 이 책에 나오는 많은 스킬들처럼, 사람들은 해 낼 수 있을 때까지, 그것을 할 수 있는 척하는 방법을 통해 그러한 요소들을 터득할 수 있다. 즉 수치심을 인식하고, 이를 악물고 고통을 견뎌내면서, 다른 사람의 경험에 대해 여전히 호기심이 있는 것처럼 노력하는 것이다. 그러나 수치심에 기반을 둔 당신만의 방어기제를 인식하면 자신이 반응하기 시작할 때, 상대방이 한 말이나 행동에 대해 반응하는 것이 아니라, 자신의 것에 대해 반응하고 있다는 것을 깨달을 수 있게 된다. 이렇게 할 수 있다면, 당신 내부의 저장소, 즉 불안이나 상처를 느끼면서도 여전히 해야 할 일을 할 수 있는 능력을 강화할 수 있다. 당신이 이렇게 충분히 자주 시도할 수만 있다면, 일정 시간이 지난 후에는 별로 어렵지 않게 되고, 나중에는 자연스럽게 느끼게 된다.

자신의 수치심을 더 잘 이해하고 수용하면, 다른 사람의 수치심을 이해하고 피해가는 것이 훨씬 쉬워진다. 다른 사람이 가진 교만(경멸), 두려움(완벽주의), 짜증(분노), 타협(위축), 위협(권력)의 저변에 깔린 수치심을 인식하면, 우리는 다른 사람의 행동에 덜 반응적일 수 있다. 다른 사람이 보이는 성가신 행동 대신, 그 이면에 있는 상처에 주목하면, 공감은 커지고 그 사람의 반응성이 줄어드는 것을 느낄 수 있다. 그래서 나는 조금 덜 불안한 존재가 될 수 있다. 다른 사람의 수치심 버튼이 어디 있는지 더 주의를 기울이게 되고, 그와 학습대화를 하고 싶을 때 그것을 건드리지 않으려고 노력하게 된다. 이것이 중요한 이유는, 다른 사람과 학습대화를 할 때, 때때로 다른 사람의 수치심 버튼을 건드릴 확률이 매우 높은 주제를 다루고 싶어 하기 때문이다.

나는 사람들이 왜 다른 사람에게 수치심을 주는지 알아내기 위해 많은 시간을 보냈다. 상대를 공격하거나 상처를 주는 일이 일어나긴 하지만, 그것을 하나의 욕구라고 보기는 드물다. 우리 자신의 수치심을 방어하기 위해, 혹은 상대에게 역공을 가하기 위해 우리는 다른 사람에게 수치심을 준다. 겁을 먹거나, 상대를 밀어내고 싶을 때, 혹은 어떤 사람에 대해 권력을 행사하려 할 때, 우리는 이런 방식으로 대응한다. 또한 관심을 끌거나 애정을 원할 때에도 다른 사람에게 수치심을 주는 방법을 쓸 수 있고, 제3자를 보호하거나 간접적으로 불만을 표현할 때도 수치심을 사용할 수 있다. 하지만 수치심을 주는 가장 큰 이유는 변화에 대한 동기를 유발시키기 위해서이다.

한가지 일화를 소개하면 이렇다. 샘이 자주 늦는 것을 알고 난 이후부터 나는 신경이 쓰이기 시작했다. 어느 날, 샘의 게으름이 정말 큰 문제라고 생각한 나는 샘에게 빈정거리는 말을 한다. 내 의도는 그가 더 이상 늦지 않길 바라는 것이지만, 그것과는 다르게 항상 다음 중 하나의 일이 발생한다. 즉, 샘은 기분이 상해서 가버리고 나에 대한 악담을 지어낸다. 우리는 샘이 항상 얼마나 늦었는지 보여주려고 언쟁을 한다. 언쟁을 끝내고 각자 돌아가 상처를 치료해야 할 지경에 이르기까지, 샘은 나를 맹렬히 비난하고 우리는 서로를 향해 점점 더 공격의 수위를 높인다. 상대에게 수치심을 주는 것이 그를 변화시킬 수 있는 통상적인 전략임에도 불구하고, 이것이 실제로 전혀 효과가 없다는 사실은 매우 역설적이다. 물론, 당신이 상황을 계속 관찰한다면, 충분한 정도의 부정적 강화(Negative Reinforcement; 예, 벌, 꾸지람 등)를 통해 상대의 행동을 변화시킬 수도 있을 것이다. 하지만 수치심은 대개 당신이 바꾸고 싶어하는 행동이 나타나게 한 그 사람의 일면을 더 견고하게 만든다. 예를 들어, 샘이 너무 자주 지각을 한다고 믿게끔 하는 일면이 그에게 없었다면 샘은 수치심을 느끼지 않았을 것이다. 샘에게서 그것의 존재를 목격하고 증명해 보임으로써 그에게 수치심을 주고 있는 그 순간에 나는 시간을 잘 지키지 못하는 샘의 그러한 일면을 강화하고 있는 것이다.

샘에게 수치심을 주지 않으면서, 시간에 늦는 그의 행동에 관한 나의 경험(관찰, 생각, 감정, 욕구)을 말해 줄 수는 없을까? 당연히 그렇게 할 수 있다. 내가 그 문제에 대해 학습대화를 하고 싶은 경우에는 반드시 그렇게 해야 한다. 하지만, 그럴 때는 서술이 아니라 호기심의 정신으로 해야만 한다. 만일 샘이 지각한 것에 대해 "건설적인 피드백"의 정신을 가지고 부딪치게 되면, 내가 아는 진실이 유일한 진실이라는 입장을 취하는 것과 다르지 않다. 이 같은 행동은 언제나 반응적인 대응으로 귀결된다. 이렇게 하는 대신, 샘이 나와 같은 방식으로 사물을 보는지 알고 싶다는 입장을 취하면서, 나의 경험을 호기심의 정신에서 들려줄 필요가 있다.

통찰을 얻도록 직면시킨다

통찰을 얻게 하기 위해 차이점을 직면하게 하는 것은 수치스러운 반응을 피할 수 있는 한 가지 방법이 된다. 어려운 이슈를 꺼내는 것이 상대의 수치심 버튼을 건드릴 수도 있다는 생각이 들 때는 어떻게 하는 것이 좋을까? 자신에 대해 부족하고, 가치 없으며, 나쁘고, 부족한 사람이라는 이미지를 가지고 있는 사람에게 그것을 사실대로 말해주면, 그 사람이 수치심을 느낀다는 것을 우리는 기억하고 있어야 한다. 이것은 매우 중요한 말이다. 즉, 수치심을 주는 행위는 언제나 상대가 자기 자신에 대해 이미 가지고 있는 신념이나 심상지도를 강화하게 된다는 점을 지적하는 것이다. 내가 아무리 그에 대해 부정적인 이야기를 하더라도 그가 그것을 전혀 받아들이지 않는다면, 내 행동은 그의 수치심 버튼을 건드리지 않는다. 따라서 수치심이 일어나려면, 주관적이든 객관적이든 핵심적인 진실이 반드시 있어야 한다. 수치심을 다루는 것이 어려운 이유가 바로 이런 점 때문이다.

통찰을 얻게 하기 위해 상대를 직면시킬 때는, 내가 발견한 불일치나 차이를 상대방이 인식하게 한 다음, 그도 그 불일치나 차이를 알아차렸는지 물어봐야 한다. 내가 말하는 '차이'란, 말과 행동, 이상과 실제, 목표와 결과, 원하는 것과 실제로 얻은 것 등 다양한 차원의 차이를 말한다. 상대를 직면시키는 행동은 상대를 정신적으로 힘들게 하는 것이 아니라, 오히려 차이점을 명확하게 이해할 수 있게 해준다. 통찰을 얻게 하기 위해 상대방이 직면할 수 있게 하는 행동은 상대를 폄하하는 것이 아니라, 오히려 자신의 경험을 이해하게 하는데 도움이 된다. 성공적으로 직면시키면, 관계의 질을 유지하거나 향상시키면서 동시에 인식도 높일 수 있다.

나는 어떤 사람이 직면하게 할 때는, 관찰한 결과를 테이블에 올려놓고 양쪽 모두가 그것을 볼 수 있게 한다. 내가 상대에게 수치심을 줄 때는 판단이나 추론에 따라 행동할 때이다. 그 사람이 문제라고 내가 이미 판단을 내렸을 때다. 반대로, 통찰을 얻을 수 있도록 상대가 직면하게 할 때는, 문제는 불일치에 있는 것이지, 상대방에게 있는 것이 아니라는 것을 기억해야 한다. 이것이 중요한 이유는, 불일치가 실재한다고 인식하더라도, 상대가 동일한 불일치를 보지 못하면, 결국 그것에 대해 논의하는 모든 시도는 의미가 없기 때문이다. 그래서, 제일 먼저 해야 할 일은 상대와 내가 동일한 불일치를 보고 있는지를 확인하는 것이다. 앞에서 언급한 샘의 경우라면, 나는 이렇게 말했을 것이다. "당신이 인력 충원에 관한 보고서를 작성하기로 2주 전에 나와 합의했다고 생각했어요. 하지만 아직까지 보고서를 받지 못했습니다. 한 달 전에도 지금처럼 계획을 세우고는 실행하지 않은 경우가 있었습니다. 당신도 그렇게 생각합니까?" 여기서 나는 통찰을 위해 계획과 실행 사이에 발생한 차이를 직면시키려고 시도했는데, 상대를 비난하기에 앞서 그의 경험부터 알아보고 싶었던 것이다.

만일 샘이 반응적이지 않은 채로 계획과 실행 사이에 이런 불일치가 있었다고 동의해 준다면, 나는 수치심 반응을 피하면서 이 문제에 대해 생산적인 대화의 여지를 마련할 수 있다. 만일 샘이 그러한 불일치를 보지 못한다면, 다른 것이 있을 수도 있다. 예를 들어, 비현실적인 마감일, 혹은 그가 마감일을 지키지 못하겠다고 말할 때 그 말을 귀담아듣지 않았던 내 태도가 지각을 한 그 사람에 대한 내 경험을 형성하는 데 일조했다는 것을 알게 되었을 수도 있다. 다루고자 하는 불일치에 초점을 맞추고, 호기심에서 출발하며, 불일치에 내가 어떤 역할을 했는지 진솔하게 바라보고, 상대의 수치심 버튼에 각별히 신경 쓴다면 상대로부터 반응적 대응을 유발하지 않으면서도 어려운 이슈를 논의할 수 있다.

그러나 의미형성 과정에는 어려운 점이 한 가지 더 있다. 어떤 사람들은 전혀 악의가 없는 말을 들었는데도 불구하고 스스로 수치심을 가질 수도 있다는 점이다. 수치심 버튼이 외부의 영향을 쉽게 받을 수 있는 곳에 있을 경우, 수치심을 줄 의도가 전혀 없는데도 사람들은 자기가 들은 말을 무시하는 말로 해석할 수 있다. 우리가 무의식적으로 다른 사람에게 수치심을 줄 수 있다는 것 역시 사실이다. 우리는 자신의 그런 의도를 능숙하게 차단시키기 때문에 의식하지 못한다. 그렇다면, 나로 인해 어떤 사람이 수치심을 느끼지만, 내가 그에게 의도적으로 수치심을 갖게 했다고 생각하지 않을 때, 그 원인이 나에게 있는지 아니면 상대에게 있는지 알아내려면 어떻게 해야 할까? 만일 목격자가 있다면, 그에게 물어보라. 어떤 사람이 누군가에게 수치심을 갖게 했다면, 그 자리에 있었던 다른 사람들도 그것을 느꼈을 수 있다. 이런 점은 수치심과 관련된 흥미로운 사실이다. 목격자들은 내 발언이 순수했는지 아니면 함정이 있었는지 말해줄 수 있다.

대인관계 명료성을 개발할 때 수반되는 다른 문제들처럼, 수치심 역시 권한에 의해 증폭된다. 권한이 주변에 있을 때 사람들은 수치심에 민감해하고, 권한을 지닌 사람이 자신을 무심하게 관찰한 걸 가지고도 무시당한 것으로 받아들일 수 있다. 이 점은 부하들과 마주보고 그들의 수치심 버튼을 건드리지 않은 채 학습대화를 하고 싶어 하는 리더들에게 더 많이 부담이 된다.

통찰을 얻게 하기 위해 상대를 직면시키는 것에 탁월한 사람들은 '모든 사람은 자신에 대한 가장 가혹한 비판자'라는 믿음을 가지고 행동하는 것처럼 보인다. 비판에 방어적인 태도를 취하는 사람들은 당신에게 화를 냄으로써, 그들의 내부 비판자를 무장해제 하려고 한다. 이런 상황이 발생하면, 통찰을 위해 직면시키는 행동은 효과적이지 않다. 통찰을 얻기 위해 직면시키는 행동이 가장 효과적일 때는, 당신이 그들을 직면하게 했다고 그들이 경험하지는 않는다. 오히려 양측이 관련되어 있는 상호교류 패턴을 탐색하고 있는 동반자로 당신을 경험할 것이다.

큐브를 통해 경청한다

당신의 호기심을 설명하기 위해 경험큐브를 사용하면 다른 사람의 경험을 완전히 이해하는 데 도움이 된다. 이것이 바로 '큐브를 통해 경청한다'는 말의 의미이다. 많은 기업과 경영에 대한 프로그램들이 경청 스킬 모듈을 제공하고 있다. 대부분은 '적극적 경청Active Listening'에 초점을 맞추고 있는데, 이것의 주된 스킬은 사람들이 당신에게 한 말을 다른 말로 바꾸어 표현하는 것Paraphrasing이다. 이런 코스에 처음으로 참가해보면, 다른 사람의 말을 경청하는 것이 얼마나 어려운지 잘 알 수 있다. 경청한다는 것은 단순하거나 수동적인 것이 아니다. 경청은 집중과 노력을 필요로 한다. 들은 것을 다른 말로 바꾸어 표현하기 위해서는 상대가 하는 말에 집중해야 하고, 단순히 단어가 아니라 말하는 내용의 의미 또한 이해해야 한다. 큐브를 통해 듣는다는 것은 적극적 경청에서 다른 사람의 경험을 알아내는 수준으로 한 걸음 더 나아갈 것을 요구한다.

적극적 경청은 하나의 기법이다. 여타 경청기법과 마찬가지로 적극적 경청은 경청이 쉽지 않은 이유를 이해하는 것과 다른 사람의 말에 몰두해보려는 의도에 바탕을 두고 있다. 경청이 어려운 이유 가운데 하나는 우리가 가진 심상지도 때문이다. 경청을 할 때 심상지도는 세 가지 문제를 일으킨다. 첫째, 우리는 지도상에 있는 것만 경청하고, 지도에 없는 것은 듣지 않으려 한다는 것이다. 당신이 내 지도에 없는 것에 대해 말을 하면, 나는 그것을 듣기 위해 훨씬 많은 노력을 쏟아야 한다. 둘째, 많은 사람들은 "경청지도"listening maps를 갖고 있는데, 이 지도는 다른 사람들과 상호교류를 할 때 상대로부터 우리가 듣고 싶어하는 것들이다. 교수인 나에게 학생이 찾아올 때, 나 역시 때때로 경청지도를 사용한다는 것을 알고 있다. 나는 그들을 위해 내가 대답해야 할 수업자료에 대한 "질문"에 대해 경청한다. 만일 과제를 돌려준 직후에 학생이 찾아오면, 나는 다른 지도를 사용한다. 그들로부터 성적을 정정해달라는 말을 듣기 위해 경청하는 것이다. 내가 이런 경청지도를 사용할 때는, 어떤 질문에 답해주는 것이 좋을지에 대해 생각하는 것만큼 학생이 하고 있는 말에 제대로 주의를 기울이지 않게 된다. 내가 예상했던 질문을 듣거나 그것과 조금이라도 가까운 질문을 듣는 순간, 나는 듣기를 멈추고 답변하는데 집중하게 된다. 학생들을 생각해서 이렇게 하지 않으려고 노력은 하지만, 열린 마음으로 경청하지 않고 예상한 것만 들으려는 함정에 빠진다는 것을 나는 알고 있다.

우리에게는 수도 없이 많은 경청지도가 있다. 부하직원에 대한 경청지도도 가지고 있고, 상사에 대한 경청지도도 가지고 있을 것이다. 그들이 당신의 업무 공간으로 들어오면, 당신은 무엇을 듣고 싶어하는가? 당신은 직장에서는 특정 사람에 대한 경청지도를 가지고 있지만, 마찬가지로 삶에서 만나는 사람들에 대한 경청지도 또한 가지고 있다. 이런 지도들이 꼭 나쁜 것만은 아니다. 우리가 경청 지도를 가지는 이유는 과거에 그것이 정확하고 유용했음이 판명되었기 때문이다. 하지만 학습대화를 할 때는 경청지도가 방해가 될 수 있다. 경청지도에 없었던 어떤 것이 지도에 새로 추가될 때는 대화가 학습을 촉발한다.

셋째, 대화가 어디로 전개되기를 원하는지에 대한 지도, 다른 사람들이 어떻게 응답하기를 바라는지에 관한 지도를 가지고 대화를 하면, 다른 사람의 말을 듣는 대신 스스로에게 말하는 데(즉 생각하는 데) 많은 시간을 쓰게 된다. 특히 상대를 설득하려고 할 때 더욱 그렇다. 당신의 말을 경청하는 대신, 당신이 말을 하는 그 순간에 어떻게 당신을 설득해야 할지에 대해 준비하게 된다.

학습대화를 할 때는 경청지도를 내려놓고 열린 자세로 경청해야 한다. 이때는 상대를 설득하는데 목적을 둬서는 안된다. 대인관계 혼돈을 걷어내고 명료성에 이르기 위해 대화를 해야 한다. 당신의 지도와 내면의 대화들을 옆으로 제쳐 놓고 허심탄회하게 듣는 것이 당신이 보여줄 수 있는 어떤 기법보다도 훨씬 더 중요하다.

경청의 세 가지 단계

당신이 기꺼이 열린 자세로 경청한다고 가정한다면, 생산적인 학습대화 능력을 높여줄 수 있는 몇 가지 기법들이 있다. 세 가지 수준 모두에서 경청하는 것이 바로 그것이다. 1단계에서는 주로 상대방이 어떤 사건이나 이슈에 대해 이야기하는 것을 경청한다. 2단계에서는, 그것에 대한 상대방의 경험을 듣는데, 이때는 당신이 상대의 경험을 진정으로 이해하고 있는지 확인하기 위해 경험큐브를 활용한다. 3단계에서는, 상대가 자신에 대한 경험에 대해 말하는 것을 경청한다. 이 단계에서 당신은 상대방이 가지고 있는 지도를 그와 함께 탐색하면서, 그 사람과 그의 경험을 진정으로 이해할 수 있게 된다.

학습대화에서는 첫 번째와 두 번째 단계의 경청 능력이 필수적이다. 즉, 당신은 상대의 경험을 경험큐브의 4가지 측면에서 요약할 수 있어야 하고, 그들이 사용하는 지도를 이해해야 한다. 세번째 단계의 경청은 반드시 필요하지는 않지만, 다른 사람들이 자신의 경험을 깊이 인식하도록 효과적인 도움을 줄 수 있다.

1단계: 적극적으로 경청하기

적극적 경청이란 어떤 사람이 하는 말의 의미를 이해하고, 다시 그 사람에게 이해한 바를 소통할 수 있는 능력을 뜻한다. 상대가 말하는 단어뿐만 아니라 그의 감정과 태도, 단어에 가려진 표현되지 않은 의미까지 듣는 것이 바로 적극적으로 경청하는 것이다. 당신이 상대에게 이 정도 수준까지 이해했음을 보여줌으로써, 그 사람이 자신의 생각, 감정, 욕구, 관찰을 더 잘 표현할 수 있게 도와주고, 누군가가 자신의 말을 잘 들어주고 있다고 느끼게 해준다. 상대의 입장에서 역지사지를 해 봄으로써 그의 세계를 이해할 기회가 주어지는 것이다. 적극적 경청은 학습에는 절대적으로 중요하다. 그렇다면, 적극적 경청은 어떻게 해야 할까?

- 상대를 바라보고, 편안하게 시선을 맞출 것
- 그 사람의 신체언어(body language)를 알아차릴 것
- 단어 뒤에 숨겨진 의미를 들으려고 할 것
- 내용과 전달을 혼동하지 말 것, 상대가 말하는 데 어려움을 겪더라도 무언가 말할 것이 있다고 가정할 것
- 상대의 입장에서 생각할 것
- 한 마디에 집중하느라 전체 메시지를 놓치지 말 것
- 단기 기억에 한계가 오면, 상대가 말하는 것을 멈추게 하고 당신이 들은 것을 요약할 것. 이를 통해 단기 기억에 남아 있는 내용을 비운 후, 다시 경청을 재개할 것
- 요약할 때, 당신이 들은 것을 최대한 완벽하게 전달하되, 상대가

한 말을 똑같이 되풀이 하지는 말 것

- 상대의 메시지 중에서 일부를 빼거나 다른 것을 더하지 말 것
- 상대가 그의 말을 내가 잘 이해했다고 느끼는지 확인한 후, 혹시 그가 말하지 않고 남겨둔 것이 있는지 직감을 통해 확인해 볼 것

학습대화에서는 들은 내용을 요약하거나 다른 말로 되풀이해보는 능력이 절대적으로 중요하다. 이는 상대가 한 말을 그대로 되풀이하는 것과는 다르다. 그렇게 하면 짜증만 일으킬 뿐이다. 누군가의 경험에 대해 적극적으로 경청하는 중이라면, 때때로 상대가 말하는 것을 멈추게 해서 당신이 들은 내용을 요약해서 말해보라. 이렇게 해보는 것은 4가지 측면에서 중요하다. 첫째, 당신이 상대의 경험을 이해했는지 확인해 볼 수 있다. 무언가를 놓쳤거나 잘못 이해했을 경우라면, 상대가 당신에게 다시 말해줄 수 있다. 둘째, 상대로 하여금 본인이 말한 것을 되돌아보게 하고, 그가 미처 설명하지 못한 그의 경험의 다른 측면을 인식할 수 있도록 일깨워줄 수 있다. 셋째, 당신이 그의 경험을 이해했다는 것을 그에게 보여줄 수 있다. 이렇게 하면 상대도 당신의 경험을 기꺼이 경청해 줄 가능성이 높아진다. 마지막으로, 대부분의 사람은 자신이 들은 내용을 기억할 때까지만 상대의 말에 집중해서 들을 수 있다. 말하는 사람을 잠시 멈추게 한 후, 당신이 들은 것을 요약해보면 놀라운 일이 일어난다. 들은 것을 상대에게 요약해주면, 당신이 들은 모든 내용이 당신의 장기 기억으로 들어가서, 더 많은 정보를 단기 기억으로 받아들일 수 있는 공간을 확보할 수 있다.

2단계: 다른 사람의 경험 경청하기

2단계 경청에서는 경험큐브를 토대로 상대의 생각, 감정, 욕구, 관찰 등을 탐색한다. 2단계 경청은 적극적인 경청을 넘어서는 탐색 활동을 포함한다. 당신은 상대의 말에 귀 기울이면서, 상대가 한 말 속에서 그 사람이 경험한 4가지 측면을 모두 설명할 수 있는가? 그렇지 않다면, 빠진 부분에 대해서는 질문을 해야 한다. 처음 하는 질문들은 간단한 것들이다: "당신이 관찰한 것은 무엇인가?", "그것에 대해 무엇을 생각했는가?", "그것이 일어났을 때, 어떻게 느꼈는가?", "당신이 원했던 것은 무엇인가?" 이 질문들은 상황에 대해 상대가 경험한 것을 경청하게 해주는 시작 지점이 되어준다.

지금까지 말한 것 외에도, 상대의 경험을 만드는 중요한 지도가 무엇인지에 대해서도 경청해 볼 필요가 있다. 특히 상대의 목적과 행동이론에 대해 경청하는 것도 도움이 된다. 물론 목적과 행동이론에 대한 질문은 조금 까다롭다. 목적은 상대방이 특정 상황에 무게를 두는 중요한 욕구들로 구성된다. 당신이 하는 질문은 그 사람이 말하고 있는 경험의 성격에 따라 민감한 것이 될 수도 있다. 예를 들어, 경청을 위해 대화를 주고 받으면서, "큰 그림으로 봤을 때, 그 상황에서 당신이 원하는 것은 무엇인가요?"와 같은 질문을 해볼 수 있다. 행동이론이란 사람들이 원하는 것을 어떻게 얻을 수 있는지에 대해 그들이 가지고 있는 지도를 말한다. 이 부분에서 상대가 일반적인 세상에서 어떻게 행동하고, 특히 상대가 서술하고 있는 상황에서 그가 어떻게 행동해야 한다고 생각하는지를 들을 수 있다. 이러한 질문을 어떻게 표현해야 할지는 신중하게 결정해야 한다. 상대가 방어적으로 느끼거나, 자신이 판단 당하고 있다는 느낌을 받지 않게 해야 하기 때문이다. 예를 들어, "당신은 왜 A를 하는 것이 B를 발생시킨다고 생각했습니까?"와 같은 질문은 부정적으로(예, '바보들이나 A가 B를 일으킨다고 생각할 것이다') 인식될 수 있다. 이러한 질문을 할 때는 상대의 역량에 대한 믿음을 가지고, 상대가 자신의 행동을 어떻게 생각하는지에 대해 당신이 호기심을 가지고 있다는 것을 진지하게 전할 수 있어야 한다. "당신이 A를 했을 때, 무슨 일이 일어날 것이라 기대했습니까?"와 같은 질문은 상대의 행동이론을 이해하는 데 도움이 된다.

당신이 2단계 경청을 한다는 것은, 상대의 이야기를 적극적으로 듣는 것을 넘어서, 상대의 경험과 그 경험이 발생하도록 거들어 준 지도를 당신과 그가 명확히 이해하도록 돕는 데까지 나아가는 것이다. 경청을 마칠 즈음에 당신은 상대의 경험을 완전히 서술할 수 있어야 한다. 이렇게 할 수 있는 능력은 효과적인 학습대화를 하는 데 필수적이다.

3단계: 자기 자신 경청하기

3단계에서 당신은 그 사람에게 자신의 경험과 관련하여 자기 자신에 대해 관찰하고, 생각하고, 느끼고, 원하는 것에 대해 설명하도록 요청한다. 이때도 경험큐브를 사용해서 질문을 하되, 그것에 대한 상대의 경험을 묻는 대신, 자기 자신에 대한 그의 경험에 대해 질문해야 한다. 이 때 기본적인 질문들은 다음과 같다. "당신 자신에 대해 무엇을 관찰했습니까?", "이 경험에서, 당신 자신에 대해 어떻게 생각했습니까?", "이 경험에서 자신에 대해 어떻게 느꼈습니까?", "이 경험에서 당신 자신에게서 무엇을 원했습니까?" 당신이 경청하는 질적 수준에 따라 상대는 자신에 대해 새로운 통찰을 얻을 수 있다. 이 방법은 파트너들끼리 서로의 상황을 명료하게 하고, 각자의 문제를 해결하도록 도울 수 있다. 당신은 파트너가 가지고 있는 문제를 떠맡지 않을 뿐만 아니라, 파트너를 피해버리거나 파트너에게 자기 문제를 해결하라고 고집하지도 않는다. 그 대신, 파트너가 그들 자신과 직면하고 있는 문제에 관해 새로운 통찰을 얻을 수 있도록 그들의 이야기를 경청해 줌으로써, 당신은 그들과의 파트너십을 견고하게 강화하고 유지할 수 있다.

다음의 예는 3단계 경청이 어떤 효과를 줄 수 있는지를 잘 보여준다.

내가 조직개발 컨설턴트들에게 변화 기법에 대해 가르치고 있던 중, 한 참가자가 컨설턴트로서 겪었던 경험에 대해 말하기 시작했다. 나는 그녀가 효과적인 컨설턴트가 되는 방법을 더 많이 배우도록 돕는데 집중했다. 우리는 1단계 경청을 시작했고, 그녀는 자신이 함께 작업했던 고객 시스템과 업무에 대해 설명을 했다. 2단계로 옮겨가자, 그녀는 이 경험이 다른 컨설팅 작업과 다른 점을 설명했는데, 그 이유는 그녀가 고객 시스템에 대해 이전에는 경험하지 못했던 진정한 파트너십과 소속감을 느꼈기 때문이었다.

이 시점에서, 그녀는 이전에는 미처 생각하지 못했던 것을 내게 말해주지 않았다. 하지만 3단계로 넘어가자 그녀는, 이전까지는 조직개발 컨설턴트들이 고객 시스템과 일할 때 자신의 니즈를 쫓아서는 안 된다는 믿음을 가지고 있었지만, 이번 경우에는 자신도 니즈를 가질 수 있도록 허용했다. 이렇게 함으로써 그녀는 자기 안에 있던 감정적인 면을 밖으로 드러내게 되었다. 그래서 그녀는 고객 시스템 내에서 일하는 동안 자신의 니즈를 가지고 그 니즈를 충족시키는 것이 정말로 문제가 되지 않는다고 결정하게 되었다. 오히려 그렇게 하는 것이 더 효과적인 컨설턴트가 되는 길이라는 것을 깨닫게 되었다. 나는 그녀가 하는 말을 경청함으로써, 그녀가 자신의 경험을 새롭게 인식하고, 컨설턴트 역할에 대한 새로운 통찰, 즉 경험을 재구성하여 효과적인 컨설턴트가 되는 방법에 대해 지금까지와는 다른 지도를 가질 수 있도록 도와주었다. 그녀가 하는 말을 경청하는 것 외에, 나는 그녀에게 한 마디의 조언도 해주지 않았다.

3단계에서 하게 되는 질문은 상대를 거슬리게 할 수도 있고, 더 개인적인 것에 대한 것일 수도 있다. 그래서 이런 정도의 정보가 학습대화에 도움이 되거나 필요한지에 대해 판단하는 것은 전적으로 당신에게 달려 있다. 매니저들에게 3단계 내용을 가르치면, 이 질문들이 지나치게 개인적이고 적나라해서 다른 사람들에게 부정적인 반응을 불러일으킬까 걱정된다고 말하는 사람이 꼭 몇 명은 나온다. 하지만 3단계 경청스킬을 연습하게 되면, 그런 반응이 나오는 경우는 거의 없다. 오히려 너무도 잘 들어주고 그토록 흥미롭고 생각을 자극하는 질문을 해주어서 놀라웠다는 말을 들었다.

호기심 자아를 개발하기 위한 연습

이 연습들은 이번 장에서 다룬 스킬을 개발하는 데 도움이 될 것이다. 각 연습에는 학습 파트너가 필요하다.

연습 13: 관심을 유발한다

함부로 조언하거나 상대방의 경험을 바꾸려 하지 않으면서, 다른 사람이 우려하거나 걱정하는 것에 대해 경청하는 연습을 하라. 당신의 학습 파트너나 현재 자기 삶에서 일어나고 있는 고민거리에 대해 당신에게 기꺼이 말할 의향이 있는 어느 누구와도 이 연습을 할 수 있다. 조언하지 않고 경청하는 연습을 하고 싶다는 것을 상대에게 먼저 말해주는 것이 좋

다. 경청하는 동안, 경험큐브에 따라 질문을 하면 상대의 경험을 완전히 탐색할 수 있다. 상대가 당신이 원하는 방식으로 생각하도록 이끄는 질문은 하지 않도록 주의하라. 특별한 안건 없이 그저 상대의 경험을 최대한 탐색하라. 그 사람에게 해줄 수 있는 훌륭한 조언이 있다 하더라도, 최소한 연습이 끝난 후 1시간 동안은 조언하지 않겠다고 약속하라. 이것은 매우 중요하다. 만일 이 약속을 지킬 수 없을 경우에는, 상대가 자신만의 경험을 하도록 두는 것이 당신에게 왜 그리 어려운지 스스로 진지하게 질문해 볼 필요가 있다. 꼭 조언을 해주고 싶으면, 조언하기 전에, 상대가 조언을 원하는지 먼저 물어보라.

연습 14: 반응을 유보한다

직장에서 당신을 끊임없이 짜증나게 하는 사람들에 대해 학습 파트너와 대화하라. 그런 사람들 중에서 한 명 이상을 정한 후, 그들이 당신에 대해 가지고 있다고 생각되는 부정적 판단들을 열거해보라. 그런 후에는 당신의 믿음을 뒷받침해줄 수 있는 정보를 확인해보라. 정보가 없다면, 작성한 목록에서 당신이 자신에 대해 부정적으로 판단하고 있는 것이 있는지 살펴보라. 만약 그렇게 판단되는 것이 있다면, 당신이 파트너십을 맺고 싶은 사람들을 확인해서 그 파트너에게 당신이 이 사람들과 대화를 할 것이라고 분명히 말하고, 실제로 그 사람들에게 당신에 대해 어떻게 판단하는지 물어보라.

다음에는, 당신이 그 사람들에 대해 싫어하는 점들을 열거해보라. 그리고 나서, "투사 먹어 치우기(eat your projections)"를 할 수는 없는지 살펴보라. 다시 말해, 그 사람의 속성이 당신에게 있는 건 아닌지 살펴보라. 당신이 그 사람들에게 방어적 투사를 하고 있다면, 투사의 핵심은 바로 이런 인식으로부터 당신을 보호하는 것이기 때문에, 처음에는 이런 속성을 갖고 있다는 것을 알아차리는 것이 어려울 것이다. 학습 파트너는 이러한 부정적 속성이 당신의 삶 속 어디에서 나타날 수 있을지 질문함으로써 당신을 도울 수 있다. 예를 들어, "그 사람은 늘 소리를 지르는데, 나는 절대 소리를 지르지 않아요."라고 당신이 말한다면, 파트너는 당신에게 "자녀들에게도 그런가요?"라고 질문할 수 있다. 또는, 다른 사람은 자주 화를 내는데, 당신은 절대 화내는 법이 없다고 하면, 파트너는 "운전할 때 조차도요?"라고 물을 수 있다. 그렇게 하는 측면이 자신에게 있다는 것을 스스로 인정할 수 있다면, 당신은 다른 사람에게 투사하는 것을 멈출 수 있다. 다른 사람에게 그런 특성이 없다는 말은 아니지만, 당신이 투사할 때는 사실은 다른 사람을 보고 있는 것이 아니라 단지 그들에게 투사된 자신을 볼 뿐이다. 바로 그것이 반응성을 일으키는 원인이 된다. 투사를 거두고 나서도 여전히 당신이 좋아하지 않는 행동에 신경이 쓰이긴 하겠지만, 더 이상 당신을 짜증나게 하지는 않을 것이다.

연습 15: 통찰을 얻도록 직면시킨다

당신에게 문제가 되는 누군가를 떠올려 보라. 당신이 다른 대부분의 사람들과 같다면, 당신 역시 그 문제에 대해 말할 때, 그 사람에 대해 당신이 판단한 것을 말하고 있을 것이다. 이럴 때는 당신이 이 사람에게 가지고 있는 문제 저변에 깔려 있는 불일치에 대해 생각해 보는 시간을 갖도록 하라. 그러한 불일치 상황을 밝히되, 왜 그런 불일치가 있는지에 대해 추측하지 않는 방식으로 학습파트너와 함께 질문을 만드는 연습을 해보라. 만약 상대가 불일치에 대해 당신과 다르게 경험하고 있다면, 그가 불일치에 대해 설명하기 쉽도록 문구에 신경을 써서 질문해야 한다. 특히 상대가 당신과 다른 경험을 하는 경우에는 질문을 재구성해서 물어보되, 호기심은 계속 유지하도록 하라. 호기심 자아가 되는 연습을 할 때 당신이 해야 할 일은 당신의 경험이 옳다고 상대방을 설득하지 않는 것이다. 당신이 진짜로 해야 할 것은 그들이 어떻게 당신과 다르게 경험하고 있는지를 이해하는 것이다.

연습 16: 큐브를 통해 경청한다

당신의 파트너가 최근의 경험에 대해 서술하는 것을 경청하라. 상대의 경험을 완전히 이해했는지 확인하는 (2단계) 질문을 할 때는 경험큐브를 가이드로 활용하라. 상대의 경험과 관련된 중요한 정체성 지도나 행동이론 지도를 이해하려 노력하라. 경청하는 동안에, 당신의 파트너가 말한 것을 당신이 놓치기 시작하는 시점을 알아차리도록 하라. 그 순간에는 상대가 말하는 것을 멈추게 하고, 그 시점까지 당신이 들은 것을 다른 말로 표현해서 상대에게 말해주어야 한다. 이렇게 하면, 당신이 들은 모든 정보를 기억하고, 더 많은 정보를 흡수할 수 있는 능력을 새롭게 하는 데 도움이 된다.

당신이 경청하는 것을 언제 멈추는지, 당신의 의견을 말하고 싶은 마음이 들 때는 언제인지, 상대가 문제를 해결하도록 돕고 싶은 마음이 드는 때는 언제인지 주목하라. 이때 당신의 생각이나 느낌을 전하지 않도록 하라. 당신에게 반응이 일어나면 잠깐 동안 유보하고, 그냥 경청하기만 하라.

파트너가 자신의 경험에 대해 말하는 것을 마치면, 그것을 완전히 다시 그에게 서술해보라. 주의 깊게 잘 들었다면, 경험큐브의 4분면을 모두 요약할 수 있을 것이다. 파트너에게 자신이 말한 의미를 당신이 다른 말로 얼마나 잘 표현했는지 피드백을 요청하라. 그가 당신이 경청한 것을 얼마나 기꺼이 받아들였는지에 대해서도 피드백을 요청하라. 당신은 파트너가 마음을 열고 싶게 만들었는가, 아니면 그 반대인가? 그렇게 되도록 영향을 미친 것은 무엇인가?

연습 17: 3단계 경청하기

일단 1, 2단계의 경청에 익숙해지면 3단계 경청을 연습하라. 당신의 파트너는 골치 아픈 이슈, 확신이 가지 않는 기회, 혼란스러운 경험처럼 명료성이 요구되는 어떤 것에 대해 이야기를 할 것이다. 그는 자신의 경험이 진정 무엇인지 더 명확히 하는 데 초점을 맞춰야 한다.

1, 2단계 경청으로 시작하되, 3단계 질문을 할 기회를 찾도록 하라. 3단계 질문에는 "당신 자신에 대해 어떻게 생각했나요?", "자신에 대해 무엇을 관찰했나요?", "자신에 대해 무엇을 느꼈나요?", "자신을 위해 또는 자신으로부터 무엇을 원하나요?" 등이 있다.

1, 2단계 경청과 마찬가지로 당신은 항상 파트너가 말한 것을 다른 말로 표현해서 말할 수 있어야 한다. 경청 연습이 진행되는 동안에는 절대 어떤 조언이나 의견을 제시하지 않도록 하라.

파트너는 이전 연습에서와 마찬가지로, 자기가 말한 것의 의미를 다른 말로 표현해서 말하는 당신의 능력을 평가하고, 당신의 경청이 얼마나 따뜻했는지에 대해 피드백을 줄 것이다. 추가로, 이 연습에서 어떤 질문이 명료성을 높이고 경험에 대한 이해를 깊게 하는데 도움이 되었는지 피드백을 구하라. 그리고 당신이 조언을 하거나, 무의식적으로 판단하려는 행동을 취한 장면에 대해서도 피드백을 요청하라.

연습 18: 타인의 지도를 이해하기 위한 카드작업 활용

일단 당신 자신의 카드를 만들 수 있게 되었다면(6장 참조), 파트너를 위해 그의 행동이론을 서술하는 카드를 만들어보라. 다른 사람을 위해 카드를 만들려면 경청을 잘해야 한다. 상대가 세상을 어떻게 보는지 이해하고, 자기의 믿음이나 아이디어가 함부로 끼어들지 않도록 자신을 잘 통제할 수 있어야 하기 때문이다.

첫째, 무엇에 대한 카드를 만들지 파트너와 함께 결정하라. 예를 들어, 비용절감에 대한 것일 수 있는데, 이때는 '비용절감'을 카드 제목으로 하면 된다. 또 다른 예를 들어보자. '서비스 희생 없는 비용 절감'과 같은 식으로 효과적인 비용절감의 결과에 대해 파트너의 관점이 명확해지도록 하라. 이것이 바로 부제가 된다. 다른 사람의 카드를 만들 때는 상대가 목표나 행동을 성취하는 데 천재라고 가정하고, 긍정적인 입장을 취해야 한다. 파트너가 그의 지도를 설명하는데 사용하는 모든 조각과 이미지를 목록으로 작성해서, 파트너의 행동이론에 관한 인터뷰를 시도하라. 당신의 파트너가 의식하지 못하고 있을 만한 믿음이나 아이디어에 대해 질문하기 위해 당신의 직관을 활용하라. 그 조각들을 포착한 다음에는 잘 소통할 수 있는 단어들과 문구로 묶어본다.

파트너가 하고 싶은 말을 다했다는 느낌이 들면, 카드 작업규칙을 활용하여 그의 행동이론을 최대한 잘 표현할 수 있는 카드를 만들어라. 아이디어 목록을 재검토하고, 4개 이하의 항목이 남을 때까지 필수적이지 않은 것은 걸러내고 공통된 아이디어들은 통합한다. 카드 하나를 뽑아서 파트너에게 건네주고 그 카드가 그의 행동이론을 정확하게 담아내는지 물어보라. 만약 그가 카드를 받아들이지 않으면, 그가 받아들일 수 있는 카드를 함께 만들어라. '시의 규칙(Poetry Rules)'은 카드작업 중에서 가장 중요하지 않은 것일지도 모른다. 그러나 내가 매니저들과 카드작업을 할 때마다 다른 사람에게 가장 큰 영향을 주었던 사람들은 풍성한 이미지와 기억을 환기시키는 표현이 있는 카드를 가진 사람들이었다. 중요한 것은, 부제가 성공했을 때의 결과를 설명할 수 있어야 하고, 그것을 달성할 수 있는 방법에 대해 설명하는 문구가 4개 이하여야 한다는 점이다. 가장 중요한 것은 그 카드에 당신의 지도가 섞여 들어가지 않고, 정말로 당신 파트너의 지도를 반영해야 한다는 점이다.

직장에서 다른 사람을 위해 공식적으로 카드를 만들어줄 필요는 없다. 하지만 그들의 지도를 알아내기 위해 어떤 질문을 해야 하는지는 알고 있어야 한다. 다른 사람의 카드를 만드는 것은 그런 스킬을 개발할 수 있는 좋은 방법이 된다. 리더십은 사람들에게 영향을 끼치는 것과 관련이 있는데, 다른 사람들의 지도를 이해하지 않고는 그들에게 영향을 끼칠 수 없기 때문이다.5 카드작업은 다른 사람의 지도를 생각하고 확인해 볼 수 있는 매우 간단하고도 효과적인 방법이다.

요약

'호기심 자아'는 객관적 사실을 확보하고, 다른 사람들의 주관적 진실을 이해하며, 자신의 행동이 다른 사람에게 미치는 영향을 인식하는 데 관심을 둔다. 이러한 모든 진실은 명료성에 이르기 위해서다. '호기심 자아'가 되는 것에 숙달해진다는 것은 상대가 '서술 자아'가 되기 쉽게 해줄 뿐만 아니라, 비록 자신의 주관적 진실을 자랑스러워 하지 않을지라도 그것이 무엇인지 당신에게 기꺼이 말할 수 있게 만드는 능력이다. 또한 다른 사람이 자신의 경험이 무엇인지 더 잘 인식하도록 돕는 것이기도 하다. '호기심 자아'는 다른 사람이 자신의 경험을 만족할 만한 수준으로 설명할 수 있을 때까지 충분히 경청한다. 뿐만 아니라, 호기심 자아는 상대의 동기를 유발해서 그가 자기경험을 서술하는 일이 활기 차고 재미있을 뿐 아니라 힘들지 않게 해준다. 관심을 유발해서 자기경험을 서술하는 기회가 활기차고 심지어 재미있을 뿐 아니라 고통스럽지 않게 만들기도 한다.

'호기심 자아'가 되는 데 가장 큰 걸림돌은 우리의 반응성, 즉 다른 사람이 진실을 다 말하기도 전에 반응하고 상황을 해결하고 싶어하는 경향이다. 당신이 상대의 경험을 알아차리는 법을 배우면, 아직 상대의 경험을 완전히 이해하지 못했는데도 호기심이 멈췄던 때를 알아차릴 수 있고, 그들이 말하는 것을 끝낼 때까지 반응을 유보할 수 있으며, 그들이 당신에게 완전한 진실을 말할 가능성을 높일 수 있다. 다른 사람들과의 상호교류에서 완벽하지 못한 측면들에 대해 탐문을 하면, 당신이나 상대에게 반응을 일으킬 가능성이 있다는 것을 인식하는 것이 중요하다. 당신이 아는 진실이 진실이라고 주장하지 않고, 통찰을 위해 직면하게 하는 것은 다른 사람을 방어적으로 만들 수 있는 까다로운 이슈들을 다룰 때 도움이 된다. 다른 사람이 당신에 관한 경험을 말해 주었을 때, 그것이 당신의 의도나 당신 자신의 이미지와 다를 때는 호기심을 유지하기 어려울 것이다. 하지만 호기심을 유지하는 능력은 조직의 학습대화를 일으키는데 필요한 가장 핵심적인 스킬이다.

8

긍정발견 자아
긍정적인 파트너십의 상승나선 창출

조직의 학습대화에 참여하기 위해 '인식 자아', '서술 자아', '호기심 자아' 스킬을 사용하여, 원하는 파트너십을 맺고 유지할 수 있는 단계에 이르기까지는 긴 시간을 필요로 한다. 개인차원에서의 관계를 넘어 팀과 조직에까지 이런 스킬을 확대해서 사용하려면 명료성 문화가 조성되어 있어야 한다. 명료성 문화를 유지하려면 모든 사람이 다르게 경험할 수 있을 뿐만 아니라, 각자 다르게 경험할 수 있는 권리를 가지고 있으며, 다른 사람들이 현시점에서 경험하는 것에 대해 말하고 듣는 것이 유용하고 보람 있는 일이라고 생각할 수 있는 환경이 마련되어 있어야 한다. 가장 중요한 결정요인 두 가지는 1)학습자에 대한 롤모델이 되어줄 수 있는 리더의 능력과, 2)차이와 다루기 어려운 사람들을 초월하여 사람들과 상황에 내재되어 있는 긍정적인 의도와 잠재성까지 볼 수 있는 리더의 능력이다. 이번 장에서는 두 번째 요인을 다루기로 한다.

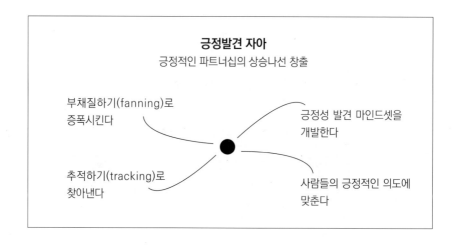

긍정발견 자아

긍정적인 파트너십의 상승나선 창출

부채질하기(fanning)로
증폭시킨다

긍정성 발견 마인드셋을
개발한다

추적하기(tracking)로
찾아낸다

사람들의 긍정적인 의도에
맞춘다

사람들은 자신의 파트너가 그들 안에 있는 최고의 모습을 발견해서 그것을 증폭시켜줄 때 서로에게 더 진정성 있게 다가갈 수 있다. 명료성 문화에는 긍정성을 발견하는 방식으로 관리하는 리더가 있어야 한다. 그들은 긍정성을 발견하는 방식을 사용하여 사람, 프로세스 및 결과물로부터 더 많은 것을 얻어내는 데에 초점을 맞춘다. 예를 들어보자. '긍정발견 자아'는 어떤 사람이 거슬리는 방식으로 자신의 욕구를 표현해도 거기에 신경쓰지 않고, 그 사람이 명확히 해야 할 의도에 초점을 맞추고, 관련된 모든 사람들이 각자 원하는 것을 얻어갈 수 있는 파트너십을 만들어낸다. '긍정발견 자아'는 한 사람의 지식과 스킬의 한계에 초점을 두지 않는다. 그들은 더 숙련되고 더 많은 지식을 갖게 하기 위해 역량을 개발하고 동기를 높이는데 집중한다. '긍정발견 자아'는 사람과 상황에서 펼쳐질 수 있는 긍정적인 잠재성을 보고, 보다 강력한 파트너십 구축을 통해 그 잠재성이 펼쳐질 수 있는 가능성을 높이는데 필요한 행동을 취한다. '긍정발견 자아'의 행동양식은 위 그림에 나타나 있다.

이 행동들은 '긍정발견 자아' 스킬에 숙달하도록 내가 찾아낸 최적의 모델이자 기법들이다.

- 긍정성 발견 마인드셋을 개발한다
- 사람들의 긍정적인 의도에 맞춘다
- 추적하기로 찾아낸다
- 부채질하기로 증폭시킨다

'긍정발견 자아'는 긍정성 발견 마인드셋, 즉 자신이 더 원하는 것에 주의를 기울이고, 그것이 상황에 따라 어떻게 펼쳐지는지 지켜보는 데 집중한다. '긍정발견 자아'는 모든 사람이 자신의 이야기 속 주인공이며, 그들이 미치는 영향이 아무리 부정적이라 하더라도 긍정적인 의도를 바탕으로 움직인다고 가정한다. '긍정발견 자아'는 추적하기와 부채질하기를 통해 원하는 것을 더 많이 창출하며, 이를 통해 효과적인 업무 관계와 명료한 대인관계 문화를 구축하는 데 도움을 준다.

긍정성 발견 마인드셋을 개발한다

'긍정발견 자아'가 되기 위한 첫 단계이자 가장 어려운 단계는 긍정성 발견 마인드셋을 개발하는 것이다. 이미 잘 알려져있듯이, 긍정성 발견 마인드셋을 갖는 것은 누구에게나 결코 쉬운 일이 아니다. 우리는 지난 세기 동안 서구 문화권에서 확산된 결핍 마인드셋을 물려 받았다.[1] 우리 사회는 반이나 남아 있는유리잔을 이미 반이 비어 버린 상태로 인식하게 하여, 망가지고 부족하고 해결이 필요하고 충분치 않은 것을 먼저 보도록 훈련시키고 있다. 조직 내에서 만들어지고 있는 경영과 관련된 대부분의 드라마는 현실 상황과 미래의 비전, 실제와 이상, 목표와 성과 사이의 간격을 확인하고 정량화 하는 내용으로만 채워지고 있다. 문제해결에만 고착되어 있는 것이다. 현재 성과가 목표에 가까워지면 즉시 목표를 더 높은 수준으로 수정한다. 그래서 조직의 리더들은 성과와 목표의 격차가 발생된 '갭 지역gap land', 즉 '충분하지 않은' 곳에서 많은 시간을 보내게 된다. 어떤 리더들은 '도전'이나 '기회' 같은 단어를 사용하여 긍정적인 돌파구를 마련하기 위해 애를 쓰지만, 영감을 주기 위해 그런 단어들을 사용할 때마다 대부분의 사람들은 리더들이 서 있는 그 땅이 "갭 지역"이라는 사실을 확인할 뿐이다. 그래서 사람들은 영감을 받는 것이 아니라, 격차만 느끼게 된다.

대부분의 사람들은 성취하고 성공하는 사람들의 삶에서 자부심이 얼마나 중요한 역할을 하는지 잘 알고 있다. 아무리 재능이 뛰어난 사람이라도 자부심이 없으면 실패한다. 아이를 계속 비판하면서 사랑받기에 충분치 않다고 말하고, 도달할 수 없는 기준을 제시하면서 칭찬을 아까워한다면, 아이가 열등감 콤플렉스를 가지게 된다는 것을 우리는 알고 있다. 그런 메시지를 팀이나 조직이 받으면 어떤 일이 벌어질까? 조직 생활의 대부분을 '갭 지역'에서 보내야 한다면, 그 조직 구성원들에게는 어떤 일이 벌어질까?

나는 조직 역시 열등감 콤플렉스를 갖는다고 본다. 콤플렉스를 가지고 있는 조직은 결코 탁월한 성과를 낼 수 없다. 내가 자문했던 어떤 큰 회사는 과거에는 매우 성공적이었지만, 지난 10년간 계속해서 경영진이 세운 기준과 목표를 달성하지 못했다. 해당 산업계 전체가 겪고 있는 대규모 변혁을 이 회사 또한 겪고 있었다. 비록 시장 점유율과 자산을 잃기는 했지만, 이 회사는 아무도 주목하지 않았던 긍정적인 변화를 많이 만들어냈다. 하지만 조직 내에는 열등감이 널리 퍼져갔다. 직원들은 그들이 일하고 있는 회사가 어디인지 다른 사람들에게 말하고 싶어하지 않았다. 거듭된 회의를 거치면서, 나는 내가 '스스로 뒤통수 치기'라고 이름 붙인 현상과 마주치게 되었다. 거의 모든 회의에서는 회사가 일을 제대로 할 수 없을 것이라며 냉소주의와 의심에 가득찬 눈으로 보고 있었다. 가끔은 회사가 뭔가 긍정적인 일을 할 수 있을 것이라는 생각에 흥분하다가도, 정말로 해낼 수 있을까 하는 집단적 의심을 누군가 제기하면 에너지가 금방 바닥으로 떨어지곤 했다.

이러한 분위기에서는 서로에게 자신의 경험을 서술하도록 하는 것이 그리 가치 있는 일이 되지 못한다. 단지 자신들의 패배주의적 태도를 강화시킬 뿐이다. 파트너십을 통해 성과를 얻지 못하면 파트너십을 유지하려는 욕망은 약해지기 마련이다. 이 회사는 현재 처한 상황 속에서 긍정적인 잠재성을 보고, 할 수 있는 일에 사람들을 집중하게 만들고, 과거 대신 그들이 바라는 미래에 초점을 맞추게 해줄 리더가 절실히 필요했다.

프레스턴은 아무도 원치 않았던 시기에 SBD사업부 경영을 맡게 되었다. SBD는 대형 가구제조 회사에 있는 하찮을 정도로 작은 부서였다. 이 사업부는 사무실용 가구 시장에서 저가층 고객을 공략하기 위한 제품 생산에 주력하고 있었다. 당시는 닷컴 버블이 터지기 시작해 사무용 가구시장 전체에 커다란 공백이 생기던 때였다. 인터넷 창업 기

업들이 잇따라 무너지면서 시장에는 저가 사무용 가구들이 쏟아져 나왔다. 경쟁업체들은 수익 압박에도 불구하고 가격을 낮췄고, 얼마 되지 않은 이윤 마저도 포기해야 했다. SBD사업부 사람들은 떨어지는 수익과 무너져가는 시장뿐만 아니라 회사로부터 지원을 제대로 받지 못해 고통받고 있었다. 매니저들과 직원들 사이에는 사업부가 곧 폐쇄될거란 소문이 소리없이 퍼져나가고 있었다. 그곳은 결코 행복한 장소가 아니었다.

프레스턴이 SBD사업부로 왔을 때, 그는 다른 사람들이 보지 못했던 것을 보았다. 그것은 시장을 선도할 수 있고 대규모 이윤 창출의 원천이 되어줄 수 있는 사업부로 탈바꿈할 수 있게 해줄 조직운영 방안이었다. 날카롭게 시장을 분석한 후 그는 새로운 통찰을 얻었다. 당시 대부분의 가구회사들은 고객이 당황할 정도로 많은 선택사양들을 제공해왔다. 예를 들면, 수천 가지의 원단과 색상, 그리고 많은 종류의 책상, 의자, 칸막이의 스타일들을 고객들에게 제공하면서 경쟁을 하고 있었지만, 흥미롭게도 그것들은 저가 시장의 고객들이 원하는 것이 아니었다. 고객들은 좋은 품질의 믿을 만한 가구를 신속하게 공급받는 것만을 원했다. 지나친 고객맞춤형 주문제작 관행 때문에 업계의 평균 배송시간은 계약 후 3개월 이상이 걸렸다. 프레스턴은 납기일을 대폭 줄이기만 하면 괄목할 만한 경쟁력을 갖출 수 있을 것이라 생각했다.

먼저, 프레스턴은 매니저들과 직원들이 자신의 비전에 동참하게 해야 했다. 그는 모든 부서의 매니저들과 매주 회의를 가지면서 그들과 파트너십을 구축하기 위해 애를 썼다. 그들은 몇 가지 인기 있는 선택 사양들을 제외한 다른 모든 사양들은 아예 카탈로그에서 없애고, 선택된 사양도 기본 색상으로만 생산하기로 결정했다. 또한 제조 공정에서 큰 걸림돌이 되어 온 것들을 찾아내서 더 이상 장애요소가 되지 않을 때까지 집단적인 노력과 자원을 투입했다. 가장 큰 장애요소를 해결하면, 그 다음으로 큰 장애요소와 씨름을 하는 방식으로 그동안 제조공정에서 발목을 잡아 온 문제들을 해결해나갔다.

운송시간이 개선됨에 따라, SBD는 유통업자들의 주목을 받기 시작했다. 매니저들은 수익을 결정하는 요소로서 실제 고객보다는 유통업자들이 더 중요할 수도 있다는 점을 알게 되었다. 또한, 가구 업계가 배송물의 분실로 악명이 높기 때문에, 가구를 설치하는 유통업자들이 배송일을 일부러 늦춰서 모든 조립 부품들을 확보할 때까지 가구를 물류창고에 가지고 있다가 고객에게 설치해 준다는 사실을 발견했다. 프레스턴의 팀은 만일 SBD가 유통업자들의 부담(정시배송 보장, 100% 정확한 배송, 고객에게 직접 배송)을 덜어준다면, 그들 비용의 상당 부분을 절감하여 그들의 사업을 개선할 수 있게 해줄 수 있다는 깨달았다. 그에 대한 댓가로 유통업자들은 SBD에 더 많은 사업 기회를 가져올 수 있을 것이다.

사람과 사업에 대한 프레스턴의 신념은 전염성이 있었다. 초반에는 직원들의 퇴사와 냉소주의라는 벽에 부딪쳐야 했지만, 노력한 결과들이 더 많은 결과를 낳게 되면서 지속적으로 상승곡선을 탔다. 상황이 점점 더 나아지면서 변화에는 가속도가 붙기 시작했다. 프레스턴은 사업뿐만 아니라 자기 주변에 있던 사람들 속에서도 긍정적인 잠재성을 보았다. 그는 사람들에게 무엇을 하라는 명령을 내리지 않았다. 대신, 사람들에게 약속을 하게 하고, 그것을 지키도록 부탁했다. 일이 가능하다고 생각하지 않을 때는, 그것을 가능케 하기 위해 무엇을 해야 할지 합의에 도달할 때까지 계속해서 의논했고, 그것을 이뤄냈다. 프레스턴은 파트너십에 대한 강력한 보상시스템을 만들어서 공장의 모든 사람들이 회사의 성공에 높은 관심을 갖도록 했다. 18개월의 시간이 흐른 뒤에는 일주일 안에 배송되지 않으면 제품이 무료로 제공된다는 것을 보장할 수 있을 정도에 이르렀다. SBD는 성장이 멈췄던 업계에서 매년 25%씩 성장했으며, 회사의 다른 어떤 사업부보다도 높은 수익을 냈다.

우리가 결핍 위주의 마인드셋을 버리고, 긍정성 발견 마인드셋을 개발하면 어떤 일이 생길까? 아마도 우리가 속한 조직을 상상하는 모든 것을 성취할 수 있는 무한한 능력과 잠재력을 가진 사람들과 인간관계로 보기 시작할 것이다. 사회적 시스템은 생물학적인 시스템과는 다르다. 그것은 자연법칙을 따르지 않는다. 하지만 지난 50년 동안 우리는 매니저들을 교육해서 조직을 환경에 영향을 받는 복잡한 인과관계의 배열을 가진 생물학적 시스템으로 여기도록 만들었다. 만일 D라는 환경에서 A,

B, C를 하면, E가 뒤따른다는 식으로 말이다. 하지만 언제나 적용할 수 있는 단순하거나 복잡한 ABC공식이 있는 것은 아니다. 그 이유는 우리 모두가 각자의 경험을 생성하고, 자신이 속해 있는 사회 시스템을 함께 만들기 때문이다. 19세기 이래로 사회과학자들이 인간 본성에 대한 법칙을 발견하고자 노력했지만, 지금까지 밝혀낸 것 중에 최고의 것은 '어떤 행동에 보상이 주어지면 그 행동은 반복되는 경향이 있다'라는 격언이다. '경향이 있다'라는 표현에 주목하라. 왜냐하면 행동이 항상 되풀이되는 것은 아니기 때문이다.

조직은 객관적 진실이 아닌, 상호주관적인 진실에 기초하고 있다. 우리는 좋은가, 나쁜가? 성공적인가, 성공적이지 않은가? 우리는 갈등 상황 속에 있는가? 이러한 질문과 수천 개의 다른 질문에 대한 답은 상호주관적인 진실이다. 우리는 객관적인 자료를 모아서 객관적 진실을 밝혀내는 데 도움을 받을 수 있다. 하지만 연구 결과는 관련된 사람들이 그 결과가 사실이라고 믿을 때에만 상호주관적 의미에서 진실이 된다고 밝히고 있다.

사업을 한다고 했을 때, 성장과 수익성에 대한 핵심적인 제약 요인은 언제나 우리의 생각 안에 들어 있다. 가구업계에 종사한 사람들은 3개월의 배송시간이 적당하다고 생각해왔다. 업계 모든 사람들이 그렇게 생각하고 있었기 때문에 그 생각은 틀리지 않았다. SBD 직원들이 가구 사업을 완전히 뒤집는 방향으로 움직이기 시작했던 것은, 일주일 내에 100% 배송을 보증하는 것이 가능하다고 믿으면서 부터였다. 사업에서 돌파구를 만들려면 사람들의 제한된 사고를 깨뜨릴 수 있어야 한다. 그렇게 하기 위해서는 긍정성 발견 마인드셋이 있어야 한다.

비지니스 모델에서 이런 종류의 돌파구를 쉽게 볼 수 있는 건 아니다. 그러나 더 원하는 것에 초점을 맞추고, 그것을 획득하기 위한 방법을 모색하면 당신도 파트너십에서 얼마든지 돌파구를 만들어낼 수 있다. 이런 돌파구는 1:1 관계에서부터 만들어진다. 당신이 파트너십을 원하는 사람들에 대해 짜증나고, 어렵고, 부정적인 것에 관심을 기울이는 대신, 당신이 원하는 것에 집중하고, 그것이 이미 파트너십 안에 들어있기 때문에 단지 실현되기를 기다리고 있을 뿐이라는 가정을 가지고 시작해보라. 예를 들어 보자.

제리는 긍정발견 자아를 개발하기 위해 노력하는 매니저이다. 그는 지금 문제를 일으키는 한 직원 때문에 매우 곤혹스러운 상황에 처해 있다. 버니스는 제리가 지금의 부서로 오기 전부터 이 부서에 근무하면서 노조로부터 보호를 받아왔다. 제리가 생각하기에, 그녀는 최소한의 직업윤리만 가지고 있는 사람이고 사람들로부터 미움을 받고 있어서 부서 입장에서 볼 때는 위협적인 인물이다. 그래서 제리는 그녀가 사무실 전체 분위기를 해치고 있다고 믿었다. 버니스의 행동을 고쳐보려고 피드백을 주었지만, 시무룩한 침묵만 있었을 뿐 버니스의 태도에는 변화가 없었다. 그는 자신이 버니스에게 무엇을 더 할 수 있을지 몰랐기 때문에 나와 함께 몇 가지 새로운 시도를 해보기로 했다. "그녀가 사람들에게 더 친절하면 좋겠어요.", "더 친절해진다는 게 무슨 의미이죠?" 내가 물었다. 그는 그녀가 친절해지면 하지 않게 될 행동에 대해 설명해주었다. "그녀가 자신이 맡은일만 했으면 좋겠어요.", "지금 그녀는 그렇게 하고 있나요?" 내가 물었다. 그는 잠시 생각했다. "사실, 그녀는 자기가 해야 할 일을 잘 알고 있지만, 그렇게 하기 위해 신경을 쓰지는 않는 것 같습니다. 바로 그거네요, 저는 그녀가 좀 더 신경을 썼으면 좋겠어요.", "그녀가 더 신경 쓴다면 어떻게 될까요?" 그러나 그가 말했던 모든 것은 그녀가

더 신경 쓸 경우, 하지 않을 만한 일이었다. "당신이 그녀에게서 보고 싶은 게 무엇인지 파악하려면, 더 열심히 살펴봐야 할 겁니다."라고 내가 말했다.

며칠 뒤, 제리가 지역담당 매니저와 버니스를 포함한 직원들과 미팅하고 있을 때였다. 그는 여전히 버니스에게서 보고 싶은 것을 파악하려고 노력하는 중이었다. 한 매니저가 고객에게 제시할 새로운 서비스와 그 일을 할 전문성을 가진 사람을 다른 부서에서 데려올 필요가 있다는 데 대해 설명하고 있었다. 제리가 말했다. "우리에게 다른 누군가는 필요하지 않아요. 다른 부서에서 데려올 어느 누구보다도 버니스가 더 많이 알고 있을 겁니다. 그렇지 않나요, 버니스?" 버니스는 뚱한 표정을 바꾸지는 않았지만, 고개를 끄덕였다. 지역 담당 매니저는 "오케이. 버니스와 함께 시작하겠지만, 만일 지원이 더 필요하면 알려주세요."라고 말한 뒤 미팅이 끝났다.

한 시간 후, 버니스는 새로운 서비스를 어떻게 착수할지에 관한 아이디어를 가지고 제리의 사무실로 왔다. 제리는 어안이 벙벙해졌다. 왜냐하면 그녀가 주도적으로 일을 처리한 적이 한 번도 없었기 때문이다. 하지만 그때 제리는 긍정성 발견 마인드셋을 개발하기 위해 노력하는 중이었기 때문에, 버니스의 모습에서 그녀가 무엇에서 최고로 인정받고 싶어하는지, 그리고 어디에 가치 있는 기여를 하고 싶어하는지 알게 되었다. 그때부터 제리는 이러한 부분에 주의를 기울여 그녀를 개발할 수 있는 방안을 모색하기 시작했다.

2주 후, 내가 제리를 만났을 때, 그는 버니스의 변화에 대해 자신감에 넘쳐 있었다. "그녀는 여전히 거친 말을 쓰면서 저를 놀라게 하지만, 업무에 있어서는 정말 많이 변했습니다. 다른 사람들도 그걸 알아차릴 정도입니다. 실제로 지난 주에는 늦은 시간까지 야근을 했다니까요! 지금까지 그렇게 한 적은 단 한 번도 없었을 겁니다."

우리는 우리의 행동을 통해 세상을 공동으로 창조하기 때문에, 우리가 가지고 있는 편견은 단순히 우리의 인식을 흐리게만 하지 않고 훨씬 더 심각한 영향을 미친다는 것이 밝혀지고 있다. 장미빛 안경을 쓴 사람

이 장미빛 세상을 보는 것만은 아니다. 인간 존재의 많은 영역에 대한 연구결과에 따르면, 예언은 자성적self-fulfilling이며, 우리가 일어날 것이라고 믿는 것은 우리의 믿음 때문에 일어날 가능성이 더 높다는 것을 지속적으로 보여주고 있다.[3] 가장 충격적인 예는 로버트 로젠탈이 주도한 연구에서 밝혀낸 피그말리온 효과라는 개념이다. 많은 연구원들이 어린이와 성인을 대상으로 수백 개의 연구를 시행해서 동일한 효과를 발견했다. 만일 당신이 무작위로 선발된 그룹의 사람들이 그 과목에서 어떤 특정 분야에서 가장 뛰어나다고 교사에게 말을 하면, 그 과목이 끝날 때쯤이면 바로 그 사람들이 가장 우수한 사람들이 되어 있다! 아이들에게 읽는 것을 가르치든, 훈련병에게 사격술을 가르치든 결과는 마찬가지다. 교사가 무작위로 선발된 학생 A가 가장 잘 할 것이라고 기대하고 과목이 끝날 때쯤 객관적인 시험을 보게 하면, 그 학생의 성적이 가장 높은 것으로 나타난다. 어떻게 이런 일이 일어날 수 있을까? 가능성 있는 설명들이 제시되었지만, 증명된 것은 아무것도 없다.

이 현상을 치유 쪽에서는 플라시보(위약) 효과라고 부른다. 이것은 아픈 사람에게 그들이 약이라고 생각하는 것을 주었을 때 일어나는 현상이다. 즉, 30% 정도의 환자들이 단순히 그들이 더 나아질 것이라고 믿기 때문에 나아진다는 것이다. 그래서 자성예언의 실재는 의학계에서도 인정되고 있어서, 신약 시험에는 반드시 플라시보를 포함해야 하는데, 어떤 것이 위약이고 어떤 것이 진짜 약인지 모르는 사람에게 투여되어야 한다. 진짜 약을 투여한 사람들이 위약을 투여한 사람들보다 더 많은 치료결과를 내지 못하면, 그 신약은 효과가 없다고 판단한다. 상당수의 사람들이 그들이 나아질 것이라고 생각만 하면 실제로 더 나아질 것이다. 주관적 진실은 객관적인 현실로 보이는 것에 영향을 미칠 수 있다.

어떤 것이든 주의만 기울이면 더 많이 얻을 수 있다

어떤 것이든 주의를 기울이면 더 얻을 수 있다는 고대의 지혜가 있다. 단순히 무언가에 주의를 기울이는 것이 더 많은 에너지를 가지고 투자하는 것과 같다는 말이다. 긍정발견 자아는 가치 있게 여기는 것, 관심을 가질 수 있는 것, 행복하게 해줄 수 있는 것, 더 많이 가질 수 있는 것들에 주의를 기울인다. 긍정발견 자아는 상호주관적인 진실을 탐구하는 일이 합의에 도달하기 위해 노력했던 과거를 살펴보는 것이거나, 우리가 이루고 싶은 합의를 만들어내기 위해 노력하는 미래를 생각하는 것일 수 있다고 본다. 그런데 긍정성 발견 마인드셋은 후자와 같은 종류의 진실에 더 많은 관심을 갖는다.

이 말은 무엇보다도, 당신이 무엇을 더 원하는지를 확실히 하는 것을 뜻한다. 어떤 때는 이렇게 하는 것이 쉬울 때도 있지만, 쉽지 않을 때도 있다. 앞에서 소개한 이야기에 나오는 제리와 같이, 우리는 다른 사람들에게서 보고싶지 않은 것이 무엇인지를 먼저 찾기 시작한다. "그녀가 소문을 그만 냈으면 좋겠어요.", "내가 말할 때 끼어들지 않았으면 좋겠어요.", "불만에 대해서는 더 이상 말하지 않았으면 좋겠어요." 이렇게 말하는 것도 좋다. 그러나 당신이 더 원하는 것은 도대체 무엇이란 말인가? 당신이 어떤 것을 멈추게 하기 위해서라면, 적어도 직접적이지 않은 방식으로는 긍정발견 자아 스킬을 활용할 수 없다. 긍정적인 것은 더 원하는 것의 빈도를 증가시킴으로써 어떤 것을 증폭시키고 상호 주관적인 현실을 만들어내기 위해 사용한다.

둘째로, 긍정발견 자아가 된다는 것은 근거가 많지 않을 때도 그 사람에게 최고의 모습이 있다고 가정하는 것을 의미한다. 직장생활에서 만나는 거의 모든 사람들이 일을 잘하고, 공정하고, 용감하고, 다른 사람을 잘 대해주고, 유능하고, 기여하는 것과 같은 인간의 덕목을 갖추고 살기를 원하기 때문에, 이렇게 가정하는 것은 얼마든지 가능하다. 자질 그 자체가 분명치 않을 때에도, 위와 같은 자질을 갖고 싶어하는 인간의 욕망이 잠재되어 있다고 가정해도 무방하다. 누군가로부터 그런 자질을 발견하면, 그 자질들을 밖으로 불러내도록 하라. 내가 어떤 사람을 용감한 사람으로 보게 되면, 두려워서 조심스럽게 행동하는 사람으로 대할 때보다 그 사람에게는 더 용기있게 행동하고 싶어하는 동기가 유발된다. 그래서 만약 내가 그 사람이 되고 싶어하는 것, 그 사람이 원하는 자질에 대해 긍정적인 이미지를 가질 수만 있다면, 그 사람에게서 그것들을 끌어낼 가능성은 더 높아진다.

스티브는 자신이 하는 일에 대해 열정이 많은 똑똑한 전문가다. 패트리스는 일을 잘 해내려면 스티브와 파트너십을 맺어야 한다. 그런데 스티브는 함께 일하는 거의 모든 사람들에게 화를 자주 낸다. 사람들은 그가 고압적이고 지나치게 밀어붙인다고 생각한다. 그는 사람들에게 항상 일을 똑바로 하지 않는다고 말하는 것처럼 보인다. 스티브와 함께 일했던 다른 매니저들 역시 대체로 그에 대해 부정적인 반응을 보였다. 그들은 그가 (계속해서) 가르치려 든다고 느꼈고, 올바로 관리할 수 있는 방법에 대해 다른 매니저들에게 훈계를 한다고 생각했다. 매니저들은 모든 것을 다 안다는 듯한 스티브의 태도를 못

마땅하게 생각했다. 스티브에게 바람직하지 않은 자질과 동기가 있다고 생각하는 패트리스의 동료들이 많이 있긴 하지만 패트리스는 이런 상황을 바꿔보고 싶은 마음에 용기를 내서 스티브와 대화를 시도했다. 하지만 별로 도움이 되지 않았다. 그가 방어적으로 대응하다가 허망함과 혼란함 사이를 오가며 망설였기 때문이다. 그는 더 잘해보겠다고 약속은 했지만, 유일하게 달라진 것은 그가 그녀를 피한다는 점이었다.

그래서 패트리스는 스티브의 상사인 루이스와 이 점에 대해 대화를 했는데, 루이스는 스티브가 선의를 갖고 있고, 무엇보다 다른 사람에게 도움이 되고 싶어하는 사람으로 이해하고 있었다. 다른 사람에게 스티브가 끼친 모든 부정적인 영향은 그가 도움이 되려고 노력했을 때 일어났다. 즉 모든 것을 다 아는 것처럼 하는 행동, 통제하고 비판하는 것 같은 행동은 사실 다른 사람이 성공하도록 도와주고 싶어하는 그의 진지한 열망에서 비롯된 것이었다. 그래서 스티브는 패트리스로부터 받은 피드백이 이해가 되지 않았던 것이다. 하지만 패트리스가 그의 긍정적인 의도를 이해한 후부터는 그의 태도에 신경을 덜 쓰게 되었고, 공동의 성공을 위해 스티브가 기여하고 있는 것에 초점을 더 많이 맞출 수 있게 되었다. 뿐만 아니라, 스티브가 다른 사람에게 많은 도움이 되려면 무엇을 해야 하는지 설명할 수 있게 되었다. 스티브 또한 그것을 무척 기쁘게 받아들였다. 이후부터는 스티브가 패트리스를 전혀 성가시게 하지 않는 것처럼 보였다.

이런 종류의 변화는 인식의 변화에서 비롯된다: 즉 스티브에 대한 패트리스의 지도가 달라졌기 때문에 그녀의 경험 또한 달라졌다. 그러나 변화의 어떤 부분은 다른 사람의 행동에서 비롯되기도 한다. 이럴 때는 주변 사람들도 알아차린다. 관계라는 것은 다른 사람과 함께 만들어가는 것이기 때문에 그런 변화를 알아차릴 수 밖에 없다. 내가 경험하는 것, 즉 내가 생각하고, 느끼고, 원하는 것이 내 주변 사람들 때문에 영향을 받는다는 뜻이다. 경험에 차이가 생기면 우리는 다르게 행동하게

되고, 심지어 다른 사람이 되기도 한다. 예를 들면, 내가 하는 말이 현명하고 주의를 끌 가치가 있다고 믿는(적어도 그렇게 생각하는) 학생들과 있을 때의 나는, 나에 대해 다르게 생각하는 부모님이나 형제들과 있을 때와는 다르게 느끼고 행동한다. 어떤 의미에서 보면, 각각의 상호 교류에서 '나'라고 하는 사람이 공동으로 만들어지고, 결과적으로 '나'라는 사람은 다른 모습으로 보여지는 것이다. 스티브의 일부는 그가 다른 사람을 귀찮게 하고 있다는 것을 알고 있었고, 귀찮게 하는 그의 행동의 일부는 그들 주위에서 방어적인 감정을 가지게 되면서 비롯되었다. 사람들이 스티브의 싫은 부분에 더 집중할수록, 그들은 그런 면들을 더 많이 봐야 했다. 패트리스가 다른 사람에게 도움이 되고 싶어하고 가치있는 기여자로 보이고 싶어하는 스티브의 일면에 초점을 맞추기 시작하자, 그녀는 스티브에게서 그런 모습을 더 많이 볼수 있었다. 스티브라는 인물은 이런 각각의 상호교류에서 스티브 자신과 그를 보는 사람에 의해 공동으로 만들어지고 있었기 때문에, 스티브는 그때마다 다른 모습으로 보였던 것이다.

내가 말하고 싶은 요점은, 사람들과 팀에 대해 가지고 있는 당신의 믿음이 현실이 될 수 있다는 것이다. 그렇다고 해서 긍정성 발견 마인드셋을 가지라는 내 말이 사람들에 대해 극단적으로 낙천적인 시선을 가지라는 뜻은 아니다. 대신, 사람들 간의 관계를 만들게 해주는 힘의 지도를 인정하는 지도를 가지라는 것이다. 그 중 어떤 것은 두말할 필요도 없이 사회적 현실을 공동으로 구축하는 데서 비롯된다. 하지만 다른 부분들은 주관성과 상호주관성이 객관적인 현실에 영향을 끼치는, 좀 더 흐릿하고 분명하지 않은 상황에서 비롯될 수도 있다.

당신의 생각은 다른 사람들에게 영향을 준다

내가 당신과 상호교류를 할 때, 당신에 대한 나의 생각, 느낌, 욕구는 내가 하는 것에 영향을 준다. 그래서 당신이 드러내는 모습을 만드는 데에 내가 일종의 역할을 하게 된다. 이것은 합리적인 추측이고 피그말리온 효과를 설명해 주어야 할 것 같지만, 사실은 그렇지 않다. 연구 결과들을 살펴보면, 연구자들은 교사와 학생들 간의 상호교류를 자세히 관찰하여 학생들 간의 결과 차이를 설명해주는 수백 개의 연구를 수행해왔다. 그러나 그다지 설득력 있는 결과를 제시하지는 못했다. 이런 연구 결과가 시사하는 바는 무엇일까? 내가 말하고, 행동하는 것과는 별개로 내 생각을 가지고 당신에게 영향을 미치는 일이 가능할까? 이것이 가능하다면, 사람들에 대해 내가 부정적으로 생각하면, 그런 내 생각 때문에 이 사람들은 부정적인 행동을 계속하게 하게 될까? 만일 내가 이 사람들에 대해 긍정적인 생각들을 더 많이 하면, 이 사람들은 바뀔까? 상호교류를 하는 사람들에 대해 우리가 가진 마인드셋을 바꾸는 것이 다른 사람의 행동에 영향을 미칠 수 있는 가장 강력한 방법이라는 것을 나는 믿게 되었다. 아래는 내가 이 아이디어를 처음 실행해봤을 때 일어났던 일이다.

내 동료와 35명의 엔지니어링 매니저들, 그리고 그들에게 직접 보고하는 직원들과 5일간 워크숍을 한 적이 있다. 그 워크숍은 장기간의 변화 여정을 시작하는 첫 단계였다. 3

일이 지난 후, 나는 완전히 좌절하고 말았다. 심지어 참가자들에게 적대적인 감정까지 가지게 되었다. 내 파트너와 나는 그들이 마지못해 억지로 활동에 참여하면서 변화에 저항을 하고 있는 것 같고, 우리의 동기를 의심하고 따지기 좋아했으며, 속이 좁아서 우리가 내는 아이디어와 제안을 받아들이려 하지 않는 사람들이라는 데 의견을 같이했다. 하지만, 파트너는 나에 비해 감정적으로 영향을 덜 받았다. 그는 이 고객과 더 오래 일을 해서 그런지 상황을 침착하게 받아들이는 듯 보였다. 하지만 나는 그들의 행동에 융합되어 감정적으로 얽혀들었다.

셋째 날이 끝나갈 무렵에, 그들 중 일부에게 빈정대는 투로 반응하는 나 자신을 발견했다. 만일 내가 계속해서 이렇게 행동하면, 그들과 효율적으로 일할 수 있는 기회가 날아갈 거라는 깨달음이 순간적으로 들었다. 그래서 그때의 내 경험을 바꾸기 위해 그동안 개발해 온 몇 가지 아이디어를 실행해 보기로 했다. 다음날 아침, 나는 평소보다 한 시간 일찍 일어나 조용하고 명상적인 상태에 머물렀다. 그 후 한 명, 한 명, 35명 모두 그들이 다섯 살 아이였을 때의 모습을 그려 보았다. 그들의 모습이 시각적으로 분명해졌을 때, 그 사람을 마음 속에 두고 있는 나 자신을 상상했다. 그때 마음 속에서 어떤 귀여운 다섯살짜리 아이에게도 느낄 수 있는 사랑의 감정이 느껴졌다. 그런 사랑의 감정을 느끼면, 다음 사람으로 넘어가서 그들 모두와 이 과정을 마칠 때까지 계속했다.

한 시간 후, 워크숍의 넷째 날이 시작되었을 때, 방 안의 분위기는 지난 3일간의 분위기와는 완전히 달랐다. 시작부터 그룹은 내가 제안한 활동에 열정적으로 참여했다. 그들은 개방적이었고, 관심을 보였으며, 우리의 생각에 전적으로 반응을 보여주었다. 그날은 아주 성공적이었다. 뿐만 아니라, 우리가 그들과 작업을 하는 데 있어서 하나의 전환점이 되었다. 파트너와 나는 그들의 행동 변화에 고무되었다. 그들의 행동 변화가 그저 내가 했던 아침 활동 때문이라고만 할 수는 없지만, 우리는 어떤 다른 이유도 찾을 수 없었다. 흥미롭게도, 이후에 이 문제에 대한 대화에 참가한 사람들 중 몇 사람들은 차이를 느끼지 못했거나, 차이가 있다는 것에는 동의했지만 그것이 무엇인지는 말로 표현하지 못했다.

과연 이러한 사회시스템 안에서 일어나는 변화를 전통적인 인과론만으로 설명할 수 있을까? 그렇지는 않다. 위 상황과 다른 많은 경험들은 원인과 결과에 대해 우리가 가지고 있는 가정에 의문을 품게 만들었다(적어도 그것이 사람에게 적용되는 경우). 그래서 나는 우리가 말로 표현하지 않은 생각과 감정이 서로에게 어떻게든 영향을 준다고 결론지었다. 이를 보여주는 간단한 실험은 여러가지가 있다. 그 중 가장 단순한 실험은 한 그룹의 사람들과 두 명의 자원자를 대상으로 하는 실험이다. 나는 주로 강인해 보이는 남성과 몸집이 작은 여성을 고른다. 강한 남성은 그룹에 등을 돌리고 앉아서 나와 사람들이 무엇을 하고 있는지 볼 수 없게 한다. 그 남자는 자기 팔 중 하나를 바닥으로부터 수평이 되도록 들고 있게 하고, 몸집이 작은 여성 자원자가 그 팔을 내리게 하기 위해 힘을 주어 누를 때 그 남자에게는 최대한 버티게 한다. 결과는 어떨 것 같은가? 대개의 경우 여자는 성공하지 못한다. 이때, 나는 뒤에 있는 사람들에게 그 남자를 향해 하나의 감정에 집중해달라고 요청하고는 앉아 있는 남자가 볼 수 없도록 작은 칠판이나 노트에 '증오'라고 써서 사람들에게 보여준다. 5초에서 10초 정도가 지나고 여자에게 다시 이전과 같이 해보라고 주문하면, 이번에는 성공한다. 뒤에 있던 사람들의 부정적 감정이 남자를 향해 발산되어, 그의 생체 에너지 체계를 약화시킨 것이다. 그 다음, 사람들에게 또 다른 감정을 남자를 향해 발산하라고 주문하고, 이번에는 칠판에 '사랑'이라고 쓴다. 5초에서 10초가 지난 후, 여자에게 다시 남자의 팔을 최대한 힘을 다해 누르게 한다. 그러나 아무리 힘써 눌러도 그 남자의 팔은 그대로 버티고 있다. 나는 이 실험을 수십 개의 집단을 대상으로 해보았으나, 단 한 번도 실패하지 않았다. 오히려,

몇몇 사람들은 자신을 겨냥하는 감정의 변화를 느낄 수 있었다고 말했다. 만일 당신이 이 실험을 시도해보고 싶다면, 당신과 다른 사람들 모두가 어떤 대상을 향해 두고 있는 감정을 진정으로 느낄 정도로 충분한 시간을 갖는 것이 중요하다. 그리고 반드시 사랑은 맨 마지막에 놓아야 한다. 그 불쌍한 자원자가 다른 사람들의 증오를 받으며 서성이는 모습을 원치 않을 것이기 때문이다.

한 사람의 생각과 느낌이 다른 사람들에게 영향을 주고, 특히 권한을 가진 사람들의 생각과 느낌은 그들을 위해 일하는 사람들에게 막대한 영향을 미친다는 점을 강조하고 싶다. 당신이 매니저라면, 당신을 위해 일하는 사람들에 대해 단지 당신이 생각하는 방식만으로도 지대한 영향을 미친다는 점을 인지해야 한다. 하지만 당신은 "이것은 경계에 대해 앞에서 언급한 것, 그리고 당신과 나 사이에서 거리를 유지하라고 했던 말을 완전히 부정하는 말이 아닌가요?"라고 말할지도 모르겠다. 내가 보기에 그것은 역설적이기는 하지만 모순되지는 않는다. 둘 다 옳다. 즉, 우리는 나름의 경험을 만들기도 하지만 동시에, 다른 사람이 말로 표현하지 않은 생각과 느낌에 의해 영향을 받기도 한다. 문화와 학습의 관점에서는, 우리가 가질 수 있는 가장 유용한 지도는 당신이 나에게 주는 영향을 내가 스스로 만들어 낸다는 것이다. 파트너십과 명료성 문화의 시각에서 볼 때 도움이 되는 지도는 당신에 대해 가진 내 생각이 '당신'이 드러내는 모습에 영향을 준다는 것이다. 이것은 단지 두 개의 지도일 뿐이지 진실이라고 말할 수는 없다. 진실 여부는 우리 중 누구도 알지 못한다. 이 두 가지는 역설적이기는 하나, 그렇다고 그것이 가진 유용성을 떨어뜨리는 것은 아니다. 사람들이 당신 주위에서 어떠한 모습을 드러내든, 당신은 그것에 일정 부분 역할을 하게 되어 있다. 심지어 모든 사람들이 힘들어 하거나 짜증난다고 하는 사람들에 대해서도, 그들 주변에 긍정성 발견 마인드셋을 적용하면 당신은 그들에 대해 다른 경험을 만들어 낼 수 있다. 우리가 어떻게 하는 것이 좋을지는 간단하다. 그들의 세상에서는 그들이 무슨 행동을 하든 이해받을 수 있는 행동이고, 그들이 하는 행동은 그것이 무엇이든 합당한 동기에서 비롯된 것이라는 가정을 하고 바라보는 것이다.

3단계 프로세스

긍정성 발견 마인드셋은 어떻게 정상적이고 당연하게 여겨지는 결핍의식에서 벗어나 자신이 원하는 것을 더 많이 만드는데 집중할 수 있을까? 나는 3단계 과정으로 생각하는 것이 유용하다는 것을 발견했다.[4] 첫번째 단계는 당신이 원치 않거나 좋아하지 않는 것(어떤 사람, 상호교류 혹은 조직화 패턴)에 초점을 맞추고 있다는 것을 알아차린 후, 그로부터 한 걸음 물러나 당신이 현재 상황에서 좋아할 수 있는 것을 떠올리기 위해 의식적으로 노력을 기울이는 것에서부터 시작한다. 앞에서 다룬 스티브와 패트리스의 이야기로 돌아가보자. 패트리스는 비판 받고 지시받는 것 같다는 경험에서 한 걸음 물러나, 스티브가 가지고 있는 좋은 생각과 도움이 되고 싶어하는 그의 욕망을 가치있게 여길 수 있다는 것을 알아차렸다. 두번째 단계는 당신이 더 원하는 것을 명료하게 이해하는 것이다. 즉 이 사람이나 이 사람과의 상호교류에서 무엇이 이상적일 수 있을지를 명확히 하는 것이다. 일반적으로 우리는 문제로 여겨지는 것을 해결하는 방법을 알아내려고 한다. 어떻게 하면 스티브를 상대하지 않을 수 있을까? 어떻게 하면 스티브가 불쾌감을 주는 행동을 하지 않게 할 수 있을까? 이러한 접근 방식은 어느 것도 그리 효과적이지 않다. 오히려 파트너 관계를 유지하는 데 치명적일 수 있다. 대신, 패트리스는 그녀가 원하는 것에 초점을 맞추면서, 자신과의 상호교류에서 스티브가 더 배려하고, 사려 깊고, 자신의 감정과 생각에 민감성을 보여주기를 기대했다.(이 장의 뒷부분에서 당신이 어떤 사람에게서 좋아하는 부분을 어떻게 추적하고 부채질할 수 있는지 자세히 설명하겠다). 긍정성 발견 마인드셋을 개발하는 세 번째 단계는, 당신 자신의 경험과 행동을 만드는데 어떤 문제가 있는지 생각해보는 것이다. 패트리스는 스티브에게 보여준 자신의 짜증스럽고 퉁명스러운 태도가 스티브의 행동을 악화시켰을지도 모른다는 것을 깨닫고, 이후에는 다르게 행동하기로 마음을 바꿔먹었다.

다음 페이지의 표는 내 업무경험을 토대로, 진행 프로세스에 따라 지도를 구성해 본 것이다. 그 당시 나는 한 달에 한 번 공동작업에 대해 논의하고 의사결정을 하는 팀에서 코디네이터 역할을 맡고 있었다. 그 때, 한 팀원이 다른 집단과 경영진에 대한 이슈와 우려를 제기하는 데 시간을 많이 썼다. 그녀는 특정한 결정이 왜 좋지 않은지에 대한 이유를 모두 지적했지만, 생산적인 대안은 하나도 제시하지 못했다. 가끔은 그런 그녀의 태도 때문에 책상을 넘어가서 왜 문제만 지적하는지 그녀에게 따지고 싶을 정도였다. 물론 그렇게 하지는 않았지만 말이다.

내가 다음 페이지 표에 정리한대로 긍정성을 발견하기 시작한 후부터는 많은 것이 달라졌다. 회의는 개선되었고, 나는 그녀와 진정한 파트너십 관계에서 일을 할 수 있었다. 당신이 원활한 파트너 관계를 원하지만 그 관계에 문제가 있다면, 그런데 상대방이 '문제'라면 당신이 제일 먼저 해야 할 일은 그 사람의 정체성과 그 사람이 하는 일을 긍정적으로 평가해 줄 것이 있는지 찾아보는 것이다. 그 사람이 내게 미치는 영향으로부터 그 사람의 의도를 분리해보면 이 작업을 훨씬 쉽게 할 수 있다. 실제 사례를 가지고 직접 한 번 해보기를 권한다.

상대방의 긍정적인 의도에 맞춘다

우리가 하는 행동 대부분은 우리가 원하는 것과 남들이 원하는 것, 그리고 우리와 그들이 그것을 얼마나 많이 원하는지 균형을 맞춰보는 무의식적인 계산에서 나온 결과이다. 많은 경우, 우리는 상대에게 해가 되지 않는 선에서 우리가 원하는 것을 추구하고, 가능하다면 그들이 원하는 것도 만족시켜주려고 한다. 이런 행동은 우리 각자가 가지고 있는 지도에 따라 이루어지는데, 지도가 잘못되면 그 결과도 왜곡된다. 물론, 좋지 않은 의도를 가지고 움직이는 사람도 있고, 때로는 그들의 단절된 상태가 무의식적으로 해를 끼치는 일을 하게 할 때가 있다. 하지만 비록 나에게 혐오감을 주는 행동일지라도 그들 행동의 대부분은 칭찬받을 만한 의도에 의해 유발된다. 내가 싫어하는 행동을 야기시킨 것은 결과를 달성하기 위해 어떻게 할 것인가를 담은 상대방의 지도이다. 내가 상대방의 지도와 긍정적인 의도에 초점을 맞춘다면, 파트너십을 맺을 가능성은 더 많아진다.

결핍 마인드셋을 긍정성 발견 마인드셋으로 변화시키기	
결핍 마인트셋	긍정성 발견 마인드셋
1단계 내가 좋아하지 않는 것에 초점을 맞춤	내가 좋아하는 것에 초점을 맞춤
그녀는 유용한 대안을 제시하지는 않고 항상 잘못된 것만 지적한다. 내가 폭발하고 싶어질 때까지, 그녀는 비꼬며 계속 냉소적인 말을 해댄다.	그녀가 지적한 것에는 좋은 생각이 들어 있다. 그녀는 항상 좋은 지적을 한다. 나는 그녀의 비판 이면에 숨겨진 열정과 배려를 좋아한다.
2단계 어떻게 문제를 해결해야 할지 고민함	내가 더 원하는 것을 찾아냄
어떻게 하면 그녀의 입을 다물게 해서 회의 시간에 도움이 되는 일을 할 수 있을까? 어떻게 하면 그룹의 에너지가 떨어지지 않게 할 수 있을까?	나는 그녀가 생산적인 대안을 제시할 수 있기를 원하고, 그녀의 열정이 우리 그룹을 위해 활용되길 기대한다.
3단계 문제 패턴을 지속시키는 나의 행동 요소를 알아차림	내 경험에 책임을 짐
나는 그녀가 관여된 상황을 바꾸기 위해 아무것도 시도하지 않았다. 내가 진짜 원하는 것을 확인해보니, 내 마음 안에 다른 사람들도 그녀를 좌절시키고 소외시켰으면 하는 부분이 있다는 것을 알게 되었다. 그녀가 과거에 내게 했던 말들에 대해 아직 풀리지 않은 화가 내 안에 있다.	지금은 성장할 수 있는 시간이다. 회의를 시작하기 전에 그녀를 만나서 그녀의 고민을 들어보고, 그녀가 그룹에 실천 가능한 대안을 제시할 수 있도록 도움이 되는 방식으로 그녀에게 이의를 제기할 생각이다. 그렇게 하면 그녀의 고민을 사전에 해결할 수 있고, 회의 중에 그녀가 그것에 대해 이야기할 필요도 없어진다.

회계부서 팀장인 퍼드는 일에 대한 기준을 가지고 있고, 기억력 또한 탁월한 고참직원이다. 그래서 그런지 사람들이 실수할 때마다 그들이 그것을 알도록 꼭 지적을 하곤 했다. 인사담당 매니저인 알라나는 퍼드를 좋게 보고 있었다. 어느 날 업무와 무관한 일로 그곳에 있었던 그녀는 우연히 퍼드가 겁먹은 젊은 직원을 호되게 꾸짖고 있는 걸 보게 되었다. 그녀는 퍼드가 보여준 감정적 학대에 매우 화가 났다. 그 이후로 퍼드와 그가 보여주는 행동에 대해 부정적으로 생각하게 되었다. 그러면서도 어떤 경험 때문에 퍼드가 그렇게 행동했는지 호기심이 생겼다. 그래서 퍼드의 사무실로 따라가 노크를 하고, 시간이 있는지 물었다. 퍼드는 알라나를 의심쩍은 눈초리로 바라보았다. 분명히 자신의 행위에 대해 훈계를 하려고 찾아온 거라 생각하면서 의자 하나를 가리키며 앉으라는 신호를 주었다. 그러자 알라나는 "내가 밖에서 당신을 지켜봤는데요. 당신은 부서에서 맡고 있는 일의 질적인 부분을 무척 신경쓴다는 생각이 들었어요."라고 말했다. 퍼드의 표정이 변했다. 퍼드는 자세를 고쳐 앉고 말했다. "아니예요. 그런 게 아닙니다. 저는 직원들, 특히 젊은 친구들에게 업무적으로 너무 많은 것을 요구하는데, 그들은 제가 그렇게 하는 게 얼마나 힘든지 잘 모릅니다. 얼마동안 내 밑에서 일하고 나면, 그들은 그제서야 내 의도를 아는 것 같아요. 대체로 그 친구들은 더 좋은 자리로 옮겨갑니다."

알고 보니 퍼드는 그 부서를 아주 오랫동안 관리해왔다. 자신의 커리어가 일찍 막혀버린 이유가 아무도 자신에게 일을 더 잘하라는 조언을 해주지 않아서 그렇다고 믿어왔다. 그래서 신입으로 온 총명한 눈을 가진 순수한 친구들에게 업무적으로 얼마나 많은 것을 요구했는지를 말하면서, 그동안 자기 밑에서 일을 배운 모든 사람들의 목록을 꺼내서 그들이 현재 어디서 무슨 일을 하고 있는지를 보여주었다. 목록을 보면서 그는 잠시 목이 메인 듯했다. 마치 한 사람 한 사람의 이름이 그가 사랑하고 키워낸 창조물의 결과로 여기는 듯했다. 높이 진급한 사람들에 대해서는 커다란 긍지를 느끼고 있었다. 이를 계기로 알라나는 퍼드에 대해 다른 스토리를 갖게 되었다. 그녀는 앞으로 퍼드와의 파트너십을 통해 새로운 일을 해야겠다는 생각까지 하게 되었다.

만일 알라나가 퍼드와의 대화에서 퍼드의 단점을 먼저 지적했다면, 퍼드를 이해하기 전에 그를 바꾸고 싶어했다면, 그녀는 절대 퍼드의 행동 뒤에 숨겨진 것을 알 수 없었을 것이다. 퍼드는 진심이 담긴 마음을 알라나에게 공유했는데, 사람들은 자신이 다른 사람들로부터 부정적인 판단을 받을 때는 그렇게 행동하지 않는다. 퍼드의 행동이론, 즉 신참들을 엄하게 가르치는 것이 최선의 방법이라는 생각은 당신이나 내가 가진 행동이론은 아닐지 모른다. 하지만 이것은 퍼드를 나쁜 사람으로 여기거나, 문제가 있다고 보거나, 사악한 사람으로 생각하는 것과는 다른 이슈이다.

당신이 다른 사람에게 대인관계 명료성을 요구할 때, 당신이 그들의 긍정적인 의도를 알고 있다고 그들이 믿어 줄 때는 그들에게서 대인관계 명료성을 얻어내는 것이 훨씬 쉽다. 부정적으로 보이는(예를 들면 조작적임, 무감각함, 교묘함, 무능함 등) 다른 사람들의 행동에서도 당신이 그 사람의 긍정적인 의도를 포착할 수 있다면, 당신은 명료성과 파트너십을 만들어낼 수 있는 큰 능력을 가질 수 있다. 사람들이 가진 경험의 진실을 노출시키는 것은, 당신이 부정적인 영향에 초점을 맞추는 경우만큼 위협적이지는 않다. 부정적 영향에 초점을 맞추면 마음의 문을 닫게 만든다. 하지만 부정적 영향을 미치는 행동 이면에 숨겨진 좋은 의도를 발견하기 위해 당신의 개방적인 모습을 드러내면, 당신은 상대방에게 협력자가 될 수 있다. 공동작업 중인 기술에 대해 패트리스가 전혀 이해하지 못하고 있다는 것을 스티브가 암시하는 것처럼 말한 후에, 패트리스와 스티브 사이에 일어날 대화를 상상해 보라. 그러나 다음에서 패트리스는 스티브가 한 행동 이면의 긍정적 의도에 초점을 맞추고 있다.

패트리스: 스티브, 당신은 정말 저를 생각해주고 프로젝트가 잘되는 것에 관심이 있군요. 그렇지요?

스티브: 그럼요. 이 프로젝트는 정말 중요해요.

패트리스: 방금 당신이 한 말은 제게 도움이 되라는 뜻에서 한 말이죠, 안 그래요?

스티브: 그럼요, 당연하죠. 저는 당신 편인데요. 그런데 생각해보니 제 말이 좀 잘못 나온 것 같네요. 안 그래요?

패트리스: 저는 당신이 가지고 있는 지식을 높이 평가해요. 하지만 당신이 그렇게 말하면, 저를 바보로 생각하는 것 같다는 느낌이 들 때가 있어요.

스티브: 미안해요. 그건 전혀 생각하지 못했네요. 전 그냥 당신이 열 역류 상호운용성 Thermal Reflux Interoperability에 대해 얼마나 알고 있는지 잘 몰라서 그랬어요. 당신도 알겠지만, 여기 있는 사람들 대부분이 모르거든요.

패트리스: 저는 제가 미처 보지 못한 영역들을 당신이 커버해주길 바라고 있어요. 제가 하는 말을 제가 모를 거라고 가정하기 전에 제가 알지 못하는 것이 무엇인지 먼저 파악해주면 좋겠어요. 그렇게 해줄거죠?

스티브: 그래요, 알겠어요. 일리가 있네요. 그렇다면, 당신에게 질문을 해 볼게요. 잘 알지 못하는 게 어떤 거죠?

이렇게 대화를 하면서 패트리스는 대인관계 명료성을 만들어냈다. 엄밀하게 따져서 학습대화는 아니지만, 학습대화와 동일한 속성을 내포하고 있다. 스티브가 말한 것에 대해서 패트리스는 자신이 가진 생각과 느낌, 욕구를, '지금-여기'의 현시점에서 서술했다. 스티브도 자신의 생각과 느낌, 욕구에 대해 말을 해줬다. 패트리스는 빠르게 학습할 수 있었을 뿐만 아니라, 두 사람의 관계를 구축했고, 스티브의 전문성에 의존할 수 있는 영역에 대한 중요한 대화로 옮겨갈 수 있었다. 앞에서도 말했지만, 긍정발견 자아는 미래가 현재 펼쳐지고 있다고 본다. 즉 사람들과 프로세스 안에 있는 잠재력을 보고, 그런 잠재 요소들을 드러내주는 방식으로 행동한다. 패트리스가 스티브와 파트너십을 맺고 싶다면, 그가 그녀에게 배려심 있고 사려 깊게 행동하기를 원한다면, 그에게서 긍정적인 의도를 발견하는 것이 첫번째 단계가 되어야 한다. 그 다음에 스티브에게서 배려심 있고 사려 깊은 면을 높일 수 있는 방법을 찾아야 한다. 이렇게 하는 것은 다음에 제시될 긍정발견 자아의 두 가지 측면인 추적하기Tracking와 부채질하기Fanning로 연결된다.

추적하기로 찾아낸다

당신이 원하는 것을 더 많이 만들어내는 것은 일종의 변화과정이라고 할 수 있다. 하지만 그것은 변화관리 책에 나와 있는 것과는 상당히 다르다. 나는 이것을 '증폭Amplification'이라고 부르는데 기업에서 업무 효율성을 개선하고 수익성을 높이기 위해 사용한 적이 있다.[5] 이에 대한 기본적인 아이디어는 당신이 더 원하는 것이 무엇이든, 그것이 비록 적은 양이라고 하더라도 이미 존재하는 것이기 때문에, 그것이 어디 있는지 발견하는 것에서부터 시작하면 된다는 것이다. 정글에서 사냥감을 추적하는 사냥꾼을 상상해보라. 이때 필요한 것은 지속적인 주의 집중, 가벼운 발걸음, 그리고 주변 나뭇잎에 가려진 힌트를 찾아내는 능력이다. 추적하기는 당신이 더 원하는 것이 이미 그곳에 존재하고 있다는 것을 아는 능력이다. 어떤 때는 그냥 믿고 시작하기만 하면 될 때가 있다.

비정부 기구인 '건강한 세상'에 소속된 한 팀이 전쟁으로 고통받는 한 아프리카 국가에 들어갔다. 그 팀은 그 국가 지도자의 허락을 받아서 그곳 아이들에게 영아 사망의 주요 원인이었던 설사에 대한 예방접종을 하려고 했다. 정부군이 외딴 마을에 살고 있던 여성들과 아이들을 죽이고 있다는 정보가 전해지는 가운데, 그 팀이 국가지도자를 만나기 직전에 누군가가 그 팀에게 최근의 학살을 담은 비디오 테이프를 전해주었다. 구호팀은 당장 총살당할지도 모르는 아이들에게 예방 접종을 한다는 것이 얼마나 모순되는 일인지를 알게 되었다. 팀 리더인 잭은 이런 모순되는 상황이긴 하지만 자신이 무언가를 해야 한다고 마음을 먹었다.

지도자와 만났을 때 잭은 아이들에게 예방접종을 하려는 계획을 설명하고 그런 활동을 허락해 달라고 말했다. 그는 이를 받아들였다. 이어서 잭은 첫 진료소를 열 수 있게 도와 달라고 하면서, "당신 나라의 아이들을 돕는 일"을 시작하겠다고 제안했다. 지도자는 그렇게 하는 것에 흔쾌히 동의해주었다. 그때 잭은 위험을 감수하며 비디오 플레이어를 요청해서 그 지도자의 군대가 여성들과 어린아이들을 학살하는 비디오를 틀었다. 그는 통치자에게 아무 말도 하지 않고 "당신 나라의 아이들을 돕는 일"을 허락해주어서 감사하다고만 말했다.

며칠 후, 야외 진료소가 설치되었고, 백신을 맞도록 아이들의 손을 잡고 온 어머니들의 줄이 늘어서자, '건강한 세상'의 직원은 모든 것을 허락해준 지도자의 손에 주사기를 쥐어 주고 직접 주사를 놓아줄 것을 권유했다. 길게 줄을 서 있던 어머니들이 지도자의 손으로 예방주사를 맞게 된 축복에 감사하고 기뻐하며 지나갈 때마다, '건강한 세상' 직원은 지도자에게 계속해서 말해 주었다. "당신은 지금 당신 나라의 아이들을 살리고 있습니다. 이제 당신은 진정으로 이 나라의 국부가 되어가고 있습니다." 그 지도자는 이 과정을 매우 기뻐하면서 이후 몇 주 동안 진료소를 따라 전국 곳곳을 다녔다. 아이들에게 직접 예방 접종을 하면서, 이 나라의 진정한 국부가 되어가고 있다는 말이 그에게 깊이 각인되었다. 이후 학살은 멈췄다.

이 사례에 등장하는 잭과 다른 직원들은 이 지도자에게서 국민들을 보살피고 싶어하는 마음을 찾아내려고 했고, 결국 그것을 발견했다. 그 마음은 금방 알아차릴 수 있는 것은 아니었다. 그들은 그저 믿는 마음으로 바라보며, 긍정성 발견 마인드셋으로 그 지도자에게서 연민을 드러내는 모든 흔적을 찾아내기 위해 노력했다. 마침내 그 지도자의 마음 속에 자리잡고 있던 '국부'가 되고 싶어하는 마음을 찾아서 그 방향으로 증폭시켰던 것이다.

이미 풍부하게 존재하는 것을 추적하는 건 쉽다. 내가 아는 어떤 고위 임원은 1년에 두 번, 여러 곳에 흩어져 있는 작업장을 순회한다. 각 작업장에서 하루나 이틀 정도 머무르며, 매니저와 직원들이 효율성 향상, 고객만족, 품질개선의 3개 분야에서 그들이 만들어낸 최고의 개선 결과에 대해 발표를 하도록 했다. 이때는 반드시 개선 활동에 직접 참여한 사람들이 발표를 하게 했다. 발표 내용 중에서 좋은 아이디어가 있으면 그때까지 직원들이 해 오던 일을 계속 할 수 있도록 자원을 추가로 배정해주었다. 어떤 의미에서 보면 그는 매니저들이 자신을 대신해서 긍정적인 것을 추적하도록 훈련을 시키고 있었다. 증폭시키는 일에 대한 그의 개인적인 관심과 방법을 통해 업무 개선의 흐름이 계속 확산되도록 영향을 미치고 있었던 것이다.

하지만 처음부터 보이지 않는 것을 추적하는 것은 어려운 일이다. 바로 이점이 추적하기를 할 때 가장 힘든 부분이다. 증폭하는 프로세스는 단순히 긍정적으로 강화해주는 프로세스를 넘어서는 활동이다. '긍정발견 자아'는 비록 그 양이 적다 해도 우리가 원하는 것이 이미 존재한다는 가정에서 출발한다. 사람들과 조직 안에 탁월성이 존재한다고 믿고, 그 탁월성을 발견하는 것에서 시작한다. 우리는 자신의 경험이 곧 '진실'이라는 믿음을 버리고, 우리의 지도를 바꿈으로써 이전과 다른 경험을 할 수 있다고 가정할 필요가 있다. 이런 기법을 배운 많은 매니저들은 그곳에 존재한다고 생각하지 않았던 무언가를 찾으려 하는 순간, 비로소 그것을 보게 된다는 사실을 발견한 사람들이다. 그것에 더 많은 관심을 쏟을수록, 더 많은 것을 얻을 수 있다. 파트너십을 형성하는 데 '긍정발견 자아'가 미칠 수 있는 영향을 설명하는 또 하나의 극적인 이야기를 살펴보기로 하자.

컨설턴트인 팀은 매달 진행해온 이틀간 공장을 방문하기 위해 비행기를 탔다. 운영 매니저인 프레드는 평소와 같이 팀을 마중하러 공항으로 나갔다. 공장에서 6개월째 프로젝트를 수행하고 있었던 팀은 여러가지 긍정적인 변화를 이끌어냈는데 그것은 생산성과 품질 향상으로 이어졌다. 그러나 프레드는 이번에는 우울한 소식을 가지고 팀을 맞이했다. 2주 전에 이 공장 책임자로 새로운 부사장이 부임한 것이다. 신임 부사장 에릭은 회사에서 가차 없고, 요구가 많고, 공격적이고, 교활하며, 같이 일하기 힘든 사람으로 악명이 높았다. 그러나 이전 공장에서 책임자로 근무할 때 좋은 성과를 내서 이번에 승진하게 되었다고 한다. 컨설턴트인 팀이 보유한 클리어 리더십 스타일은 에릭의 리더십과는 완전히 반대였다. 그래서 프레드는 에릭이 조만간 팀이 추진해온 컨설팅 서비스를 중단시킬 수도 있다고 생각했다. 공장으로 가는 차 안에서 프레드는 에릭이 도착한 직후부터 보였던 가혹한 처사에 대해 팀에게 말해주었다. 상황은 정말 좋지 않아 보였지만, 팀은 열린 마음으로 상황을 받아들이기로 했다.

팀이 공장에 도착하자, 여러 사람이 그에게 다가와 에릭이 부임한 이후 일어난 변화와 그로 인해 그들이 얼마나 절망적인 상황에 있는지에 대해 털어놓았다. 그날 아침 10시,

평소와 마찬가지로 경영 회의가 열렸지만, 분위기는 팀이 처음 그곳에서 처음 일을 시작했을 때보다 훨씬 더 나빴다. 확실히 에릭은 거들먹거리고, 냉소적이었으며, 비하하는 말을 거리낌없이 했다. 사람들은 완전히 마음의 문을 닫은 것처럼 보였고, 진실을 말하는 사람은 없었다. 팀은 다른 사람들이 가진 무기력함과 비관주의에 자신조차 빠져버리면 그들을 위해서 아무것도 할 수 없을 거라고 생각했다. 그래서 지혜롭고, 공감하며, 존경받는 리더가 되고 싶어하는 에릭의 마음을 추적해 보기로 했다. 그는 찾고 또 찾다가, 회의 중에 에릭이 인사 문제에 대해 좋은 해결책을 제시하는 것을 발견했다. 쉬는 시간에 에릭에게 다가간 팀은 그의 아이디어가 얼마나 지혜로웠고 다른 사람들에게 깊은 공감을 보여주었는지에 대해 칭찬해주었다. 이후 이틀 동안, 팀은 에릭과 함께 자리할 기회가 몇 번 더 있었는데, 그때마다 그는 에릭의 다른 면을 모두 무시하고, 그가 존경받는 리더가 되고 싶어 하는 점에만 주의를 집중했다. 그는 에릭이 하는 행동 중에 아주 작더라도 지혜나 공감이 드러나는 부분이 있을 때마다 그것에 대해 언급하는 것을 잊지 않았다.

둘째 날 점심시간에, 에릭은 팀에게 떠나기 전에 자기 방에서 잠깐 봤으면 좋겠다고 했다. 팀을 포함한 모든 사람들은 이제 팀이 해고당할 것이라고 예상했다. 하지만 팀이 에릭을 만났을 때, 상황은 완전히 달랐다. 에릭은 자신이 지금까지 가차 없고, 까다롭고 공격적인 태도를 취하는 방식으로 이 자리까지 올라왔다고 팀에게 털어놓았다. 그러나 지금 맡고 있는 자리에서는 그런 특성이 더 이상 통하지 않는다는 것을 깨달았다고 했다. 이런 상황에서 무엇을 해야 할지 모르겠다고 말하면서, 팀에게 도와 달라고 부탁했다. 그때부터 모든 일은 순조롭게 진행되었다.

내게는 물론이고 당신에게도 명확한 것이 있다. 이 상황에서 팀이 에릭의 행동 중에 마음에 들지 않는 것에만 집중했다면, 계속해서 일할 수 있는 기회를 잃었을 거라는 점이다. 하지만 팀이 긍정성 발견 마인드셋을 사용해 에릭의 지혜롭고 동정적인 면모를 추적했기 때문에 에릭은

팀을 동지로 알아보게 되었고, 에릭은 다른 사람들이 보지 못했던 자신의 모습을 봐준 팀에게 자신이 가졌던 의심과 두려움을 털어놓을 수 있었다. 현실을 봐야 한다. 도움이나 조언을 구하기 위해 누구를 찾아가야 할까? 당신의 나쁜 면을 보는 사람인가, 아니면 당신의 좋은 면을 봐주는 사람인가? '긍정발견 자아'는 어떤 사람에게 있는 최상의 자질을 추적해서, 그것을 부채질하는 방식으로 파트너십을 형성하게 해준다.

추적하기를 잘 하는 사람은 자신이 더 원하는 것을 어디에서 찾을지 함부로 억측하지 않고, 끈질기게 추적해 나가는 사람이다. 내가 긍정발견 리더십을 가르쳤을 때를 되돌아보면, 사람들이 가장 힘들어하는 부분 중 하나가 바로 추적하고자 하는 것에 지속적으로 주의를 기울이는 것이었다. 다른 사람에게 더 있었으면 하는 성품과 태도를 찾아내는 것은 상대적으로 쉬운 일이다. 그러나 그것을 추적하기로 했다는 것을 기억해내기 전에 일주일이 훌쩍 지나가 버린다. '인식 자아'는 이런 상황에서 중요한 조력자가 되어 준다. 추적하기가 목적을 가지고 인식하는 것이기 때문이다.

나는 한 친구와 함께 20여명의 NGO 단체의 지도자들이 모이는 총회에 참가한 적이 있다. 그들은 정치와 경제의 경계를 초월한 변화 프로세스에 대해 학자들과 논의하기 위해 초대된 사람들이었다. 우리는 이곳에서 일주일 동안 세계 최고의 추적자들이 실제로 행동하는 것을 볼 수 있을 것이라는 기대에 들떠 있었다. 하지만 이들의 논의에서 긍정성을 발견하려는 행동이 너무 적은 것을 보고 실망한 적이 있다. 다만, 하나의 이미지만은 내게 오래도록 남았는데, 그것은 '추적하기'를 하는 사람들과 그렇게 하지 않는 사람들의 차이는 명확히 볼 수 있었다. 참가자들은 일정과 일정 사이에 있는 빈 시간에는 큰 회의실로 가서 중요한 연설을 듣거나 총회 내용에서 들은 내용에 대해 토론을 했다. 그래서 대부분의 참가자들은 회의실에 들어가서 자리를 찾아서 앉았다. 하지만 정말로 훌륭한 추적자들은 자리에 앉지 않았다. 그들은 이리저리 다니면서 대상이 누구이든 가능한한 많은 사람들을 만나서 이야기를 나눴다. 이것을 '인맥 쌓기'로 볼 수도 있지만, 추적자들은 단지 연락처를 수집하는 것에 그치지 않았다. 그들 각자는 어떤 것을 더 찾고 있었다. 그날 이후로 나는 다수의 사람들이 모이는 자리에서 얼마나 많은 사람들이 움직이는지를 보면서 좋은 추적자를 가려낼 수 있게 되었다. 추적하기를 잘 하기 위해서는 지속적인 움직임과 인식이 필요하다. 추적하는 대상을 더 많이 발견하려고 애를 써야 하고, 그것이 어디 있는지 자신이 다 알고 있다고 절대로 가정해서는 안 된다.

부채질하기로 증폭시킨다

나는 작은 불씨를 맹렬히 타오르는 화염으로 만드는 과정을 설명하기 위해 '부채질하기'라는 용어를 사용한다. 당신이 더 원하는 것을 확대할 방법을 모색하고 있을 때, 말하자면 '부채질하기'를 하고 있는 셈이다. 이를 긍정적 강화Positive Reinforcement쯤으로 생각할 수도 있지만, 사실 부채질하기는 그것보다는 더 창의적이다. 어떤 종류이건 주의를 집중하는 것은, 심지어 부정적인 것 조차도 주의를 기울이는 대상을 증폭시키는 경향이 있다는 근거가 있다. 많은 경우, 주의를 집중하는 것은 강화의 일환이다.

한 기업의 리더십 개발 프로그램을 진행하면서, 나는 변화관리에서 선택할 수 있는 것 중 하나로 증폭 프로세스에 대해 설명한 적이 있다. 쉬는 시간이 되자 한 참가자가 다가와 드디어 자신이 하고 있던 행동을 이해하게 되었다면서 자신의 이야기를 들려주었다. 고등학교를 졸업하자 마자 그녀는 큰 회사의 고객만족센터에서 일하게 되었다. 이후, 여러 해가 지나 그녀는 매니저 위치까지 승진하게 되었다. 대도시에 위치한 그 센터는 항상 생산성과 고객 만족도에 있어 상위권에 들었다. 그리고(그녀 자신이 왜 다른 사람들보다 더 좋은 평가를 받았는지 알 수 없었지만) 6개월 전에 그녀는 10여개의 센터가 있는 지역 전체를 관리하는 지부장으로 승진을 했다. 그녀는 승진한 바로 다음날 회사 사장과 만나기로 약속이 되어 있었는데, 그 자리에서 어떻게 지역의 고객 만족도를 82%에서 92%로 높이는 이례적인 성과를 달성할 수 있었는지에 대해 설명해야 할 상황이라고 했다. 그녀는 이렇게 말했다. "이번 프로그램에 참여해서 정말 다행이에요. 왜냐하면 저는 사장에게 무슨 말을 해야 할지 모르고 있었거든요. 하지만 이제 알겠어요. 저는 그냥 사람들이 잘 하는 것에 주의를 기울이고, 마음에 들지 않는 부분은 무시하거든요. 그게 바로 제가 늘 해왔던 행동이란 것을 이번 프로그램에 참여하면서 확실히 알게 되었습니다."

연구원이자 컨설턴트로 일하던 초기 시절에 나는 많은 인터뷰를 하면서, 인터뷰 결과를 토대로 매니저들에게 익명의 피드백을 주기도 했는데, 이 때 조직의 종류와 상관없이 거의 모든 조직에서 공통으로 나오는 불평들이 있었다. 가장 일반적인 불평은 "여기서는 사람들에게 어떻게 보상을 해줍니까?"라는 질문에 대한 답변과정에서 나왔다. 직원들과 직급이 낮은 매니저들은 대부분 웃음을 터트리거나 머리를 절레절레 흔들며 다음과 같이 말하곤 했다. "보상이요? 여기서는 어떤 것에 대해서 보상 같은 것은 해주지는 않습니다. 무슨 말을 들을 때는 뭔가 잘못되었을 경우일 뿐입니다. 일을 잘 하면, 그건 당연히 그래야 되는 거니까 아무도 관심을 주지 않아요. 하지만 문제가 생기면, 반드시 그것에 대해 말을 듣게 되죠!" 만일 당신이 이런 환경에서 팀을 이끌고 있다면, 그저 매일 사람들이 잘 한 일을 알아봐주기만 해도 품질과 생산성이 엄청나게 높아질 것이다.

처음 '부채질하기'에 대해 배우면 사람들은 그것을 칭찬이라고 생각한다. 하지만 실제로는 그렇지 않다. 칭찬의 요소가 포함되어 있는 것은 맞지만, 칭찬은, 특히 사람들이 존경하는 리더가 해주는 칭찬은 자아분화에 필요한 강력한 자아를 구축하는 데 큰 도움이 될 수 있다.[6] 하지만 칭찬 그 자체는 '증폭하기'에는 거의 보탬이 되지 않는다. 많은 회사들은 칭찬을 긍정적인 동기유발에 사용하고자 '이달의 사원' 프로그램을 실시하는데, 운영자나 운영위원회가 긍정발견 마인드셋을 적용하지 않으면, 그러한 프로그램은 대인관계 혼돈에 묻혀 버리기 십상이다. 여기에는 두 가지 문제점이 있다.

첫 번째 문제는 칭찬이 단지 어떤 비인격적인 메커니즘(예. 판매량)의 결과라는 것이다. 이런 상황에서는 어떤 사람에게는 칭찬이 인센티브가 될지는 모르나, 증폭의 프로세스는 아니다. 어설프게 고안된 칭찬 프로그램은 애초의 의도와 달리 반대의 효과를 낳는다. 나는 직원들에게 이달의 최고 매니저에게 투표를 하도록 해서, 매니저와 직원의 관계를 향상시키려고 했던 한 기업을 알고 있다. 불행히도, 가장 태만하고 무능하다고 알려진 매니저가 투표에서 1등을 했다. 그 이후부터는 다른 매니저들이 직원들의 요구를 다 들어주면서 표를 얻느라 하향식 경쟁이 벌어졌다. 이러한 상황은 직원들을 제멋대로 만족시키려 했던 매니저들과, 회사를 위해서는 그렇게 하면 안된다고 믿고 있던 매니저들 사이에 갈등을 초래했다. 후자의 매니저들이 점점 더 직원들에게 환멸을 느끼면서 매니저와 직원의 파트너십이 좋아지기는 커녕 오히려 더 악화되었다.

우수한 업무에 대해 포상을 하는 두 번째 문제점은 대부분의 경우 그 우수한 성과가 무엇인지 설명해 주지 않는다는 것이다. 정확한 대상이 없는 칭찬은 증폭하기에 별로 도움이 되지 않는다. 그것은 사람들을 잠깐은 기분 좋게 할 수 있지만, 자신이 무엇 때문에 칭찬을 받았는지는 잘 알지 못한다. 리더들이 직원들에게 요점 없는 칭찬을 늘어놓는 것보다는, 자신들이 어떤 것을 높이 평가하고 어떤 점을 더 바라는지 있는 그대로 말해주는 것이 훨씬 더 효과적이다. 추적하기와 부채질하기는 당신이 더 원하는 것을 찾고, 그것을 발견할 때마다 긍정적인 말을 해주는 것을 말한다. 추적하기와 부채질하기를 하는 사람이 더 높은 지위에 있을수록 영향력은 더 커진다. 이렇게 하는 데는 많은 기교나 스킬이 필요하지 않다. 그냥 진심으로 해주기만 하면 된다 .

재무 담당 최고책임자인 월터는 2주마다 회사의 고위 간부 40여명이 대면이나 화상으로 참석하는 글로벌 경영회의를 개최한다. 경영진의 자문위원으로 일하면서 나는 몇 번 이 회의에 참가해서 진행 상황을 보기로 했다. 그 회의가 통상적인 '지루하기 그지 없는 파워포인트 발표' 회의였기에, 어느 날 회의를 시작하기 전에 나는 회의에서 무엇을 성취하고 싶은 지 월터에게 물어보았다. 그는 말했다. "제가 진정으로 원하는 것은 사람들이 서로 자신의 문제를 공유하고 해결하도록 돕는 것입니다." 나는 그에게 다음 회의부터 주의를 기울여서 그런 상황이 실제 일어날 때마다 그것을 언급하고, 칭찬하고, 더 많이 요구해보라고 조언을 했다.

팀의 예산과 목표에 대한 발표가 진행되는 도중에 월터는 발표자에게 "당신은 그 문제를 어떻게 해결할 수 있었습니까?"라고 물었다. 발표자는 "밀린 일을 처리할 수 있도록 제품개발팀에서 저희에게 두 달 동안 두 명의 인력을 투입해주었습니다."라고 말했다. 월터는 이렇게 말했다. "훌륭합니다! 그게 바로 제가 듣고 싶었던 겁니다. 다른 팀 사람들이 서로의 문제를 해결하기 위해 자원을 공유하는 것 말입니다. 우리 모두 인원을 투입해준 제품개발팀에게 큰 박수를 보냅시다." 그는 박수를 크게 치며 벌떡 일어섰고, 다른 사람들은 마치 그가 막 화성에서 떨어진 외계인이라도 되는 것처럼 그를 쳐다보았다. 매니저들은 반쯤 일어나서 건성으로 박수를 치면서 멋쩍게 주위를 돌아보았다. 나는 속으로 '아니, 저건 내가 의도한 게 아닌데, 너무 가식적이잖아.'라고 생각하면서 월터가 어떻게 난관을 통제해 나갈지 지켜보았다.

하지만 몇 주 후, 나는 회의의 초점이 변하기 시작한 속도에 놀랐다. 매니저들은 문제를 해결하기 위해 스스로 경계를 넘나들며 어떻게 협력하고 있는지에 대해 훨씬 더 많이 대화를 하고 있었다. 회의가 네번째쯤 되었을 때는 한 매니저가 거의 10분마다 다른 팀이 자신의 팀에 어떻게 도움을 줬는지에 대해 언급했고, 모든 임원들은 벌떡 일어나서 우레와 같은 박수를 쳤다. 아주 뛰어난 협력 사례가 나오면, 그들은 탁자 주위로 모여서 파도타기 응원을 했는데, 그것은 정말 재미있었고 모두에게 기운을 북돋아 주었다.

리더십과 변화의 관점에서는 부채질하기에 대해 얼마든지 많은 것을 말할 수 있다. 다른 책에서는 이런 점에 대해 많이 쓰기도 했지만, 여기서는 파트너십을 만들어내는 능력과 조직 학습에만 초점을 맞추고자 한다. 간단히 말해서, 당신이 좋아하고 높이 평가하고 더 바라는 것에 집중한다면, 당신이 좋아하지 않고 비난하고 덜 바라는 것을 계속해서 지적할 때보다 다른 사람들이 당신과 협력하고 싶어 할 가능성이 훨씬 높아진다는 것이다. 영향력 네트워크에 대한 최근 연구를 살펴보면, 다른 어떤 변수보다도, 긍정적인 태도를 가지는 것이 조직에서 비공식적

인 영향을 더 많이 주는 것으로 나타났다.[7]

　부채질하기를 시작할 때 기억해야 할 중요한 주의사항이 있다. 부채질하기는 칭찬에 관한 것이 아니라는 점이다. 한 그룹을 대상으로 긍정 발견 리더십을 가르치면서 매니저들에게 일주일 동안 누군가를 대상으로 긍정성을 발견해보게 했는데, 그 때 이 사실을 알게 되었다. 과정에 돌아온 한 참석자가 이렇게 말했다. "글쎄, 그건 정말 효과가 없었어요. 저는 아들이 하키에서 패스를 더 많이 하도록 추적하기와 부채질하기를 시도해봤습니다. 지난 주말에 아들이 하는 경기 관람석에서 아들이 패스를 잘 할 때마다 '잘한다!'고 외쳤는데, 어느 순간 아들이 저에게 그만하라고 하지 뭐예요!" 그 이야기를 들었을 때, 나는 웃음을 터뜨리고 말았다. 물론 어떤 열 여섯 살 아이라도 자기 엄마가 계속 "잘한다!"를 외치면 창피해서 그만하기를 바랄 것이다. 하지만 웨인 그레츠키(Wayne Gretzky북미 아이스 하키의 영웅, 옮긴이)가 스탠드에서 "잘했어."라고 외쳤어도 그 아이가 과연 똑같이 느꼈을까? 나는 그렇게 생각하지 않는다. 바로 여기에 칭찬과 부채질하기의 중요한 차이가 있다.

　내가 당신을 칭찬할 때는, 나는 잘 알고 있는 사람(전문가, 권위자)이고, 당신은 나보다는 조금 덜 아는 사람(연습생 또는 일종의 제자)이라는 역할 관계가 암묵적으로 작용한다. 십대 소년들은 어머니와의 의존적인 관계를 깨려 노력하고, 그 아들은 어머니가 하키에 전문성이 없다고 생각하기 때문에, 어머니의 칭찬을 긍정적인 것으로 보지 않는다. 오히려, 아들은 어머니가 자신을 어린아이처럼 다룬다고 생각했을 것이다. 모든 관계에서 이와 비슷한 일들이 일어난다. 당신의 칭찬을 정당화해 줄 만한 역할을 당신이 맡고 있다고 내가 생각한다면(당신이 내 상사이거나 나보다 더 전문가라면), 나는 당신의 칭찬을 좋아할 것이다. 그러나 당신이 그런 사람이라고 생각되지 않는다면, 나는 당신의 칭찬을 성가시다고 여기거나 당신이 나를 간섭한다고 생각할 가능성이 높다. 그럴 경우에는 어떤 것도 증폭시키지 못한다.

이 딜레마를 해결하기 위한 한 가지 방법은 '서술 자아'이다. 자신의 판단에 따르지 않고 자신이 경험한 것에 따라 서술하는 것이다. 칭찬은 판단에서 나오는 것이다. 얼마나 긍정적인 판단인지와는 상관없이 당신에게 나에 대해 판단할 권리가 없다고 생각하고 있다면, 나는 당신의 칭찬을 좋게 보지 않을 수 있다. 하지만 당신이 경험한 것을 나에게 서술해 주는 것은 당신이 나를 판단하지 않고도 당신이 무엇을 좋아하고 나에게서 무엇을 더 바라는지 확인할 수 있게 해준다. 따라서 "당신은 훌륭했어요."라고 말하는 대신, "당신이…했을 때 저는 기분이 좋았어요."라고 말을 하는 것이다. 그 사람이 당신에게 준 영향과, 당신이 추적하고 부채질하고자 하는 자질이나 특성에 대해 이야기해주면, 당신이 상대방으로부터 부정적인 반응을 불러일으킬 가능성은 훨씬 낮아진다.

파트너십을 만들어야 할 사람들이 당신의 필요나 기대에 미치지 못할 때는 어떻게 해야 할까? 그들을 강하게 비난하거나 윗사람에게 그 문제를 올려 보내는 것은 일시적인 위안을 줄 수는 있지만, 서로의 성공을 위해 헌신하는 관계를 만드는 데에는 도움이 되지 않는다. 이럴 때는 당신이 더 원하는 것을 추적하고 부채질하는 것이 훨씬 효과가 있다. 부채질하기 전략을 이용해서 1,500명으로 이루어진 국제적인 소프트웨어 단체와 파트너십을 구축하고자 노력했던 어떤 매니저에 대한 다소 길긴 하지만 도움이 되는 이야기를 살펴보자.

알리는 수평적인 조직에서 근무하는 중간 관리자였다. 그는 새로 나온 소프트웨어의 파일럿 테스트를 담당하고 있었다. 테스트 도중에, 그 소프트웨어가 동시에 수백 명의 유저들이 접속해도 문제가 없다는 것을 확인하기 위해 회사 내에서 최대한 많은 사람들을 동원해 동시에 사용해 보도록 해야 했다. 회사 내에서 이것은 "공습작전blitz"으로 알려졌다. 그동안 이런 일을 여섯 번 정도 시도해본 적이 있었다. 알리는 아래 이메일을 회사의 모든 사람에게 보내는 것으로 일을 시작했다.

최초 이메일 요청

SoftCo Enterprise 8.5의 출시를 앞두고 마지막 단계에 들어섬에 따라, 이 소프트웨어의 안정성과 성능을 확실히 하기 위해 여러분의 도움이 필요합니다. 3월 20일 수요일에 회사 전체를 대상으로 두 번의 공습작전을 시행할 것입니다. 이것은 우리가 제품을 출시하기 전에 실시해야 하는 매우 중요한 단계입니다.

저희는 제품의 성능, 확장성 및 안정성에 대한 다양한 측정 지표를 수집하기 위해 공습작전을 시행할 것입니다(자세한 세부사항은 월요일 웹 기사에서 보실 수 있습니다). 내일 열리는 공습작전의 주요 목표는:

• 제품의 확장성 입증(동시에 시스템을 사용하는 실질적 유저들을 최대한 많이 확보).
• 회사의 모든 사람들에게 8.5 버전을 살펴볼 수 있는 기회를 제공하고, 사용자 수가 많을 때 시스템이 어떻게 대응하는지 살펴봄.

태평양 시간으로 오전 8시와 오후 4시에 시작합니다.

• 오전 8시 : 북아메리카와 EMEA를 대상으로 실시
• 오후 4시 : 북아메리카와 아시아 태평양 지역 조직을 대상으로 실시

분기 말이라 바쁘시겠지만, 내일 여러분이 속한 시간대에 들어오셔서 15~20분동안 이 시스템을 활발히 탐색해 주시기 바랍니다. 여러분의 도움에 미리 감사드립니다.

공습작전을 시행한 직후, 알리는 동시 연결이 400개 정도 밖에 되지 않았다고 걱정하면서 나에게 연락을 해왔다. 그가 필요했던 것만큼 충분한 참여가 있지 않았던 것이다. 그는 더 많은 사람들을 참여시키기 위해 다른 방법을 고민하고 있었다. 그는 윗사람들에게 이 문제를 올려 보내고 싶지는 않았지만, 그것이 유일한 선택이라고 생각했다. 그게 아니라면 사람들의 자발적인 관심을 어떻게 이끌어내겠는가? 그는 구성원들에게 다른 이메일을 보내서 참여를 요청하고, 그때도 참여자 수가 충분하지 않으면 회사에 초래될 끔찍한 결과에 대해 경고하는 내용을 내보내야겠다는 생각도 해보았다고 했다. 그것이 더 나은 대안이 될 수 있을까?

나는 부채질하기 전략을 제안했다. 나는 그에게 말했다; "지난번 공습작전에서 참여도가 괜찮았던 팀의 담당자들에게 쪽지를 보내서 감사를 표하고, 지난번에 충분한 사용자를 확보하지 못했다고 말하면서, 월요일에 전폭적인 지지를 다시 한번 부탁해보시는 건 어떨까요? 그리고 모든 고위 관리자들에게 메모를 보내서 지난번 공습작전의 긍정적인 영향이 무엇이었는지, 정말로 나서서 해 준 사람이 어떤 사람들이었는지, 이 작전을 월요일에 왜 한 번 더 해야 하는지, 그리고 당신이 그들에게 무엇을 바라는지에 대해 알려보세요." 알리는 그렇게 했고 다시 공습 작전을 준비했는데, 결과는 꽤 좋았지만 여전히 그가 원하는 만큼의 숫자를 확보하지는 못했다. 상황이 이렇게 되자 그는 자신이 증폭하기 전략에 대해 읽은 것을 토대로 다시 아래와 같이 메일을 작성했다.

두 번째 메일

와우! 어제 공습작전에서 실시간 연결이 거의 기록적인 수치인 560개를 넘어서 정말 기뻤습니다. 특히 이번 작전에서 팀에 강한 리더십을 보여주신 버디 콘웨이씨, 더그 질스파이씨, 그리고 제인 우씨에게 고마움을 표하고 싶습니다. LMO의 팀 가운데 저녁 7시이후까지 남아서 공습작전에 참여해 110개의 동시 접속을 만들어낸 10명의 멤버들이 특히 눈에 띄었습니다.

알리는 계속해서 그들이 공습작전을 통해 무엇을 배웠으며, 왜 그것을 한 번 더 해야 하는지를 짚고 넘어갔다. 그리고 나서 아래의 도전 활동에 대해 발표했다.

이번 도전은 어떤 리더가 자신의 팀에서 가장 많은 구성원들을 공습작전에 참여시킬 수 있는지를 알아보기 위한 것입니다. 시상은 다음 회의 때 할 것입니다. 인간의 행동특성을 고려하여 여러분의 팀을 격려하는 데 도움이 되도록 약간의 인센티브를 제공하고자 합니다. 누군가에게 바보 같은 일을 시키는 것이 아니고, 바로 제가 재미있는 역할을 해보겠습니다. 동시 연결이 650개가 넘으면, 저와 대단한 강아지인 사치가 수영을 합니다. 겨울철 수온이 0도에서 5도인 밴쿠버 진흙 바닷가에서 800미터 수영을 하는 겁니다. 저를 수영하게 해 줄 그룹에게 도전을 요청합니다.

세 번째 이메일
저는 어제 공습작전에 참여해주신 결과를 보고 깜짝 놀랐습니다. 1,400개의 동시 연결은 우리 모두가 자랑스러워할 만한 엄청난 결과입니다. 여러분은 진정한

SoftCo 정신으로 이번 도전에 대한 기대에 부응했고, 이제 드디어 사치와 제가 수영을 해야 할 시간이 온 것 같네요. SoftCo를 특별한 직장으로 만드는 요소인 유연성과 투지를 잃지 않으면서도, 우리가 소프트웨어 기업의 장점을 키웠다는 것을 발견하게 되어 정말 기쁩니다.

그리고 나서 알리는 사람들과 그룹이 이룬 대단한 일들을 상세히 설명했다. 알리는 사람들이(하지 않은 일이 아니라) 가장 잘 한 일에 초점을 맞추고, 그것을 더 요구함으로써 만난 적도 없는 사람들을 파트너십 정신

에 참여시킬 수 있었다. 그는 파트너십을 저해하는 권력이나 다른 책략에 의존하지 않으면서 파트너십을 추구했고, 결국은 그것을 찾아냈다. 부채질하기는 당신이 원하는 것을 더 얻는데 걸림돌처럼 보이는 것들에 대응하면서도 동시에 긍정적인 파트너십을 구축하는 방법을 찾을 수 있게 해주는 것이다. 내가 보아왔던 가장 좋은 부채질하기의 사례는 몇 십년 전, 제조 과정에 품질관리 서클을 도입하려 하던 때 일어났다.

일본식 품질관리 방법에 관심이 있었던 젊은 품질부서장인 제니스는 품질관리 서클 도입을 지원하는 특별한 임무를 받았다. 당시는 직원들이 근무시간에 모여서 각자 분야에서 문제를 찾아서 해결한다는 품질관리 서클은 매우 새로운 개념이었다. 타고난 클리어 리더였던 제니스는 강점을 토대로 일을 하기로 결심했다. 그래서 스킬을 잘 갖추고 있는 무역부문에서부터 시작하기로 했다. 그곳의 직원들은 일을 주도하고 문제를 해결하는 데 익숙해 있었다. 그녀는 자신의 아이디어를 지지하는 두 명의 매니저를 찾아내, 회사에서 지원을 받아가면서 두 개의 품질관리 서클 활동을 시작했다.

한 달 정도 지난 뒤에 그녀는 매니저들로부터 총책임자인 롭이 품질관리 서클 활동에 전혀 호의적이지 않다는 말을 들었다. 롭은 근무시간에 직원들이 모여서 매니저들이 해야 할 일을 하는 것이 좋은 생각이라고 보지 않았다. 그는 직원들이 회의에서 빈둥거리거나 매니저들이 받아들이기 힘든 요구를 할거라고 생각했다. 뿐만 아니라 품질관리 서클 활동에 참가하지 않는 다른 직원들도 이 사람들이 활동에 참여하는 시간만큼 업무에서 빼달라고 요구할 것이기 때문에 효율이 떨어지게 될 것을 걱정했다. 그를 설득하려 했던 제니스의 노력은 아무런 효과가 없었다. 매니저들이 품질관리 서클 활동에 전념하고 있었기 때문에 롭은 아직까지는 아무런 조치를 취하고 있지 않지만, 언제든 그것을 중단시킬 것처럼 보였다.

제니스는 롭의 상사인 공장장인 짐이 품질관리 서클이 논의하고 있는 이슈를 알면 상당히 좋아할 것으로 생각했다. 그래서 서클이 다루고 있는 이슈들을 그때까지 진행한 회의의 회의록과 함께 짐에게 보여주었다. 그녀가 예상했던 대로 짐은 그가 본 것에 열광했다. 해당 이슈와 관련된 스킬을 갖추고 있는 팀원마다 그 팀에 문제를 일으키고 있던 이슈를 언급하고 있었는데, 그들이 제시한 해결안 가운데 어떤 것은 실제로 차별화할 수 있는 것이었다. 제니스는 짐에게 "저는 품질관리 서클이 하고 있는 일을 당신이 얼마나 좋아하는지 롭에게 말해주셨으면 합니다. 롭에게 지금처럼 계속 잘해 달라고 요청해 주시고요. 그런데 이것에 대해 저에게 들었다고는 말하지 말아 주십시오."라고 말했다. 짐은 정확히 그렇게 했고, 이후 롭은 품질관리 서클의 든든한 지원자가 되었다.

이 사례에서 전통적인 권력게임과 어떻게 다른지, 이슈를 다루기 위해 권한을 어떻게 사용하는지 눈여겨 볼 필요가 있다. 제니스는 품질관리 활동을 지원하는 공장장에게 보고하면서 롭이 자신의 아이디어를 지원해주도록 그에게 요청할 수도 있었을 것이다. 하지만 그런 방식은 롭을 적으로 만들고, 그녀가 다른 매니저들과 함께 업무를 하는데도 문제가 될 수 있다. 변화전략으로서의 증폭하기는 밀어부치는 방식이 초래하는 부정적인 효과를 만들지 않는다. 긍정발견 프로세스는 오히려 서로 연대하게 하고, 좋은 감정과 실제로 조직학습에 필요한 동지애를 형성하게 해준다.

환경과 상황에 따라 달라지는 부채질하기 전략은 오직 당신의 상상에 의해서만 제한된다. 이 전략을 조직학습 프로세스에 적용하면, 긍정발견 자아는 어떤 팀이나 조직에서도 명료성 문화를 조성할 수 있는 속도를 가속화시킬 수 있다. 대인관계 명료성을 높이고 대인관계 혼돈을 줄이는 역할을 해줄 행동을 추적해야 한다. 그것은 리더인 당신의 아이디어와 계획에 반대하는 표현도 환영한다는 것을 뜻한다. 즉 당신이 정한 목표를 달성하는 방법에 대해 구성원들이 다른 심상지도를 표현해도, 그것에 대해 칭찬하고, 그들이 관찰하고 생각하고 느끼고 원하는 것이 무엇인지 더 명확하게 표현하도록 요구하고, 그들 사이에 있는 혼돈을 없애주는 사람들에게 보상하고, '지금 여기' 현시점에서 탐색하는 것이 필요하다면 그렇게 할 수 있도록 공간을 열어 놓는 것 등이다. 흔히 하는 말로, 불이 난 상황에서 타임아웃을 외치려면 용기가 있어야 하고, 어떤 상황에서는 더 빨리 가기 위해 오히려 천천히 갈 수도 있어야 한다. 분명히 이것은 높은 수준의 자아분화를 요구한다. 당신은 그들이 경험하는 것을 알고 싶기는 하지만, 그들의 경험을 당신이 책임지지 않는다는 점을 그들에게 계속 말해주어야 한다. 당신은 그들이 원하는 것이 무엇인지 알고 싶어할 수 있지만, 그들이 원하는 것을 얻게 해 줄 책임은 지지 않는다. 당신이 원하는 것과 당신이 기꺼이 줄 수 있는 것은 바로 파트너십이다.

긍정발견 자아를 개발하기 위한 연습

연습 19: 감사 훈련으로 긍정성 발견 마인드셋 키우는 연습

긍정성 발견 마인드셋을 가지는 것은 어려운 일이다. 특히 인생이 그다지 순탄치 않을 때는 더욱 그렇다. 우리가 직면하는 모든 스트레스와 문제들 때문에 긍정에 대한 느낌을 상실하기 쉽다. 우울 역시 우리 자신과 타인이 가진 좋은 측면에 주의를 기울이기 어렵게 만든다. 긍정성 발견 마인드셋을 갖게 해주는 능력 중에서 가장 좋은 한 가지를 나는 '감사 훈련the gratitudes'이라고 부른다. 이것은 단순히 하루에 한 두 번씩 몇 분 동안 고마운 것에 대해서 이야기하는 시간을 갖는 것이다. 내 삶이 순탄하지 않았던 시절에 나는 이 방법을 생각해내서 톡톡히 도움을 받았다.

이 활동을 처음 시작했을 때는 15초 만에 감사해야 할 목록을 다 적었다. 하지만 이 활동에 할당했던 5분 동안 가만히 앉아서 다른 것에 대해서 생각해보려고 노력하고, 내가 고마워할 것들이 이렇게 적다는 것에 죄책감을 느끼기도 했다. 이렇게 반복적으로 적기 위해 애를 쓰다 보니 나보다 감사 목록이 훨씬 더 형편없는 사람들이 있다는 걸 발견하기 시작했다. 나는 적어도 내 삶이 그들의 삶보다 낫다는 점에 고마워할 수 있었다. 나는 천천히 내 자신이 고마워할 대상이 굉장히 많다는 것을 깨닫기 시작했고, 몇 달이 지난 어느 날, 혼자 웃으며 길을 걷고 있는 나를 알아차릴 때까지 이 활동은 계속해서 더 많은 고마움이 내 안에서 솟아나게 했다. 나는 고마운 것들에 대해 생각하면서 5분을 거뜬히 채울 수 있게 되었다. 이후로는 더 이상 감사 훈련을 할 필요가 없었다.

당신은 이 감사 훈련을 당신의 파트너와 함께 할 수도 있고, 혼자서 조용히 해 볼 수도 있다. 고마운 것들에 대해 생각해 보거나 일기를 써 볼 수도 있다. 이런 감사 훈련은 당신이 다른 사람에게 무엇을 더 원하는지에 대해 보다 쉽게 추적할 수 있게 해준다. 긍정적인 것을 발견하는 것이 어렵다면, 몇 주만이라도 이렇게 시도해볼 것을 강력히 추천한다.

감사 훈련의 또 다른 방법은 당신을 신경 쓰게 하는 어떤 사람이나 상황을 떠올려 보는 것이다. 그 사람이나 상황에서 당신을 괴롭히는 모든 것을 빠짐없이 열거해 보라. 이제는 그것들이 얼마나 더 악화될 수 있는지 목록을 만들어 보라. 준비가 되면, 당신의 학습 파트너에게 두 번째 목록에 대해 말하되, 각 문장을 "나는 …에 대해 고마워한다."라는 표현으로 시작하라. 목록에 있는 모든 것에 대해 이렇게 하는 것을 끝내면, 계속해서 "나는 …에 대해 고마워한다."라는 문장을 가지고 그 사람이나 상황에 대해 당신이 볼 수 있는 또 다른 긍정적인 점들에 대해 이야기해 보라. 당신의 학습파트너가 당신이 말하는 문장을 듣고 당신이 고마워해야 할 것이 떠오르면, 당신에게 그것을 제안해달라고 요청하라.

연습 20: 3단계 프로세스

당신이 긍정성 발견 마인드셋을 개발할 수 있는 또 다른 활동은, 당신이 원하는 만큼 잘 작동되지 않는 관계를 파악해서 아래 프로세스대로 실행해 보는 것이다.

결핍 마인드셋에서 긍정성 발견 마인드셋으로 바꾸기		
	결핍 마인드셋	긍정성 발견 마인드셋
Step 1	당신이 좋아하지 않는 것은 무엇인가?	당신이 좋아하는 것은 무엇인가?
Step 2	당신은 어떻게 이것을 해결해야 할 문제로 생각하고 있는가?	당신은 무엇을 더 원하는가?
Step 3	당신의 행동 중에서 문제 패턴을 지속시키는 행동에는 어떤 것이 있는가?	어떻게 하면 당신이 자신의 경험에 대해 책임을 질 수 있는가?

당신의 학습 파트너를 공명판(공명판은 현악기의 바로 아래에 있는 얇은 나무판으로, 현이 내는 모든 음역에 걸친 배음에 공명해서 고른 음의 느낌을 풍부하게 느낄 수있도록 고안된 나무판을 말함 – 네이버 지식백과)으로 활용하여 대화를 하되, 특히 문제 패턴을 유지하기 위해 당신이 하고 있는 행동에 대해 이야기하라.

연습 21: 긍정적인 의도에 맞춤

당신이 부정적으로 판단하고 있는 사람을 떠올려 보고, 당신을 화나게 한 그 사람의 행동을 적어보라. 각각의 행동 아래에는 그의 행동을 설명하기 위해 당신이 지어낸 이야기를 적는다 : 당신을 화나게 했던 행동 뒤에 있는 그가 생각하고, 느끼고, 또는 원하는 것들에 대한 당신의 생각을 적는다. 이제 그의 행동에서 일리가 있어 보이는 점에 대해서는 다르게 표현해보도록 하라. 당신이나 합리적인 사람들은 그런 방식으로 행동할거라고 상상하면서 적어보라. 다음 번에도 그 사람이 이런 방식으로 행동하면, 당신이 열거한 가정을 바탕으로 그 사람과 대화한 후에 어떤 일이 일어나는지 지켜보라.

연습 22: 추적하기와 부채질하기

추적하기와 부채질하기는 함께 이루어지기 때문에, 이 두가지가 서로 다른 역량이긴 해도 실제로는 함께 연습해야 한다. 이를 위해서, 먼저 집에서나 직장에서 누군가에게 더 원하는 행동들을 생각해 보라. 여기서 중요한 것은, 실제로는 당신이 덜 원하면서도 마치 더 원하는 것처럼 하면 안된다는 점이다. 당신이 더 많이 보려 할 때, 당신이 보게 될 것이 정확히 무엇인지 파트너와 함께 확인하라. 위험이 적은 인물을 택해야 이 훈련이 실패하더라도 피해를 최소화할 수 있다.

그 다음에는 단순히 행동을 지켜보라. 당신이 더 원하는 요소를 보면, 그것에 주목하고, 긍정적인 경험을 서술한 후, 더 많이 요구하라. 만일 격려하지 않고는 그 행동을 다시 볼 수 없을 거라는 생각이 들면 당신이 상대에게 더 원하는 것을 말해 주고, 그것을 확인하는 즉시 열심히 부채질하라. 예를 들어, 내 학생 중 한 명은 그의 어머니가 사위와 며느리들과 더 잘 지내기를 원했다. 그러려면 가족과의 저녁식사 자리에서 어머니가 더 적게 말하고 더 많이 들을 필요가 있다고 생각했다. 그는 어머니가 사위나 며느리들과 어떻게 지내는 것이 좋은지에 대해 대화를 시작했는데, 이때 어머니도 좋은 관계를 원하고 있다는 긍정발견 마인드셋을 적용해보았다고 한다. 대화 중에 어머니 자신도 진정으로 관계 개선을 원하지만, 어떻게 해야 할지 방법을 모르고 있다는 점을 발견했다. 그는 자신이 원하는 것을 어머니께 요청했다. 즉, 다음 번 가족 식사 자리에서는 더 적게 말하고, 더 많이 경청하고, 다른 사람에게 관심을 가지고 질문을 해보라고 부탁했다. 그의 어머니는 다음 번 저녁 식사 때 정말로 그렇게 했고, 그는 옆에서 부채질을 했다. 그 이후 어떻게 되었는지는 여러분이 충분히 짐작할 수 있을 것이다.

당신의 파트너와 어떤 변화가 일어나는지에 대해 주기적으로 살펴보라. 파트너와 함께 부채질하기 너머에 있는 메타 전략에 대해서도 한번 생각해보라.

연습 23: 자질에 대해 추적하기

당신이 더 많이 원하는 것이 자질이나 태도라면 추적하는 것이 훨씬 까다롭다. 그래서 그 사람의 행동 이면을 봐야 한다. 현명하고 동정심이 있는 사람이고 싶어했던 "국가의 아버지"와 에릭의 이야기를 기억해보라. 이들은 추적하기가 가장 어려운 상황들의 예시라 할 수 있다. 당신은 자신이 원하는 자질이 당신이 보고 있는 행동 이면에 실제로 존재하고 있다고 가정해야 한다.

만일 자질을 추적하는 일이 어렵다면, 당신이 일반적으로 사람들에게서 더 많이 보기를 원하는 한 가지 자질(예컨대, 관대함이나 사려 깊음 등)을 선택해서 시작해보라. 직장이나 모든 상호교류에서 비록 아주 조금이라 하더라도 당신과 관계된 모든 사람들이 그 자질을 가지고 있다고 가정해보라. 이 자질이 다른 사람들의 행동에서 드러날 때마다, 그것에 주목하는 연습을 하라. 그것을 부채질하는 것에 대해 걱정하지 말고, 계속 주의를 기울여라. 당신이 추적하는 것을 잊고 있다는 것을 깨달으면, 다시 추적하기를 시작하라. 추적하는 걸 잊어버리기 전에, 얼마나 오래 그 자질을 추적할 수 있는지 확인해보라. 매일매일, 중간에 집중력이 흐트러지지 않고 몇 시간씩 지속할 수 있기까지는 추적하기에 쏟는 시간을 늘리려고 노력하라. 당신이 찾으려는 그 자질을 대부분의 사람에게서 볼 수 있게 되면, 파트너와 함께 당신이 다른 사람과 상호교류 할 때 어떤 차이를 발견하게 되었는지 점검하라.

요약

파트너십과 조직학습은 리더들이 사람들과 프로세스에 내재된 강점과 역량에 주의를 기울이는 긍정성 발견 마인드셋을 가지고 활동할 때 훨씬 쉬워진다. 리더들이 성장을 원하는 잠재역량을 가진 사람들을 볼 때, 그들이 더 원하는 것을 추적하고 부채질 할 때, 사람들과 프로세스 안에 있는 강점과 역량에 주의를 기울이는 긍정성 발견 마인드셋으로 조직을 운영할 때 파트너십과 조직 학습이 가능해진다. 이것은 명료성 문화를 조성하기 위한 필수 조건이다.

'긍정발견 자아'가 되려면 긍정발견 마인드셋을 가지고 있어야 한다. 모든 사람에게서 보통사람들이 가지고 있는 인간적인 미덕과 함께, 이상하고 악의적인 행동으로 보이는 것들 이면에 숨겨진 긍정적인 의도에 주의를 기울일 수 있어야 한다. 긍정성 발견 마인드셋은 당신의 믿음이 당신이 살고 있는 세계에 영향을 미치고, 당신이 주목하는 것이 무엇이든 그것으로부터 더 많이 얻을 수 있다고 말해주는 지도를 필요로 한다. '긍정발견 자아'는 우리 안에 있는 최상의 측면, 즉 우리가 직장 생활에서 가치 있게 여기고, 소망하고, 바라는 것에 주의를 기울이고 알아차리는 것에 관한 것이다. 긍정성 발견 마인드셋은 우리가 덜 바라는 것이 무엇인지 확인하고, 그것을 고치는 것에 초점을 두는 것이 아니라, 우리가 원하는 것을 추적하고 부채질하는 데 초점을 두고 있다.

당신은 기본적으로, 모든 사람들은 그들 삶의 영웅이며, 악의적이고 불완전하고 무감각한 행동이라고 여겨지는 것들의 이면에는 합리적인 이유가 있을 거라는 가정을 바탕으로 그 사람들이 가진 긍정적인 의도에 자신을 맞춘다. 당신이 다른 사람을 믿어준다면, 당신은 절대로 틀리지 않을 것이다.

리더십의 도구로서 긍정발견 프로세스가 가진 좋은 점 중 하나는, 권한의 수준과 무관하게 누구나 활용할 수 있다는 점이다. 당신은 이 장의 많은 사례에서 긍정발견 프로세스를 사용하는 사람들이 추적하고 부채질하는 대상을 압도하는 권한을 가지고 있지 않다는 점을 눈치챘을 것이다. 다른 이들에게 영향을 미치기 위해 누구나 이 방식을 사용할 수 있지만, 다른 경우에서 처럼 권력은 이것이 줄 수 있는 것을 증폭시킬 수 있다. 매니저라면 긍정발견 프로세스를 활용하여 여러 사람들에게 영향을 미칠 수 있을 것이다(자신보다 더 큰 권한을 가진 사람들을 포함해서). CEO는 조직 전체에 영향을 미칠 수 있다.

추적하기는 이미 존재하는 것에서 당신이 무엇을 더 원하는지를 파악하는 과정을 포함한다. 당신이 알지 못하는 어떤 것을 부채질할 수는 없다. 때때로 당신이 원하는 긍정적인 능력이나 자질이 이미 존재하고 있다고 믿으려면, 무조건 믿어보는 맹신이 필요하다. 추적하기를 하려면 당신이 부채질을 시작할 곳을 알려줄 미세한 단서와 사소한 사건을 알아볼 수 있어야 한다. 추적하기는 긍정적인 노력, 스킬, 상상, 사람들이 매일의 업무에 쏟는 동기를 당연한 것으로 여기지 않는다는 것을 뜻한다. 만일 파트너십이 활발한 문화를 만들고 싶다면, 당신은 구성원들이 그들 경험의 진실을 말하고, 혼돈을 제거하고, 집단 경험을 통해서 배우려는 그들의 의지를 추적해야 한다.

부채질하기는 긍정적인 잠재력이라는 작은 불씨를 활활 타는 큰 불로 전환시키는 과정이다. 단순히 어떤 것에 관심을 기울이는 행동만으로도 당신은 더 많은 것을 얻을 수 있지만, 숙련되게 칭찬을 하면 당신의 노력이 증폭되는 방향으로 더 멀리까지 갈 수 있다. 단, 칭찬할 때는 관계에서 도를 넘는 일이 없도록 해야 한다. 칭찬은 판단이고, 오직 상대가 당신이 그런 판단을 표현할 권리를 갖고 있다고 인식할 때 비로소 긍정적으로 수용된다. 판단보다는 당신의 긍정 경험을 서술해주면, 다른 사람들을 훨씬 안전하게 부채질할 수 있다. 고도로 능숙한 '긍정발견 자아'는 학습과 성취를 저해하는 장애요소를 극복하기 위해 부채질하기를 사용하며, 업무수행 과정에서 적이 아닌, 파트너를 만들어 낸다.

9

심층 학습대화

지금까지 내가 설명했던 각각의 스킬셋에는 나름의 용도가 있다. '인식한다'는 것은 당신이 어떤 것을 말하고 실천하는 데 있어서 보다 폭넓은 선택을 할 수 있도록 도와준다. '서술적이 된다'는 것은 사람들이 당신에 관해 만들어 내는 부정확한 이야기의 발생을 줄여준다. '호기심을 가진다'는 것은 다른 사람들은 왜 그렇게 행동하는지 당신이 이해할 수 있게 해 준다. '다른 사람에게서 긍정성을 발견한다'는 것은 당신이 원하는 것을 더 많이 얻게 도와준다. 이들 각각은 유용하다. 하지만 성공적인 파트너십을 만드는 데 있어서 이러한 스킬이 조직 학습대화와 결합되지 않으면 큰 효과를 발휘할 수 없다. 2장에서는 학습대화의 몇 가지 예시를 가지고 그것의 목적에 대해 설명했었다. 본 장에서는, 학습대화의 과정, 운영 방식, 장애요소 및 극복 방법에 대해 더 깊이 있게 다루려 한다.

학습대화 vs 성과관리

매니저들에게 클리어 리더십을 가르칠 때마다 언제나 학습대화와 성과관리 대화의 차이점에 대한 질문이 나온다. 학습대화는 당신이 뭔가를 잘못하고 있어서 그 점을 개선 하는데 필요한 것을 당신이 배울 수 있도록 내가 도와주기 위해 대화하는 것을 말하는 것이 아니다. 그런 대화는 성과관리를 위한 대화이다. 당신의 팀원들 중에서 성과가 기대에 미치지 못하는 사람들과 성과관리 대화를 갖는 것은 중요하다. 성과관리 대화를 하는 동안 학습이 일어나야 할 필요가 있을 때도 있다. 매니저로서 성과관리 대화를 하면서 제일 먼저 알아야 할 것은(이것을 파악하려면 한 번 이상 대화를 해야 한다.), 그 사람에게서 성과부족에 대한 이유를 파악해야 한다는 것이다. 그것은 대부분 다음 4가지 가운데 하나이다.

- 자신에게 기대되는 사항을 알지 못하는 경우. 이것은 목표나 역할의 명료성에 대한 문제이다.
- 자신에게 기대되는 사항을 어떻게 처리해야 할지 모르는 경우. 이것은 역량이나 지식의 문제이다.
- 자신에게 기대되는 것을 하고 싶지 않은 경우. 이것은 동기유발의 문제이다.
- 자신에게 기대되는 것을 하기 위한 정보, 도구, 자원이 없는 경우. 이것은 인프라(기반 시설)의 문제이다.

순서대로 이 문제들을 살펴보자. 첫째, 무엇이 기대되고 있는지 모르는 경우라면, 결과를 어떻게 만들어 낼 수 있겠는가? 그리고 자신이 알지도 못하는 지점에 어떻게 도달할 수 있겠는가? 기대사항은 당신이 학습대화에서 다뤄야 할 것들이다. 둘째, 구성원들이 업무를 수행하는 데 필요한 스킬이나 지식을 가지고 있지 않다면, 나머지는 고려할 가치도 없다. 이런 사람들이 성과를 제대로 내게 하기 위해 당신이 기꺼이 시도해 볼 수 있는 건 무엇일까? 그들에게 더 적합한 일자리를 찾아주고, 역량을 가진 다른 사람을 찾아보는 것이 더 낫지 않을까? 셋째, 당신에게 동기유발 문제가 있다면, 이것은 전혀 다른 문제다. 예를 들어, 더 많은 성과급을 지급하여 구성원들의 동기수준을 높이기 위한 노력을 해볼 수 있다. 그러나 당신이 기대하는 성과의 종류와 성과부족 결과에 대해 명확하게 할 필요가 있다. 당신이 기꺼이 그런 결과가 일어날 수 있게 할 수 있는지, 그리고 그것이 가능한 일인지 확인을 해야 한다. 그렇게 하지 않으면 당신의 신뢰와 권위는 바닥으로 떨어질 것이다. 네 번째 문제의 경우, 사람들이 충분한 정보, 도구, 시간 또는 예산을 충분히 가지고 있다고 느끼는 조직이 거의 없기 때문에, 실제로 어떤 제약이 있는지 이해하고, 다른 사람들이 가진 인식에 어떻게 반응할지 스스로 결정하는 것이 중요하다.

성과관리 이슈를 다루기 위한 목적으로 학습대화에 들어가지는 말아야 한다. 혼돈에서 탈피하고, 대인관계 명료성을 만들어내기 위해 학습대화를 해야 한다. 때로는 당신의 상호 작용 패턴에서 어떤 일이 일어나고 있는지 확실히 이해하기 위해, 성과관리 대화를 하기 전에 학습대화가 필요하다고 결정할 수도 있다. 또는 성과관리 대화 이후에 학습대화가 필요하다는 결정을 내릴 수도 있다. 그러나 성과관리 대화가 오직 당신이 책임지고 있는 성과와 관련된 직원들과 이뤄지는 반면, 학습대화는 당신이 파트너십을 형성하고 싶거나 파트너십이 필요한 그 어떤 사람과도 시도할 수 있다. 일반적으로는 상호교류가 만족스럽지 않을 때 학습대화를 요청하게 되는데, 어쩌면 당신은 그 상호교류가 비생산적이라고 생각했거나, 상호교류를 하는 도중이나 끝난 후에 뭔가가 편안하게 느껴지지 않아서 학습대화가 필요하다고 생각할 수 있다. 혹은 어떤 사람이 한 말을 듣고 그 사람의 머릿속에서 일어나고 있는 것에 관해 당신이 부정적인 이야기를 지어낼 때나 어떤 사람의 말과 행동이 다른 것처럼 보일 때도 학습대화를 할 수 있다. 당신이 생각하기에 어떤 사람이 프로젝트의 성공에 해가 되는 일을 하고 있거나, 상대가 화가 나 보이는데 정작 당신은 그 이유를 모를 때도 학습대화를 할 수 있다. 학습대화는 혼돈상황을 뚫고 나가서 파트십을 본 궤도에 올려놓을 수 있게 해준다.

아마도 당신에게는 상대방이 왜 문제인지를 설명할 수 있는 당신만의 이야기가 있겠지만, 학습대화를 성공적으로 하려면 그 이야기가 단지 당신이 가진 이야기일 뿐이고, 상대방이 가지고 있는 이야기는 다를 수 있다는 가능성에 마음을 열어둘 필요가 있다. 학습대화에 참여하기 위한 올바른 태도는 탐구 정신이다. 지금 나는 이 경험을 어떻게 만들어내고 있는가? 문제가 되고 있는 이 패턴에서 내가 야기시킨 부분은 무엇인가? 당신이 이러한 태도를 가진다면, 대부분의 사람들이 말하기를 피하고 싶어 하는 문제들, 즉 관계를 무너뜨리는 것들에 대해 편안하게 이야기를 진행할 수 있을 것이다. 학습대화는 상황을 악화시키지 않고 순탄하게 만들어 준다.

학습대화 프로세스

학습대화를 할 때 한 명은 자신이 경험한 것에 대해 대해 서술한다. 이때 경험큐브를 사용하면 자신이 관찰하고 생각하는 것, 심상지도, 느낌과 감정, 그리고 원하는 것과 목표, 열망하는 것 뿐만 아니라 자신이 만들어낸 이야기까지 서술하는데 도움이 된다. 상대가 되는 사람은 그 사람의 경험이 자신에게 명확해질 때까지 호기심을 유지한다. 경험큐브를 사용하여 자신이 발견한 것을 추적해 나가며, 아직 알지 못하고 있는 것이 무엇인지 파악한다. 필요한 경우에는 질문을 통해 상대의 경험을 더 깊이 이해할 수 있다. 또한 경험을 말해주는 상대방이 자신의 경험에 대한 인식을 탐구하고 심화시킬 수 있게 도와준다. 상대가 어느 정도 이야기를 하고 나면, 다음 단계로 넘어가기 전에 그가 이야기한 것을 요약하여 다시 말해줌으로써, 자신이 상대의 경험을 충분히 이해했다는 것을 보여준다. 그 후 상대는 당신이 잘 이해했다고 말해 줄 수 있도록 한다. 여기까지 끝낸 후에는, 서로의 역할을 바꿔서 진행한다. 완전히 명확해질 때까지 다음 표에 있는 것처럼 서로 질문을 주고받는 것을 계속한다.

조직 학습대화 프로세스		
단계	대화 주도자	대화 상대
1	학습대화를 통해 당신 스스로 자신에 대해 배우려는 의지가 있는지 확인한다. 상대가 '지금 여기' 현시점에서 당신과 이 이슈를 탐구할 의지가 있는지 확인한다. 상대에게 학습대화를 하겠는지 물어본다.	당신 자신과 대화 주도자, 그리고 두 사람의 관계에 대해 학습할 준비가 되어있다는 것을 진심으로 밝힌다. 필요하다면 서로가 가능한 일정과 장소를 다시 잡도록 한다.

2	경험큐브를 사용해서 문제 패턴에 대한 당신의 경험을 서술한다. 지금 당신이 원하는 것이 무엇인지 상대에게 말해준다. 상대가 당신을 이해하고 있는지 확인한다. 당신이 충분히 말을 했다는 느낌이 들면, '지금 여기' 현시점에서 당신이 경험하고 있는 것을 서술한다.	대화주도자가 경험한 것과 그의 심상지도에 대해 적극적으로 경청하면서 명료성을 추구한다. 경험큐브를 경청 가이드로 사용하면서 대화주도자가 자신의 경험을 더 깊이 인식하도록 도와준다. 당신이 대화주도자를 충분히 이해했다는 생각이 들면 대화주도자가 다 말했는지 확인하고, 그가 당신이 충분히 이해했다고 느낄 때까지 그 사람이 서술한 그의 경험을 요약해서 말해준다.
3	대화상대의 경험과 심상지도에 대해 적극적으로 경청하면서 명료성을 추구한다. 경험큐브를 경청 가이드로 사용하면서 상대방이 자신의 경험을 더 깊이 인식하도록 도와준다. 당신이 상대방을 충분히 이해했다는 생각이 들면, 상대방이 다 말했는지 확인하고, 그가 당신이 충분히 이해했다고 느낄 때까지 그 사람이 서술한 그의 경험을 요약해서 말해준다.	당신의 '지금 여기' 현시점에서의 경험을 서술하고 방금 들은 것이 당신에게 미친 영향에 대해 서술한다. 경험큐브를 사용하여 문제 패턴에 대한 당신의 경험을 서술하고, 당신이 방금 들은 것에 대해 반응해준다. 당신에 대한 대화주도자의 경험이 사실인 부분은 인정해준다. 대화주도자가 당신을 이해하는지 확실하게 확인한다. 당신이 충분히 말을 했다는 느낌을 들면, '지금 여기' 현시점에서 당신이 경험하고 있는 것을 서술한다.
4	당신의 '지금 여기' 현시점에서의 경험을 서술하고, 방금 들은 것이 당신에게 미친 영향에 대해 서술한다. 경험큐브를 사용하여 문제 패턴에 대한 당신의 경험을 서술하고, 당신이 방금 들은 것에 대해 반응한다. 당신에 대한 상대방의 경험 중 사실인 부분은 인정한다. 상대가 당신을 이해하는지 확실하게 확인한다. 당신이	대화주도자의 경험과 심상지도에 대해 적극적으로 경청하면서 명료성을 추구한다. 경험큐브를 경청 가이드로 사용하면서 대화주도자가 자신의 경험을 더 깊이 인식하도록 도와준다. 당신이 대화주도자를 충분히 이해했다는 생각이 들면, 대화주도자가 다 말했는지 확인하고, 그가 당신이 충분히 이해했다고 느낄 때까지

	충분히 말을 했다는 느낌이 들면, '지금 여기' 현시점에서 당신이 경험하고 있는 것을 서술한다.	그 사람이 서술한 그의 경험을 요약해서 말해준다.
5	상대의 생각, 감정, 욕구, 그리고 관련된 지도에 대해 명확히 이해할 때까지 이 대화를 계속한다.	
6	문제 패턴에서 당신이 야기한 부분에 대해 알게 된 것을 서술한다.	
7	당신이 앞으로 무엇을 다르게 시도할지 서술한다. 어떻게 할지 모르면 문제해결로 들어간다.	

성공적인 학습대화를 마무리할 때 쯤에는 두 사람 모두 문제패턴에 있어 그들 자신이 관련된 부분이 무엇인지를 서술할 수 있다. 앞서 말했듯이, 80%는 학습대화 그 자체만으로도 문제를 제거할 수 있다. 그렇다면 나머지 20%는 어떻게 해야 할까? 사람들은 진짜 문제가 무엇인지 발견하게 되는데, 업무 관계에서는 대개 다음의 네 가지 가운데 하나가 문제가 된다.

- 목표에 동의하지 않았다. (이 파트너십의 목적 또는 목표가 무엇인지)
- 역할에 동의하지 않았다. (누가 무엇에 대하여 책임을 지는지)
- 절차에 동의하지 않았다. (목표를 어떻게 달성해나갈지)
- 자원 조달에 문제가 있다. (목표 달성에 필요한 정보, 도구, 시간, 또는 자금의 부족)

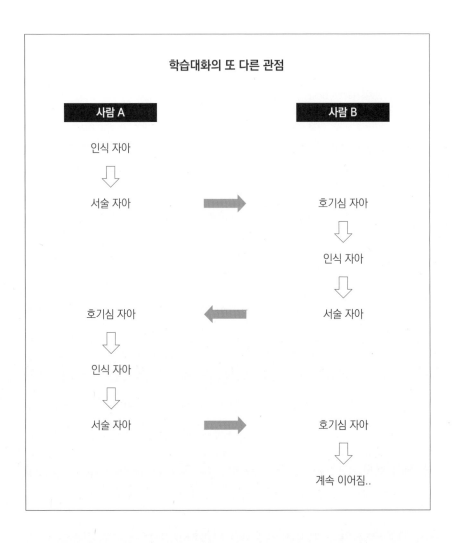

학습대화의 또 다른 관점

사람 A		사람 B
인식 자아		
⇩		
서술 자아	➡	호기심 자아
		⇩
		인식 자아
		⇩
호기심 자아	⬅	서술 자아
⇩		
인식 자아		
⇩		
서술 자아	➡	호기심 자아
		⇩
		계속 이어짐..

　　당신이 진짜 문제가 무엇인지를 알게 되면, 이를 해결하기 위해 전통적인 갈등관리와 문제해결 프로세스를 적용할 수 있다. 이러한 방법들은 무수히 많아서 분명히 도움이 되기는 하지만, 당신이 혼돈 속에 있는 한 그 어떤 것도 효과가 없다.

　　학습대화 과정을 보여주는 또 다른 방식은 다음 페이지 그림에서 확

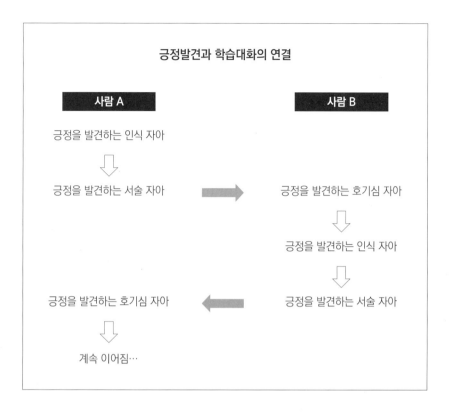

인할 수 있다. 인식 자아, 서술 자아, 호기심 자아 스킬을 순서대로 사용하고, 이 스킬셋을 앞뒤로 바꿔서 사용하다 보면, 해당 이슈에 대한 대인관계 명료성을 얻을 수 있다.

　이 책에서 설명한 모든 스킬과 프로세스에는 긍정발견 스킬이 가미될 수 있다. 긍정성 발견 마인드셋을 조직학습으로 가져오는 것은, 우리가 문제 패턴을 바꾸려고 노력할 때조차도 우리 자신, 다른 사람, 조직 안에서 최상의 모습을 보려는 것을 말한다. 7장에서 설명했듯이, 긍정성 발견 마인드셋과 가장 일치하는 상태인 연민compassion은, 우리 자신과 타인에 대해 수치심에 기반한 방어기제를 극복하고 주관적인 진실을 밝혀낼 수 있도록 도와준다. 인식 자아로서 긍정성 발견 마인드셋을 가지고 있으면, 자신의 부정적인 부분에 대해서도 도움을 받을 수 있다. 당신의 인간성을 포용하고, 완벽함의 부족을 인간 조건이 지닌 복잡성의 일부로 받아들인다면, 당신의 완전무결하지 못한 생각, 감정, 욕구를 이해할 수 있도록 당신 자신을 오픈

할 수 있게 된다. 그것들을 긍정적으로 서술하고, 긍정성 발견 마인드셋이 당신의 호기심을 이끌도록 하면, 다른 사람들이 그들 자신의 진실을 말하는 것이 훨씬 쉬워진다. 최소한 한 사람이라도 긍정발견 자아로서 활동하면, 훨씬 덜 위협적인 상황에서 학습대화를 할 수 있다. 위의 그림에서 보듯이, 조직 학습대화의 마스터들은 자신의 긍정발견 자아를 대화 과정에 사용한다.

　학습대화 프로세스는 문제가 되는 패턴을 조사하는 것과 마찬가지로, 고성과 패턴High Performance Pattern을 이해하는 데에도 적용할 수 있다. 우리가 업무 관계와 조직 내에서 최고의 상태를 이해하기 위해서 인식, 호기심 및 서술을 사용하면, 강력한 탐구방식인 긍정 탐구Appreciative Inquiry를 클리어 리더십과 함께 활용하여 개선으로 이어질 수 있는 선순환 구조로 연결할 수 있다. 긍정탐구는 사람들에게 업무와 조직에서 있었던 최고의 순간에 관한 이야기를 해 달라고 요청한다. 이런 이야기들은 대인관계 혼돈 속에 있는 모든 부정적인 이야기를 대체함으로써 조직의 내부 대화를 변화시킬 수 있다.

　긍정 탐구에 대해서는 나뿐만 아니라 여러 사람들이 이미 폭넓게 글을 써왔기 때문에 여기서는 그 영역을 다루지 않기로 한다.[1] 다만, 긍정

발견 자아로서 행동하는 사람들은 다른 사람의 경험에서 최고의 것을 탐구할 때, 무엇이 가능한지에 대한 관심을 조직 학습과정에 접목시킨다는 점만은 언급해 두고자 한다.

우리가 문제가 되는 패턴을 다룰 때라도, 긍정성 발견 마인드셋을 가지고 행동하는 사람들은 다른 사람들이 자신의 경험에 대한 진실을 더 깊이 있게 탐구할 수 있게 해준다. 대부분의 사람들은 대인관계 명료성에 다가가려면 적어도 처음에는 두려움이 따를 수 밖에 없는 행동이 필요하다는 것을 알고 있다. 이 장의 뒷부분에서 이에 관해 좀 더 설명하도록 하겠다. 핵심은 긍정발견 자아로 활동하는 매니저는 대인관계 명료성을 만들어내는 것을 덜 두려워한다는 점이다. 구성원들의 강점에 주의를 기울이는 상사는 협력과 집단적 경험에서 배울 수 있도록 친숙한 환경을 만들어준다. 이런 환경에서는 유능함에 대한 강박감과 수치심에 대한 두려움이 줄어든다. 그러나 리더가 긍정발견 자아에 진지하게 전념하지 않으면, 명료한 문화를 만들 수 없다.

학습대화 관리하기

학습대화는 시작과 종료 시점을 명확히 하면서 잘 관리되어야 한다. 대화의 프로세스가 공식적일지 비공식적일지는 파트너십의 강도, 즉 기존에 얼마나 신뢰가 있는지, 사람들이 얼마나 긴장감을 느끼고 있는지 등에 좌우된다. 서로를 신뢰하고 지속적으로 혼돈을 제거할 수 있는 파트너들 사이에서는 학습대화를 빠르게 진행할 수 있고 비공식적인 방식으로도 진행할 수 있다. 그러나 대인관계 혼돈을 함께 해결해 본 경험이 부족하거나, 이슈에 긴장감과 감정이 얽혀 있을 때, 또는 신뢰가 부족한 경우에는 보다 공식적이고 천천히 진행하는 것이 좋다. 학습대화를 성공적으로 진행하려면, 아래 3가지 요소가 필수적이다.

- 올바른 태도로 시작한다
- 각자의 경험을 충분히 탐구한다
- 각 단계를 넘어가기 전에 각자의 '지금 여기' 현시점의 경험을 서술한다

올바른 태도로 시작한다

올바른 태도를 가지면, 학습대화를 하는 목적이 문제 패턴을 만드는 과정에 당신이 관여된 부분을 배우는 데 있다는 것을 이해할 수 있다. 당신 자신이 문제 패턴을 만드는 시스템의 일부이기 때문에, 당신도 일정 부분 책임이 있다는 것을 믿을 필요가 있다. 학습대화는 탐문하는 과정이다. 우리는 다른 사람과 함께 무언가를 배울 수 있다. 그것은 문제를 해결하는 것이 아니고, 당신이 정말로 생각하는 것을 다른 사람에게 말해주는 것도 아니며, 당신이 원하는 것을 요구하는 것을 다루는 것도 아니다. 이 중에서 어떤 것도 일어날 수 있다. 그러나 그런 주제로 학습대화를 시작하면, 대화는 어디에도 이르지 못할 것이다. 문제 패턴에서 당신이 연관된 부분이 무엇인지를 알기 위해 학습대화를 한다고 생각하라. 그런 태도로 대화를 시작하는 사람들은 어떤 지점에 도달하게 해줄 수 있는 대화를 할 수 있다. 학습대화에서 서술 자아가 될 때 해야 할

것은, 자신이 경험하고 있는 것을 충분히 탐구하는 것이다. 열린 자세를 잘 유지하면 대화를 하기 전에는 인식하지 못했던 경험의 일부를 발견할 기회를 가질 수 있다. 호기심 자아일 때 해야 할 것은, 상대방이 어떤 경험을 하고 있는지를 충분히 탐구하는 것이다. 이 역할을 잘 하면 상대가 미처 인식하지 못했던 그들 경험의 측면들을 인식할 수 있다.

이 모든 역할을 잘 하려면 당신은 자신이 경험하고 있는 것으로부터 분화될 수 있어야 한다. 당신의 경험(관찰, 생각, 감정, 욕구)을 기꺼이 유지하면서도 냉정하게 바라볼 수 있어야 한다. 이것은 길을 가다가 우연히 관심을 끄는 것을 발견하게 되는 것과 같은 이치다. 길에서 발견한 것을 손에 쥐고 이리저리 돌려보며 다른 측면들이 없는지 살펴본다고 생각하면 된다. 아직 당신이 경험하고 있는 것이 파악되지 않은 상황이라면, 그 경험을 노출해서 탐색해보는 것은 전혀 위협적인 일이 아니다. 당신이 분명 경험하고 있지만, 그 경험이 당신 자신은 아니라는 점을 기억하라. 당신이 경험하는 것이 자신이라고 생각하지 않으면, 그 경험을 방어하거나 설명하거나 부끄러워할 필요가 없다. 그것은 그냥 그렇다는 것일 뿐이다. 당신의 경험을 판단하거나 고치려 하지 않는 사람들과 함께 학습대화를 하면 많은 도움이 된다. 그러나, 당신의 경험을 만드는 사람은 당신 자신이고, 그 경험을 어떻게 다룰지도 당신에게 달려 있다.

각자의 경험을 충분히 탐구한다

성공적인 학습대화에서는 상대방이 말한 경험에 대해 어떤 말을 하거나 바꾸려 시도하기 전에, 말한 그 사람의 경험을 충분히 탐색한다.

두 번째 사람은 방금 들은 첫번째 사람의 경험을 요약하여 자신이 이해한 것을 다시 말해줌으로써 충분히 이해했다는 것을 확실히 드러내줘야 한다. 그런데 상대방이 당신에 대해 완벽하지 못한 경험에 대해 이야기하는 것을 들어줄 때는 이렇게 하기가 어렵다. 학습대화를 할 때, 나는 몇 분 안에 상대방이 나에 대해 어떤 오해를 하고 있는지를 바로 알아차린다. 나는 "아, 내 말뜻은 그게 아닌데." 혹은 "아, 그건 그런 게 아니었는데."라는 생각이 머릿속으로 먼저 올라온다. 이럴 때는 상대방의 말을 잠시 멈추게 해서, 내가 진짜 의도했던 것을 설명하거나 실제 벌어진 일이 무엇인지 말해주고 싶은 충동이 자연스럽게 일어난다. 하지만 이런 행동은 학습대화를 멈추게 해서 학습에 별 도움이 되지 않는 그저 그런 대화로 흘러가게 한다. 이런 충동을 느낄 때 내가 해야 할 일은, 반응을 잠시 보류하고 상대에게 말하고 싶은 목록을 마음 속으로 만들어 보는 것이다. 어떤 반응을 하기 전에 상대의 경험을 더 많이 물어보고, 충분히 탐구해야 한다. 내 경험에 대한 진실을 상대에게 말하기 전에, 상대가 한 말을 내가 이해한대로 요약하여 다시 말해줌으로써, 내가 상대를 이해하고 있다는 것을 확실히 표현해야 한다. 이렇게 하고 나면 그때부터는 내가 경험한 것에 대해 상대방에게 말해 줄 차례이다. 이때 상대방은 내가 경험한 것이 자신이 경험한 것과 어떤 차이가 있는지에 대해 기꺼이 들어줄 수 있다.

각 단계를 넘어가기 전에 각자 '지금 여기' 현시점의 경험을 서술한다

관계가 얼마나 새로운지, 그 관계 안에 긴장이 얼마나 많은지에 따라 학습대화를 성공적으로 이끌 수 있는 또 하나의 방법을 시도해 볼 수 있다. 내가 나의 경험을 당신에게 말할 때 당신은 내 경험을 들어주는데, 이때 나는 내가 한 말이 당신에게 어떻게 전달되었는지에 대한 이야기를 지어내게 된다. 특히 우리 관계가 시작단계에 있거나 갈등을 겪고 있는 중이어서 내가 우리의 관계에 확신이 없을 때라면 더욱 그러하다. 심지어 이전의 혼돈을 없애려고 노력할 때조차 새로운 혼돈이 만들어지기도 한다. 이렇기 때문에 학습대화 중에 일어나는 의미형성을 줄여주면 학습대화에 큰 도움이 될 수 있다.

학습대화 중에는 대체적으로 과거에 대해 말하게 된다. 예컨대, 당신이 예전에 했던 일과 말했던 것, 또는 하지 않았던 일들과 말하지 않았던 것, 과거에 사람들에 대해 가졌던 생각, 감정, 욕구들, 그리고 지금 그것들이 끼치는 영향 등에 대한 것들 말이다. 당신이 방금 들은 것을 요약해서 다시 말하고 나면, 이때부터는 당신이 서술할 차례인데, 두 사람이 함께 경험큐브를 돌아보는 연습을 하면 큰 도움이 된다. 내가 경험한 문제 패턴에 대한 이야기를 마치고 나서, 당신이 내 이야기를 이해했다는 생각이 들면, 이어서 내가 현재 관찰하고, 생각하고, 느끼고, 원하는 것에 대해 서술하면 된다. 당신이 나로부터 들은 것에 대해 반응하기 전에 내 머리 속에 있던 목록을 사용해서 지금 시점에서 내가 경험하고 있는 것을 서술한다. 내 말이 끝나면 당신은 내가 방금 당신에게 말해 준 것에 대한 당신의 경험을 말하면 된다. 이런 단계를 통해 혼돈을 계속해서 제거해나갈 수 있다.

만약 학습대화에 대해 잘 모르는 사람이나, 스킬이 부족한 사람과 학습대화를 해야 할 경우라면, 학습대화 단계에 대해 그 사람이 이해할 수 있도록 잘 설명해줘야 한다. 상대가 서술할 순서가 되었을 때는 그 사람이 충분히 자신의 경험에 대해 탐구하고 서술하는 데 도움을 줄 수 있도록 당신은 질문을 해야 한다. 만약 상대방이 '당신'이라는 언어 You-language를 사용하면, 대화를 멈추고 그가 지칭하는 인물이 누구인지 물어보라. 그가 당신에게 판단하는 말을 하면, 어떤 경험 때문에 그렇게 판단하게 되었는지 물어보라. 상대가 호기심을 나타내야 할 차례라면, 상대에게 대답하지 말고 그냥 가만히 경청해달라고 요청하라. 중간에 말을 자주 멈추고 방금 당신으로부터 들은 것을 요약해보라고 요청하라. 당신의 경험에 대해 상대가 어떤 질문을 갖고 있는지 생각해 보게 하고, 그것에 대해 당신에게 물어보도록 요청하라. 당신이 편안하고 친근하게 학습대화에 임할수록 대화는 훨씬 쉽게 진행될 것이다. 편안하지 않다고 느끼면 느낄수록 이 장의 첫 번째 도표에 나와 있는 도구가 더 많이 필요할 수도 있는데, 두 사람 모두 이 프로세스대로 대화를 시도해보거나 코치 역할을 해 줄 제3자의 도움을 구할 수도 있다.

학습대화로 코칭하기

만일 당신이 팀, 부서 혹은 조직 안에 대인관계 명료성 문화를 만들고 싶은 매니저라면 직원들이 서로 학습대화를 할 수 있도록 코칭을 통해 도와줄 수 있다. 부서 내에서 성공적으로 업무를 수행하기 위해 명료성 문화가 필요하다고 믿는다면, 명료성이야 말로 다른 그 어떤 업무 행동 못지않게 필요한 조건이 된다. 하지만 방법을 잘 모르는 구성원에게 억지로 하라고 요구하는 것은 효과가 없기 때문에 그 직원을 당신이 직접 코칭하거나 코칭을 잘 해줄 수 있는 사람에게 필요한 도움을 받을 수 있도록 해주는 것이 좋다.

나는 클리어 리더십 과정을 듣는 매니저들에게 다른 사람들과 어려운 대화를 시도하기 전에 먼저 학습대화를 통해 그들을 코칭하도록 조언한다. 그 이유는 당신이 감정적으로 개입되어 있지 않는 한, 어떤 두 사람이 학습대화를 할 수 있도록 도와주는 것보다 더 학습대화 과정에 익숙해지고 편해질 수 있는 좋은 방법은 없기 때문이다. 만약 당신 부서에서 일하는 직원 두 사람이 서로 혼돈 상황에 처해 있어서 서로 협력할 수 없는 상태에 있다는 것을 알게 되었다면, 그 상황이야말로 당신이 학습대화 스킬을 연습해볼 수 있는 절호의 기회가 될 수 있다. 먼저 그들에게 학습대화의 성격과 목적을 설명하고 만날 시간과 장소를 정해서 만나면, 그들이 대화를 할 수 있도록 촉진하라. 학습대화 코치로서 당신이 해야 할 일은 대화의 기본 규칙을 소개하고 잘 지키도록 하는 것이다. 누가 서술 자아가 되고, 누가 호기심 자아가 될지를 정해준다. 서술하고 있는 사람이 대화를 멈출 순간과 상대편이 들은 내용에 대해 요약할 순간 역시 당신이 정해줘야 한다. 각자가 '지금 여기' 현시점에서 경험큐브를 따라가면서 말해야 하는 시점이 언제인지 주목하라. 그들이 긍정성 발견 마인드셋을 가질 수 있도록 도와주고, 상대방이 가지고 있는 긍정적 의도를 확인할 수 있게 해주라. 두 사람과 함께 공감하고, 그들이 경험해야 할 것이 무엇인지에 대해 상상해 보라. 하지 않은 말은 없는지 주의를 기울이면서 양쪽 모두가 서로에 대해 더 잘 알 수 있도록 도와줄 수 있는 질문을 하라.

클리어 리더십 책을 읽어보지 않았거나, 이 과정을 마치지 못한 사람과도 학습대화를 할 수는 있지만, 일반적으로 이런 종류의 대화를 전혀 모르는 사람과 대화를 시작하면 높은 효과를 기대하기는 어렵다. 그래서 당신이 먼저 해야 할 일은 학습대화의 이면에 존재하는 가정들, 이를 통해 당신이 이루고자 하는 것, 그리고 전반적인 프로세스를 알려주는 것이다. 직원들이 읽는 것을 개의치 않는다면, 이 책의 2장을 읽게 할 수도 있다. 만일 그들이 읽는 것을 원치 않는다면, 학습대화가 무엇인지 그들에게 설명해 주어야 한다. 다음 페이지에 학습대화를 할 때 고려해야 할 기본 사항들을 정리해둔 표를 참고해서 학습대화를 진행하면 도움이 될 것이다.

학습대화를 하기 전에 알아야 할 것

- 경험은 4가지 요소로 구성되어 있다. 관찰, 생각, 감정 그리고 욕구. 상호교류나 사건이 어떤 것이든, 각자의 경험은 모두 다르다.

- 우리는 삶 속에서 우리에게 중요한 사람들에 대해 의미형성을 하게 되어 있다. 우리가 그들 경험의 어떤 요소에 대해 정보를 갖고 있지 않을 때, 우리는 그 정보 부족을 메우기 위해 이야기를 만들어낸다. 부족한 정보를 당사자에게 물어보는 대신에, 우리는 그들의 경험에 대해 의미형성을 하기 위해 제 3자들과 이야기한다. 그 결과, 우리의 업무 관계는 대인관계 혼돈으로 채워지고, 우리가 하는 상호교류는 우리 스스로 지어냈지만 실제로 확인되지 않은 이야기들에 기초하게 된다.

- 대인관계 혼돈 상황에서 볼 수 있는 특징은 시간이 지나면서 현실보다 우리가 만들어 낸 이야기가 더 악화된다는 점이다. 그 결과, 대인관계 혼돈은 서로 협력할 수 있는 능력과 파트너십을 파괴한다. 직장 내에서 대부분의 갈등과 사람 문제는 이러한 혼돈상황이 만들어낸 결과이다. 건강한 파트너십을 유지하려면 혼돈을 없애고 대인관계 명료성을 확보할 필요가 있다. 대인관계 명료성을 통해 각자 자신이 무엇을 경험하고 있는지, 다른 사람들이 경험하는 것은 무엇인지, 그리고 서로의 경험들 사이의 차이점은 무엇인지 알게 된다.

- 학습대화는 대인관계 명료성을 확보하기 위한 프로세스이다. 학습대화에서는 각자가 돌아가며 한 번에 한 사람의 경험을 충분히 탐구하도록 한다. 한 사람이 자신이 무엇을 관찰하고, 생각하고, 느끼고, 원하는지 설명하면, 다른 사람은 듣고, 질문하고, 요약해줌으로써 자신이 들은 내용에 대해 다시 확인한다. 학습대화에 참여할 때는, 자신의 경험을 탐색할 순서가 올 때까지는 반응하거나 설명하지 않는 것이 필수적이다. 첫번째 말한 사람의 경험을 제대로 이해했다고 믿은 후에만, 첫번째 사람의 말을 들은 사람은 자신이 들은 것에 대해 반응을 보이면서 그 말에 대한 자신의 경험을 서술한다. 이때는 첫 번째 말한 사람은 반응하지 않도록 한다. 단지 질문만 하고 자신이 들은 것을 다시 요약해서 말해준다. 두 사람은 이런 과정을 서로가 완전히 명료해질 때까지 주고받는다.

학습대화를 하지 않으려는 사람에 대해서는 어떻게 해야 하는가?

지금까지 우리가 살펴본 내용을 고려해볼 때, 지금쯤은 "학습대화 프로세스는 상대방이 역량이 있고, 공평한 마음자세를 가지고 있으며, 적절하게 분화되어 있고, 합리적일 때 잘 진행될 것이다."고 생각할 수도 있다. 그러나, 당신의 상사나 당신을 힘들게 하는 핵심인물인 누군가와 학습대화를 한다면 어떨 것 같은가? 지금부터는 그런 경우에 학습대화를 어떻게 할 수 있을지에 대해 이야기해보자.

제일 먼저 질문해볼 수 있는 것은, "이 사람이 과연 당신과 파트너십을 맺고 싶어 하는가?"이다. 이 사람이 당신과 함께 진행하는 프로젝트의 성공이나 프로세스에 전념하면서 당신과의 관계를 유지하고 싶어 하는가? 만약 그런 생각이 들지 않는다면, 학습대화는 아무 소용이 없다. 하지만 이 사람이 파트너십을 원하지 않는다는 것이 진짜 사실인지 그에게 물어보았는가? 아니면 그저 당신이 혼자서 만들어낸 이야기는 아닌가? 그렇다면, 그 사람이 당신과 파트너십을 원하는지를 알아내려면 어떻게 해야 할까? 어쩌면 당신과 파트너십이 가능하다고 생각하지 않는 것은 당신이 아니라, 그 사람일지도 모른다. 만약 그 사람이 학습대화가 가능하다고 생각하면 상황은 달라질 수 있을까? 어쩌면 당신들은 경쟁하는 입장에서 일을 해왔을 수도 있다. 그렇지만 그 이면에는 실제로 서로를 보완해줄 수 있는 관심사항이 있을 수도 있다.

만일 당신이 파트너십이 필요한 어떤 사람과 갈등상황에 있다면, 하버드 협상 프로젝트Harvard Negotiation Project에서 개발한 관점과 테크닉들을 사용해보기 바란다.[2] 이것은 파트너십의 기초가 될 수 있는 공통의 관심사항을 발견하는 데 매우 유용하다. 당신이 목표를 공유해야 할 필요는 없지만, 파트너십을 유지하기 위해서는 공통 관심사항이나 서로를 보완해줄 수 있는 관심사는 공유해야 한다. 예를 들어, 당신이 나의 공급자라고 생각해보자. 우리는 아마도 공통의 목표를 가지고 있지는 않을 것이다. 당신은 최대한 높은 가격으로 판매하려 할 것이고, 나는 최대한 낮은 가격에 구매하려 할 것이다. 하지만 우리에게 공통의 관심사가 있는 한 파트너십은 얼마든지 만들 수 있다. 내가 당신의 경쟁업체로 공급선을 바꿀 가능성이 없도록 공급 단가를 유지하거나, 당신의 잠재고객들에게 내가 좋은 말을 해줄 만큼 당신의 제품과 서비스에 대해 나를 충분히 만족시켜 주는 것, 내가 정확히 필요한 것만 주문해서 공급받음으로써 당신은 돈을 아끼고 나는 인내심을 쓸 필요가 없게 되는 상황 등이다. 우리가 제일 먼저 해야 할 일은 파트너십의 근거를 마련하는 것이다. 즉 우리가 연관된 프로젝트나 프로세스의 성공에 대한 정의를 공유하는 것이다. 그리고 이 과정은 때로 재점검해야 할 필요가 있는데,

특히 파트너십이 정상 궤도에서 벗어나고 있다고 느낄 때 그러하다. 학습대화에서는 이러한 파트너십의 근거를 점검하고 재확인하는 일이 반드시 필요하다.

위계구조 안에 있는 상사와 다른 사람들

내가 매니저들을 상대로 클리어 리더십을 가르칠 때, 그 매니저들이 서술 자아의 대상 인물로 제일 먼저 떠올리는 사람은 그들의 상사인데, 대체로 그들은 그것은 좋은 생각이 아니라고 생각한다. 이러한 생각에 대한 나의 첫번째 반응은 학습자가 아닌 사람과는 학습대화를 할 수 없다는 것이다. 만일 당신의 상사가 자신이 듣고 싶지 않은 말을 직원들이 하는 것을 불안해하고, 자신이 다른 사람에게 미치는 영향에 대해 들을 때 편안하게 대응하지 못하는 사람이라면, 그 사람 주변에서 서술 자아가 되는 것은 그리 좋은 생각은 아닐 것이다. 권한은 대인관계 명료성에 장애가 된다. 권한에 대해 당신은 아무것도 할 수 없을지도 모른다. 그렇다고 해서 당신 주변에서 명료성 문화를 만들 수 없는 것은 아니다. 바로 이 지점이 당신이 초점을 맞춰야 할 지점이다. 즉 당신이 초점을 맞춰야 할 대상은 위계구조에서 당신 위에 있는 사람이 아니라, 당신 아래 있는 사람들이다. 권한이 장애요소가 되기 때문에 리더가 먼저 솔선수범해야 한다. 그래서 나는 그들에게 처음부터 상사와 함께 명료성을 만들 수 있는 방법을 걱정하지 말고, 동료와 부하 직원들과 어떻게 명료성을 만들 수 있을지에 집중하라고 당부한다.

그 후에 다시 상사의 문제로 돌아가면 된다. 클리어 리더십 과정을 거쳐 간 수천 명의 매니저들 중에는 그들과 함께 일하는 사람들과 명료한 문화나 효과적인 파트너십을 만들고 싶어하지 않았던 사람들은 소수에 불과했다. 하지만 그렇게 많은 사람들의 상사가 다른 사람들이라고 생각하는가? 그들이 자신의 상사에 대해 만들어낸 이야기들이 정확치 않았던 것일까? 과거에 그들이 자신의 상사에 대해 서술하려 했던 방식이 세련되지 못했던 것일까, 아니면 상사가 보여준 반응에 대해 그들이 지어낸 이야기가 부정확했던 것일까? 나는 기업에서 다양한 직급체계에 있던 매니저들과 작업을 해오면서 의미형성에서 다음과 같은 패턴을 발견할 수 있었다. 사람들이 위계구조의 위쪽을 볼 때에는 사람 자체 보다는 역할에 더 많은 관심을 두고, 위계구조 아래쪽을 볼 때는 역할보다는 사람 자체에 대해 초점을 두는 경향이 있다는 것이다.

사람들이 자신의 상사에 대해 떠올릴 때 그들의 경험은 상사의 역할에 대한 그들의 지도에 따라 만들어진다. 사람들은 역할 관계 측면에서 생각하는 경향이 있다. 상사가 자신의 삶에 영향력을 행사할 수 있기 때문에, 그들은 거기에 마치 무슨 위험이라도 도사리고 있는 것처럼 조심하게 된다. 그들은 스스로 "난 그저 중간매니저에 불과한데 부사장이 왜 나와 파트너십을 맺는데 관심을 가지겠어?"라고 말할 것이다. 상사와 함께 있을 때 우리가 하게 되는 경험은 권한에 대한 우리의 성향에 따라 형성된다(신뢰할 만한지 아닌지, 배려하는지 아닌지 등등). 많은 사람들이 상사 앞에서 서술적 대화를 두려워하는 이유는 실제 일어난 사건 때문이 아니다. 실제로는 상사가 어떤 생각을 하는지 잘 모름에도 불구하고 이전에 상사 때문에 가졌던 하나의 나쁜 경험 때문에 두려워하는 것이다. 이러한 경향은 직급 체계 위쪽으로 갈수록 더 두드러진다.

반면에 자신보다 낮은 위치에 있는 사람들에 대해서는, 상사만큼 자신들의 삶에 영향을 미치지 못하는 사람이라고 생각한다. 그래서 그들이 생각하고 말하는 것에 자연스럽게 주의를 기울이지 않게 된다. 부하직원들과 말할 때는 마치 자신의 동료 대하듯이 하기 때문에 그들에게 말하는 것이 미치는 영향을 깨닫지 못할 수 있다. 예를 들어, 그들이 어떤 것에 대해 불평을 했다면, 그것은 단순히 기분을 풀어낸 것 이상의 훨씬 더 큰 문제로 비화될 수 있다. 만일 상사가 어떤 것이 어떻게 바뀔 수 있는지에 대해 혼잣말을 한다면, 그것은 그저 한가한 백일몽을 능가하는 훨씬 더 큰 사안이 될 수도 있다. 기업의 위계구조 안에서 승진을 해온 사람들은 말하고 행동하는 것에 매우 신중해야 한다는 사실을 어렵게 터득해왔기 때문에, 눈사태로 변해버릴 수 있는 우를 범하지 않기 위해 혼돈의 눈덩이를 함부로 굴리는 일은 아예 시작하지 않는다. 그래서 이들은 눈에 띨 정도로 과묵해지고, 말과 제스처를 주의 깊게 선택하는데, 바로 이런 행동들 때문에 직원들 사이에서 더 큰 경계의식이 만들어진다. 그래서 임원들은 자기 머릿속에서 생각하고 있는 것을 서술적인 방식으로 대화하는 것을 배울 필요가 있다. 예컨대 여유롭게 사색하고 있을 때는, 아이디어를 떠올려보는 중이라고 알려 주거나, 무엇에 대해 불평을 할 때는, 기분을 풀어보려는 것이라고 사람들에게 말해 주도록 한다. 그리고 누군가 유쾌하지 않은 진실을 이야기할 때는 임원들은 특히 서술적이되고 긍정성을 발견하려는 태도를 가질 필요가 있다.

　　권한이 가진 모순과 제약을 이해하면 회사내 위계 구조에서 당신의 상사나 당신보다 직급이 높은 사람과의 파트너십을 발전시키는 데 도움이 된다. 배리 오쉬리Barry Oshry는 조직 내 여러 서열에서 발생할 수 있는 의미형성과 대인관계 혼돈의 패턴을 이해할 수 있는 유용한 방법을 개발했다.[3] 오쉬리에 따르면, 사람들은 의미형성을 마구잡이로 하지 않는다고 한다. 즉, 조직의 최상위 계층, 중간층, 아래 계층 및 고객들은 서로에 대해 의미형성을 하는 예측가능한 패턴을 가지고 있는데, 그러한 방식이 혼돈을 초래하고 파트너십을 망가뜨린다는 것이다. 따라서 이러한 패턴을 이해하면, 클리어 리더십 스킬을 사용하여 파트너십을 구축하는 데 더 큰 도움이 된다.

당신보다 권한이 더 높은 사람들과 파트너십을 구축할 때 중요한 것은, 당신이 그들과 목적을 공유한다는 점을 보여주고, 그것을 그들에게 간단명료하게 제시하는 것이다. 당신이 속한 조직에서 당신보다 직급이 낮은 사람을 생각해 보라. 그들 가운데 어떤 사람이 자신의 역할과 상관없이, 당신에게 와서 1분 정도의 짧은 대화로 당신이 지금 가장 고민하고 있는 이슈를 서술하면서, 당신의 목적을 달성하는 데 관심이 있다고 말했다고 가정해보자. 다음 몇 분 동안 그가 이 이슈를 해결하기 위해서 원하는 바를 서술하고, 당신으로부터 어떤 도움이 필요한지에 대해 설명하였다고 하자. 당신은 이 사람과 파트너십을 맺는 것에 관심이 생기지 않겠는가? 당연히 관심을 가질 것이다. 당신이 만일 이 같은 학습대화를 상사와 하게 되고, 성공 가능성을 높이는 행동을 취할 수 있다면, 당신의 상사가 당신과의 파트너십에 문제가 생겼을 때, 학습대화에 보다 열린 마음을 갖게 될 것이다. 혹시라도 상사가 그렇게 하지 않는다면, 그 사람은 대책 없이 융합되어 있거나 단절된 상태일 것이다.

동료들, 그리고 다른 사람들

당신에 대해 아무런 권한을 가지고 있지 않은 사람들과 파트너십을 만들고 싶을 때는 어떻게 해야 할까? 여전히 파트너십의 기반을 확립할 필요가 있지만, 그들과의 대화는 그다지 위협적으로 느껴지지 않을 것이다. 당신과 함께 일하는 사람들 가운데는 당신과의 파트너십에 관심이 없는 사람들이 있을 수 있다. 당신에게 경쟁심을 느껴서 그럴 수 있다. 아니면 그저 그들이 옹졸한 사람들이기 때문일 수도 있다. 만일 당신이 그들에게 당신이 지어낸 이야기를 확인하기 위해 시간을 보냈는데도 전혀 가능성이 없다고 결론을 내렸다면, 나의 충고는 '물러나라'는 것이다. 하지만 그들과 어울려 일을 할 수 있다면, 그렇게 하면 된다. 당신이 그들과 어울려 일할 수 없다면, 당신이 그들과의 관계를 헤쳐 나가기 위해 얼마나 분투할 의지가 있는지에 따라 활용할 전술을 결정해야 할 것이다. 이것은 당신의 가치판단에 달린 결정이다. 개인적으로는, 만일 최종 결과가 충분히 중요하고 달리 다른 방도가 없다면 비열한 전술이라도 지지할 수 밖에 없지만, 나라면 우선 다른 방법을 찾기 위해 열심히 노력해 볼 것이다. 이렇게 하는 것은 단지 이타적인 목적을 위해서가 아니다. 나처럼 당신도 우리가 하는 행동을 통해 몸담고 있는 조직을 함께 만든다는 사실을 믿는다면, 당신이 목표를 달성하기 위해 파워게임을 하고 조작하는 행동이 바로 파워게임과 조작이 판치는 세상을 만들게 된다는 사실을 알아야 한다. 이것은 단 한번으로 끝나는 거래가 아니다.

내가 가지고 있는 정직성을 희생시키지 않고 상대방에 대적하기 위해 내가 만든 지도는 다음과 같다: 내가 대적해야 할 상대들에게 내가 이루고 싶은 것이 무엇인지, 그들이 그것을 어떻게 방해하고 있는지, 방해하는 대신 그들이 해주기를 원하는 것은 무엇인지, 그리고 그들이 내가 요구하는 것을 하지 않는다면 내가 무엇을 준비해 두었는지를 말해준다. 이렇게 하면 적어도 내가 파워게임을 할 때는 그들에게 그리 놀랄 일도 아닐 것이고, 그들은 다르게 행동할 수 있는 기회를 가질 수 있을 것이다. 이렇게 하는 것이 강경한 태도이긴 하지만, 그렇게 함으로써 지금도 정직한 세상을 만들고 있다고 생각한다.

당신과 파트너가 되고 싶다고 말하고, 분명히 같은 목적을 공유하고 있지만, 학습대화가 통하지 않을 것이라고 당신이 확신하는 사람들은 어떻게 대해야 할까? 이럴 때 사람들은 학습대화가 잘 되지 않을 것이라고 생각하는 수많은 이유를 늘어놓지만, 그래도 그들은 결국 양극단을 가진 연속선 어딘가에 해당된다. 연속선의 한쪽 끝에는 당신이 그 사람의 행동에 문제가 있다고 우려를 표시했을 때, 화를 내고 방어적으로 나와서 대화를 계속하기 힘든 사람이 있다. 또 다른 끝에는 너무 불안해하고 미안한 감정을 표현해서 진짜 그의 경험이 무엇인지 파악하기 어려운 유형의 사람들이 있다. 7장에서 설명했듯이, 어떤 경우에는 당신이 이 사람들의 반응을 촉발할 수 있다. 그럴 때는 한 걸음 뒤로 물러서서, 반응을 초래한 원인을 약화시킬 수 있을지 한번 생각해보라. 당신이 상대방의 어떤 수치심 버튼을 눌렀던 것일까? 새로운 통찰을 얻을 수 있도록 그들이 현 상황을 직면하게 하려면, 같은 이슈를 다루면서도 그 이슈를 재구성할 수 있는 방법은 없을까? 그들은 수치심을 방어하기 위해 어떻게 하고 있는가? 다음 페이지에 정리한 도표에는 자신이 느끼는 수치심에 대해 스스로를 방어하기 위해 보이는 행동에 대응하는 방법과 그들을 학습대화에 참여시킬 수 있는 방법에 대한 아이디어를 소개하고 있다.[4] 수치심은 스스로에 대한 부정적인 판단 때문에 일어난다는 사실을 기억하라. 그들은 자신에 대한 부정적인 판단이 가져온 고통을 피하려 애쓰고 있기 때문에 그들의 반응을 진정시켜줄 수 있는 행동으로 대응해주면, 그들의 초점을 전환시켜 고통스러운 이미지로부터 벗어나게 할 수 있을 것이다.

당신이 누군가와 학습 대화를 하는 것이 어려울수록 학습대화 프로세스를 더 천천히 진행하고, 더 공식적으로 진행할 필요가 있다. 이런 상황에서 중립적인 퍼실리테이터나 학습대화를 안내할 수 있는 코치가 있다면 대화의 결과는 완전히 달라질 수 있다.

수치심을 방어하기 위해 보이는 행동에 대응하기	
수치심에 대한 반응	반응을 진정시키고 위험을 제거해줄 수 있는 대응 행동
위축 (withdrawal)	비판단적 초대: 상대의 실제 경험에 대해 진지하게 관심을 보이면서 판단하지 않겠다고 약속함.
완벽 (Perfection)	실패의 용인: 상대방과의 대화에서 그들이 누구이며, 얼마나 잘 했는지 판단하지 않고, 단지 서로의 관점 차이를 이해하기 위한 목적임을 명확히 밝힘.
경멸 (Contempt)	상대방의 가치 인정해 주기: 당신이 상대에 대해서 무엇을 가치 있게 보는지, 왜 상대와 파트너십을 맺고 싶어하는지를 설명해줌.
권력 (Power)	자발적 존경: 상대의 가치를 인정하는 것과 비슷하지만, 보다 더 경의를 표하는 입장에서 상대의 가치를 인정해줌.
분노 (Anger)	동의: 상대방이 왜 화가 났고, 또한 무엇이 화나게 했는지에 대해 당신이 이해하게 된 방식을 설명해줌.

유머 (Humor)	인내: "당신이 준비되면, 나도 당연히 준비됩니다."라는 말을 상대방이 수치심을 느끼지 않도록 말해줌.
역공 (Counterattack)	수용: "당신이 옳을 수 있겠군요." 또는 "그게 맞을지도 몰라요." 등과 같은 말을 해줌.

혼돈이 길어지고, 관계에 당신이 투입하는 노력이 많아질수록, 대인관계 명료성으로 진입하는 과정을 시작하는 것이 더 겁이 날 수도 있다. 당신이 서로에 대해 명료한 태도를 취하고, 혼돈이 발생하는 초기에 곧바로 제거할 것이라는 기대를 갖고 관계를 시작한다면, 대인관계 명료성을 만들어 내는 과정이 매우 쉬워질 것임은 두말할 나위가 없다. 그러나 오랫동안 혼돈이 누적되어 있는 관계일 경우에는, 명료화 하는 프로세스에 위험에 따른다. 무엇보다도 그런 관계에는 어느 정도 융합과 단절이 있었을 것이다. 당신과 그 사람은 서로의 불안을 관리하기 위해 암묵적으로 약정한 상태였을 것이다. 당신이 명료해지기로 결심했다면, 당신들은 우선 서로의 경험에 대해 더 이상 책임지지 않겠다고 동의해야 한다. 둘째로, 당신이 생각하고 느꼈지만 말하지 않았던 것들을 인정하는 과정 자체가 다른 사람에게 어떤 배신감과 불신감을 남길 수 있다. "왜 내게 지금까지 말하지 않았어요?", "당신은 그동안 어떻게 계속 그런 느낌을 가지고 있으면서도, 내가 전혀 알지 못했을 수가 있죠?" 이때가 바로 퍼실리테이터의 역할이 더욱 중요해지는 순간이다. 이런 상태에서 파트너십을 본 궤도에 올려놓으려면 아마도 많은 대화가 필요할 것이다.

비록 흔치 않은 경우이기는 하지만, 어떤 사람들은 학습대화에 참여할 수 있는 능력이 없다는 사실을 인정해야만 할 경우도 있다. 한 가지 이론에 따르면, 이들은 마음의 상처가 너무 커서 자아가 상실된 상태이다. 그래서 당신의 경험과 분리된 그들 자신의 경험을 가지지 못한다고 한다. 대신에 이들은 자신들이 무엇을 생각하고, 느끼고, 원해야 하는지를 알기 위해 상대방이 기대하는 것을 계속해서 모니터링한다. 이들은 자신들의 '지금 여기' 현시점의 경험을 인식하지 못하기 때문에, 그것을 서술할 능력도 없다. 이유가 무엇이든 간에, 학습 관계를 형성할 수 없거나 그럴 의지가 없는 사람들이 있다. 그러나 그런 사람들은 극소수이고 매우 드물다.

무엇이 대화의 시작을 방해하는가?

사람들이 학습대화를 하는 것은 좋은 생각이 아니라는 이유에 대한 모든 합리화를 풀어놓고 그것을 직면해보면, 좋은 생각이 아니라고 생각하는 주된 이유인 자신의 두려움을 직면해야 한다는 것을 알 수 있다. 완전히 이성적인 시각에서 보면, 도대체 그렇게 두려울 것이 무엇인가? 내가 겪은 경험을 당신에게 말해주고, 당신이 나에게 당신의 경험을 말해주면, 우리는 서로 이야기를 지어내는 행동을 멈출 수 있다. 여기에 무슨 대단한 것이 있겠는가? 그럼에도 사람들은 자신이 겪은 경험의 진실을 다른 사람에게 말해야 한다고 생각하면, 대개는 불안해한다. 그렇게 하면 상황이 좋아지는 게 아니라 오히려 나빠질 거라 생각한다.

우리가 학습대화를 두려워하는 가장 큰 이유는, 우리의 경험을 솔직하게 말하려 했을 때, 너무도 많은 사람들이 반응적으로 대했기 때문이다. 그들은 우리가 그들에게 나쁜 경험을 주었다고 말하거나, 우리가 경험한 것을 부정적으로 판단했다. 그들은 우리가 경험한 것에 호기심을 보이지 않았다. 대신에 우리가 경험한 것을 바꾸려고 하거나, 그것에 대해 말을 하지 못하게 했다.

또 어떤 경우에는 서술하는 스킬이 능숙하지 않아서 문제가 될 때가 있다. 이들은 자신의 진실이 객관적 진실인 양 말하고, 다른 사람들에 대해 그들이 판단하는 것이 이미 밝혀진 지혜인 것처럼 말하며, 다른 경험들에 대해서는 논쟁을 하려 든다. 하지만 클리어 리더십 과정을 거친 대부분의 매니저들은 이보다는 훨씬 세련되게 행동한다. 그들은 외교적으로 행동하는 법을 알지만, 여전히 자신이 파트너십을 맺고 싶은 사람과 대등한 입장에서 말한다고 해서 상황이 더 좋아질 것이라고 믿지 않는다. 왜 그럴까?

나는 사람들이 '지금 여기'에서 대화를 나누고, 그들의 걱정과 문제에 대해 깨달았을 때, 그들이 하려고 했던 대부분의 학습대화는 그들과 친밀한 관계에 있는 사람들, 예컨대 부모, 자식, 배우자, 친구들과 함께 있을 때라는 것을 알게 되었다. 대인관계 명료성을 얻기 위해 노력할 때는 그 관계가 업무 관계에서 보다는 사적인 관계일 때 훨씬 더 많은 불안을 유발한다. 그들과 더 많이 융합되어 있기 때문이다. 그래서 친밀 불안과 분리 불안이 훨씬 더 쉽게 촉발된다. 우리는 다른 사람의 경험을 보살펴야 하는 것에 너무 높은 기대를 하고 있다. 이런 높은 기대가 너무 깊게 각인되어 있어서 가족 시스템을 주로 다루는 상담치료사들도 상담치료가 그 높은 기대를 바꾸는데 큰 도움이 되지 않는다고 생각한다. 갓 결혼한 어떤 30대 매니저가 클리어 리더십 과정을 듣게 되었는데, 그는 새로 배운 학습대화 스킬을 그의 아내에게 사용해 볼 수 있다고 흥분을 감추지 못했다. 하지만 그의 아내는 그에게 관심이 없다고 말했다. 학습대화는 그녀가 자신의 여자 친구들과 하는 것이지, 남편과 할 수 있는 것은 아니라고 말했다는 것이다. 그는 매우 실망했다. 9개월이 지나고 그를 우연히 만났는데, 그들은 더 이상 부부가 아니었다.

믿을 수 없을 정도로 역설적이긴 하지만, 사람들이 서로에 대해 실제 현시점에서 일어나는 경험에 대해 서술하는 것을 참고 받아 줄 수 있는 관계인지 여부는 그 관계에 내재된 친밀감 정도와 반비례하는 것으로 나타났다. 다시 말해서, 서로 친한 친구가 아닌 사람들은 서로에게 각자의 경험을 서술할 때 대개는 반응적으로 행동하지 않는다. 다른 사람의 경험을 마치 그들이 우연히 알게 된 흥미로운 것으로 취급하기가 훨씬 용이하다. 이들은 화를 내지 않고도 상대방의 경험을 바라보고, 그것의 복잡성에 경탄할 수 있다. 그러나 친밀한 관계에서는 다른 사람의 경험에 대해 책임지지 않는 것이 훨씬 어렵다. 그 사람의 경험에 영향을 받지 않을 수 없고, 그 사람의 경험에 자신의 경험이 좌우되지 않게 하기가 훨씬 힘들다. 하지만 친밀하지 않은 관계의 경우는 다르다. 거기에는 위험요소가 훨씬 적다.

상황을 명확히 한다고 해서 상황이 악화되는 건 아니다. 왜냐하면 우리가 서로에게 지어낸 이야기는 실제보다 더 나쁘기 때문이다. 클리어 리더십 과정을 마친 대부분의 매니저들은 다른 참가자들과 몇 시간에 걸쳐 현시점의 상호교류를 통해 형성했던 관계를 그들의 동료들과도 갖고 싶다는 말을 한다. 만일 클리어 리더십 스킬을 사용하는데 대해 당신이 느끼는 두려움이 친밀한 관계에서 가졌던 좋지 않은 경험 때문이었다면,

이번에는 직장 내에서 친밀하지 않은 관계에 있는 사람을 대상으로 시도해볼 것을 권한다. 아마도 당신을 가로막는 것은 당신이 솔직하게 자신의 경험을 말하는 것에 다른 사람들이 어떻게 반응할 것인지에 대해 스스로 만들어 낸 부정적 이야기 때문일 것이다. 특히 당신이 다른 사람의 경험을 이해하기 위해 주의를 기울이면, 직장 안에서 당신이 아닌 어떤 사람인 척해야 할 필요가 없고, 직장은 오히려 연결성과 파트너십을 느낄 수 있는 훨씬 더 나은 장소가 될 것이다.

학습대화는 언제 하는 것이 가장 좋은가?

연구에 의하면, 사람들은 단지 몇시간 동안만 서로 교류를 해도 서로에 대해 암묵적으로 많은 기대를 갖게 된다고 한다. 내가 일하는 부서에 새 직원이 들어왔다고 하자. 나는 아주 빨리 그녀가 누구이고, 우리와 함께 일을 잘 할지에 대해 나름의 이야기를 만들어낸다. 내가 기대한만큼 그녀가 일을 잘하거나, 혹은 내가 기대하지 않은 것을 그녀가 하지 않는 한, 아무런 문제가 없다. 그러나 불가피하게 언젠가는 그녀가 하는 행동이 내 마음에 들지 않을 때가 있다. 어쩌면 그녀는 복도에서 나와 마주쳐도 인사하지 않고 지나칠 수 있다. 혹은 그녀가 내 사무실에서 나간 후, 내 펜 하나가 없어졌다는 것을 발견하게 될지도 모른다. 그 지점에서 나는 조금 짜증이 나겠지만, 그런 반응이 미미해서 누구도눈치 채지 못할 것이다.

이럴 때 대부분의 사람들은 어떻게 할까? 우리는 그냥 무시하고 이 느낌이 사라지길 바란다. 때로 그렇게 되기도 한다. 그러나 흔히 혼돈이 관계 속으로 스며들기 시작하는 때가 바로 이런 순간이다. 혼돈은 그 자체로 쌓이고 또 쌓이면서 파트너십의 가능성이 약해질 때까지 계속되든지, 그게 아니면 학습대화를 심도 깊게 나누게 된다. 내가 이 책에서 설명하는 대부분의 학습대화는 이런 형태의 것들이다. 학습대화는 사람들을 혼돈의 길로 빠져들게 한 초기 사건 이후에 일어난다. 혼란스럽거나 약간 화나는 사건이 발생한 바로 그 시점에서 동료와 내가 학습대화를 할 수 있었다면, 상황은 얼마나 쉽게 해결되었을까? 당신도 알다시피, '문제'는 일반적으로 우리가 만들어낸 기대와 다른 사람에 대해 만들어낸 지도 때문에 생겨난다. 우리는 그것(기대 또는 지도)에 대해 터놓고 이야기하지 않는다. 그것은 다른 사람에 대해 심오한 지식이 있어서 생겨난 것이 아니었다. 만일 내가 좀 더 일찍 그녀에 대해 탐색을 했다면, 내 지도의 어떤 부분이 잘못되었고 그것을 어떻게 바꿀 수 있을지에 대해 배울 수 있었을 것이다. 아마도 내가 개인적으로 취했던 그 어떤 것도 사실은 나와는 아무런 상관이 없다는 것을 알았을 것이다. 그저 단순한 대화에 불과했고, 쉽게 조정이 가능한 것들이었을 것이다. 그러나 우리 대부분은 그렇게 하지 않는다. 왜 그럴까?

사람들은 많은 이유들을 내세운다. 나는 하찮아 보이거나 궁색해 보이고 싶지 않다. 그렇지 않은가? 별 일도 아닌데, 굳이 들춰낼 필요가 있을까? 동료가 나에 대해 더 부정적인 인상을 갖게 되지는 않을까? 과민한 것처럼 보이기 싫다.. 기타 등등. 클리어 리더십 과정 중 어떤 시점이 되면, 모든 참가자들은 이러한 종류의 경험을 하고 있는 사람들과 학습대화를 하도록 요청을 받는다. 사람들에게 그들이 이런 종류의 경험을 하고 있는 사람들이 누구인지 말해보라고 하면, 그들의 얼굴에는 불안감이 뚜렷하게 드러난다. 그러나 학습대화가 시작되면 이러한 불안은 에너지로 바뀌고, 상당한 흥분감으로 변한다. 사람들은 이 대화가 다른 사람과 더 많이 연결될 수 있는 충분한 기회들을 열어준다는 것을 알게 된다. 그들은 이 대화를 통해서 초기 사건에 대해 더 호의적인 감정을 갖게 될 뿐 아니라, 상대방과 더 깊은 친밀감을 갖게 된다. 이 지점은 언제나 클리어 리더십 과정 중에서 최고의 순간이다.

비교적 이슈가 크게 중요하지 않을 때 누군가와 학습대화를 하면, 그 대화로 인해 파트너십을 쌓기가 쉽다. 그래서 향후 더 큰 문제가 생기더라도 잘 대처해 나갈 수 있게 된다. 혼돈이 일어나면, 당신이 그 혼돈을 제거해 나갈 수 있을 거라고 기대하게 해줄 뿐만 아니라, 당신이 그렇게 하는데 필요한 스킬을 개발하고 신뢰를 만들어내는데도 도움이 된다. 따라서 학습대화를 실시하는 가장 좋은 시기는 당신이 파트너십을 맺고 싶어하는 사람에 대해 당신이 스스로 이야기를 만들고 있다는 것을 깨닫게 되었을 때다. 이때는 이슈가 작아서 다루기 쉽다.

요약

조직 학습대화는 혼돈을 없애기 위한 목적으로 두 명 이상의 사람들이 상호교류 패턴에 대해 탐색해가는 것이라고 할 수 있다. 그들이 조직 학습대화를 하면, 그들은 자신의 경험을 자신이 어떻게 만들어내는지 알게 되고, 파트너십을 지속하기 위해 그들이 원하는 방식에 대해 다른 선택을 할 수 있게 된다. 나는 론 쇼트Ron Short의 관점을 적용해 다음과 같이 표현해 보았다. "내가 당신을 변화시키는 것은 어렵지만, 내가 나 자신을 변화시키는 것도 역시 어렵다. 그러나 내가 가진 지도를 바꾸기만 하면, 우리의 상호교류 패턴을 즉시 변화시킬 수 있다."

당신이 학습대화에 인식 자아, 서술 자아, 호기심 자아 그리고 긍정 발견 자아의 모든 스킬을 적용하면, 학습대화가 성공할 가능성은 높아진다. 당신은 당신 자신의 경험에 대해 더 많이 배우게 될 것이고, 다른 사람들이 그들 자신의 경험에 대해 새로운 것을 발견하는 데 도움을 주고, 문제 패턴에서 당신이 관련된 부분을 이해하게 될 것이다. 이런 과정은 분명히 파트너십을 강화시키고 새롭게 만들어줄 것이다. 성공적인 학습대화의 핵심 요소는 탐구한다는 정신으로 대화에 참여하고, 상대가 반응하기 전에 한 사람의 경험을 완전히 탐구하고 이해하며, 대화의 단계가 바뀔 때마다 경험의 큐브를 따라 각자 자신의 '지금 여기' 현 시점의 경험을 서술하는 것이다.

결론
협력하는 조직을 유지하기 위한 학습

급변하고 상호 연계된 세계에서 살아가려면 집단, 조직, 지역사회, 국가, 나아가 우주에서 어떻게 더불어 살아가고 일할 것인지 다양한 방법으로 재고해봐야 한다. 아마도 기업은 직면하고 있는 경쟁 때문에 공공기관이나 정부보다 더 빨리 이런 압력을 받아들이고 있을 것이다. 후기 산업사회에서는 사업이 점점 더 지식기반 중심으로 변해가고, 기업의 가치평가가 인적 자본에 기초하게 됨에 따라, 기업들은 성장을 지원하기 위해 제한된 인재풀을 놓고 치열하게 경쟁해야 하는 시대로 진입하고 있다. 리더들은 구성원들이 가지고 있는 다양한 재능을 활용하고, 조직의 성공을 위해 구성원들이 자신의 에너지를 쏟아부을 수 있는 조직을 만들어야 한다는 것을 잘 인식하고 있다. 또한 일과 학습을 동시에 할 수 있는 업무 구조를 만들어야 한다. 그에 대한 해결책으로 조직의 위계구조를 수평적으로 만들거나 직원들에게 권한을 부여하고, 다기능 팀이나 지역적으로 분산된 팀을 구성하는 등, 여러가지 실험을 통해 환경적인 변화에 대응해야 한다. 결국, 이 모든 노력은 그들이 공동으로 참여하는 어떤 프로젝트나 프로세스의 성공을 위해 자발적으로 헌신하는, 진정한 협업과 파트너십을 위한 조건을 만드는 것이다.

과거 30여 년간, 파트너십을 구축하는데 필요한 다양한 스킬들이 폭발적으로 소개되었다. 그룹웨어와 지식경영 같은 하드 정보기술 프로세스부터, 퓨처 서치Future Search와 긍정 탐구Appreciative Inquiry 같은 소프트한 조직개발 프로세스에 이르기까지 다양하게 전개되어 왔다. 이런

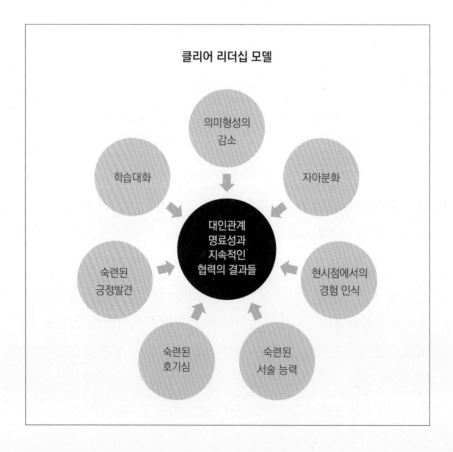

클리어 리더십 모델

의미형성의
감소

자아분화

학습대화

대인관계
명료성과
지속적인
협력의 결과들

현시점에서의
경험 인식

숙련된
긍정발견

숙련된
호기심

숙련된
서술 능력

스킬들을 활용함으로써 집단 내부와 집단 간 협력을 만들어내는 데 많은 개선이 있었지만, 그것을 지속적으로 유지하고 있느냐는 점에서는 여전히 문제가 남아 있다. 어떤 유형의 파트너십도, 예를 들어 결혼관계에서부터 팀 위주의 조직에 이르기까지, 관련된 통계 자료를 보면 여전히 매우 저조한 것이 현실이다.[1] 그래서 이 책에서는 그 이유가 무엇이고, 그 문제에 대해 어떤 조치를 취할 수 있는지에 대해 살펴보려고 한다.

클리어 리더십이 가지고 있는 기본전제는, 특히 파트너십을 맺고자 하는 사람들 간에 있어서, 대인관계 혼돈이 파트너십의 실패를 불러온다는 것이다. 지금부터는 클리어 리더십 모형을 요약해보고자 한다. 다음 페이지에 있는 첫번째 표는 집단적 경험에서 배우고, 파트너십을 유지하는데 요구되는 높은 수준의 지식과 스킬이 무엇인지를 보여준다. 두번째 표는 대인관계 혼돈과 파트너십이 실패에 이르게 되는 과정을 보다 자세히 보여준다. 산업사회 속에서 조직 문화는 대인관계 상황에 대해 미스터리-마스터리 접근법Mystery-Mastery approach을 사용하도록 가르쳐왔기 때문에, 우리가 경험하고 의미를 형성한 것을 우리 내부에만 담아두어 왔다. 다시 말해, 우리가 관찰하고, 생각하고, 느끼고, 원하는 것을 말하는 대신에, 우리가 문화적으로 학습한 가정들은 우리가 경험하는 것들을 내부에만 간직한 채(미스터리), 다른 사람에게 영향력을 행사하거나 영향력을 확보해야 한다고(마스터리) 가르쳐 왔다. 이런 오랜 관점에서 보면, 대인관계 역량과 리더십이란, 설득력을 갖추고 다른 사람들이 내 관점과 제안에 동의하게 만드는 스킬이라고 할 수 있다. 그래서 자신을 억누르는 심한 갈등상황에 있는데도 상황을 원활하게 처리하고,

어색하고 당황스러운 상황을 만들지 않으며, 화합의 기조를 유지하고, 다른 이해관계를 가지고 있는 사람들이 서로 타협하게 하는 것이 좋은 인간관계 스킬이라고 생각해왔다. 그러나 이러한 것들은 지휘-통제 체계 아래에서는 잘 작동하지만, 협력이 요구되는 세계에서는 효력을 발휘하지 못하며, 장기적으로 볼 때도 효력을 발휘하지 못한다.

진정한 파트너십은 모든 사람들이 자기 목소리를 낼 수 있는 기회를 동등하게 허용하는 것을 뜻한다. 이는 모든 사람이 동일한 정보에 접근하고 동일한 선택에 참여해야 한다는 것을 의미한다. 협력적

협력을 지속하지 못하게 만드는 일반적인 인간관계 프로세스

인식의 문제	의미형성의 문제	서술능력의 부족
다른 사람이 자신의 경험을 야기시킨다고 생각함. 많이 경험해도 자신이 무엇을 경험하는지 알지 못함. 무엇인지를 이해하기 보다 무엇이 되어야 하는지에 방향을 맞춤. 자신의 지도와 영토(territory)를 혼동함.	확인해보지도 않고 다른 사람의 경험에 대한 이야기를 지어냄. 이야기는 이야기일 뿐이라는 걸 잊고, 그것을 진실이라고 생각함.	자신의 경험에 대한 진실을 다른 사람들에게 말하지 않음. 자기가 판단한 것을 마치 진실인 것처럼 말함. 자신의 욕구와 감정을 숨김.

아래의 결과로 이어짐

집단 경험에서 학습할 수 없음	대인관계 혼돈이 발생	협력과 파트너십이 지속되지 못함

인 세계에서는 당신이 무엇을 알아야 하고, 무엇이 더 나은 것인지 말할 수 없다. 갈등은 어떤 권력의 힘에 의해서도 무시되거나 억눌려질 수 없다. 오히려 공개적으로 안건을 드러내고, 의사결정에 진정으로 전념하게 하고, 시너지 효과를 창출할 팀을 구축하며, 실패와 성공을 공개적으로 논의하고 모든 사람의 경험으로부터 배울 수 있는 능력이 요구된다. 그렇기 때문에 우리에게는 집단 탐구Collective inquiry 를 할 수 있는 다른 유형의 대인관계 스킬이 필요하다. 그렇게 함으로써 우리가 경험한 것으로부터 함께 학습하고 공통의 이해를 발전시켜 나갈

협력을 지속하지 못하게 만드는 일반적인 인간관계 프로세스(계속)

호기심의 부족	자아분화의 결핍	긍정발견의 부족
다른 사람들의 경험을 있는 그대로 이해하는 대신 바꾸려고 함. 다른 사람들의 경험을 충분히 탐구하지 않음.	다른 사람들을 화나게 할수 있다고 생각할 때, 당신의 경험을 숨김으로써 불안을 관리함. 다른 사람의 경험이나 그들이 자신의 경험에 대해 말하는 것을 바꾸려고 시도함. 마치 다른 사람들이 비슷한 경험을 해야 할 것처럼 자신의 경험에 대해 말함.	제대로 작동하지 않는 것과 원하지 않는 것에 집중함. 다른 사람이 부정적 의도를 가지고 있다고 가정함. 약점을 개선하는 데 집중함.

아래의 결과로 이어짐

집단 경험으로부터 학습할 수 없음	대인관계 혼돈이 발생	협력과 파트너십이 지속되지 못함

수 있게 된다. 마지막 도표에는 이 책의 주제인 대인관계 명료성을 위한 프로세스와 협력적 조직에서 파트너십을 갖고 일하기를 원하는 사람들이 파트너십을 유지할 수 있는 방법이 요약되어 있다.

내가 나 자신의 경험을 만들고 있다는 것을 깨닫고 바로 '지금 여기' 현시점에서 교류하는 것을 편안하게 생각하면, 내 경험의 구성요소와 내 경험에 영향을 미치고 있는 심상지도를 인식하는 능력을 높일 수 있다. 내가 경험한 것을 상대와 함께 확인해보고, 내가 알고 있는 것과 내가 만들어 내는 것을 대비해서 인식함으로써, 정확하지 않은 의미형성을 줄여갈 수 있다. 감정과 욕구에서 분화된 상태로 있으면서, 다시 말해 감정과 욕구들을 가지고 있지만 그 감정과 욕구가 곧 '나'는 아니라는 것을 깨닫고 내가 경험한 진실을 말해 줌으로써 명료성을 구축해 나갈 수 있다. 또한 다른 사람의 경험에 호기심을 유지하되, 그 사람의 경험에 책임을 지지 않으면서도 그가 하는 경험을 이해하려고 하기 때문에 부정확한 의미형성을 줄이는 데 필요한 정보를 제공하고 파트너십을 유지할 수 있게 된다. 이렇게 하려면, 다른 사람과의 교류에서 일정 수준의 자아분화 상태를 유지하고 내가 느끼는 불안을 융합이나 단절을 통해 관리하지 않아야 한다. 이런 것들은 모두 내가 하는 상호작용에 긍정성을 발견하는 접근법을 유지할 수 있을 때, 즉 내가 원하는 것에 집중하고, 상대방으로부터 최상의 모습을 기대하고, 밖으로 표출되기를 기다릴 수 있는 긍정적인 잠재력을 볼 수 있을 때 훨씬 큰 효력을 발휘한다. 그 결과, 우리가 집단 경험에서 배울 수 있게 해주는 학습대화를 만들어 갈 수 있고, 우리의 파트너십이 우리가 지어낸 이야기로 인해 실패하지 않도록 확인해가면서 혼돈을 지속적으로 제거할 수 있게 된다.

세 가지 유형의 탐문

클리어 리더십은 성과나 관계가 우리가 원하는 모습이 아닐 때 탐구심을 발휘하게 해주는 것이며, 업무를 수행하는 과정에서 학습을 만들어가는 것에 관한 것이다. 학습대화는 하나의 탐문 과정이다. 내가 이 책에서 다룬 세 가지의 스킬셋, 즉 인식 자아The Aware Self, 호기심 자아The Curious Self, 긍정발견 자아The Appreciative Self는 '탐문의 유형forms of inquiry'이고, '앎의 방법ways of knowing'이다. 상당히 많은 종류의 현실이 사회 시스템에 영향을 미치고 있기 때문에, 과학과 기술영역에서 보다 더 많은 형태의 탐구가 필요하다. 지휘 통제형 조직은 탐구할 만한 가치가 있는 유일한 진실로서 객관적 진실을 강화하는 경향이 있다. 사회적 조직 측면에서 보면 과거와 달리 점점 빠르게 세계화되고 다양화되어 가고 있기 때문에, 진정한 협력이 가능하게 하려면 다른 종류의 진실 즉, 주관적 진실과 상호주관적 진실을 어떻게 생각하고, 탐구하고, 검증할 것인지에 대해 이해해야 한다. 나는 자아인식, 호기심, 긍정성을 발견하는 것이 조직과 사회에서 다른 모든 종류의 진실을 탐구할 기반을 형성한다고 믿는다. 다음 페이지의 도표에 탐문의 유형으로서 인식, 호기심, 긍정성 발견 사이의 몇 가지 중요한 차이점을 정리해두었다.

인식 자아는 자신의 마음 속에서 일어나고 있는 것이 무엇인지를 알아내는 데 관심을 둔다. 그는 주관적인 진실에 도달하기 위해 자신의 '지금 여기' 현시점의 경험here-and-now experience에 대해 성찰을 한다. 대

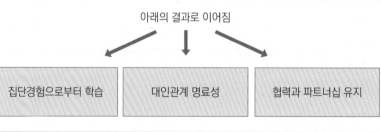

세부 클리어 리더십 모델		
현시점에서의 경험 인식	**의미 형성의 감소**	**숙련된 서술능력**
자신이 스스로 자기의 경험을 만들어 낸다는 것을 인정함. '바로 여기, 바로 지금' 현시점에서 상호교류하는 것을 편안해 함. 경험의 4가지 구성 요소를 모두 인식하도록 노력함. 자신의 심상지도들을 확인하고, 그것이 자신의 경험에 미치는 영향을 확인함.	자신이 지어낸 이야기를 다른 사람들과 확인함. 자기가 알고 있는 것과 자기가 지어낸 이야기를 대조해 가면서 명확히 함.	다른 사람들에 대해 자신이 판단한 것을 거론하지 않고 자신의 경험을 서술함. 투명함을 유지하되 지나치게 친밀하지 않도록 함. 감정을 표현하지 않고, 감정을 서술함. 다른 사람이 자기가 원하는 것을 줘야 할 것 같은 책임을 느끼지 않으면서 자기가 원하는 것을 서술할 수 있음.

아래의 결과로 이어짐

집단경험으로부터 학습	대인관계 명료성	협력과 파트너십 유지

부분 자신의 몸을 통해 얻는 정보, 즉 그에게 자신이 옳다고 말해주거나 아직은 진실에 다가가지 못했다고 말해 주는 감각을 통해 얻는 정보를 해석한다. 호기심 자아는 자신의 바깥에 있는 것, 특히 다른 사람에게 일어나고 있는 일에 흥미를 가진다. 사람은 관찰과 질문을 통해서 정보를 수집하고, 다른 종류의 진실에 도달하기 위해서 논리와 이성을 따른다. 호기심 자아는 객관적이고 상호 주관적인 진실의 영역에서 작동한다. 인식 자아와 호기심 자아가 다른 형태의 '현재모습'에 관심을 가지

세부 클리어 리더십 모델(계속)

숙련된 호기심	자아분화	숙련된 긍정발견
다른 사람들이 서술적이 되도록 관심을 유발함. 다른 사람들의 경험을 충분히 탐구함. 다른 사람들의 경험을 바꾸려 하지 않음.	다른 사람을 통해 자기 불안을 관리하지 않음. 다른 사람들과 분리되고 동시에 연결되기 위해 노력함. 자신의 니즈와 관계에 필요한 니즈에 주의를 기울임. 자신의 경험에 대해 이야기하면서도 다른 사람들은 다르게 경험한다고 가정함.	원활하게 작동되고 있는 것과 자신이 원하는 것에 주의를 집중함. 상대방이 긍정적인 의도를 가지고 있다고 가정함. 강점을 기반으로 함.

아래의 결과로 이어짐

집단경험으로부터 학습	대인관계 명료성	협력과 파트너십 유지

앎의 방식 차이: 인식 자아, 호기심 자아, 긍정발견 자아			
	인식 자아	호기심 자아	긍정발견 자아
관심 영역	내부	외부	잠재적 역량
의식의 형태	성찰	관찰	신뢰
데이터 수집 프로세스	'지금 여기' 현시점에서의 경험 인식	질문과 경청	추적하기
해석을 위한 도구	감각	논리와 이성	상상
밝혀진 진실의 형태	주관적	객관적/주관적	상호주관적

는 반면에, 긍정발견 자아는 '잠재적 모습'에 더 관심을 갖는다. 긍정발견 자아는 객관적 진실과 관련된 이슈에 적합한 가설 검증과 의구심에 바탕을 두고 운영되기 보다는, 신뢰를 바탕으로 작동한다. 이때의 신뢰는 상상할 수 있고 가치를 인정받을 수 있는 일종의 사회적 과정을 만들어 내는 인간의 능력에 대한 신뢰를 말한다. 자신이 더 많이 원하는 것을 찾아 내고 상상력을 통해 자신이 보는 것을 해석함으로써, 긍정발견 자아는 자신이 관심을 두고 있는 사회적 현실에 대한 새로운 상호주관적 진실을 밝혀내고 창조한다.

이제 당신은 조직 내에서 학습을 이끌어내기 위해 왜 이 세 가지 유형의 스킬이 필요한지를 이해할 수 있게 되었다. 이들 세 가지 유형의 스킬은 조직생활에서 일어나는 진실을 이해하고 서술하게 해주는 균형 잡힌 접근법이라고 할 수 있다. 이 스킬을 통해 우리는 불빛이 가장 밝게 빛나는 곳뿐만 아니라, 사회적 현실의 모든 측면에서 명료성을 확보하게 될 것이다.

명료성 문화 만들기

서술 자아는 표현에 관한 것인데, 탐구가 실용적인 가치가 있으려면 표현과 균형을 이루어야 한다. 이 네 가지 스킬셋을 가지고 질문과 표현을 균형있게 사용하면서 당신은 사람들의 경험에서 새로운 통찰을 찾아내고 영속적인 파트너십으로 이끌어 갈 대화를 촉진할 수 있게 된다. 이것들은 문제 패턴에 대한 탐문일 수도 있고, 우리가 아는 최고의 것에 대한 탐문이 될 수도 있다. 나는 진정한 조직학습, 즉 조직의 근본적인 패턴을 변화시키는 학습은 한 번에 하나의 대화를 할 때 일어난다고 믿고 있다. 사람들이 스킬을 학습하고 이런 유형의 대화를 갖는 것이 정당하다는 것을 받아들이면 대인관계 명료성을 가치있게 여기고 대인관계 혼돈을 더 이상 용인하지 않는 조직 문화를 구축할 수 있다.

학습대화를 할 수 있는 능력은 그 사람이 가지고 있는 스킬과 성품에 달려 있다. 이러한 대화를 할 정도로 동기유발이 되어있는지의 여부도 팀이나 부서 또는 조직의 리더들이 조성하는 문화의 유형에 달려 있다. 명료성 문화는 공유된 가정을 필요로 한다. 진정으로 공유되고 있는 가정은 벽에 새겨진 문구나, 교육 프로그램, 또는 동기부여 강사를 통해 생기는 것이 아니라, 리더들이 매일매일 보여주는 행동방식에 따라 만들어진다. 명료성 문화를 구축하려면 리더들은 앞에 제시한 '세부 클리어 리더십 모델'에서 보여진 것들과 일치하는 가정들을 표명해야 하고, 그러한 가정과 일관된 방식으로 행동해야 한다. 핵심적인 가정을 요약하면 다음과 같다.

- 모든 상호작용에서 모든 사람은 다르게 경험한다. 우리 모두는 자신의 고유한 경험에 대한 권리를 갖는다. 비록 객관적인 이슈에 대해 어떤 사람의 경험이 더 많은 타당성을 가질 수는 있으나, 각자의 경험은 동등한 지위를 갖는다.
- 우리가 경험하는 것이 무엇인지를 우리가 말하지 않으면, 다른 사람이 우리의 경험을 이야기로 꾸며서 마치 그것이 진실인 것처럼 다루게 될 것이다. 우리는 자신과 다른 사람에게 우리가 관찰한 것, 생각한 것, 느낀 것, 원하는 것을 기꺼이 말해줘야 한다. 감정을 표현하

지 말고, 감정에 대해 서술할 수 있어야 한다. 우리의 욕구를 만족시킬 책임을 다른 사람에게 지우지 않으면서도, 우리가 원하는 것들을 다른 사람에게 말할 수 있어야 한다.

- 우리는 다른 사람들의 경험에 대한 이야기를 지어내려 한다. 그것을 하지 못하게 막을 수는 없지만, 우리가 지어낸 이야기가 진실이라고 가정하고 그것에 입각해서 행동하기 전에, 우리가 지어낸 이야기를 점검할 수 있어야 하고, 또 점검해야만 한다.

- 우리는 우리 자신의 경험을 만들어낸다. 그래서 다른 사람들이 우리에게 미치는 영향은 우리가 만들어내는 것이다. 우리는 자아분화 상태를 유지해야 하며, 다른 사람들이 우리의 경험에 책임을 지지 않게 해야 한다. 또한 다른 사람과 연결되면서 그들의 경험에 대해 호기심을 가짐으로써 대인관계 혼돈이 해를 끼치지 전에 그것을 제거할 수 있어야 한다.

- 우리가 협력하고 싶어하는 누군가와 만족스럽지 못한 상호작용을 하고 있을 때는 조직 학습대화를 해야 한다. 이를 통해 관련된 문제에 각자가 어떤 역할을 했는지 밝혀야 한다.

명료성 문화를 조성하는 능력은 업무 관계에 놓인 리더의 자아분화 정도에 따라 달라진다. 리더의 내적 경험이 다른 사람들의 말과 행동에 좌우될수록, 다른 사람들이 진실을 말하고 경청하는 것에 대한 불안을 관리하는 것은 더 힘들어진다. 두려움과 불안, 특히 두려움과 불안에 대한 회피가 조직의 밑바탕에 자리잡고 있다. 학습대화를 만들어 낼 수 있는 사람들은 자신의 불안을 제어할 수 있고, 다른 사람들이 느끼는 불안을 덜어주는 역할을 할 수 있다. 그들이 이렇게 할 수 있는 것은 자신의 불안을 억누르거나 의식하지 못해서가 아니라, 덜 불안한 상태에 있기에 가능한 것이다. 그들이 덜 불안할 수 있는 것은 융합이나 단절 상태에 있지 않고, 감정이 자신을 통제하도록 내버려두지 않으면서 자신의 감정을 인식할 수 있기 때문이다.

인생을 건 약속

이 책에서 다룬 내용들을 오랫동안 가르치면서 나는 누구라도 이 책에 제시된 스킬을 배울 수 있고, 자아분화와 긍정성 발견 마인드셋을 키울 수 있다는 확신을 갖게 되었다. 각각의 자아는 하나의 스킬셋이지만, 자아분화와 다른 사람으로부터 긍정성을 발견하려면 보다 깊은 무엇이 있어야 한다. 이 두 가지는 스킬이라기보다는 존재 방식에 가깝다. 즉 사람들이 스스로 선택할 수밖에 없는 특정한 삶의 방식에 전념하는 것을 필요로 한다. 어떤 의미에서 이 각각은 삶의 여정이라고 할 수 있다. 이 길을 선택함으로써 당신은 다른 길을 배제하게 된다. 바로 이 점이 어떤 길을 선택할 때 가장 힘든 점이다.

만일 어떤 사람이 자아분화적인 삶을 살기로 선택한다면, 그 사람은 남의 행복에 책임을 느끼는 삶이나 완전히 무인도가 되어 아무도 접촉할 수 없는 삶을 선택할 수 없다. 당신은 무의식 세계의 힘을 무시하면서 내부 세계에 무관심한 삶을 살 수는 없다. 자아분화를 선택한다는 것은 당신 자신과 당신이 관계를 맺겠다고 선택한 사람들을 온전히 탐색하고 이해하겠다는 욕구를 필요로 한다.

만일 당신이 긍정성을 발견하는 길을 선택한다면, 과학적으로 의심하는 길은 선택할 수 없다. 즉, 다른 사람의 선함이나 신뢰성 등을 당신이 인정하기 전에 그것들이 입증되어야 한다는 의구심의 관점에서 출발한다면, 당신은 추적하기를 제대로 할 수 없을 것이다. 긍정적인 것을 발견하기로 선택한다는 것은 당신의 믿음에 따라 행할 의지를 필요로 한다. 당신이 직접 보지 않은 것에 대해서도 어떤 것이 사실일 수 있다고 생각할 뿐만 아니라, 당신이 선택한 것이 사회에도 영향을 미치며, 다른 사람에 대해 당신이 생각하는 방식이 당신이 발견하는 것에 영향을 미친다는 것을 믿는 것이다. 직접 이렇게 시도해보면, 사람과 변화를 관리하는 데 있어서 긍정발견 마인드셋과 긍정발견 리더십이 얼마나 강력한지 당신은 놀랄 것이다. 지시와 통제없이, 당신이 사람들에게 시키고 싶은 일을 하게 만드는(감춰진 위협, 권한, 징벌 등) 오래된 강압적 방법은 현실적으로 먹혀들지 않는다. 그러나 리더십은 여전히 추종자를 만들어낼 수 있는 예술에 가까운 방식이다. 즉 당신이 최선이라 생각하는 것을 사람들이 하게 만드는 것이다. 내가 발견한 것에 따르면, 추적하기와 부채질하기는 협력적 관계에서 태도와 행동에 영향을 미치는 가장 효과적인 수단이다. 이러한 수단이 효과적으로 작동하는 이유는 다른 수많은 변화 전략들과 달리, 당신과 파트너십을 이루고자 하는 사람들의 의지를 높여주기 때문이다.

나는 이상주의자이고, 희망적인 생각을 한다. 나는 우리가 부를 창출하고, 고객에게 좋은 서비스를 제공하고, 우리가 살고 있는 지구에 이롭고, 내부에서 일하는 사람들에게 도움이 되는 기업 조직을 개발할 수 있다고 믿는다. 나는 비지니스 환경도 생존하기 위해 점차 이러한 기업 조직들을 선택하게 될 것이라고 생각한다. 우리가 만들어내는 새로운 조직들은 인간 정신을 덜 억압하고, 우리의 집단적 노력이 서로가 가진 최고의 것들을 끌어 내는 데 집중하게 될 것이라고 믿는다. 나는 비즈니스야 말로 비록 지금은 전혀 존재하지 않을 것처럼 보이는 곳에서도 파트너십과 협력을 만들어내게 하는 가장 큰 원동력이라고 믿고 있다. 인간이 하는 다른 어떤 유형의 일이 인종, 종교, 민족, 언어의 경계를 초월하여 이처럼 공통의 이해와 파트너십을 일관되게 추진할 수 있단 말인가? 그러나 새로운 협력적 형태의 조직도 어두운 면이 있다는 것 또한 나는 알고 있다. 모든 새로운 형태의 조직은 그 안에 스스로를 파멸시킬 씨앗도 내포하고 있다는 것은 인간관계가 지닌 역설적인 현실 중 하나이다. 이 책에서 제시한 것을 포함한 모든 해법이 궁극적으로 새로운 문제를 야기하게 될 수도 있다는 말이기도 하다. 그러나 바로 이런 점 때문에 우리의 삶은 흥미로워진다.

부록
클리어 리더십이 조직에 미친
영향에 관한 연구

명료성 문화를 만들려면 어떻게 해야 할까? 이러한 스킬들이 실제로 현업에 얼마나 잘 작용될 수 있을까? 매니저들이 클리어 리더십 교육에 참가하면 무엇이 달라질 수 있을까? 지금부터는 내 학생들과 고객, 그리고 내가 지금까지 발견한 클리어 리더십이 미친 영향에 대해 공유하고자 한다. 즉, 클리어 리더십이 지금까지 사람, 팀, 조직에 미친 영향을 공유하고, 여러분의 조직에서 어떻게 명료성 문화를 구축할 수 있을지에 대해 설명해 보도록 하겠다.

조직 안에서 클리어 리더십이 미치는 영향

최근에 들어 치열한 인재확보를 위한 전쟁의 시대에 접어들면서, 연구자들은 왜 사람들이 일자리를 구해놓고도 그 일자리를 떠나는지에 대한 연구를 진행하고 있다. 그들이 떠나는 것은 상사일 뿐, 일자리를 떠나는 것이 아니라는 말은 이미 누구나 다 아는 말이 되었다. 직장에서 일하는 많은 사람들이 상사에 의해 크게 영향을 받는다는 사실이 많은 실증 연구들을 통해 나타나고 있다. 이 연구 결과가 그리 놀라운 것은 아니다. 클리어 리더십에 관한 초창기 연구에서 우리는 이미 이런 아이디어에서 한 걸음 더 나아가, 어느 직장이든 많은 구성원들이 느끼고 있는 직장 분위기는 몇몇 핵심 매니저에 의해 만들어진다는 생각을 했다. 예를 들어, 여러분이 대형 은행의 한 지점에서 일하고 있다고 가정해보자. 그 지점의 분위기는 본점에 있는 어떤 사람보다도 지점의 매니저에 의해 더 큰 영향을 받지 않을까? 여러분이 큰 빌딩에서 많은 부서들이 있는 회사에서 근무한다고 가정해보자. 이런 회사라고 해도 구성원들이 일을 하는 직장의 분위기는 회사 사장보다는 부서를 책임지고 있는 매니저에 의해 더 많이 영향을 받지 않을까? 이런 질문에 대한 답을 찾아보기 위해, 몇 명의 학생들과 함께 임의로 선정한 사람들을 대상으로 그들의 일상적인 업무 경험에 영향을 주는 직장 분위기를 만드는 핵심 매니저를 지목할 수 있는지 물어보았다. 우리가 질문한 모든 사람들이 핵심 매니저 이름을 말할 수 있다고 응답을 했다. 실제로 모든 사람들이 그 매니저의 실명을 우리에게 알려주었다. 조직 안의 신뢰 수준은 구성원들이 서로 협력하고 파트너십을 유지할 수 있는 능력과 관련성이 있기 때문에, 우리는 클리어 리더십과 관련된 것으로 보이는 행동들이 조직내 신뢰에 미치는 영향을 연구해 보기로 했다.[1] 설문지를 사용하여 100명의 응답자들에게 클리어 리더십 스킬과 관련된 속성들을 중심으로 핵심 매니저에 대해 서술해 보고, 그 매니저의 자아분화 수준에 대해 응답하게 하였다. 그런 후에, 설문에 대한 응답들을 해당 매니저의 신뢰 정도와 직장에서의 전반적인 신뢰 분위기에 관한 설문들과 연결시켜 보았다. 우리가 사용했던 질문들은 다음 페이지에 있는 표에 제시되어 있다. 우리는 명확한 자기 경계(자아분화에 대한 측정변수)를 유지하는 매니저의 능력과 호기심 자아의 수준과, 사람들이 그 매니저에 대해 느끼는 신뢰와 파트너십의 정도 사이에 높은 상관관계가 있다는 것을 발견했다. 이 두 가지의 변수만으로도 사람들이 해당 매니저를 얼마나 신뢰하는지를 측정하는 변수의 78%를 설명할 수 있는 것으로 나타났는데, 그 중에서도 호기심 자아가 가장 큰 영향을 미치는 것으로 나타났다. 이는 매우 놀랍고 뚜렷한 결과이긴 하나, 이 책에서 제시한 관점에서 볼 때 그리 놀라운 것은 아니다. 대부분의 사람들은 사람의 성격과 스킬이 다른 사람들이 그 사람에게 느끼는 신뢰 수준에 영향을 미칠 것이라고 기대한다. 더 흥미로운 결과는 이 매니저의 행동이 직장 내 신뢰 분위기, 즉 사람들이 동료들을 파트너십 측면에서 어떻게 평가했는지에 대한 것이다. 핵심 매니저의 자기 경계, 융합 정도, 호기심 자아, 서술 자아 모두가 동료와의 경험을 서술한 파트너십 수준과 상관관계가 있었다. 이들 변수들 간의 상호작용을 검토해 보았을 때, 전반적인 신뢰 분위기에 가장 큰 영향을 미치는 것은 핵심 매니저의 자기 경계와 융합 수준인 것으로 나타났다. 이것은 신뢰 분위기 변이의 34%를 설명해주고 있다. 아래 표는 융합과 신뢰 분위기에 대한 질문 문항들이다. 이 연구에 의하면, 모든 사람을 즐겁게 해주려는 매니저는 조직 구성원 간의 협력 수준을 떨어뜨리는 것으로 나타났다. 클리어 리더십 모델이 없다면, 왜 이런 결과가 나왔는지에 대한 이유를 이해하기 어려울 것이다.

신뢰 분위기 연구 설문 문항과 요인 적재값

매니저에 대한 신뢰

요인 적재값	설문항목
.868	나는 직장에서 겪는 어려움에 대해 이 사람에게 거리낌 없이 말할 수 있고, 나는 이 사람이 내 말을 듣고 싶어한다는 것을 안다.
.855	대부분의 사람들, 심지어 이 사람과 가까운 친구가 아닐지라도, 이 사람을 신뢰하고 존중한다.
.833	내 문제들을 이 사람에게 말하면, 이 사람이 건설적이고 배려심 있게 반응할 것이라는 것을 나는 알고 있다.
.826	우리는 공유 관계에 있다. 우리가 생각하는 아이디어, 감정, 원하는 것을 자유롭게 공유할 수 있다.

신뢰 분위기

요인 적재값	설문항목
.846	나는 내가 속한 조직에서 동료들이 가지고 있는 스킬을 전적으로 신뢰한다.
.810	나는 내가 속한 조직에 있는 동료들이 내가 필요로 하면 언제든 나를 도와줄 것이라고 믿는다.
.791	대부분의 동료들이 하겠다고 말한 것을 실행으로 옮길 것으로 나는 믿고 있다.
.774	내가 어려움에 처하면, 내가 속한 부서 사람들이 나를 도와주려 노력할 것이라는 것을 나는 알고 있다.

명확한 자기 경계

요인 적재값	설문항목
.793	이 매니저는 스트레스 속에서도 상당히 안정적인 경향이 있다.
.785	이 매니저는 스트레스 속에서도 상당히 침착한 경향이 있다.
.686	이 매니저는 사실보다는 인식에 근거해서 의사결정을 한다.(부정질문)
.651	이 매니저는 자기가 바꿀 수 없는 일에 대해 짜증내지 않는다.
.567	때때로 이 매니저는 감정을 잘 조절하지 못하고, 생각하는 데에 어려움이 있다.(부정질문)

.551	어떤 사람과 논쟁을 할 때, 이 매니저는 문제에 대한 자신의 생각을 사람에 대한 자신의 감정으로부터 분리시키는 것 같다.

호기심 자아	
요인 적재값	설문항목
.698	이 매니저는 나를 이해하려고 한다.
.616	이 매니저는 업무 관계에 대해 이야기할 때 내 의견을 묻는다.
.593	이 매니저는 다른 사람들이 무엇을 원하는지 알고 싶어 한다.
.402	이 매니저는 자신이 다른 사람에게 어떻게 영향을 미치는지 알고 있다.

서술 자아 (부정질문)	
요인 적재값	설문항목
.794	이 매니저가 어떤 것에 관해 어떻게 느끼는지 알기 어렵다.
.692	이 매니저가 어떤 것에 관해 어떻게 생각하는지 알기 어렵다.
.606	이 매니저가 어떤 것에 관해 무엇을 원하는지 알기 어렵다.

융합	
요인 적재값	설문항목
.748	이 매니저는 '아니오'라고 말하는 것을 힘들어한다.
.743	이 매니저는 감정적인 호소에 쉽게 흔들린다.
.725	이 매니저는 모두를 기쁘게 하고 싶어한다.
.688	이 매니저는 사람에게 너무 가까이 다가가는 경향이 있다.

다른 연구에서 우리는 동료들과 함께 클리어 리더십 과정을 수료한 20명의 매니저들을 대상으로 한 인터뷰를 통해 그들이 어떻게 달라졌는지, 그런 변화가 업무 현장에서 어떻게 영향을 미쳤는지 물어보았다.[2] 우리가 깜짝 놀란 점은, 90% 이상의 매니저들이 클리어 리더십 교육에 참가한 후 업무현장에서 자신의 행동을 바꿀 수 있었다고 응답한 것이

었다. 이런 변화는 동료들에 의해서도 확인되었다. 이 결과는 교육이 실제 행동변화로 연결되는 경우가 10%도 채 안된다는 많은 연구 결과들을 감안해 볼 때, 상당히 놀랄만한 결과였다. 이 놀라운 결과를 확인하기 위해 다른 조직에 근무하는 더 많은 매니저를 대상으로도 조사를 해봤지만, 결과는 크게 다르지 않았다.[3] 이 두 연구에서 3가지 공통적인 변화가 확인되었다. 첫번째 변화는, 매니저들이 의미형성을 할 때 자신들이 만들어낸 이야기를 보다 적극적으로 확인한다는 것이었다. 두번째로 발견된 변화는, 매니저들이 자신의 경험과 다른 사람의 경험을 명확히 이해하기 위해 경험큐브를 사용한다는 것이었고, 세번째 변화는 자신들이 파트너십을 맺고 싶어하는 사람들과 자신의 경험에 대해 말하고 의견을 표현하는 것을 이전에 비해 훨씬 자유롭게 느끼게 되었다는 점이다.

두 번째 연구에서 우리는 매니저들에게 클리어 리더십 과정이 조직에 어떻게 영향을 미쳤는지에 대해 주관식으로 질문을 했다. 선택할 수 있는 답변을 미리 준비해서 주지는 않았다. 그들의 답변은 다음 페이지에 있는 도표에 정리해두었다. 흥미롭게도, 가장 많이 나온 답변은 '직원 유지율 증가'였다. 어떤 매니저들은 그들의 부서 직원들이 더 많이 행복해했고, 불만을 가지고 있는 직원들은 학습대화를 함으로써 불만을 없앨 수 있었다고 했다. 어떤 매니저들은 원하는 것을 얻지 못하게 된 직원들과 나눈 대화에 대해 답변을 했다. 자신들이 기꺼이 자아분화된 상태에서 대화했을 때 어떤 점이 달라졌는지, 얼마나 명료했는지에 대해 대답을 하면서, 심지어 직원들이 모든 것이 명료해졌다면서 고마움을 표하기까지 했다고 했다. 이에 못지 않게 흥미로운 것은 교육에 참가한 이후 회사를 떠나지 않겠다고 말한 사람들의 숫자이다(첫번째 연구에서도 비슷한 결과가 나왔다). 어떤 사람들은 조직을 떠날 생각을 하고 있다가, 교육 프로그램에 담긴 철학 때문에 생각을 바꾸어 모든 것이 명료한 조직에서 일하고 싶다는 생각을 하게 되었다고 말했다. 많은 매니저들이 대인관계 혼돈을 줄이는 것이 건강한 일터를 만들 뿐만 아니라 직원들의 사기를 높일 수 있다고 믿었다.

클리어 리더십 프로그램의 효과

아래 효과에 대해 응답한 매니저들의 비율

직원유지율 향상	38%
조직건강성 향상	32%
목표 달성	30%
협력 증진	27%
생산성 향상	27%
효율성 향상	24%
고객서비스 개선	24%

출처: R. Grossling, "클리어 리더십이 개인과 조직의 성과에 미친 영향에 대한 평가" (Simon Fraser 대학, 2006)

참고: 이 응답 결과는 가능한 효과들을 미리 제시한 후 평가하게 했다면, 훨씬 높게 나타났을 것이다.

회의개선은 조직의 효율성과 생산성 향상으로 이어진다. 몇몇 응답자들은 회의 초점이 명료해졌고 의사결정이 빨라졌다고 했지만, "대부분의 응답자들은 같은 이슈를 되풀이해서 다루지 않게 된 것이 가장 크게 달라진 점이라고 했다. 클리어 리더십 스킬을 활용하는 사람들은 이

슈에 대해 보다 잘 논의할 수 있게 되었고, 빠른 시간 안에 실행계획을 수립해서 결과를 만들어냈을 뿐만 아니라, 다른 사람들이 어떤 점에 대해 충분히 이해하지 못한다고 느낄 때는 계속해서 논의를 이어가도록 상대방에게 충분한 기회를 줄 수 있게 되었다. 참가자들은 이러한 과정이 보다 효과적일 뿐만 아니라, 장기적으로 볼 때 오히려 시간을 절약할 수 있는 방법이라고 했다. 조직의 목표달성을 지원하거나 추진할 때 도움이 된 것은 다양한 형태로 반복적으로 나타났다. 어떤 사람들은 조직의 성과를 위한 활동에 이전보다 훨씬 몰입하게 되었다고 응답했다. 또 다른 사람들은 조직이 잘 운영되게 하는 데에 자신이 한 부분을 맡게 되어서 좋았다고 했다. 많은 응답자들은 자신들이 하는 일과 조직 차원에서 내려지는 의사결정들을 구성원들이 잘 이해할 수 있도록 큰 그림과 맥락을 제시하는 것이 얼마나 중요한지에 대해 긍정적으로 평가했다.[4] 두 번째 연구에서는 95%의 응답자들이 업무 갈등을 해결하기 위해 클리어 리더십 스킬을 사용하였다고 말했다. 이는 또 하나의 놀라운 결과로서, 클리어 리더십이 갈등 관리에 미치는 영향을 내가 더 깊이 연구하게 한 계기가 되었다.

클리어 리더십과 갈등관리

또 다른 연구에서는 핵심 매니저가 사람들이 업무에서 경험하는 갈등 상황에서 어떻게 영향을 미치는지에 대해 살펴보았다. 이 연구를 통해 문제와 갈등에 대해 논의하고, 그 과정에서 나타나는 차이점을 생산적으로 관리할 수 있는 매니저들의 능력이 핵심 매니저의 융합 수준과 호기심 자아와 관계가 있다는 것을 발견하였다.[5] 핵심 매니저가 덜 융합되고 호기심을 더 많이 보일수록 함께 일하는 사람들이 갈등을 공개적이고 생산적으로 잘 다루는 것으로 나타났다.

최근에 나는 갈등을 이해하고 관리하게 해주는 새로운 접근법에 관심을 갖게 되었다. 갈등에 관한 최근의 견해들을 보면, 목표와 역할에 대한 합의가 빠졌거나 경쟁적인 이해관계가 갈등을 일으키는 주요 요인이라고 강조하고 있다. 이 접근법은 목표와 역할에 대한 정의가 공유되어야 하고, 각 이해 당사자들이 자신들의 이해관계를 만족시킬 수 있도록 갈등을 재구성할 수 있는 방법을 찾아야 한다는 점을 강조하고 있다. 클리어 리더십이 기반으로 삼고 있는 사회 구성론적 철학에 입각한 새로운 서술적 접근은 갈등이 어려운 관계를 이해할 수 있게 해주는 방법이라고 주장한다. 우리 각자는 갈등에 관한 자기만의 이야기를 갖고 있어서 일단 어떤 관계를 갈등상태라고 정의를 해버리면 우리는 그 이야기에 따라 행동하게 된다.

이러한 서술적 접근은 클리어 리더십 모델과 잘 맞는다. 나는 조직에서 사람들이 겪는 갈등의 대부분은 불편한 상호교류에 대한 의미형성을 위해 사람들이 만들어 낸 이야기들의 결과라는 가설을 제시한다. '갈등 관리'라는 말이 이 책이나 클리어 리더십 모델에 명시되고 있지 않더라도, 매니저들이 클리어 리더십 과정을 마친 후 갈등에 대해 그들이 생각하고 다루어 왔던 방식을 어떻게 변화시켰는지 살펴보았다. 교육과정을 이수한 36명의 매니저를 대상으로 인터뷰를 진행한 결과, 상당히 많은 매니저들이 갈등 관계를 다루고 생각하는 방법을 바꾼 것으로 드러났다.[6]

이 연구에서 우리는 매니저들에게 과정을 마친 후 업무에서 갈등을 어떻게 다루게 되었는지 서술해보게 했다. 그들이 갈등에 대해 어떻게 생각하며, 그 상황에서 무엇을 했고, 그래서 무슨 일이 일어났는지 서술해 보도록 했다. 우리는 그들이 질문에 답하기 위해 이해관계에 기반하여 갈등을 해결하는 심상지도(하버드대학의 로저 피셔와 윌리엄 유리 교수가 저술한 〈예스를 이끌어내는 협상법, Getting to Yes〉에 의해 대중적으로 알려진 모델)를 사용할 것으로 생각했다. 아니면 그 모델을 이야기에 기반한 갈등 모델로 대체해서 사용하거나 어떤 방식으로든 이 두 가지 모델을 혼합해서 사용했을 것으로 생각했다. 그래서 인터뷰에서 매니저들이 응답한 스크립트를 분석해 보았는데, 반갑고 놀랍게도 매니저 중 어느 누구도 순전히 이해관계만을 염두에 두고 갈등을 생각하고 있지 않았다는 것을 발견했다. 16명은 갈등과 갈등 관리법에 대해 완전히 이야기에 근거한 심상지도를 가지고 있었고, 나머지 16명은 이해관계를 중심으로 한 접근방식과 이야기에 근거한 접근방식을 혼합해서 사용했다고 했다.

이 연구를 통해 우리는 사람들이 갈등을 서술하는 패턴에 대해서도 살펴보았다. 참가자 중에서 45%에 해당하는 사람들에게서 보이는 가장 보편적인 패턴은, 갈등이 그들이 만들어 낸 이야기를 미처 확인하지 못한 사람들 간에 생긴 오해라고 보았다. 응답자 중 25%에 해당하는 사람들은 갈등을 완전히 다시 생각해 보게 되었고, 실제로는 갈등이 없었다는 결론에 이르게 되었다. 그들은 갈등을 그들이 지어낸 어떤 것이거나, 부정확한 심상지도에 의해 만들어진 결과로 새롭게 정의하게 되었다. 심지어는 각자의 이해관계를 놓고 서로 경쟁을 하기 때문에 갈등이 발생한다고 말했던 매니저들조차 갈등에 대해 그들이 지어낸 이야기들을 확인하고 명료하게 해야 한다고 생각했다. 인터뷰에 응했던 거의 모든 매니저들은 갈등이 좋은 것이라고 생각하게 되었다. 그들 가운데 30% 정도는 갈등에 대한 생각이 클리어 리더십 과정을 들은 후에 개선되었다고 말했다. 2명의 매니저만 갈등에 대해 부정적인 의견을 제시했다. 그들 중 41%의 매니저들은 다른 사람들이 자신의 생각을 명확히 표현할 수 있도록 도움을 준 것이 갈등을 해소하는데 도움이 되었다고 답했다. 나머지 65%는 클리어 리더십 스킬들을 활용하여 사람들 사이의 갈등을 해소하기 위해 실제로 중재하거나 촉진하는 역할을 했다고 답했다. 한편 32%에 해당하는 매니저들은 갈등을 해소하는데 필요한 행동을 취할 수 있도록 클리어 리더십 스킬들을 가르치려 시도했다고 답했다.

이런 결과들은 매우 놀라웠다. 협력적인 업무시스템은 조직의 상부로 이슈를 올리는 대신, 갈등상황에서 논의를 통해 해결해나갈 의지가 있는 사람들을 필요로 한다. 그렇다면 대부분의 매니저들이 배워온 이해관계에 기반한 윈윈 방식에 비해 이야기를 토대로 갈등을 해결하는 방식이 더 쉬운 것처럼 보이는 이유는 무엇일까? 내가 생각하기엔 일반적인 조직에서 근무하는 대다수 보통 매니저들은 이해관계에 집중한 접근법이 어떻게 자신에게 더 이득이 되는지 잘 모르고 있는 것 같다. 윈윈 해결안에 도달하려면 다른 사람이 중요하게 생각하는 관심사를 받아들일 방법을 찾아야 한다. 그러나 전형적인 중간 매니저들은 자신이 하는 일이나 일에 필요한 자원을 결정할 권한을 가지고 있지 않다. 그래서 그들 대부분은 제한된 자원을 가지고 서로 경쟁적으로 부딪칠 수 밖에 없는 우선순위 틈바구니에서 일을 할 수밖에 없다. 그들이 이미 수많은 다른 방향으로 끌려가고 있어서, 윈윈 결과를 만들어내기 위해 그들을 갈등해결 과정에 참여하게 해봤자 그들의 이해관계를 만족시킬 수 없다는 걸 뻔히 알면서도 고통스럽게 감수한다. 그래서 결국 그들은 갈등을 표현하지 않고 오히려 우회를 시도하는 것이다. 그러나 이야기에 근거해서 갈등을 해결하는 것은 완전히 다른 방식이다. 그들은 자신이 만든 이야기에 완전한 통제력을 갖고 있다. 단순히 이야기에 대해 말을 해 봄으로써 다른 사람들이 갖고 있는 이야기들을 잠재적으로 변화시킬 수도 있다. 만일 갈등이 자신과 상대편이 지어낸 이야기들의 결과물일 수 있다는 견해를 갖게 된다면, 약간의 노력만으로도 갈등을 해소할 수 있다. 우리가 진행했던 연구는 바로 이런 점을 보여주고 있다.

클리어 리더십 스킬을 통해 갈등이 해결되었다고 전해 들은 이야기들은 실로 가슴을 뭉클하게 한다. 그 이야기들 대부분은 상사들과 부하직원들(배우자와 자녀들도 될 수 있음) 사이의 갈등에 관한 것이지만, 때로는 큰 집단에서도 그런 갈등해결 결과를 볼 수 있었다. 특히 아래에 소개하는 이야기는 조직 전체에 미친 영향이 워낙 극적이라서 내 마음에 특별하게 남아 있다.

애닐과 캐롤은 한 지자체의 보건 서비스 조직에서 서로 다른 부서의 책임자로 일하고 있었다. 그들이 맡은 업무는 노인돌봄 서비스를 제공하는 것이었다. 한 사람은 노인 주거시설에 살고 있는 노인을 보살피는 일을 책임지고 있었고, 다른 사람은 비거주 노인을 돌보고 있었다. 이 두 사람은 수백 명의 직원들을 데리고 해당 지자체에 속한 수천 명의 노인들에게 서비스를 제공하고 있었다. 거주 노인과 비거주 노인 모두에게는 많은 종류의 서비스가 필요한 상황이었다. 그래서 이 두 사람과 각 부서 직원들은 서로 협력

해야 할 일이 많았지만, 협력은 잘 이뤄지지 않았다. 경쟁적이고 방어적인 두 사람의 관계가 크게 영향을 미쳤다. "우리 대 그들" 이라는 확고한 생각은 회의에서 분만 아니라, 메모나 보고서에도 드러났다. 두 부서의 문제는 조직 전체가 다 알 정도였다. 한 임원이 효율성과 혁신을 위해 서비스를 통합하고 조정하는 조직 개편을 강력히 추진하기 시작하면서 이 두 부서의 문제가 지자체장에게도 알려지게 되었다. 두 그룹이 함께 참여한 미팅에서 참가자들은 자신들의 입장에 몰표를 던졌다. 이로 인해 두 부서 사이에는 긴장과 갈등이 고조되었다.

애닐과 캐롤이 서로에 대해 참을 수 없어 하는 것은 곳곳에서 드러났다. 어느 정도 예의를 갖추고 대화를 할 수도 있었지만, 그들 사이의 긴장은 다른 사람에게도 숨김없이 드러났다. 지자체의 경영진들은 이 두 사람에 대해 과감한 조치를 취할 단계까지 왔다는데 의견의 일치를 보았다.

바로 이런 상황에서 애닐과 캐롤은 다른 일정으로 클리어 리더십 과정에 참여하게 되었다. 그러나 두 사람은 상대방이 이 과정에 참가하고 있다는 것을 알고 있었다. 이 무렵에 경영진들이 회의하는 도중에 이 두 부서를 재편할 필요성이 언급되었다. 두 사람은 서로 마주 보고 거의 동시에 "우리는 학습대화가 필요합니다." 라고 말했다. 그들은 커피숍으로 가서 두 시간이 넘도록 대화를 나눴다. 지난 5년동안 지속되어 온 '대인관계 혼돈'의 실태는 그렇게 풀어지기 시작했다. 대화를 나누다 보니 그들의 문제가 과거에 캐롤이 '노인 돌봄' 문제에 관한 주정부 위원회에 애닐을 지자체 대표로 참석하도록 추천하면서 시작되었다는 것이 밝혀졌다. 그때 애닐은 캐롤이 외부의 일에 발목 잡히기 싫어서 자신을 그 자리에 추천한 것으로 생각하고 무척 화를 냈다. 하지만 캐롤은 이 위원회에 참여하는 것이 자신의 경력에 도움이 되는 좋은 기회여서 본인이 참석하고 싶었는데도 불구하고, 팀플레이를 위해 자신을 희생하면서 애닐이 조직을 대표하도록 제안했었다.

두 사람은 그때까지 마음 속에 품고 있었던 혼돈을 깨끗이 털어내고, 상대방을 용서하고 받아들인 것은 물론이고, 자기 자신도 용서하고 받아들였다. 오랫동안 지속되어온 갈등과 잃어버린 기회를 만회하기 위해 앞으로 추진하고 싶은 것들에 대해 두 사람은 머리를 맞대고 논의하기 시작했다. 이들은 학습대화를 하면서 서로가 가지고 있는 이상과 비전이 같다는 것도 알게 되었다. 이후 몇 주 동안 두 사람은 두 부서를 통합하여 노인들에게 보다 효율적인 서비스를 제공할 방법에 대해 담대하고 혁신적인 아이디어를 내놓기 시작했다. 그러나 다른 사람들의 시선을 끈 것은 바로 두 부서에 근무하는 직원들 간의 상호교류에서 나타난 변화였다. 오랫동안 서로에 대해 방어와 갈등으로 대응하던 분위기가 몇 달만에 협력과 동료애로 새롭게 바뀐 것이다. 이러한 반전은 노인 돌봄 서비스를 개선한 것 뿐만 아니라, 업무의 효율성 또한 상당히 개선되는 결과로 이어졌다. 여기에 그치지 않고, 노인 돌봄 서비스의 궁극적인 개편으로 이어져, 이후 조직 전체에서 가장 성공적인 사례로 남게 되었다.

내가 가장 좋아하는 상투적 표현 가운데 하나는, 조직은 리더들의 병리적 현상을 투영한다는 것이다. 고위 관리자들이 싸울 때, 갈등은 그들이 맡고 있는 부서들로 내려간다. 협력하는 업무 시스템을 개발하고 유지하려면, 리더들 간에 진정한 파트너십 정신이 있어야 한다. 그러나 그 파트너십을 지속하고 유지하는 것은 결코 쉬운 일이 아니다.

명료성 문화 만들기

많은 컨설턴트들은 '임원팀executive teams'이라는 표현이 모순된다고 생각한다. 임원이 하는 업무의 속성상, 임원들이 팀으로서 행동하거나 생각하는 것이 어렵기 때문이다. 배리 오쉬리Barry Oshry는 이에 대해 잘 설명해주고 있다.[7] 임원이 하는 업무의 복잡성과 끊임없이 제기되는 속도 문제 때문에 임원팀은 자연스럽게 업무를 나누어서 처리한다. 그런데 각자 맡은 부문에만 초점을 맞추다 보면 서로에게서 고립된 상태에서 일을 할 수 밖에 없기 때문에 다른 임원들은 무엇을 하고 있는지 궁금해한다. 이런 상황이 되면 자연스럽게 자신과 다른 사람에 대한 이야기들을 만들어낸다. 각자의 시각에서 보면 자신이 다른 사람보다 더 많은 일을 하는 것처럼 보인다. 그래서 임원팀에 속한 임원들은 자신이 다른 임원들로부터 충분히 존중받지 못한다고 느끼게 되고, 그들 간의 신뢰는 점점 떨어지기 시작한다. 그들이 조직의 서로 다른 부문에서 각 부문에 맞춰서 일을 하기 때문에 자연스럽게 조직이 가야 할 방향에 대한 생각도 다를 수 밖에 없다. 이런 차이로 인해 갈등이 생기면, 원인을 대인관계 혼돈과 임원팀에 영향을 미치는 시스템의 역동성 차원에서 살펴보지 않고, 임원 개인의 성향 문제로 돌리게 된다. 그 결과 임원팀 안에서 파트너십에 대한 의식은 무너지고 만다.

조직의 최고위층에 진정한 파트너십이 없다면 조직 내 다른 어떤 곳에도 파트너십은 없다. 그렇기때문에 조직 전체에 명료성 문화를 구축하려면 먼저 임원팀에서부터 시작해야 한다. 임원팀이 새로 구성되었을 경우에는 혼돈을 없애고 파트너십을 형성할 수 있는 프로세스와 구조부터 구축해야 한다. 임원팀이 이미 구축되어 있는 경우라면, 임원팀에 필요한 파트너십 정신을 재구축하기 위해서 혼돈을 제거하는 작업을 반드시 해야 한다. 클리어 리더십 스킬들을 사용하지 못하거나, 사용할 의사가 없는 임원들은 교체되어야 한다. 가혹한 말이 될 수 있지만, 극단적으로 융합되거나 극단적으로 단절되어 있는 임원, 다른 사람들과 파트너십을 구축하는 데 관심이 없는 임원들은 명료성 문화를 구축할 수 없다. 다른 사람들을 괴롭히고 겁주는 임원이 단 한 명이라고 해도, 그 한 사람은 얼마든지 조직 전체를 망가뜨릴 수 있다.

조직에서 명료성 문화를 구축하는 합리적인 방법은 클리어 리더십 스킬을 고위 경영진부터 먼저 가르친 후 조직의 하부로 전파하여 조직 안에 존재하는 혼돈을 제거해 나가는 것이다. 하지만 불행히도 현실은 이런 방식으로 일어나지 않는다. 보다 많은 조직들은 중간 매니저들이 리더십 경험을 쌓게 할 목적으로 클리어 리더십 과정에 참여하게 한다. 그런데 이들은 고위 임원들이 클리어 리더십 원칙을 지지해줄 수 있을지 확신하지 못한다. 몇 년이 지난 후 고위 임원들이 과정을 이수하고 나면, 파트너십과 명료성을 지원하는 정책과 절차의 집행이 가속화된다. 솔직히 말해서, 나는 하나의 교육 프로그램이 그렇게 큰 영향력을 가질 수 있다는 것에 놀랐다. 내가 받은 교육이나 과거의 경험과 연구결과를 보면, 하나의 교육과정으로 실제적인 변화를 기대하는 것은 어려웠다. 그러나 클리어 리더십 과정을 이수한 매니저들이 속한 기업들에서는 조직행동이 실제로 달라진 것이다. 나는 지금 조직의 성과에 영향을 주는 데 필요한 조직 행동의 변화 규모를 과학적으로 파악하는 연구를 진행 중에 있다.

클리어 리더십 교육을 전파하기 위해 내가 한 연구에 의하면, 사람을 이끄는 방식을 바꾸는 것이 스킬을 개발하는 것 못지 않게 조직문화의 변화에 영향을 주는 것으로 드러났다.[8] 리더로서 우리가 하는 행동은 우리가 운영하고 있는 조직 문화에 의해서 어느 정도 결정된다. 문화를 한 집단이 공유하고 있는 일련의 가정이라고 정의를 하면, 대부분의 조직들은 리더가 어떻게 행동해야 할지에 대해 집단적으로 공유하는 가정들을 가지고 있다는 것이 분명해진다. 만일 리더가 사람들을 이끄는 방식을 바꾸고 싶다면, 당신은 그 방식에 대한 가정부터 바꿔야 한다. 그러나 문화를 바꾸는 일은 그저 새로운 가정들이 어떻게 변화되기를 바라는가에 대한 목록을 만드는 것보다 훨씬 어려운 일이다. 임원그룹에 의해 개발된 가치를 토대로 새로운 조직 문화를 구축하려는 시도들을 연구해 본 결과, 이러한 노력들은 전형적인 실패로 끝났을 뿐만 아니라, 의도하지 않았던 심각한 결과를 초래한 경우가 대부분이었다. 예를 들어, 이라크에 민주주의를 정착시키려는 시도를 하겠다는 말을 생각해보면 무슨 말인지 쉽게 이해가 될 것이다.

우리가 클리어 리더십 교육을 전파하는 데 대해 연구를 했을 때, 스킬을 사용하려는 사람들에게 가장 크게 장애가 된다고 밝혀진 요소는, 그들이 하려는 것을 다른 사람들이 받아들일 수 없을지도 모른다는 두려움이었다. 그들은 무시당하지나 않을까 두려워했다. 특히 클리어 리더십에서 사용하는 언어가 익숙하지 않은 사람들을 난처하게 하지는 않을지 걱정을 했다. 다시 말해서 클리어 리더십 스킬을 사용하는 것이 조직의 문화적 규범을 어기는 것은 아닌지 걱정을 한 것이다. 반면에, 클리어 리더십 교육이 원활하게 전파되었던 경우는, 스킬을 성공적으로 활용하는 것을 보았거나, 상사가 클리어 리더십 과정을 들었거나, 클리어 리더십 과정을 마친 사람들과 함께 동료를 코칭하는 기회를 가질 수 있었을 때였다. 티핑 포인트는 핵심 매니저가 얼마나 강력하게 클리어 리더로 활동하는가, 그리고 얼마나 많은 매니저들이 이 과정을 마쳤는가에 달려 있었다. 조직이 티핑 포인트에 이르면, 사람들이 서로 교류하는 방식에 변화가 일어난다. 사람들은 경험큐브를 사용하기 시작하고, 이를 통해 명료성이 높아진다. 회의에서 초점이 어긋나기 시작하면, 회의 리더는 참가자들이 경험큐브에 따라 돌아가면서 '지금 여기' 현시점의 경험을 서로 나눌 수 있는 대화를 시도하게 한다. 소그룹에서는 다른 사람들에 대한 소문과 의미 형성이 더 이상 용인되지 않는다. 사람들은 다른 사람들과 자신들이 만들어 낸 이야기를 확인하려고 한다. 매니저들과 부하 직원들은 파트너십 관계를 점점 더 많이 만들어낸다. 공동 프로젝트와 프로세스에서 서로가 지켜야 할 약속을 확인하며, 프로젝트에서의 경험을 나눌 수 있는 의사소통 채널을 열어 두려고 노력한다.

클리어 리더십 교육을 통해 명료성 문화를 만들려면, 가급적 빠른 시간 내에 가능한 많은 사람들이 과정을 마치게 해서 조직문화에 대한 개입을 지원할 필요가 있다. 사람들과 파트너십, 그리고 리더십과 우리가 서로를 대하는 방식에 대해 가지고 있는 가정들을 어떻게 바꿀 수 있을까? 모든 사람이 서로 다르게 경험한다는 것을 어떻게 받아들이게 할 수 있을까? 현재 진행되고 있는 모든 의미형성에 대해 이야기하고 탐구하는 것을 어떻게 허용할 수 있을까? 자신이 원하는 것을 다른 사람에게 말할 때, 그것을 얻을 것이라 기대해서는 안 된다는 것을 어떻게 이해시킬 것인가? 어떻게 하면 학습이 리더십 역량을 나타내는 표시가 되게 할 수 있을까? 이런 것들을 하게 해줄 방법들이 많이 있지만, 그것에 대해 설명하는 것은 이 책의 범위를 넘어서는 일이다. 나는 다만 clearlearning.ca 사이트에서 다운로드 받을 수 있는 기사 하나를 소개하면서 마치려고 한다. 이 기사는 팔로머 헬스Palomar Health라는 조직의 CEO가 이끄는 변화 여정에서 클리어 리더십을 활용하여 이 남부 캘리포니아 의료 서비스업체의 직원 몰입도 수치를 61%에서 91%로 높인 사례를 다루고 있다. 이 사례는 3년에 걸쳐 프레스 가니Press Ganey사가 조사해서 발표한 것이다.

주석

들어가는 말

1. 나는 파트너십에 대한 이 같은 정의를 배리 오쉬리(Barry Oshry), Power & Systems Inc.의 창립자를 통해 발전시켰기에 그에게 감사를 전하고 싶다. 그는 "Seeing systems: Unlocking the mysteries of Organizational Life, 2nd ed."(San Francisco: Berrett-Koehler, 2007)의 저자이다.

2. 나는 경험을 이와 같이 생각하는 방식을 론 쇼트(Ron Short)와 존 러니언(John Runyon)에게 배웠다. R. Short, "A special kind of Leadership:The key to learning organizations" (Seattle: The Leadership Group, 1991) 참고.

3. 비판이론에 조예가 있는 독자들은 이 부분에서 위르겐 하버마스(Jurgen Haber-mas)의 영향을 발견할 것이다. J. Habermas, "The theory of Communi-ca-tive Action, Volume 1"(Boston: Beacon, 1984) 참고.

1장

1. K. Weick, Making Sense in Organizations (Thousand Oaks, CA:Sage, 1995).

2. E. Jaques, Requisite Organization (Arlington, VA: Cason Hall & Co. 1989).

3. S. Taylor and J. Brown, "Illusions andWell-Being: A Social Psychological Perspective on Mental Health," Psychological Bulletin 103(1988): 193-210.

4. D. Q. Mills, Rebirth of the Corporation (New York: Wiley, 1991).

3장

1. Family Systems Therapy'에 대한 머레이 보웬(Murray Bowen)의 연구를 토대로 발전시킨 것이다. M. Bowen, "Family Therapy in Clinical Practice (New York: Aronson, 1978) 참고. 내가 생각하는 융합과 단절은 보웬의 생각과는 약간 다르다. 예컨대, 그는 사람의 특성으로 융합(fusion)'을 설명하고 있으나, 나는 교류의 특성으로 보는 경향이 높다. 그러나 나는 이 용어를 사용함으로써 보웬에게 지적인 영향을 받았다는 것을 인정한다.

4장

1. J. Harvey, The Abilene Paradox and Other Meditations on Management (San Francisco: Jossey-Bass, 1988).

5장

1. P. Senge, The Fifth Discipline (New York: Doubleday Business, 1994).

2. K. Weick, The Social Psychology of Organizing (Reading,MA: Addison-Wesley, 1969).

3. C. Argyris and D. Sch?n, Theory in Practice (San Francisco: Jossey-Bass, 1974).

4. 위의 책.

6장

1. 교류들을 나타내는 데 있어서 좌측 칼럼, 우측 칼럼' 접근방법은 크리스 아지리스 (Chris Argyris)와 도널드 숀(Donald Schon)이 사람들의 방어적 추론을 깨우치게 하는 데 도움을 주기 위해 개발한 것이다.

7장

1. 내가 이것을 알게 된 것은, 샘 컬버(Sam Culber)의 책 "Mind-set management: The heart of leadership" (New York: Oxford University Press, 1996)을 읽으면서였다. 이 책에서는 이 프로세스를 the artifact of mind insight' 라고 부른다.

2. G. Kaufman, The Psychology of Shame (New York: Springer, 1996).

3. 위의 책.

4. 마주하기(Confrontation)에 대한 나의 생각은 "Modern American College"(W. Chickering 편저; New York, Random House, 1981)라는 책에 실린 빌 토버트(Bill Torbert)의 'Interpersonal Competence에서 영향을 받았다.

5. 개인적인 지도들을 이해하고, 영향을 미치는 것에 대한 보다 자세한 것은, 컬버트 (Culbert)의 "Mind-set management"를 참고하라.

8장

1. D. L. Cooperrider and D. Whitney, "A Positive Revolution in Change: Ap-preciative Inquiry," in Appreciative Inquiry: An Emerging Direction for Organization Development, ed. D. L. Cooperrider, P. F. Sorensen, Jr., T. F. Yaeger, and D. Whitney (Champaign, IL: Stipes, 2001).

2. G. Homans, Social Behavior (New York: Harcourt, Brace &World, 1961).

3. D. Eden, Pygmalion in Management (San Francisco: Jossey-Bass, 1990).

4. 이 부분은 제키 켈름(Jeckie Kelm)의 연구에서 영향을 받았다. "Appreciative

living" (Wake Forest, NC: Venet, 2005) Z.

5. 이러한 변화과정에 대한 아이디어는 수년간에 걸쳐 톰 피트먼(Tom Pitman) 과의 오랜 협력을 통해 발전되어 왔다. G. R. Bushe and T. Pitman, "Appreciative Process: A Method of transformational change" Organization Development Practitioner 23, no. 3(1991) 참고.: 1-4; G. R. Bushe and T. Pitman, "Performance amplification: Building a strength-based organization," Appreciative Inquiry Practitioner 7, no. 4(2008).

6. 나는 이 책의 초판에서 칭찬을 동한 자아개발에 관한 코헛(Kohut)의 통찰들에 관해 기술했었다. 그에 관한 내용이 다음 글에도 담겨 있다. G. R. Bushe, "Praise and Blessing: The function of the leader archetype," Appreciative Inquiry Practitioner 5, no. 4(2005): 41-43.

7. W. Baker, R. Cross, and M. Wooten, "Positive Organizational Network Analysis and Energizing Relationships," in Positive Organizational Scholarship, ed. K. S. Cameron, J. E. Dutton, and R. E. Quinn (San Francisco: Berrett-Koehler, 2003), 328-42.

9장

1. 긍정 탐구 (Appreciative Inquiry)에 관한 보다 많은 정보와 추가적인 링크들을 보려면 www.gervasebushe.ca 사이트를 방문하기 바란다.

2. R. Fisher, W. Ury, and B. Patton, "Getting to Yes" (New York: Penguin, 1991).

3. Oshry, "Seeing Systems: Unlocking the Mysteries of Organizational Life."

4. 나는 이 아이디어를 제안해 준 헤더 파크스(Heather Parks)에게 감사를 표하고 싶다.

결론

1. F. Heller, E. Pusic, G. Strauss, and B. Wilpert, Organizational Partic-

ipation: Myth and Reality (London: Oxford, 1998); and J. Weiss and J. Hughes, "Want Collaboration?" Harvard Business Review 83, no. 3 (2005): 93-102 Z.

부록

1. N. Chan, "Effects of Differentiated Leadership on Trust in the Workplace" (MBA thesis, Simon Fraser University, 1999).

2. Y. Kanyu, "Leadership Development Training Transfer: A Case Study Assessment of Exterior Post-Training Factors of a Year-Long Leadership Development Program" (MBA thesis, Simon Fraser University, 2003).

3. R. Grossling, "Evaluating Clear Leadership's Impact on Individual and Organizational Performance" (research report, Simon Fraser University, 2006).

4. 위의 글, 8.

5. M. Radomski, "The Effect of Differentiated Leadership on Conflict Management Climate" (MBA thesis, Simon Fraser University, 2000).

6. G. R. Bushe and R. Grossling, "Engaging Conflict: The Impact of Clear Leadership Training on How People Think About Conflict and Its Management" (research report, Simon Fraser University, 2006).

7. Oshry, Seeing Systems: Unlocking the Mysteries of Organizational Life.

8. Y. Gilpin-Jackson and G. R. Bushe, "Leadership Development Training Transfer: A Case Study of Post-Training Determinants, Journal of Ma-nagement Development 26, no. 10 (2007): 980-1004.

참고 문헌

Argyris, C., and D. Schön. Theory in Practice. San Francisco: Jossey-Bass, 1974.

Baker, W., R. Cross, and M. Wooten. "Positive Organizational Network Analysis and Energizing Relationships." In Positive Organizational Scholarship, ed. K. S. Cameron, J. E. Dutton, and R. E. Quinn. San Francisco: Berrett-Koehler, 2003, 328-42.

Bowen, M. Family Therapy in Clinical Practice. New York: Aronson, 1978.

Bushe, G. R. "Praise and Blessing: The Function of the Leader Archetype," Appreciative Inquiry Practitioner 5, no. 4 (2005): 41-43.

Bushe, G. R., and R. Grossling. "Engaging Conflict: The Impact of Clear Leadership Training on How People Think About Conflict and Its Management." Research report, Simon Fraser University, 2006.

Bushe, G. R., and T. Pitman. "Appreciative Process: A Method for Transformational Change," Organization Development Practitioner 23, no. 3 (1991): 1-4

Bushe, G. R., and T. Pitman. "Performance Amplification: Building a Strength-Based Organization," Appreciative Inquiry Practitioner 7. no. 4 (2008).

Chan, N. "Effects of Differentiated Leadership on Trust in the Workplace." MBA thesis, Simon Fraser University, 1999.

Cooperrider, D. L., and D. Whitney. "A Positive Revolution in Change: Appreciative Inquiry." In Appreciative Inquiry: An Emerging Direction for Organization Development, ed. D. L. Cooperrider, P. F. Sorensen, Jr., T. F. Yaeger, and D.Whitney. Champaign, IL: Stipes, 2001.

Culbert, S. Mind-Set Management: The Heart of Leadership. New York: Oxford University Press, 1996.

Eden, D. Pygmalion in Management, San Francisco: Jossey-Bass, 1990.

Fisher, R.,W. Ury, and B. Patton. Getting to Yes. New York: Penguin, 1991.

Gilpin- Jackson, Y., and G. R. Bushe. "Leadership Development Training Transfer: A Case Study of Post-Training Determinants," Journal of Mana-gement Development 26, no. 10 (2007): 980-1004.

Grossling, R. "Evaluating Clear Leadership's Impact on Individual and Organi-zational Performance." Research report, Simon Fraser University, 2006.

Habermas, J. The Theory of Communicative Action, vol. 1. Boston: Beacon, 1984.

Harvey, J. The Abilene Paradox and Other Meditations on Management. San Francisco: Jossey-Bass, 1988.

Heller, F., E. Pusic, G. Strauss, and B. Wilpert. Organizational Participation: Myth and Reality. London: Oxford, 1998.

Homans, G. Social Behavior. New York: Harcourt, Brace & World, 1961.

Jaques, E. Requisite Organization, Arlington, VA: Cason Hall & Co., 1989.

Kanyu, Y. "Leadership Development Training Transfer: A Case Study Asses-sment of Exterior Post-Training Factors of a Year-Long Leader-ship Devel-opment Program." MBA thesis, Simon Fraser University, 2003.

Kaufman, G. The Psychology of Shame. New York: Springer, 1996.

Kelm, J. Appreciative Living. Wake Forest, NC: Venet, 2005.

Mills, D. Q. Rebirth of the Corporation. New York: Wiley, 1991.

Oshry, B. Seeing Systems: Unlocking the Mysteries of Organizational Life, 2nd ed. San Francisco: Berrett-Koehler, 2007.

Radomski, M. "The Effect of Differentiated Leadership on Conflict Man-agement Climate." MBA thesis, Simon Fraser University, 2000.

Senge, P. The Fifth Discipline. New York: Doubleday Business, 1994.

Short, R. A Special Kind of Leadership: The Key to Learning Organiza-tions. Seattle: The Leadership Group, 1991.

Taylor, S., and J. Brown. "Illusions and Well-Being: A Social Psychological Perspective on Mental Health," Psychological Bulletin 103 (1988): 193-210.

Torbert, B. "Interpersonal Competence." In The Modern American Col-lege, ed. W. Chickering, New York: Random House, 1981, 172-90.

Weick, K. The Social Psychology of Organizing. Reading, MA: Addi-son-Wesley, 1969.

Weick, K. Making Sense in Organizations. Thousand Oaks, CA: Sage, 1995.

Weiss, J., and J. Hughes. "Want Collaboration?" Harvard Business Review 83, no. 3 (2005): 93-102,